KB022646
CHAPTER
1
『Re;Birth3 V CENTURY』
VISUAL

일반판 패키지 일러스트

한정판 패키지 일러스트

점포 특전 일러스트
이마진 · 이마진WEB숍
A1사이즈 천 포스터

일러스트: 마나미츠

점포 특전 일러스트
크레스트 타카라지마 · 파피루스 · 게임아크
극세사 헝겊

일러스트: 마나미츠

점포 특전 일러스트
ebten(에비텐)
B2태피스트리

일러스트: 히라노 카츠유키

점포 특전 일러스트
소프맵
B2태피스트리

일러스트: 아시베 사토

점포 특전 일러스트
WonderGOO
특대 태피스트리

일러스트: 아시베 사토

점포 특전 일러스트
트레이더
한정판: B2태피스트리 / 일반판: 전화카드

일러스트: 히라노 카츠유키

오프닝 테마곡 콜라보 음반 재킷 일러스트 일러스트: 히라노 카츠유키 (「nao prismatic infinity carat.ii 5pb.짱 Live 상품」
FVCG-1329 / 가격: 5,500엔+세금 / 발매: 5pb. / 판매: 주식회사 KADOKAWA 미디어팩토리)

엔딩 테마곡 콜라보 음반 재킷 일러스트 일러스트: 히라노 카츠유키(「아이돌칼리지 트루엔드 플레이어 네푸콜라보판」
POCS-1191 / 가격: 1,574엔+세금 / 발매: Stand-Up! Records / 판매: 유니버설뮤직 합동회사)

이벤트 CG · 네프기어

이벤트 CG · 신체검사

● EVENT CG

이벤트 CG · 아이리스&옐로

이벤트 CG · 예약특전「네푸니케~이션」웨딩 네푸

한정판 러프 : 패키지

한정판 러프 : 미공개 패키지

이 책용 프루루트 수영복 세트 삼면도

번개의 가호를 담은 물방울 무늬 원피스 타입 수영복.
밀짚모자도 포함된다.

전격PlayStation용 넵튠 수영복 세트 삼면도

번개의 가호를 담은 전격PS와의 콜라보 수영복.

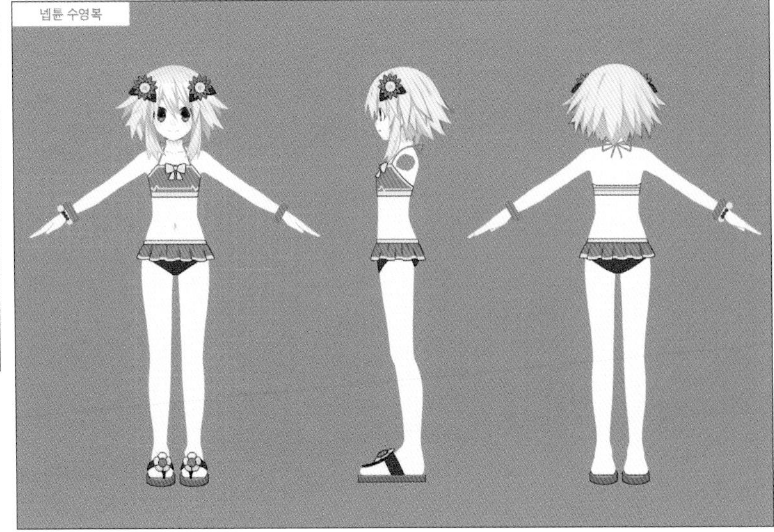

『V』의 프루루트 수영복 세트 삼면도

라벤더색 물방울 모양의 원피스 타입 수영복.
유료 DLC.

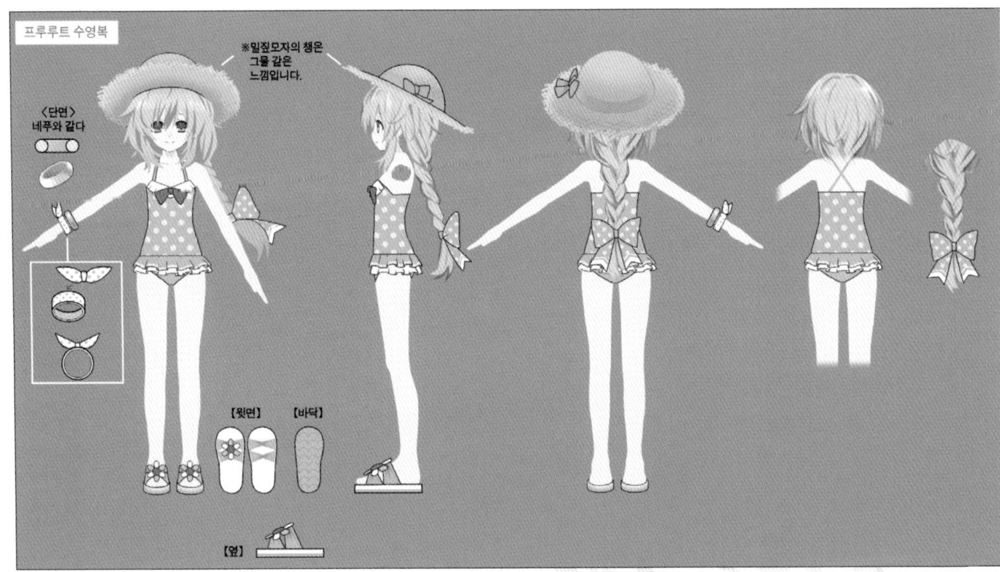

프로세서·스위트 삼면도

여신 공통 장비. 무심코 먹어버리고 싶을 정도로 맛있어 보이는 간식 모양을 한 프로세서 유닛.

프로세서·스윔 삼면도

여신 공통 장비. 계절에 상관없이 수영하고 싶어지는 프로세서 유닛.

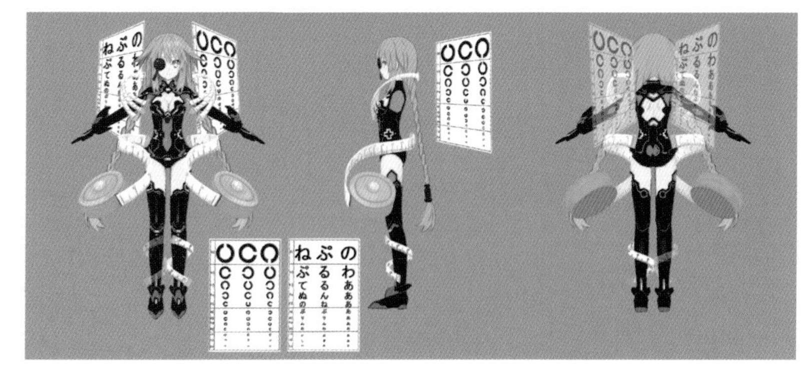

프로세서/신체검사 삼면도

여신 공통 장비. 신체검사 도구가 모티브인 프로세서 유닛. 이걸로 여신들을 마음껏 재어 보자☆

한정판 동봉 UNLIMITED VS 시리즈 「트레이딩 카드 게임 넵튠 UNLIMITED VS」 스페셜 카드

UNLIMITED VS 시리즈 「넵튠 TCG 부스터팩 Vol.1」.

바모

자칭 소설 게임업계의 톱으로 리그의 언니. 다양한 책략으로 게임업계를 정복하려 한다.

리그

언니 바모와 함께 암약하는 자칭 소설 게임업계의 리더. 항상 언니와 말다툼한다.

한정판 동봉 「퍼플 하트」 그라피그

그라피그는 그래픽 디자인과 피규어가 융합한 사각 디포르메 캐릭터를 말하는 것으로, 접착용 풀이나 가위를 사용하지 않는 페이퍼 토이.
기획협력: 코스파
콘셉트디자인: NC제국 www.ncempire.net
Illustration by 코후유 유키히로

넵튠&퍼플 하트

프루루트&아이리스 하트

느와르&블랙 하트

블랑&화이트 하트

벨&그린 하트

네프기어&퍼플 시스터

트위톡
메인캐릭터(신차원)

아이에프

컴파

피셰&옐로 하트

이스투아르

느와르

블랑

벨

아이에프

컴파

트위톡
메인캐릭터(초차원)

유니

롬

람

이스투아르

트위톡
주요 서브캐릭터

카쿠네코 | 건방진 용사 | 카케루 | 사케코(미래) | 사케코(과거) | 실황씨

카메코 | 캥거루 | 플라네튠 교회 직원 | 네프기마 | 네프코님 FC 회장 | 네프코님 FC 부회장

베테랑 크리에이터 | 매뉴얼씨 | 와레츄 | 치바씨 | 하얀 어둠의 잔재 | 돋보기짱

모바일러 | 라면 라이터 | 에로헤이 | 라스테이션 교회 직원 | 슬레이어 | 덴게키코짱

폴리탄 | 린박스 교회 직원 | 중견 모험가 | 텐·바이어 | 낼름리스트 | 경찰 같은 사람

소환부장 이자와 | 마법소녀 | 르위 교회 직원 | 코타츠짱 | 피난셰 | 마제콘 마마

마제콘 초등학생 | 르위 시민 | 르위 첩보원 | 무희씨 | 스텔라 | 펠리스

CHAPTER
2
「V」
VISUAL

KEY VISUAL

『신차원게임 넵튠V』의 서적과 상품 등에 사용된 일러스트를 게재.

『신차원게임 넵튠V 더 비주얼 컴플리트 가이드』 커버용 일러스트

P.021

Maker's Comment (※)
「함께 가자!」라고 말하는 느낌의 일러스트입니다. 옐로는 적이지만, 밝은 것이 더 그녀다운 것 같군요. (츠나코)

전격PlayStation 표지용 일러스트

P.022

Maker's Comment
모두 다 빅토리. 마지막에는 표제 지용으로 그렸던 퍼플도 들어가게 되어 굉장히 북적이는 표지가 됐습니다! (츠나코)

전격PlayStation 기사 표제지용 일러스트

P.023

Maker's Comment
퍼플도 표지에 넣었으면 좋겠다는 주문이 있었지만, 전부 다 넣을 수 없다고 생각해 표제지용으로 그렸습니다. (츠나코)

신한정판 패키지 일러스트

P.024

Maker's Comment
또 하나의 세계로 떨어져가는 네푸 (포즈를 취하면서)라는 이미지입니다. (츠나코)

일반판 패키지 일러스트

P.025

Maker's Comment
『V』의 메인 이미지 일러스트. 구성에 시행착오를 겪다가 2주는 걸렸던 것 같습니다. (츠나코)

캐릭터 송 재킷 일러스트 1~3

Maker's Comment
사이좋은 자매를 표현하고자 그렸습니다.
캐릭터 송은 전부 다 정말 좋은 곡입니다! (츠나코)

1 P.026

2 P.027

3 P.028

「ebten」 구입 특전 일러스트

P.029

「WonderGoo」 구입 특전 일러스트

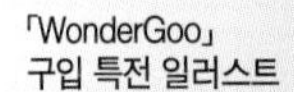

P.030

「게임아크」 구입 특전 일러스트

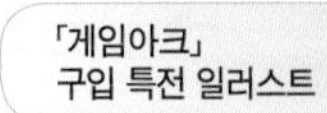

P.031

「이마진」 구입 특전 일러스트

P.032

「소프맙」 구입 특전 일러스트

P.033

※츠나코 : 캐릭터 디자이너. 대표작은 『넵튠』 시리즈. / 나카지마: 나카지마 모토유키. 아트디렉터. 대표작은 『넵튠』 시리즈. / 토이: 그래픽디자이너. 대표작은 『넵튠』 시리즈.

NEPTUNE

2003 2004 2005

EVENT CG

DLC를 포함한 이벤트 발생 시에 볼 수 있는 여신들의 CG 27점+α를 수록!

떨어진 넵튠

Maker's Comment

떨어지는 장면도 그리고 싶었지만, 그쪽은 3D 이벤트로 표현됐기 때문에 만족했습니다. 산뜻한 그림으로 보이는 척하고는 느와르. (츠나코)

P.036

다른 버전

뒹굴뒹굴

Maker's Comment

1편 엔딩 CG를 의식하기도 안 하기도……. 네프기어가 친구 엄마 같은 상태네요. (츠나코)

P.037

작은 잇승

Maker's Comment

게임 중에 서있는 모습의 그림에서는 얼굴이 작아지기 때문에 조금 크게 표시됩니다만, 사실 손바닥 사이즈입니다. (츠나코)

P.038

아이리스 하트 등장

P.039

다른 버전

Maker's Comment

악역 같은 얼굴을 그리는 것은 즐겁습니다. 와레츄의 꼬리가 늘어났네요. (츠나코)

여신화!

Maker's Comment

변신 히로인 작품에선 빠질 수 없는 동시 변신……과 같은 이미지입니다. 느와르의 텐션이 높습니다. (츠나코)

P.040

셋이 함께 목욕

Maker's Comment

거품이 둥실거리거나, 살짝 흔들리기도 하니 꼭 게임에서 봐주셨으면 하는 CG입니다. (츠나코)

P.041

느와르와 블랑

Maker's Comment

자주 충돌하는 두 사람. 네프데라 디렉터는 회의할 때 블랑의 목덜미와 겨드랑이가 중요하다고 말하더군요. (츠나코)

P.042

공개 생방송

Maker's Comment

누가 악당인지 알 수 없습니다! 게임 중에선 아쿠다이진이 실제로 벌벌 떨지요. (츠나코)

P.042

숨겨둔 아이 발각?!

Maker's Comment

유치원 선생님 같은 느낌이 됐습니다. 컴파가 보고 있는 그림책의 삽화는 자사의 모 타이틀입니다. (츠나코)

P.043

트라우마

Maker's Comment

아이에프에게 ○○○○의혹이 발생한 장면. 이 그림에서 아이리스는 악역이 아니라 섹시 담당이네요. (츠나코)

P.044

떨어진 네프기어

Maker's Comment

언니를 만나 기뻐하는 네프기어입니다. 감동의 재회로 보이는 척하면서 느와르.

P.045

다른 버전

울보 벨 씨

Maker's Comment

벨 씨는…… 표제에서도 「씨」가 붙는다! 이 장면은 상단 컷인이 오들오들 움직이는 것이 재밌습니다. (츠나코)

P.046

P.046

옐로 하트 등장

Maker's Comment

여러모로 흔들리게 만드는 게 힘들었던 CG. 2번 있는 일은 3번 있으니 느와르. (츠나코)

P.047

P.047

옐로 하트의 정체

Maker's Comment

알면서도 모르는 척하는 것이 철칙입니다! 패배가 애처롭게 보이지 않도록 주의해서 그렸습니다. (츠나코)

P.048

추억

Maker's Comment

추억 5종 세트는 『V』에서 꼭 봐주셨으면 하는 이벤트 중 하나입니다. 프루룽이 평범하게도 온화한 것이 은근 중요. (츠나코)

P.048

어느 날의 한 컷

Maker's Comment

여신이 진지하게 작전 회의를 하는 중요한 장면입니다(일부는 평소대로 영업). (츠나코)

P.049

검은 빛을 흡수한 프루루트

Maker's Comment

섹시한 표정이라든가 흔들림을 생각하고 있었는데 꽤 진지한 장면이었습니다. (츠나코)

P.050

네프스테이션!

Maker's Comment

첫 공개용으로 러프를 그렸더니 채용 된 CG입니다. 인물들이 왁자지껄한 일러스트는 그리는 것이 즐겁습니다.

P.050

처음부터 사이좋게

Maker's Comment

이제야 성장한 아이짱과 컴파를 그릴 수 있었습니다. 떠들썩하지만 조금 슬픈 엔딩입니다. (츠나코)

P.051

역시 뒹굴뒹굴

Maker's Comment

원래 세계로 함께 돌아왔지만 역시나 일하지 않는 두 사람. 사내에선 네프기어 씨에 대한 취급이 찬성과 반대로(?) 나뉘었습니다. (츠나코)

P.052

P.052

모두, 계속, 함께

Maker's Comment

모두 계속 사이좋은 친구였으면 좋겠네요. 제대로 모두 다 있을 터…… 있을 터. (츠나코)

P.053

벨 씨의 아이돌 프로듀스 제1화 ~넵튠×네프기어 편~

P.054

벨 씨의 아이돌 프로듀스 제2화 ~느와르×유니 편~

P.055

벨 씨의 아이돌 프로듀스 제3화 ~롬×람 편~

P.056

LIVE

느와—
느와—

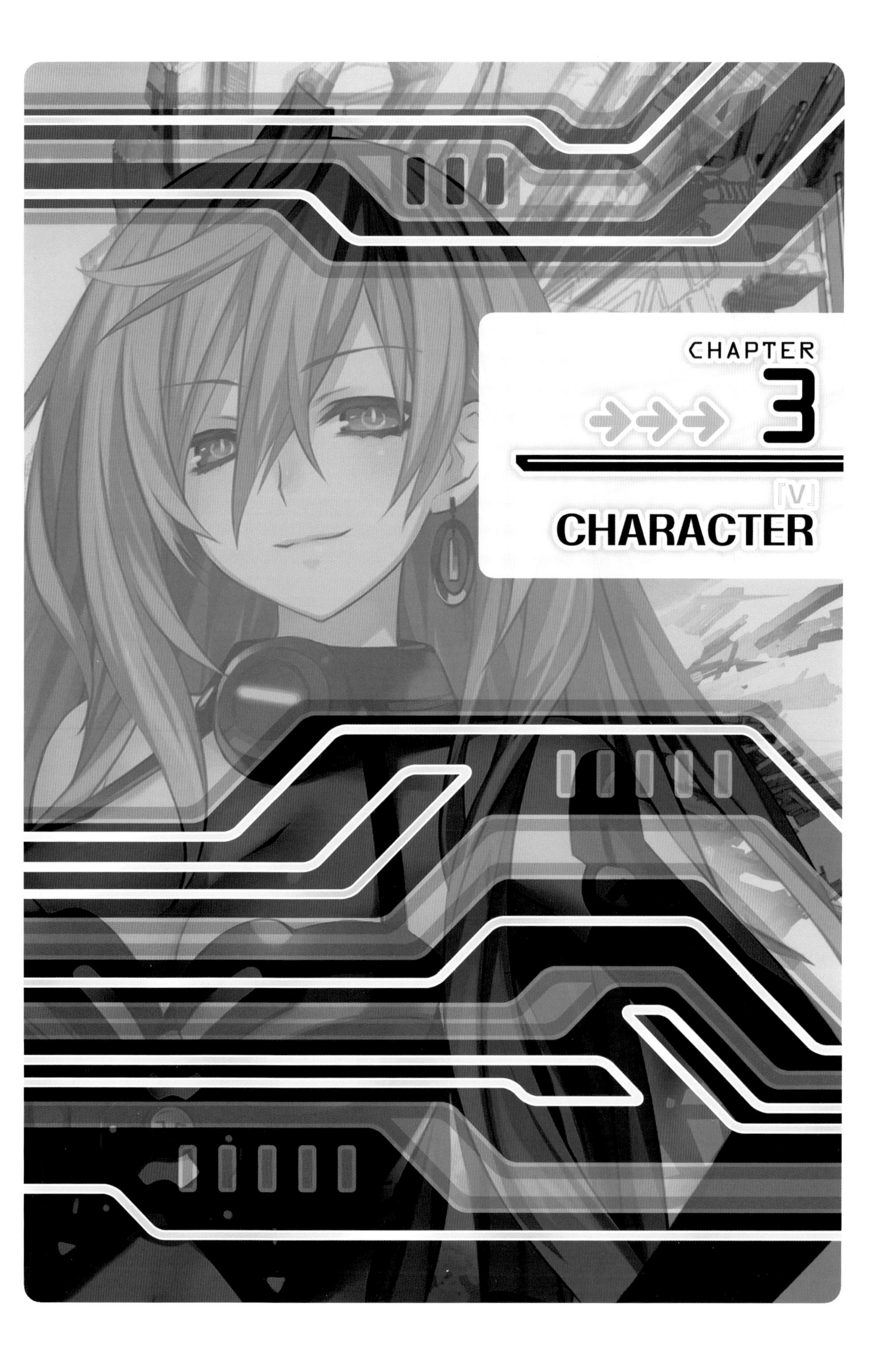
CHAPTER
3
「V」
CHARACTER

여신

넵튠

CV : 타나카 리에

좋았어! 일번 넵튠! 나갑니다.

Profile

출신	◆	플라네튠
취미	◆	즐거운 일 대부분
특기	◆	여신화하면 커진다. 친구 만들기.
고민	◆	네프기어에게 제대로 언니다운지.
좋아하는 것	◆	네프기어, 푸딩처럼 달콤한 것
좋아하는 게임	◆	게임 대부분(고전 게임도 좋아함)

플라네튠의 여신으로 밝고 떠들썩한 성격이라 주변으로부터 귀찮게 생각되는 경우도 있지만, 신기하게도 미움을 사는 일은 없다. 타고난 주인공 성질이기 때문에 대부분의 일을 노력하지 않아도 해내고 좋은 일이 일어나는 경우도 많다. 여동생인 네프기어보다 키가 작고 어려 보이는 생김새라 반대로 여동생으로 보이는 일도 있다. 여신화하면 신장과 체형이 어른스럽게 변하며 성격도 쿨하게 변한다.

변신후

퍼플 하트

……후우, 오랜만이네.
이 모습이 되는 건.
아니, 저쪽과는 조금 다른가?

Maker's Comment

얼굴, 머리, 뇌파 컨트롤러가 있으면 넵튠이 되지만, 바탕 이미지가 강해서 스태프가 납득할만한 의상 디자인을 만들기 위해 고생했습니다. 결국엔 어떻게든 「새로운 넵튠이 완성됐나?」 하고 생각합니다. (츠나코)

여신

프루루트

CV : 하나자와 카나

사이좋게 지내주지 않으며언, 나, 화낼지도~..

Profile

출신	◆	플라네튠
취미	◆	낮잠
특기	◆	인형 만들기
고민	◆	딱히 없음
좋아하는 것	◆	인형, 귀여운 여자아이
좋아하는 게임	◆	딱히 없음

Maker's Comment

변신 전후가 넵튠에게 지지 않을 정도로 다른 사람입니다만, 얼굴과 머리 형태에 공통점을 조금 남겨뒀습니다. 무관심한 여유로움과 타이트한 느낌의 대비가 잘 나타난다면 좋겠네요. (츠나코)

변신후

아이리스 하트

벌써 끝이야? 보기와는 다르게 담백하네….

넵튠이 레이에 의해 보내진 차원에 있던 플라네튠의 여신으로 느긋한 분위기가 감도는 맹한 아가씨. 인형을 만드는 것이 특기여서 친구가 생기면 그 사람과 꼭 닮은 인형을 만든다. 여신화하면 완전히 뒤바뀌어 요염한 여성으로 변화하며 성격도 엄청난 초S가 되기 때문에 느와르에게 여신화하는 것을 금지당했다. 여신화하지 않더라도 이따금 대화하면서 초S스러운 면모가 나오기도 한다.

초차원 게임업계 ver.

여신

느와르

CV : 이마이 아사미

뛰어난 여신의 일처리, 그 눈에 확실히 새겨 둬!

Profile

출신	◆	라스테이션
취미	◆	코스프레, 애프터 레코딩(성우를 좋아함, 성우 지망)
특기	◆	목소리 연기
고민	◆	친해지고 싶은 상대에게 쌀쌀맞은 태도로 대하는 것. 친구 만들기가 서툴다.
좋아하는 것	◆	프루루트(친구로서)
좋아하는 게임	◆	RPG

악센트로 들어간 파란색이 마음에 드는 디자인입니다. 변신 후는 트윈 테일로 이미지 체인지. 허리춤에 있는 카드(P.087 참조)는 친구 집으로 자신의 게임 데이터를 가지고 가기 위한 것. (츠나코)

초차원 게임업계 ver.

변신후

블랙 하트

아하하, 낙승이네! 굉장해, 이게 여신의 힘이구나!

프루루트의 친구. 프루루트가 여신이 된 것에 초조함과 선망을 느끼고 있었지만, 그녀 또한 여신 메모리를 손에 넣어 여신이 된다. 성격은 착실하고 노력파이지만, 흔히 말하는 츤데레이기도 한 동시에 외로움쟁이이기도 하다. 여신화하면 기분이 들떠 조금 호전적이 된다. 변신 전 의상은 프루루트가 만든 것으로 「여신이 된다면 이런 옷을 입고 싶다」는 바람을 반영한 것이다.

진지

당당한 미소

불쾌

미소

웃음

부끄러운 표정

쓴웃음

여신

블랑

CV : 아스미 카나

역시 더 성장한 뒤에 여신이 됐으면 좋았을 걸…….

Profile

출신	◆	르위
취미	◆	독서, 집필
특기	◆	집필, 속독
고민	◆	다른 여신에 비해 초등학생 체형이라는 점
좋아하는 것	◆	독서, 집필
좋아하는 게임	◆	파티 게임

초차원 게임업계 ver.

변 신 후

화이트 하트

날 진짜로 화나게 한 점, 저 세상에서 후회해!

르위의 여신으로, 과거 대륙이 하나밖에 없는 나라의 여신으로서 많은 신앙을 모으고 있었다. 오랫동안 홀로 여신으로서 군림한 탓인지 고고한 분위기를 갖고 있었지만, 넵튠 일행과의 교류로 그 분위기가 누그러져 타인과 잘 어울리게 됐다. 조용한 성격으로 독서를 좋아하지만 의외로 화를 잘 낸다. 여신화해도 체형에 큰 변화가 없고, 특히 가슴이 작은 것에 콤플렉스를 갖고 있다.

여신

벨

CV : 사토 리나

**하트도 가슴도
큰 편이 좋은 게 당연한 걸요!**

변신후

그린 하트

린박스의 여신, 그린 하트의 힘! 똑똑히 맛보세요!

Profile

출신	◆	린박스
취미	◆	게임 대부분, 홍차
특기	◆	게임 실력. FPS, TPS뿐만 아니라 아케이드 건슈팅 솜씨는 일류. 헤드샷을 노리는 거라면 그녀와 나란히 서는 사람이 없다고도 한다(단, 게임 한정). 여성향 게임이나 BL게임에서 캐릭터 공략.
고민	◆	옐로 하트가 자신보다 거유라는 점
좋아하는 것	◆	네프기어 → 피셰
좋아하는 게임	◆	여성향 게임, BL게임, 액션, FPS, MMO

바다 건너편 대륙에 있는 린박스의 여신으로 패권을 쥐기 위해 플라네튠 등이 있는 대륙으로 왔다. 별명으로 불리는 것을 동경. 대부분의 게임을 좋아하며 온라인 게임도 끝까지 파고든다. 여신화해도 성격이나 체형에 큰 변화는 보이지 않지만, 그 이름에 어울리는 녹색 머리로 변한다.

초차원 게임업계 ver.

Maker's Comment

초기안은 검정을 베이스로 악녀처럼 보이는 디자인이었지만, 「네프기어가 유괴당할 것 같다」는 말을 들었기 때문에 양갓집 아가씨처럼 완성됐습니다. 변신 후에는 쿨하게 보이도록, 그리는 방법을 살짝 바꿔봤습니다. (츠나코)

당당한 미소

놀람

화남

부끄러운 표정

곤란한 표정

졌을 때

웃음

여신후보생

네프기어

CV : 호리에 유이

실은 저, 전작에선 주인공이었는데요….

Profile

출신	◆	플라네튠
취미	◆	언니를 돌보는 일. SF(주로 메카닉 관련)을 좋아함. 기계 다루기
특기	◆	뭐든지 요령 있게 처리하기 때문에 특기라고 할 만한 특기가 없음
고민	◆	잔재주만 뛰어나지 특별한 특징이 없는 점
좋아하는 것	◆	넵튠, 달콤한 것, 기계 등 메카 대부분
좋아하는 게임	◆	플라네튠의 항구도시를 무대로 한 개발비 60억의 게임, 밑으로 떨어지는 퍼즐 게임

변신후

퍼플 시스터

저, 전 행복해요! 제가 여신이고, 제 주변에도 여신으로서 노력하는 사람들이 있어서.

넵튠의 여동생이지만 신장과 성격, 언니를 돌보는 모습 때문에 「네프기어가 언니 아니야?」라는 말을 자주 듣는다. 주인공 체질을 가진 넵튠의 여동생인 만큼 무슨 일이든 해내는 만능 캐릭터이지만, 본인은 특별한 장점이 없다는 점을 고민한다. 메카나 커다란 기계를 좋아하고, 본인도 기계를 만지는 일을 잘 한다. 여신화해도 큰 변화가 없어서 주변 분위기에 뒤처지기 십상.

Maker's Comment

전작의 3D 이벤트 인상이 강해서 그쪽으로 그림 인상을 맞췄습니다. 개인적으로는 라일락 장비는 흰색이 어울리기 때문에 마음에 듭니다. 비명 지르는 표정이 정식으로 채용되고 말았다……. (츠나코)

여신

피셰

CV : 유우키 아오이

**바보가 아니야!
네푸테누보다 똑똑하다고!**

Profile

출신	◆	플라네튠
취미	◆	소꿉놀이. 몸을 움직이면 행복함.
특기	◆	자각은 없지만 격투 센스. 무의식중에 상대의 약점이나 급소를 찌른다(네프기어는 처음 만났을 때 명치를 맞았다).
고민	◆	딱히 없음
좋아하는 것	◆	어리기 때문에 좋아한다거나 싫어한다는 의식이 없음
좋아하는 게임	◆	딱히 없음

변신후

옐로 하트

음… 아, 맞다! 옐로 하트라고 해! 잘 부탁해!

교회에서 보호하게 됐던 세 사람의 어린아이 중 한 명. 어린 시절 7현인에게 납치당했을 때 우연한 일로 여신이 된다. 체격은 작지만 상당히 힘이 강해, 태클로 넵튠의 의식을 잃게 할 정도. 반면 머리는 유아에서 그다지 발달하지 못했고 말과 행동이 어린아이 같은 점이 눈에 띈다. 여신화해도 말과 행동은 크게 변하지 않지만, 용모는 크게 성장해 벨조차 부러워하는 여신 중에서도 가장 큰 가슴이 된다.

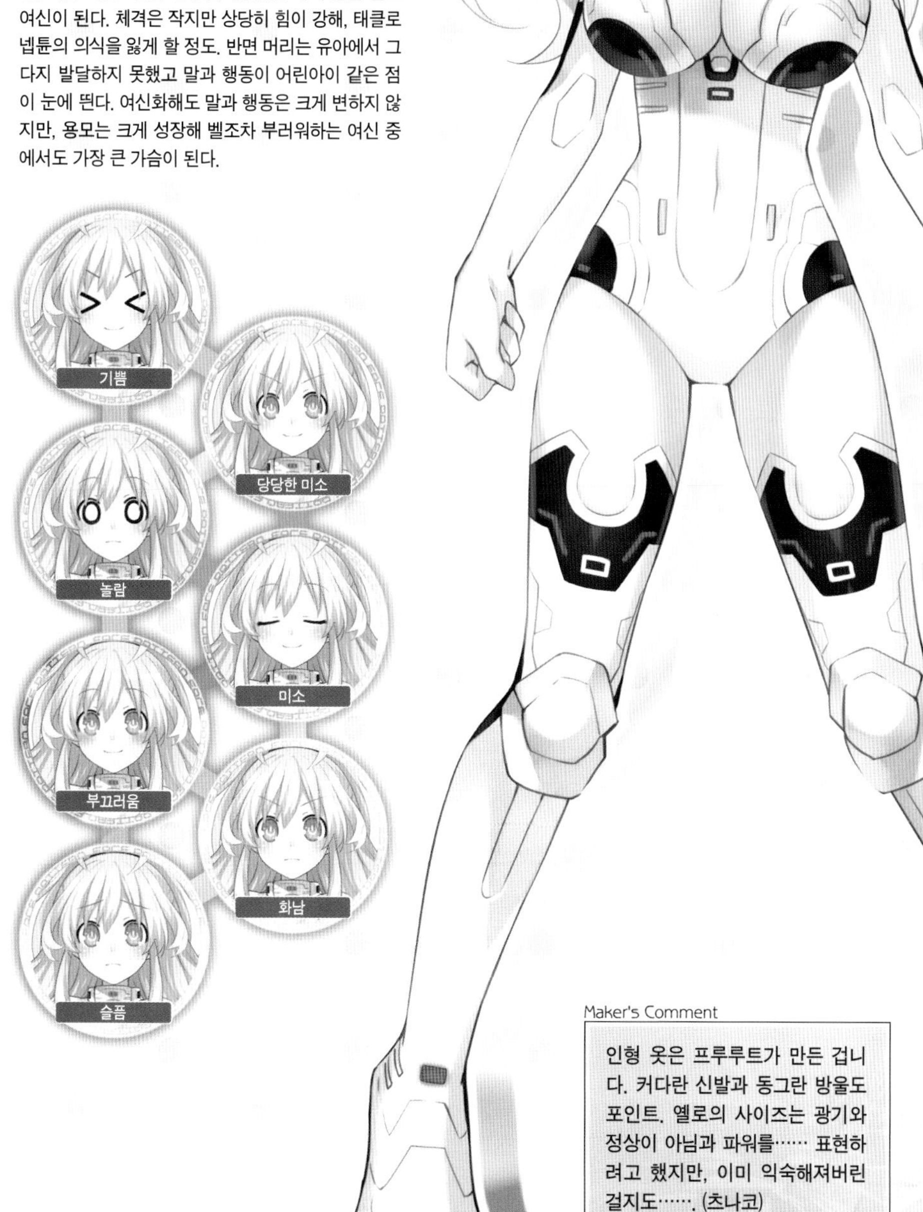

Maker's Comment

인형 옷은 프루루트가 만든 겁니다. 커다란 신발과 동그란 방울도 포인트. 옐로의 사이즈는 광기와 정상이 아님과 파워를…… 표현하려고 했지만, 이미 익숙해져버린 걸지도……. (츠나코)

교조

이스투아르

CV : 카나이 미카

모처럼 여신이 둘이나 있는데 매일매일 빈둥빈둥 뒹굴뒹굴……(・A・*)

초차원 게임업계 ver.

Maker's Comment

작은 잇승은 프루루트의 취미를 반영해 인형과 같은 이미지로 그렸습니다. 책도 왠지 판타지. 통신 중일 때의 표정이 마음에 듭니다. (츠나코)

Profile

출신	◆ 플라네튠
특기	◆ 다른 차원의 이스투아르와 통신할 수 있는 것
고민	◆ 프루루트와 넵튠이 일하지 않는 것

플라네튠의 여신을 보좌하는 존재로 프루루트가 여신이 됐을 때 여신 코어에서 출현했나. 착실한 싱격이라 능땡이 부리는 넵튠과 프루루트에게 애먹고 있음. 차원을 넘어 통신하는 능력이나 정보 검색 등 할 수 있는 일은 많지만, 처리 능력이 낮아서 일을 하나 처리하는 데 3일이 걸리는 경우도 더러 있다. 말끝에 이모티콘을 붙여 말하는 것이 특징.

아이에프

CV : 우에다 카나

낙서? 흥, 그런 어린애 놀이와 같은 취급하지 말아줘.

Maker's Comment

아기였을 때 침 흘린 자국이나, 어린 시절 휴대폰 스트랩이 네버랜드. 아이에프, 컴파의 유년기는 그래픽 담당이신 마나미츠 씨께서 디자인해주셨습니다. (츠나코)

교회에서 보호하게 됐던 세 어린아이 중 한 사람. 쿨하고 착실한 성격이며, 어렸을 때부터 휴대전화를 사용했다. 라이트 노벨이 좋아 자작 설정을 노트에 적어두기도 한다. 유괴됐을 때 여신화한 프루루트의 말이 트라우마가 되어, 그 후 프루루트에게만 「님」을 붙여 부르게 된다. 성장하고 나선 이스투아르의 정보 수집을 돕는 등, 그녀를 서포트한다.

Profile

출신	◆ 플라네튠
취미	◆ 설정 만들기, 라이트 노벨 (어린아이기 때문에 취미=좋아하는 것)
특기	◆ 딱히 없음
고민	◆ -
좋아하는 것	◆ -
좋아하는 게임	◆ 딱히 없음

Maker's Comment

아기였을 때의 디자인은 얼핏 남자처럼 보이지만, 어린이 컴파는 귀한 집에서 자란 아가씨 느낌입니다. 어른이었을 때에도 있던 옷의 빨간 체크무늬가 포인트입니다. (츠나코)

컴파

CV : 사카이 카나코

고마워요—. 쥐 씨는 좋은 분이에요—.

피셰, 아이에프와 함께 교회에서 자란 어린아이 중 한 사람. 누구에게나 자상한 성격이지만, 어딘가 나사가 빠진 것 같이 맹한 구석도 있음. 그 자상한 성격 때문에, 설령 나쁜 사람이라고는 해도 다친 채로 놔둘 수 없어서 여신에게 쓰러졌던 와레츄를 치료해주기도 했다. 어렸을 때부터 남의 도움이 되고 싶다고 생각해 간호사가 되기 위해 노력 중. 그 영향인지 엄청나게 거대한 주사기를 휘두를 때도 있다.

Profile

출신	◆ 플라네튠
취미	◆ 네푸네푸(어리기 때문에 취미=좋아하는 것)
특기	◆ 딱히 없음
고민	◆ 딱히 없음
좋아하는 것	◆ 넵튠
좋아하는 게임	◆ 딱히 없음

변신후

블랙 시스터

뭐야, 그게. 결국
자기만 생각한다는 거잖아.

유니는 초차원 게임업계에 있는 쪽의 느와르의 여동생, 롬과 람은 블랑의 여동생으로 세 사람 모두 네프기어와 함께 훌륭한 여신이 되기 위해 매일 노력하고 있다. 유니는 느와르 이상으로 자신과 남에게 솔직하지 못한 성격이지만, 그래도 전보다는 남을 평범하게 대할 수 있게 됐다. 롬과 람은 따로 노는 일도 많아져서 서로가 의존하던 시절보다 정신적으로 성장했다.

Maker's Comment

여동생들도 초차원에서 노력하고 있는 모습을 볼 수 있습니다! 이번엔 원거리 캐릭터끼리만 데리고 다니는 것도 가능합니다. (츠나코)

여신후보생

유니

CV : 키타무라 에리

정말이지! 왜 그렇게 놀림감이 되는 거야!
착실히 좀 해!

여신후보생

롬

CV : 오구리 유이

하지만 모두가 보고 있어……,
부끄러워……, (화아악)

변신후

화이트 시스터 (롬)

……, (끄덕끄덕)

여신후보생

람

CV : 이시하라 카오리

이렇게 귀여운 여신이 거리를
돌아다닌다면 깜짝 놀라겠죠.

변신후

화이트 시스터 (람)

으으. 역시 피셰는 너무해!
변신하면 저렇게나 커지다니!

7현인

키세이죠 레이

CV : 코바야시 유우

혹시 나, 심한 말만 듣고 있는 거 아니야?! 으으으으으—,

초차원 게임업계와 프루루트 일행의 세계 양쪽에서 여신들의 지배로부터 세계를 해방해야 한다고 말하며 활동하는 여성. 항상 남의 안색을 살피며 자신의 의견도 주장할 수 없을 정도로 겁이 많지만, 일단 힘을 얻으면 끝없이 우쭐해져서 자신을 만능이라고 철석같이 믿는 구석도 있다. 프루루트 일행의 세계에 있던 레이가 초차원 게임업계의 레이에게 힘을 받은 것이 모든 사건의 시작.

Profile

출신	◆ 타리

변신후

키세이죠 레이 (변신 후)

여신 따윈, 확실히, 여유롭게 깔끔히 없애주겠어!

Maker's Comment

적 캐릭터이기 때문에 바쁘신 츠나코 씨를 대신해 몬스터 담당자가 디자인한 캐릭터입니다. 다크한 얼굴만 츠나코 씨께서 그려주셨습니다. (나카지마)

크로아르

CV : 카나이 미카

**하하, 굉장해, 굉장해!
생각보다
재밌어졌어!**

Maker's Comment

처음엔 더 여자아이 같은 디자인이었습니다만, 보이스 샘플이 도착하고 나서 소년 같은 이미지가 완전히 굳은 캐릭터입니다. 어두운 디자인이지만 본인은 천진난만. (츠나코)

언제부터 존재했는지 알 수 없는 의문의 존재로, 이스투아르와 모습이 비슷하기 때문에 넵튠 일행으로부터는 「나쁜 잇승」, 「검은 잇승」 등으로 불린다. 차원을 넘는 능력을 갖고 있어 그 능력을 사용해 레이가 가진 거대한 힘을 초차원 게임업계의 레이에게 넘기거나, 교묘한 말로 레이를 부추기는 등 사건의 뒤에서 암약하고 있다. 이런 행동을 하는 이유는 사태를 혼란시켜서 즐거워하는 부분이 크다.

Maker's Comment

금발! 처진 눈! 분홍색 옷! 그런 개인적 취향 키워드로 OK가 난 캐릭터입니다(웃음). 3D모델을 만들지 않았기 때문에 프릴을 마음껏 그릴 수 있어 즐거웠습니다. (나카지마)

7현인의 광고 담당으로 온 세계의 어린아이를 사냥하기 위해 매일같이 활동한다. 7현인에 참가한 것은 어린 소녀가 여신이 되어 나라를 다스린다는 시스템에 혐오감을 느꼈기 때문. 남의 이야기를 잘 듣지 않는 억측이 심한 성격이지만, 어린아이를 사냥하고 싶다는 마음만큼은 진심. 소녀 같은 모습을 하고 있지만, 실제론 그럭저럭 나이가 들었다.

7현인

아브네스

CV : 쇼우지 유이

드디어 결정적인 증거를 잡았어! 자, 포기하시지!

Maker's Comment

마제콘는 악당이지만, 이 캐릭터가 돌아와 조금 기쁜 건 저뿐일까요……. 의상은 델피너스 버전입니다. 이 이름에서 그런 이야기로 파생될 줄은. (츠나코)

7 현 인

마제콘

CV : 타카하시 치아키

드디어 이것으로 네놈을 지옥에 떨어뜨려주마! 넵튠!

모든 여신을 이 세상에서 없앤다는 목적을 위해 행동하는 파괴의 화신. 여신을 없앤다는 이념에 공감하여 7현인이 되었지만, 다른 멤버와는 그다지 사이가 좋지 않다. 하지만 어째서인지 와레츄와는 불평하면서도 함께 행동하는 일이 많다. 그 정체는 추악하고 거대한 몬스터로, 과거 네프기어가 싸운 범죄신의 모습과 굉장히 닮았다.

7현인

아쿠다이진

CV : 야나다 키요유키

네놈들 따위 때문에 딸들의 힘을 빌릴 필요는 없지!

음모나 나쁜 일을 꾸미는 것을 좋아하는 중년이 지난 남성으로, 그런 취향 때문에 7현인에 참가했다. 르위의 대신이었던 것도 이 취미 때문으로, 예산을 빼돌려 사병을 준비하기도 했다. 완고하고 까다로울 것처럼 보이는 외모와는 달리 정이 많으며, 여신 메모리에 적응하지 못해 크리처로 변한 소녀를 자신의 딸처럼 귀여워하고 있다.

Maker's Comment

> 아쿠다이진의 모델이 되어주신 건, 악역상회의 텐본마츠 씨입니다. 이런 캐릭터는 굉장히 오랜만에 그렸습니다. 눈물 흘리는 표정을 추천합니다. (츠나코)

7현인

와레츄

CV : 니코

당연하다츄. 어떤 프로텍트도 깨부술 수 있어야 진정한 와레츄다츄.

Maker's Comment

> 이번 와레츄는 표정이 풍부합니다. 인간형 캐릭터가 아니기 때문에 AAS 사양적으로 입을 뻐끔거리는 애니메이션이 어렵다고 생각했지만, 담당 그래픽 분께서 열심히 해주셨습니다. (츠나코)

쥐처럼 생긴 몬스터로 쥐 계열을 대표하는 마스코트라고 자칭한다. 원래 게임을 불법으로 하기 위한 툴을 배포하는 정도의 나쁜 짓만 저질렀지만, 어느 틈엔가 7현인의 일원이 됐다. 주된 일은 잡무로 불만을 늘어놓으면서도 할 일은 다 한다. 전투력은 거의 없음에도 마제콘에게도 아무렇지도 않게 대들 정도로 입버릇이 나쁘다. 크게 다쳤을 때 치료해줬던 컴파에게 반했다.

7 현 인

카피리에이스

CV : 쿠스노키 다이텐

내가 바로 7현인의 한 사람!
7현인 최강!
카피리에이스 님이시다아아아아아!!!

Maker's Comment

마음껏 소재를 집어넣자! 그렇게 의기투합해 디자인한 캐릭터입니다. 하반신을 캐터필러로 할지 두 다리로 할지 고민했습니다. (나카지마)

Profile

특기	◆ 게임의 복제

게임을 복제하는 위법 툴이 자아를 갖게 된 존재로, 파괴와 게임 소프트 복사를 정말로 사랑한다. 굉장한 힘으로 7현인 최강이라고 자칭하지만, 그 대신 머리는 좋지 않다. 아노네데스에게 수리를 받은 이후, 이상할 정도로 산뜻하고 긍정적인 열혈 성격으로 변한다. 다시 여신에게 패하고 난 뒤로는 르위의 차를 가져오는 로봇으로 재취직한다.

7 현 인

아노네데스

CV : 후지와라 유우키

그렇지만 내 하트는
이 세상 그 누구보다도 소녀인걸!

Profile

좋아하는 것	◆ 느와르

Maker's Comment

여장남자 로봇이 좋겠다! 는 시나리오라이터의 추천으로 억지로 등장하게 됐습니다(웃음). 지금에 와선 상당히 중요한 인물이 됐군요. (나카지마)

예전에는 굉장한 실력을 가졌던 해커로 정보 조작이나 권모술수에 뛰어난 인물. 항상 리얼 로봇 같은 파워드 슈트를 입고 있지만, 그 안에는 깜짝 놀랄 정도의 미남. 하지만 마음의 성별은 소녀라고 주장한다. 재밌으면 그만이라는 향락주의자로 7현인으로 참가한 것도 재밌을 것 같다는 이유였다. 특기인 해킹이나 정보 조작으로 다양한 혼란을 일으키지만, 자신의 손으로 뒤처리를 해야 하는 나쁜 짓은 좋아하지 않는다.

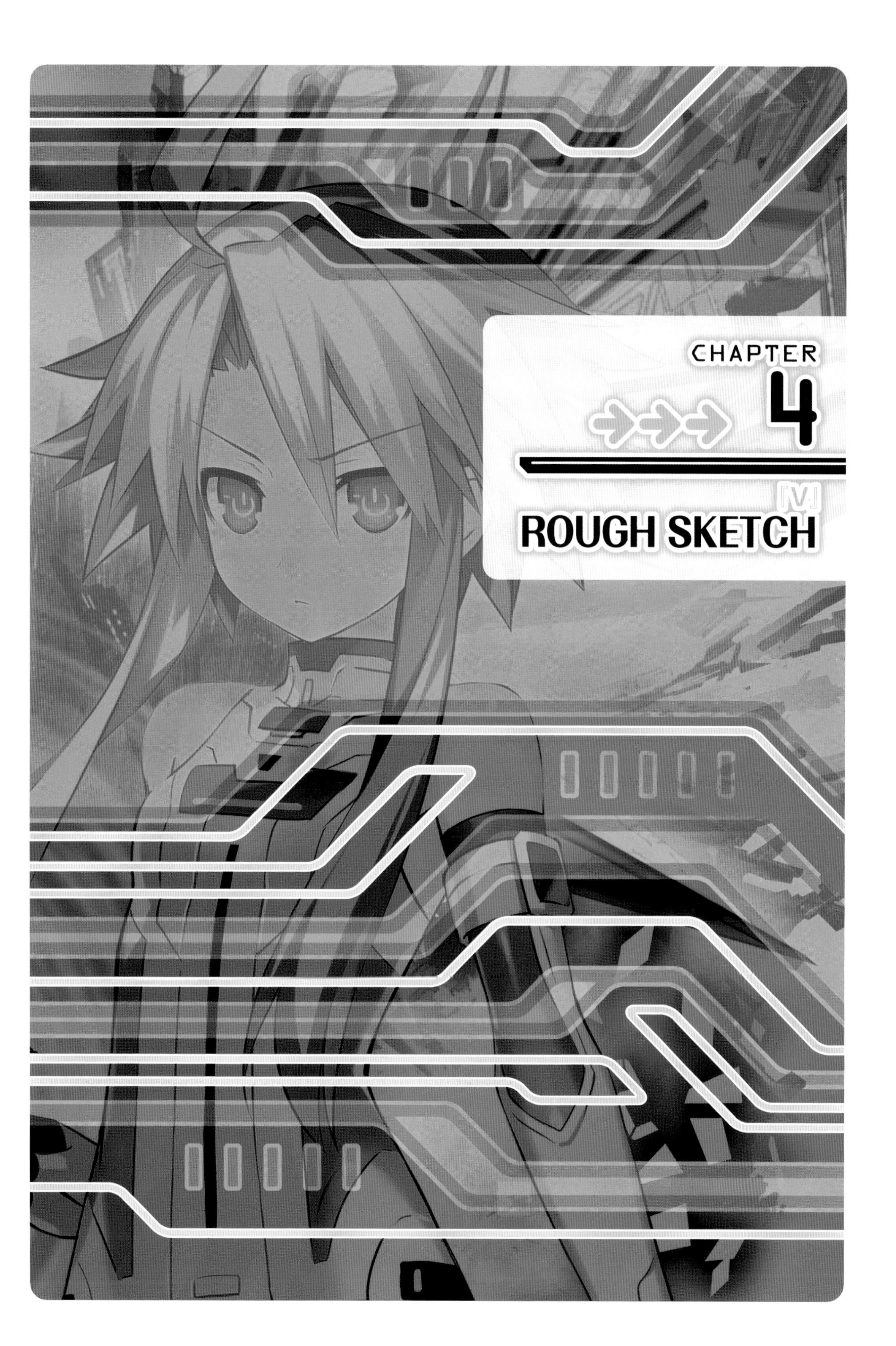
CHAPTER
4
「V」
ROUGH SKETCH

삼면도

『신차원게임 넵튠V』에 등장하는 여신들의 전신 삼면도와 무기와 장비품 등의 삼면도, 그리고 설정 자료를 게재했다. 『mk2』에서 등장한 초대 컴파의 삼면도에도 주목.

넵튠 / 퍼플 하트

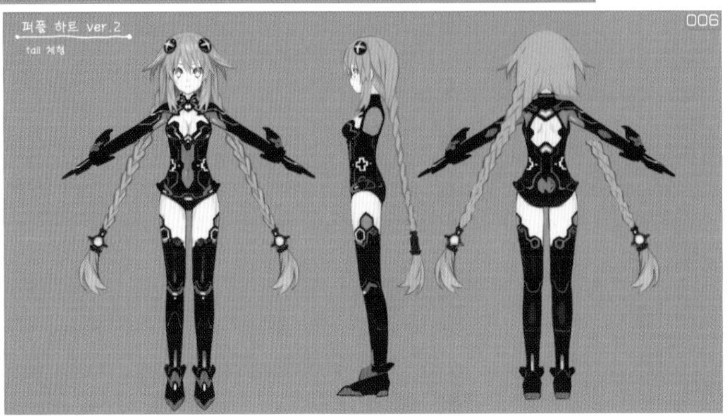

001. 넵튠의 기본 스타일 삼면도. 이번 작품에서도 후드가 달린 재킷.

002. 속옷은 룽삭스와 마찬가지로 하늘색과 흰색의 줄무늬모양으로 멋을 냄.

003. 저지 원피스의 삼면도. 어깨를 노출한 산뜻한 의상. 더운 여름에도 문제없다?!

004. 후드 끈의 끝 부분은 USB케이블 느낌으로, 세세한 부분에도 게임스러움이.

005. 팔찌는 프릴이 달린 플라스틱 링으로 귀여움을 어필한다.

006. 여신화했을 때의 삼면도. 의상에 검정이 많아져 인상이 바뀐다.

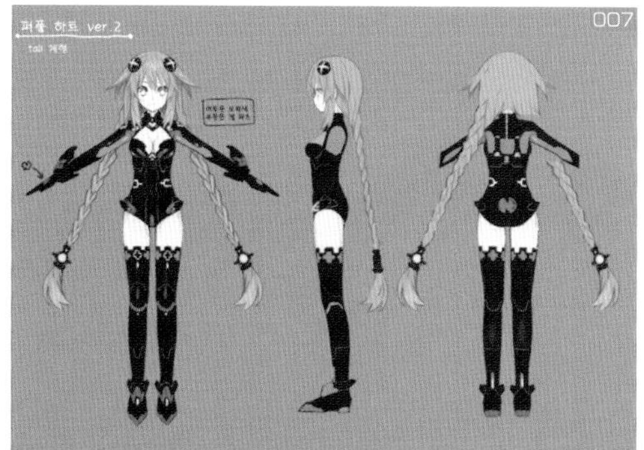

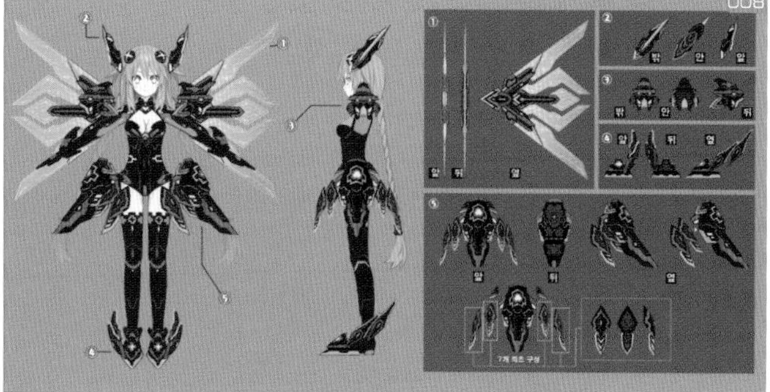

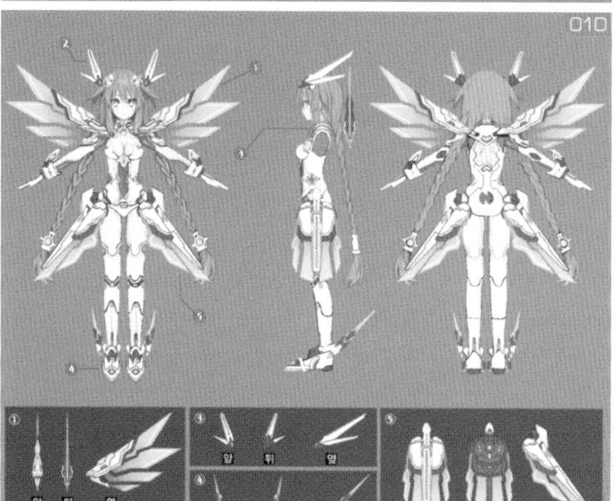

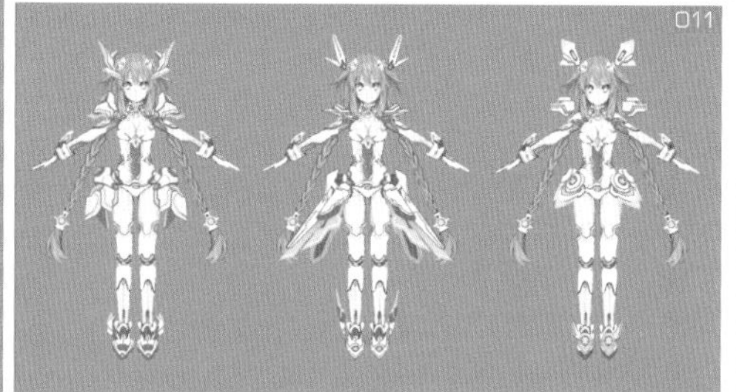

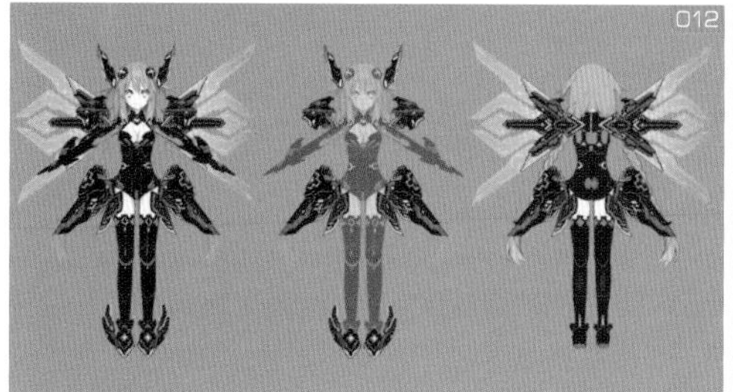

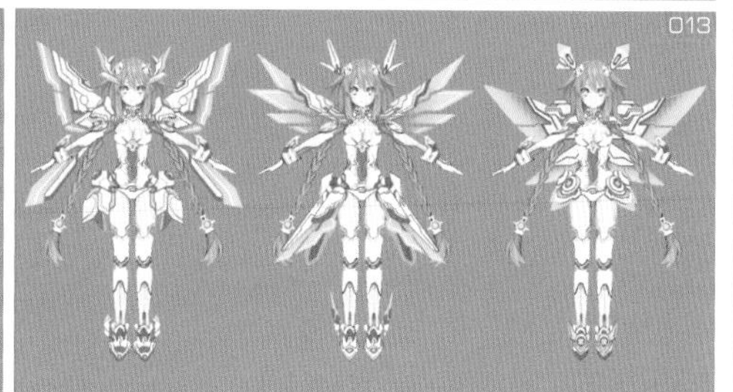

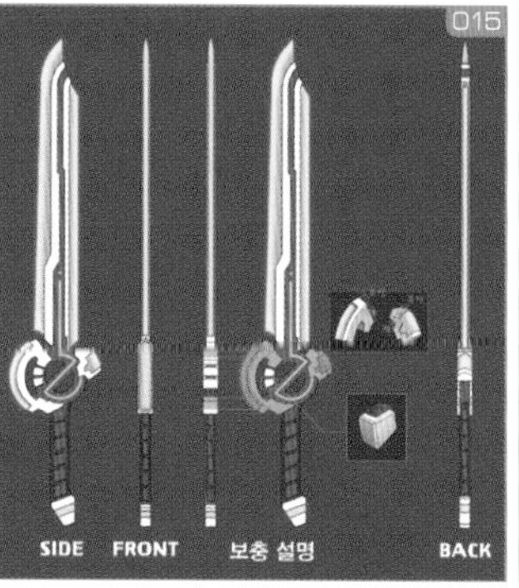

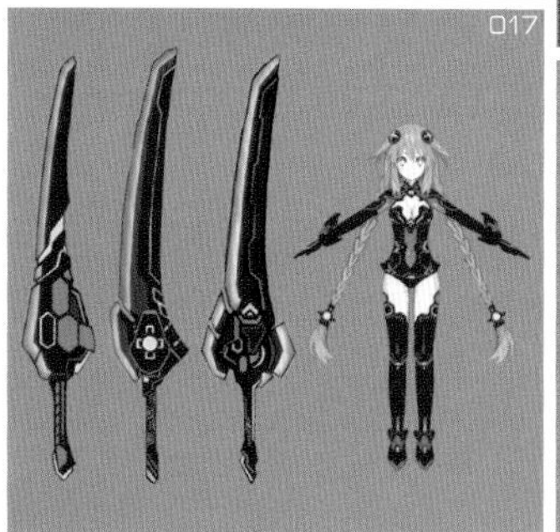

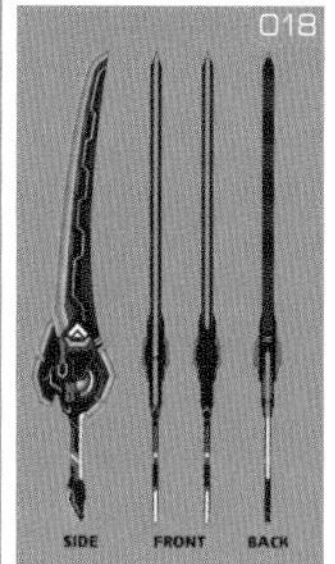

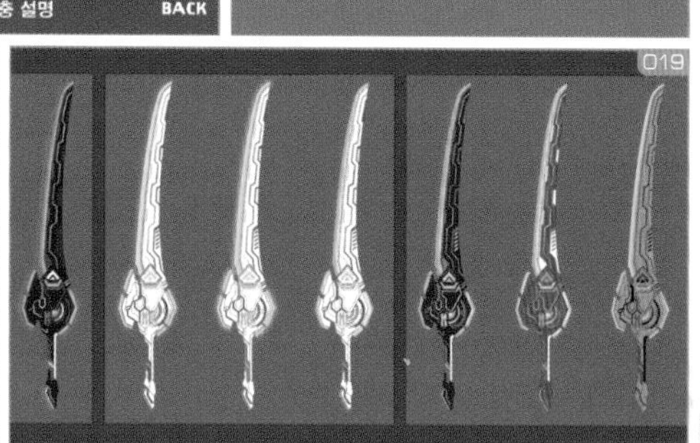

007. 넵튠C의 프로세서만 장비하고 다른 건 장비하지 않은 상태.

008. 넵튠 시리즈 프로세서의 자세한 부분과 그것을 모두 장비한 상태.

009. 프로세서의 상세 일러스트. 바이올렛 시리즈의 바탕이 된 것.

010. 바이올렛 시리즈의 프로세서 장비한 상태와 파츠 디자인.

011. 좌우는 바이올렛 시리즈의 W파츠(허리)의 디자인 차이.

012. 넵튠 시리즈의 프로세서가 장비된 상태를 보기 위한 디자인.

013. 좌우는 바이올렛 시리즈의 B파츠(날개) 디자인 차이.

014. 넵튠이 사용하는 검의 디자인. 가장 왼쪽은 프로토타입 빔 카타나.

015. 빔 카타나 개의 삼면도. 날밑 부분에는 N이라는 문자가 디자인됐다.

016. 배리어블 소드나 빔 카타나 EXA도 빔 카타나 개의 색상 변화.

017. 여신화했을 때 사용하는 검. 장비 종류로 형태가 변화.

018. 검의 삼면도. 이렇게 세밀한 부분까지 하다니 역시!

019. 색이 다른 디자인. 밝은 배색의 패턴도 흰색 프로세서에 어울릴 것 같다.

●삼면도

프루루트 / 아이리스 하트

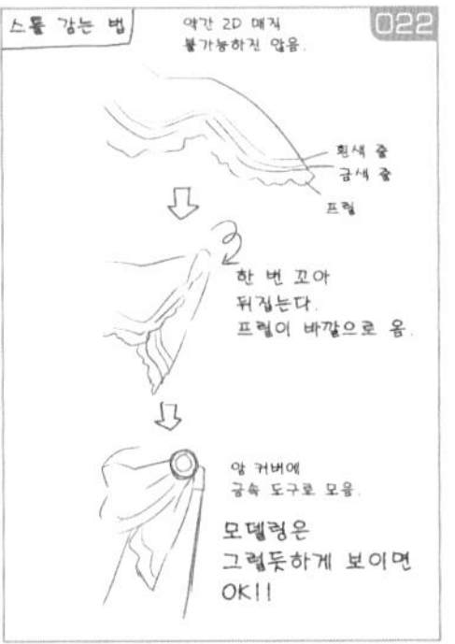

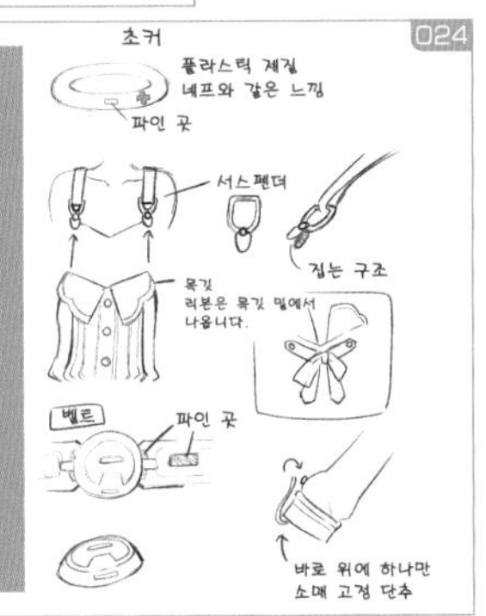

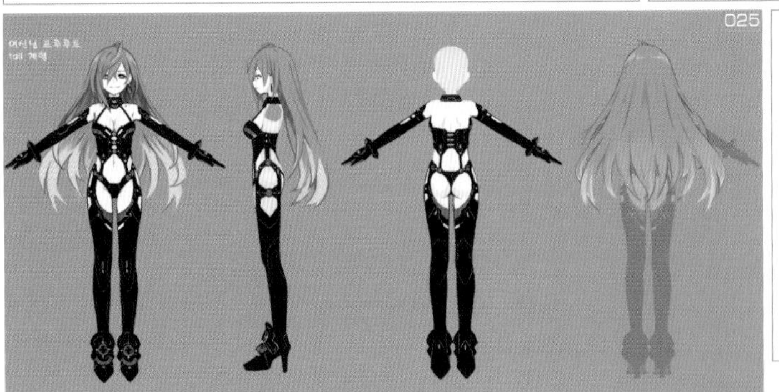

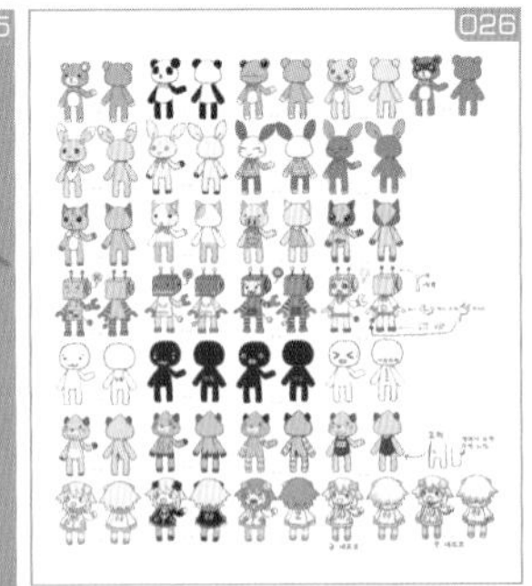

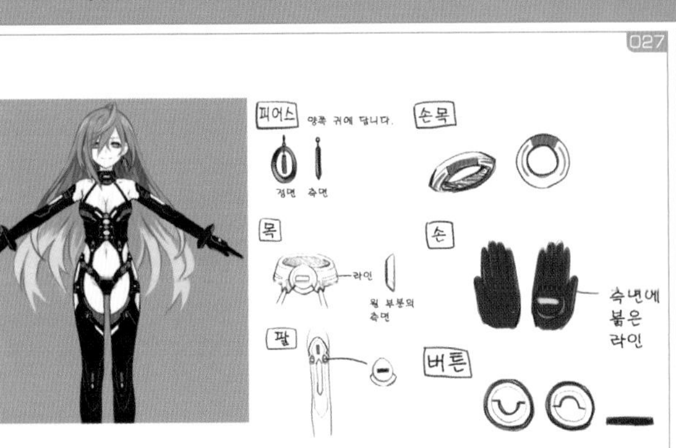

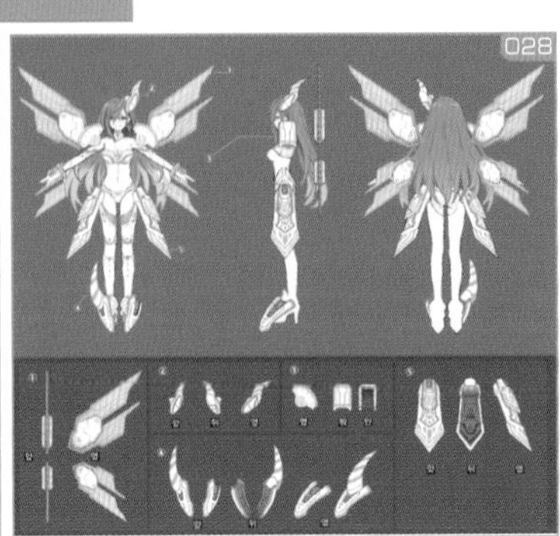

020. 기본 스타일은 정말이지 그녀다운 실내복 디자인.

021. 머리 설정. 잠자다 살짝 삐친 듯 튀어나온 머리가 특징.

022. 어깨의 숄은 땋은 머리를 고정한 리본과 색 맞춤.

023. 숄이 없는 등과, 곰돌이 팬티 디자인.

024. 의상 디자인 설정. 청순한 이미지의 소녀스러운 의상.

025. 여신화하면 본디 지식 의상으로 확 바뀜.

026. 무기가 되는 인형. 네프 인형과 레트로 보도 있음.

027. 여신화 상태의 장신구. 검정 바탕에 빨간색이 같은 색인 눈동자와 잘 어울림.

028. 화이트 캐스트 시리즈의 프로세서와 파츠 디자인.

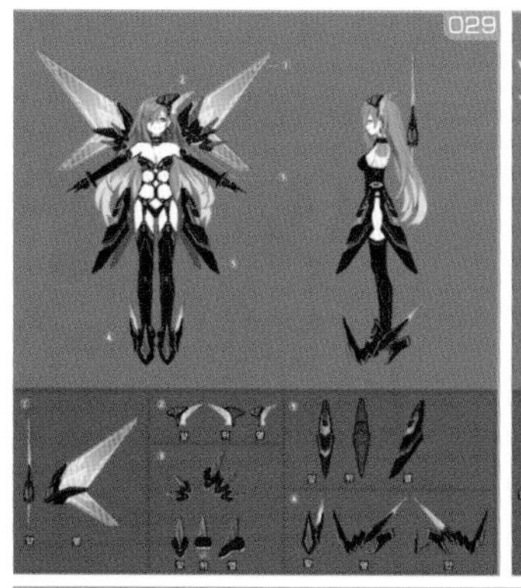

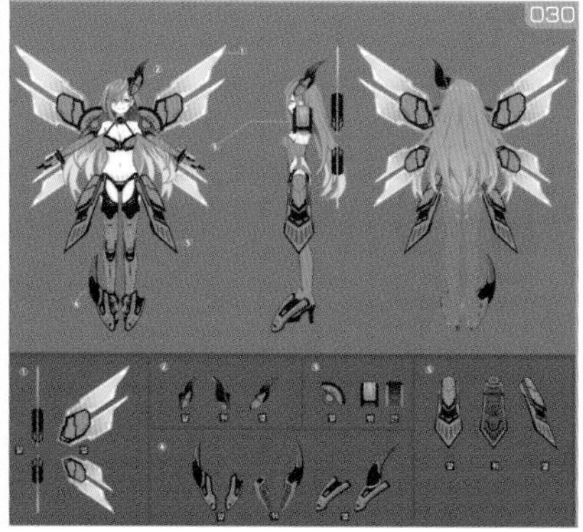

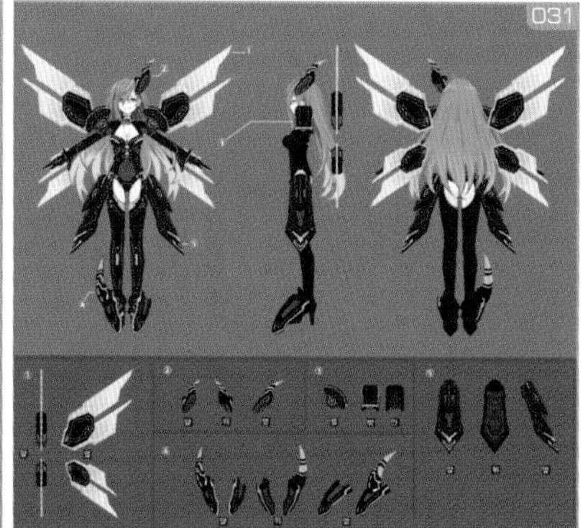

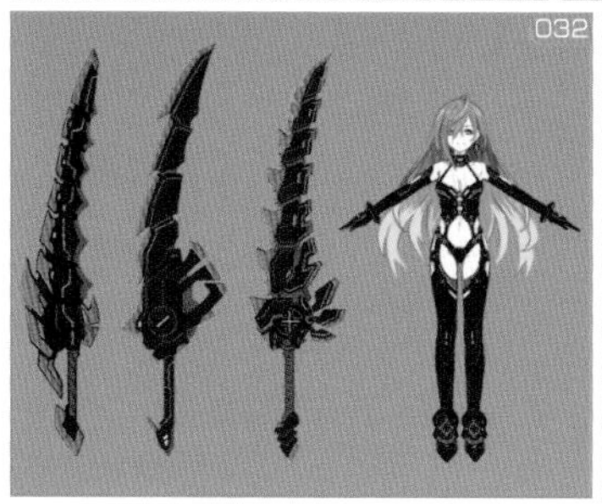

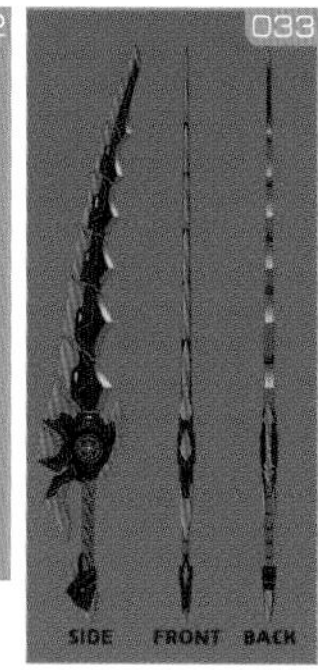

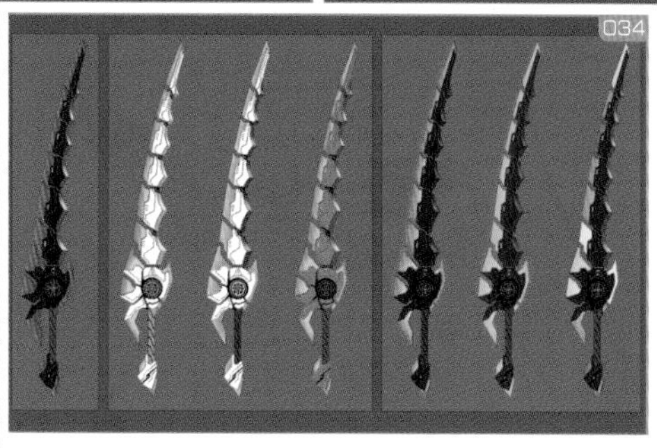

029. 프로세서와 파츠 디자인.

030. S3-2X 시리즈에서 코어만 STV-00을 장비.

031. STV-00 시리즈에서 코어만 S3-2X를 장비.

032. 여신화 상태일 때 사용하는 검 디자인.

033. 삼면도. 검이 뼈처럼 나뉘어 있음.

034. 색이 다른 패턴.

느와르 / 블랙 하트

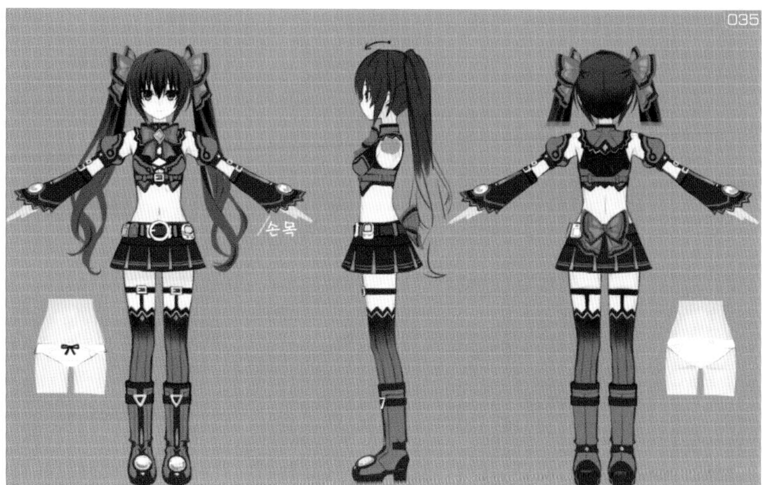

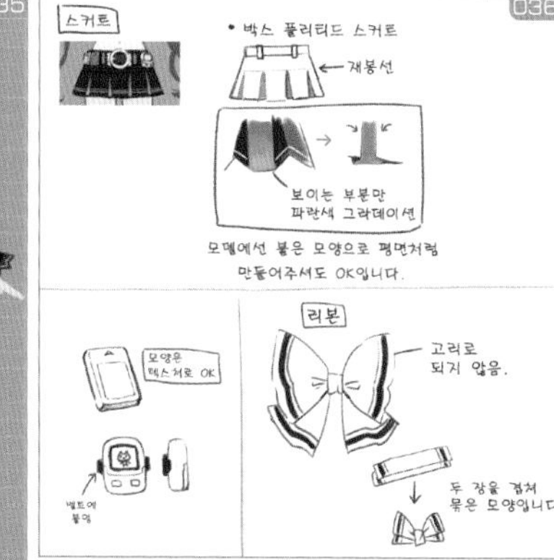

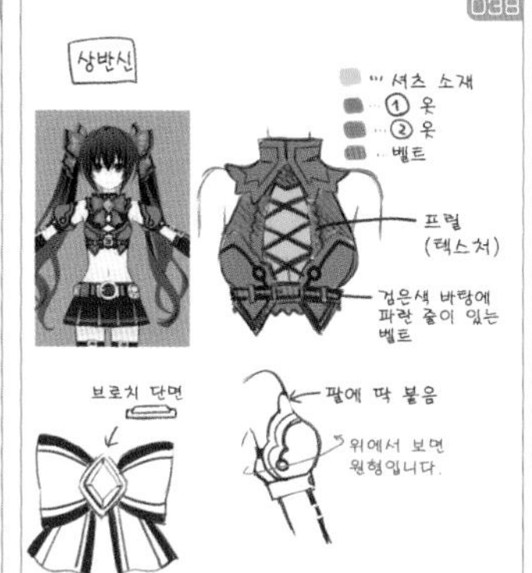

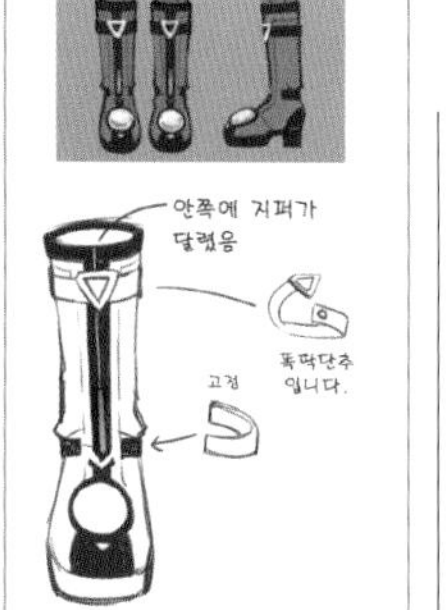

035. 느와르의 기본 스타일 삼면도. 리본 배치가 귀엽다.

036. 리본 설명은 허리 부분의 것으로 가슴의 리본은 고리 모양.

037. 컬러 일러스트는 G.C.2012 세계의 느와르로 머리 모양 참고용.

038. 상반신 의상은 복잡해서 입는 건 어려워도 패셔니스타 상급자용일지도.

039. 부츠 앞면의 둥근 것은 금속 같은데 안전화 같은 건가?

● 삼면도

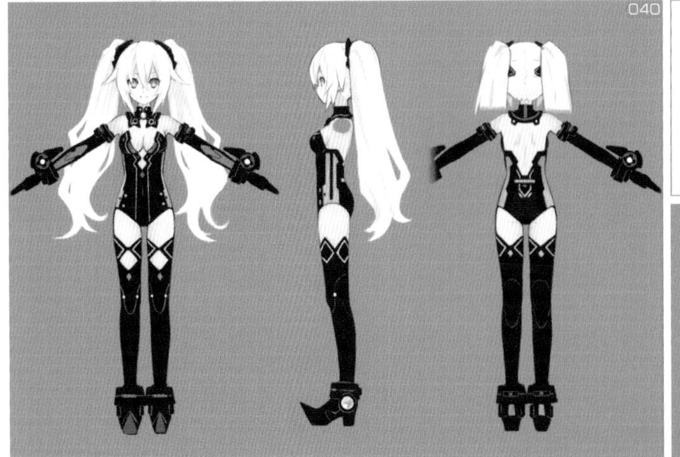

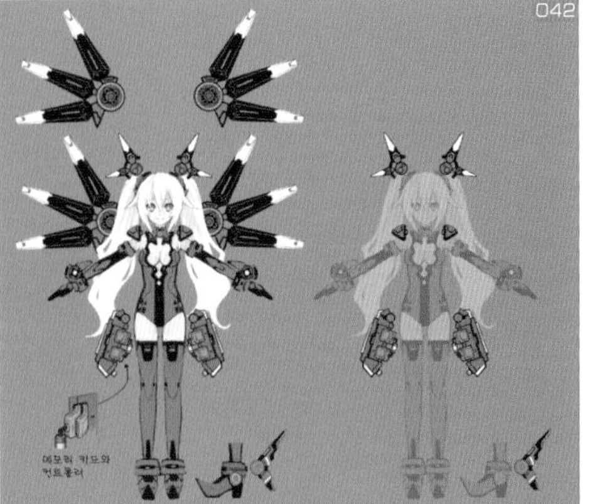

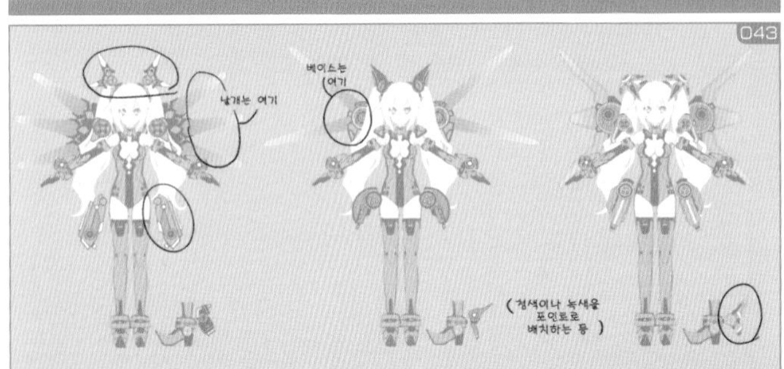

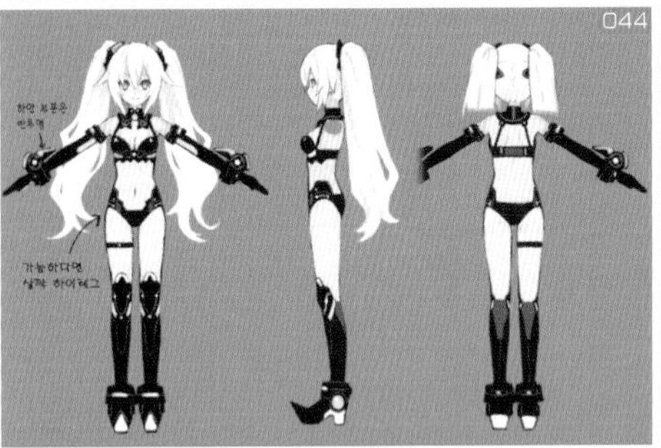

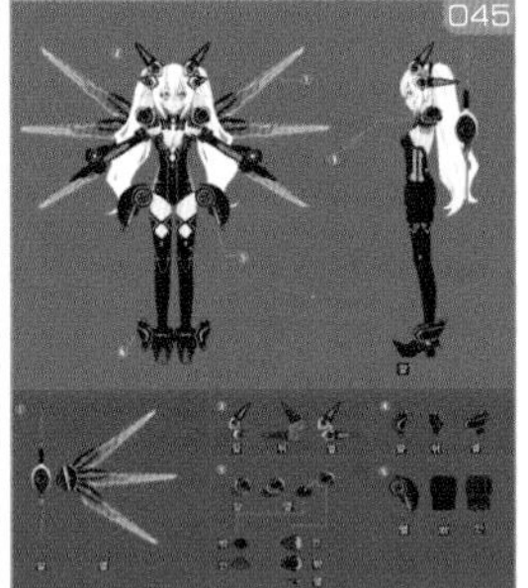

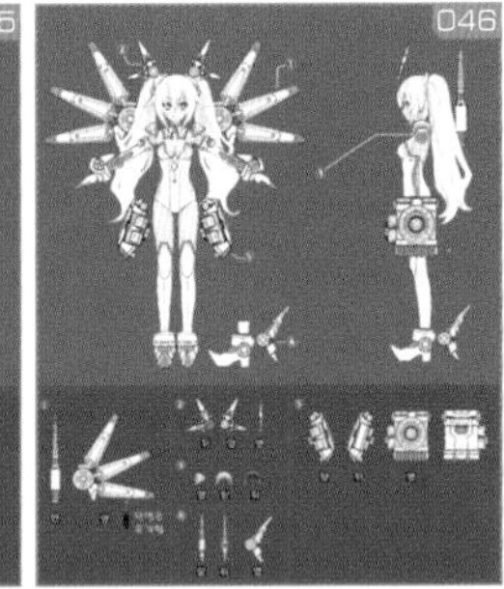

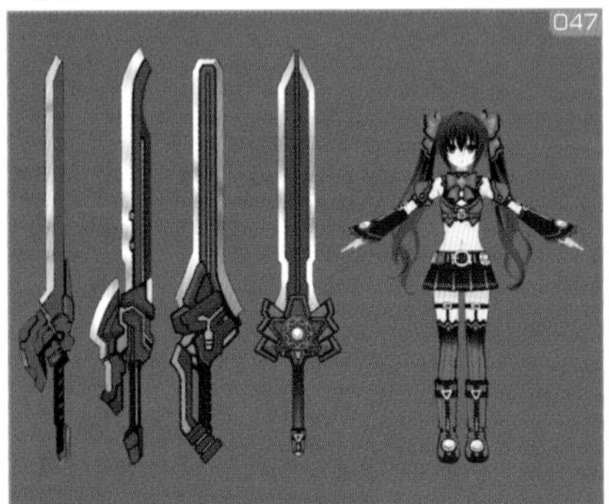

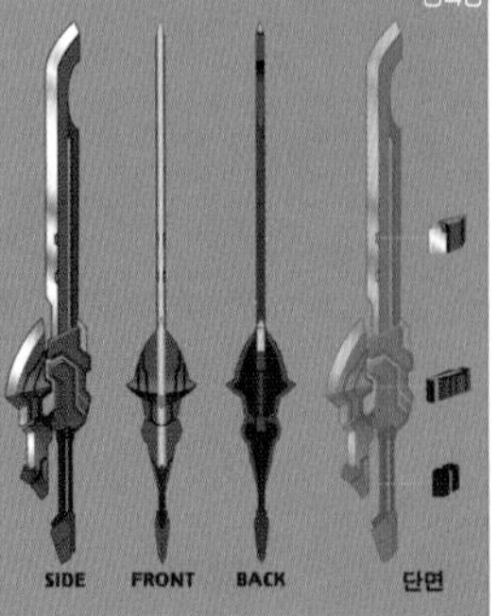

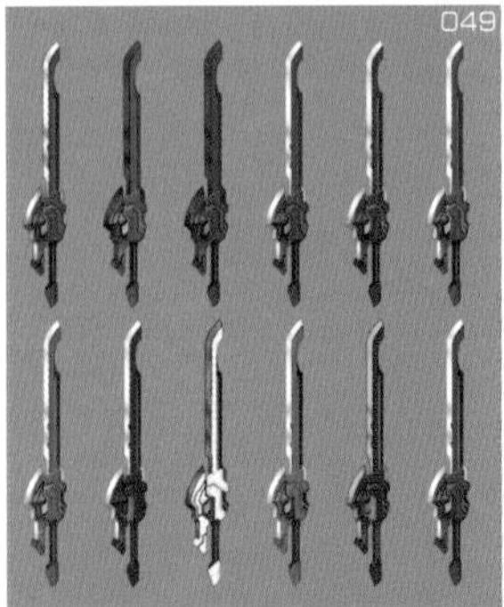

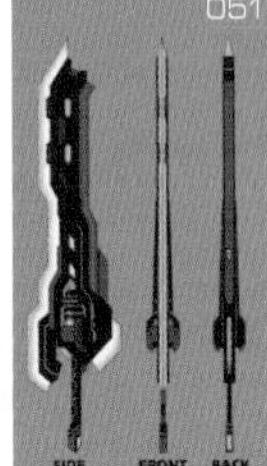

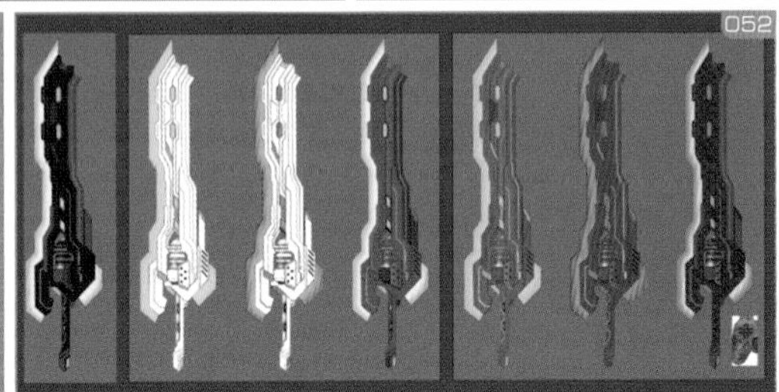

040. 여신화 상태의 삼면도. 머리색이 하얘졌기 때문에 인상이 변한다.

041. 손끝의 하얀 빛은 게임 중에서도 쉽게 알아차리지 못하는 포인트.

042. 스톤 그레이 시리즈 프로세서와 각 파츠.

043. 디자인 베이스가 게임기인 만큼 분위기가 중요함.

044. 오비탈 코어만 장비한 상태. 상당히 섹시.

045. 피아노 블랙 시리즈의 프로세서와 각 파츠.

046. DX 실버 시리즈의 프로세서를 장비한 상태와 각 파츠.

047. 숏 소드와 메카닉컬 소드 등의 디자인.

048. 검을 앞이나 뒤에서 본 자세한 디자인. 자세한 부분을 알 수 있다.

049. 색이 다른 패턴은 메탈 브링거 등으로 사용.

050. 여신화 상태일 때의 검. 살짝 울퉁불퉁한 모양이 특징.

051. 여신화 상태일 때 사용하는 검의 삼면도. 의외로 얇다?

052. 색이 다른 패턴. 장비하는 무기에 의해 색이 변한다.

블랑 / 화이트 하트

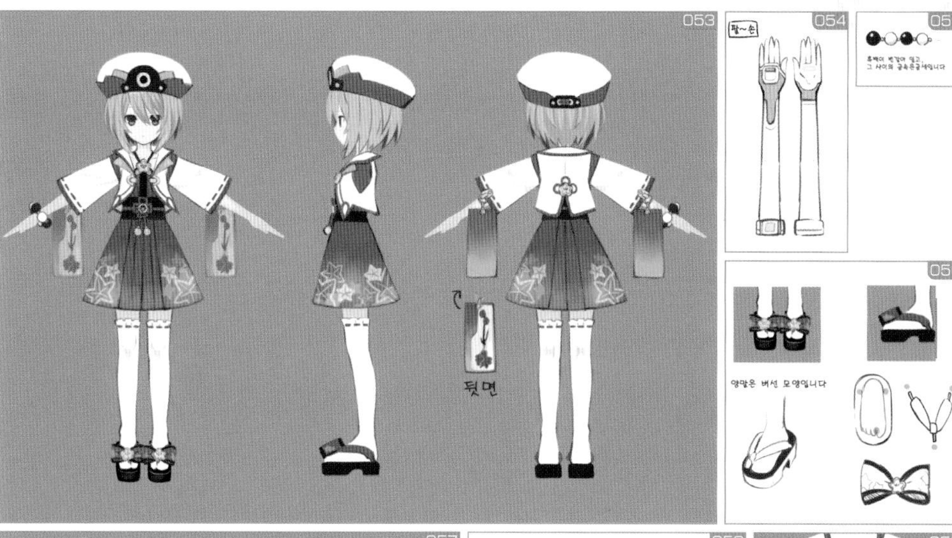

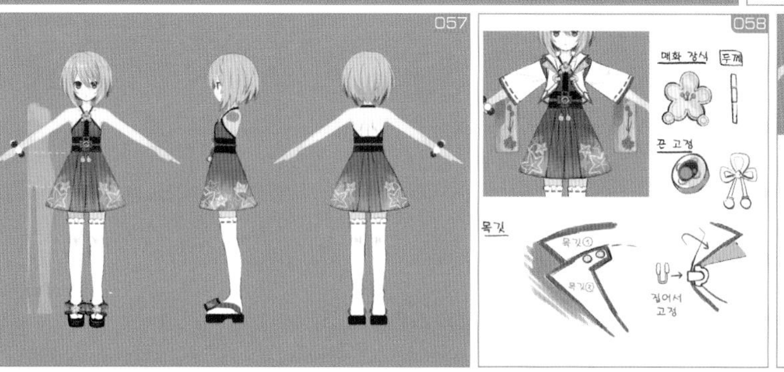

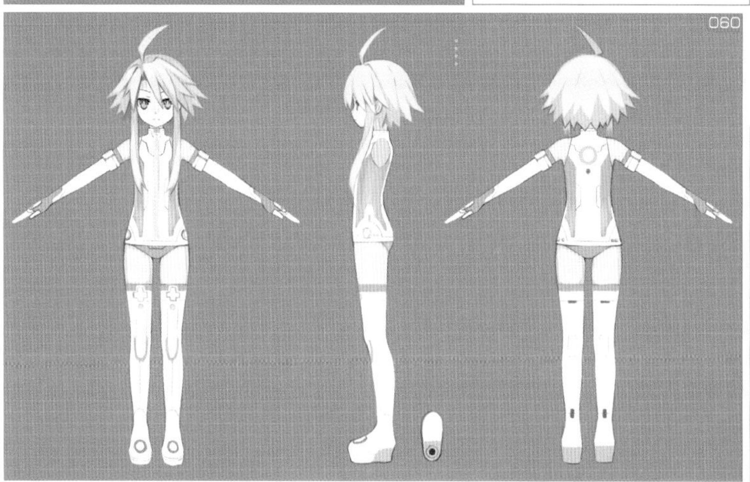

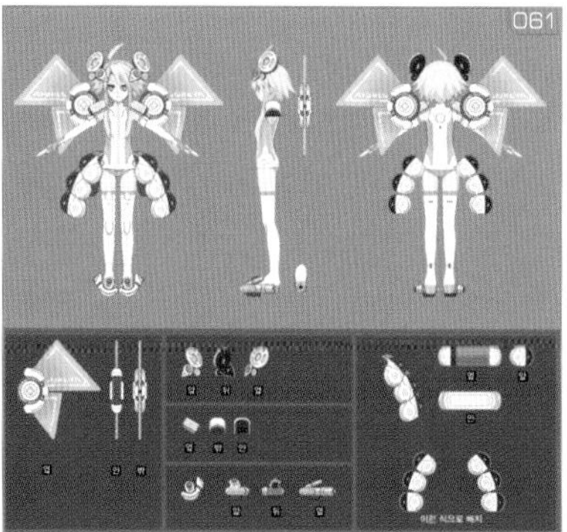

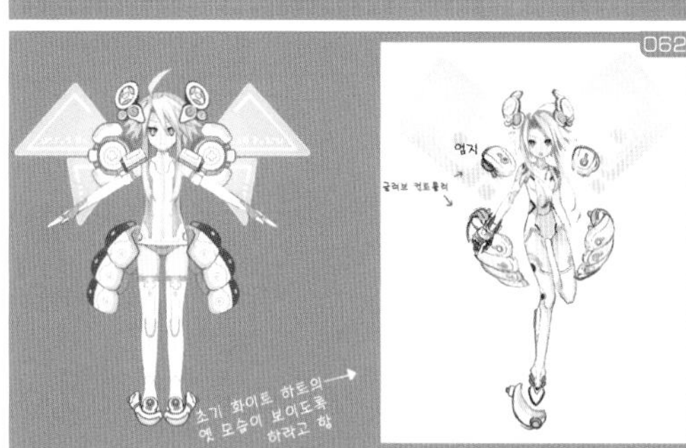

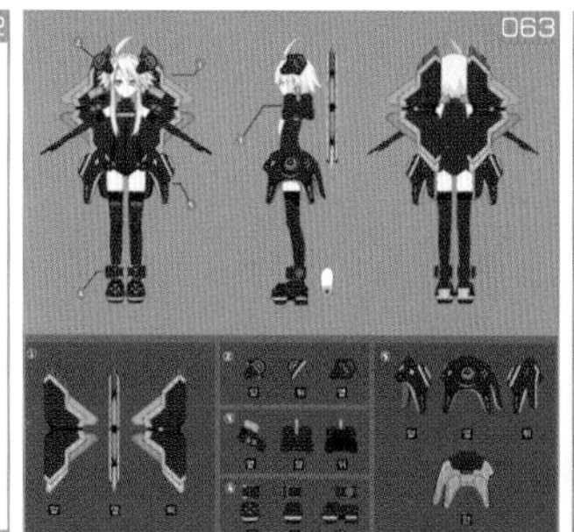

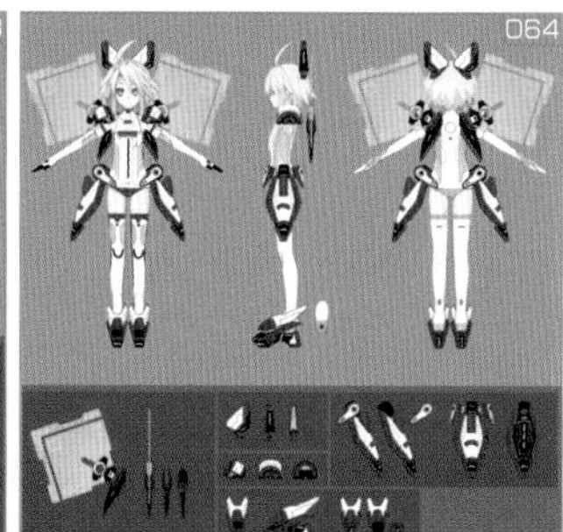

053. 기본 스타일 삼면도. 일본 전통의상을 베이스로 한 의상.

054. 여신화 상태일 때의 긴 장갑 디자인.

055. 오른 손목의 액세서리. 희고 검은 8개의 구슬이 교차로 이어진다.

056. 폿쿠리라고 하는 일본 나막신의 한 종류. 꽃무늬 리본이 귀엽다.

057. 상의와 모자를 벗은 모습. 안은 의외로 대범한 디자인.

058. 가슴은 매화 장식, 허리는 띠와 전통의상 같은 디자인.

059. 등 장식도 매화를 사용. 패의 꽃은 벚꽃일까?

060. W11의 코어만 장비한 상태. 블루머처럼 보인다.

061. W11 시리즈의 프로세서와 각 파츠의 자세한 모습.

062. 오른쪽은 『mk2』 초기 장비의 프로세서를 입은 블랑.

063. NTD-64 시리즈의 프로세서와 각 파츠의 자세한 모습.

064. 베이스 화이트 시리즈의 프로세서와 각 파츠의 자세한 모습.

●삼면도

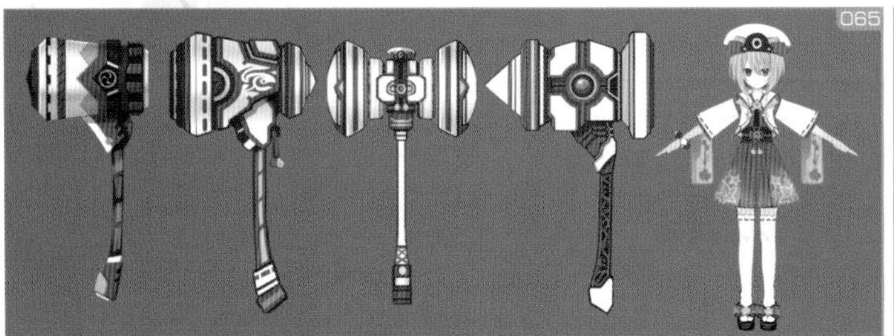

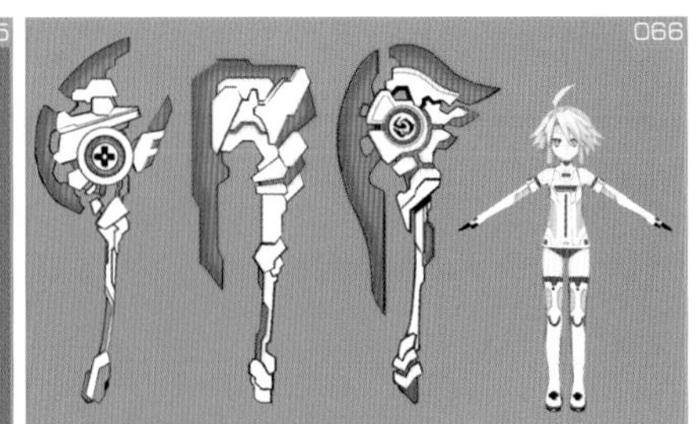

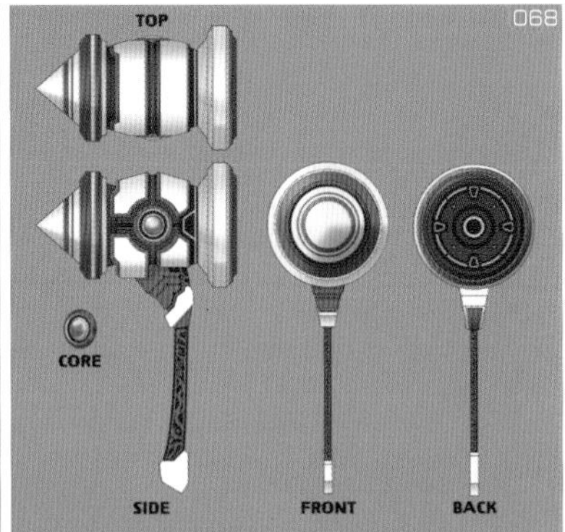

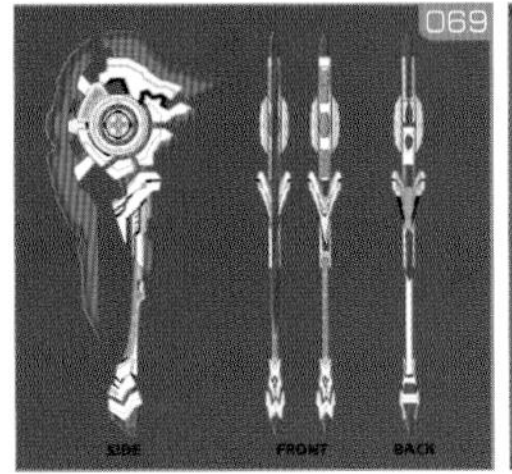

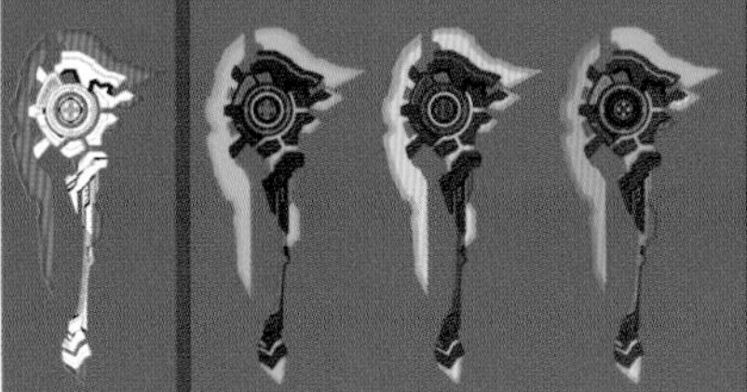

065. 각종 무기 디자인. 왼쪽은 해머, 오른쪽은 베이직 해머와 동일.

066. 여신화 상태일 때 사용하는 무기. 해머가 아니라 도끼로 변함.

067. 해머의 색상 변화 패턴. 녹색이나 보라색 등 실제로 몇 가지 채용했음.

068. 해머를 위나 앞뒤에서 본 디자인. 의외로 손잡이 부분이 얇다.

069. 여신화 상태일 때의 무기 삼면도.

070. 다양한 색상 변화 패턴. 장비한 무기에 따라 형태와 색이 변화함.

벨 / 그린 하트

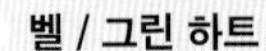

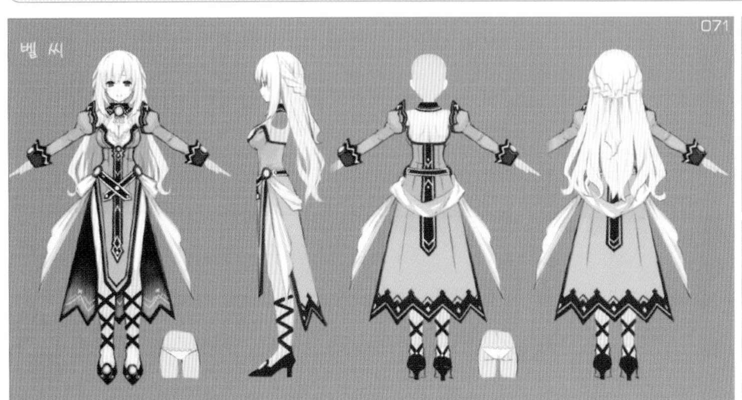

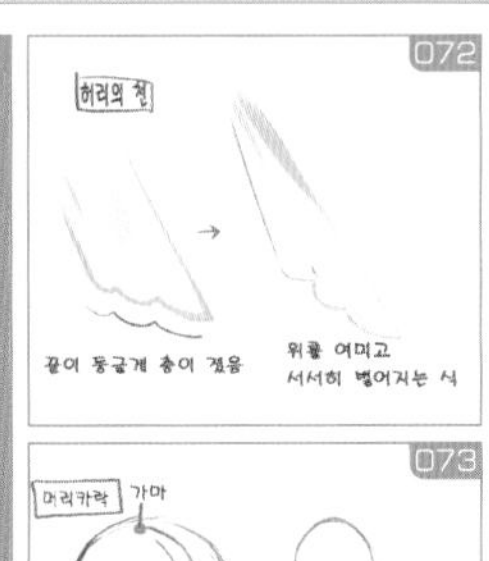

071. 기본 스타일 삼면도와 전후좌우 디자인.

072. 허리에 달린 천의 자세한 부분까지 마련돼 있음.

073. 머리모양에 대한 지시. 웨이브는 끝부분만.

074. 장신구 디자인. 안에 입은 것이 속옷 같다.

075. 성인 여성답게 하이힐은 고급스러운 디자인.

076. 머리를 뒤에서 묶는 리본의 디자인.

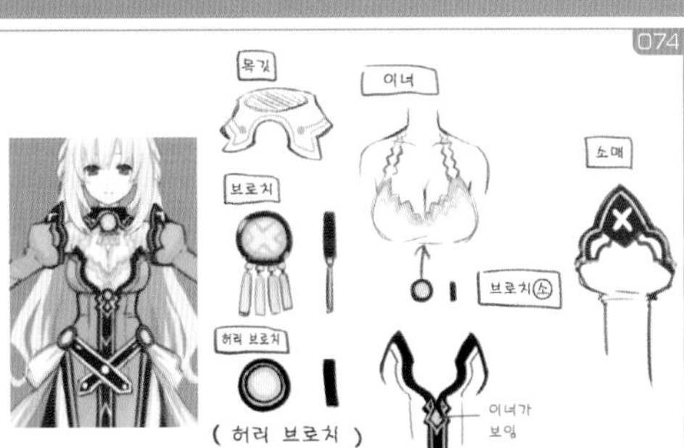

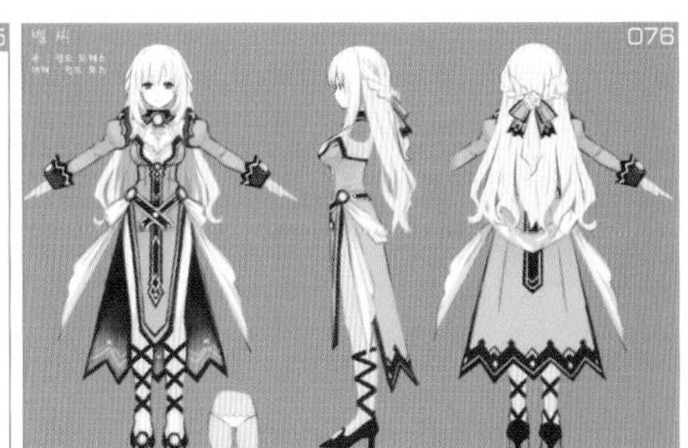

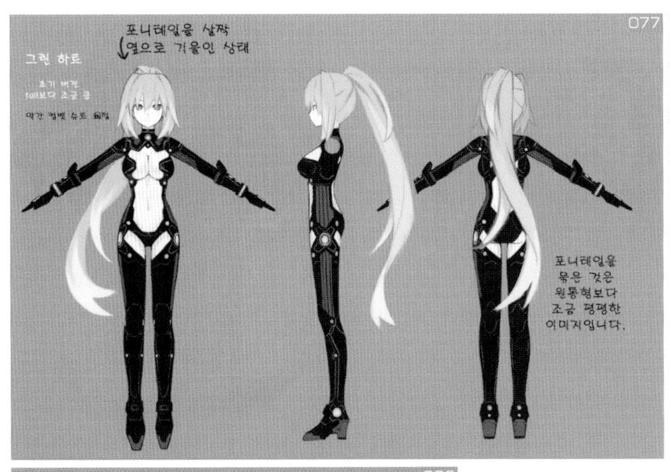

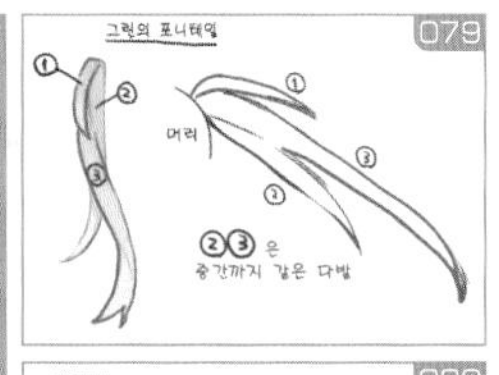

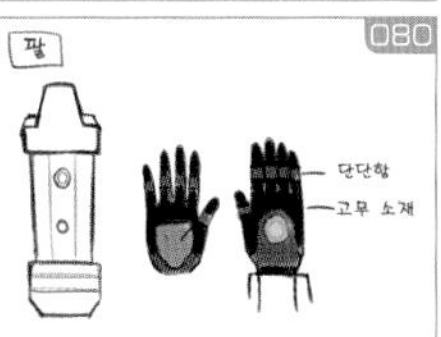

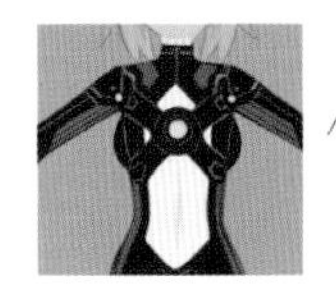
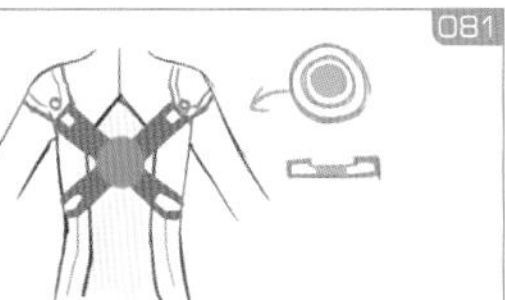

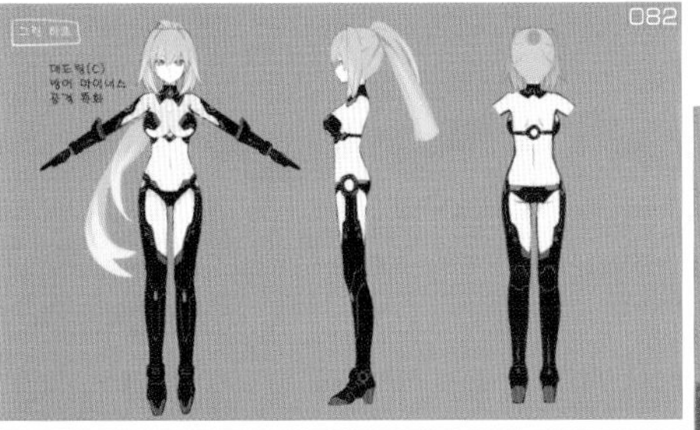

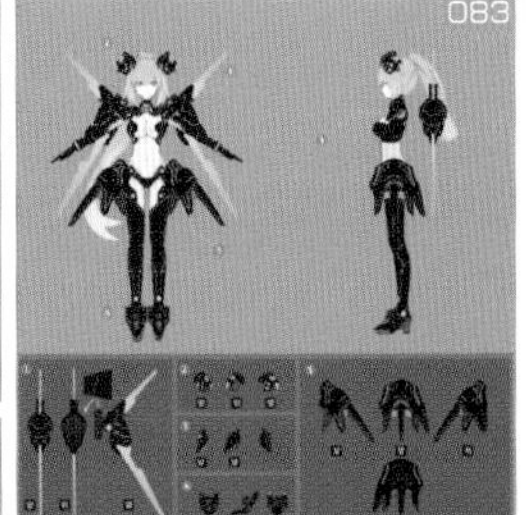

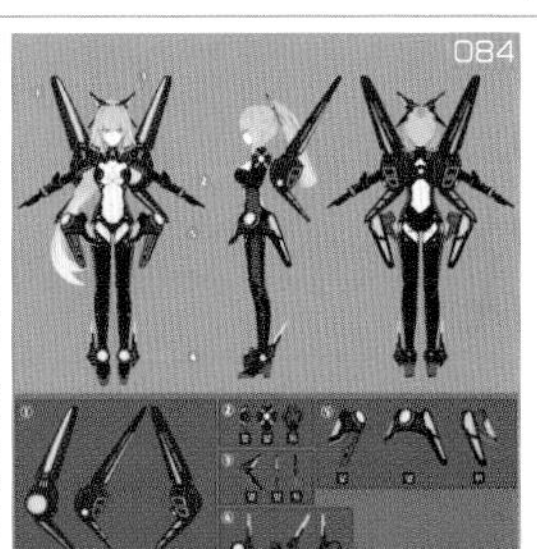

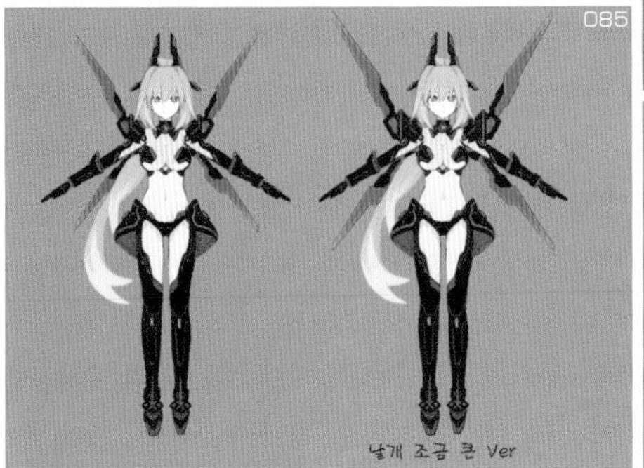

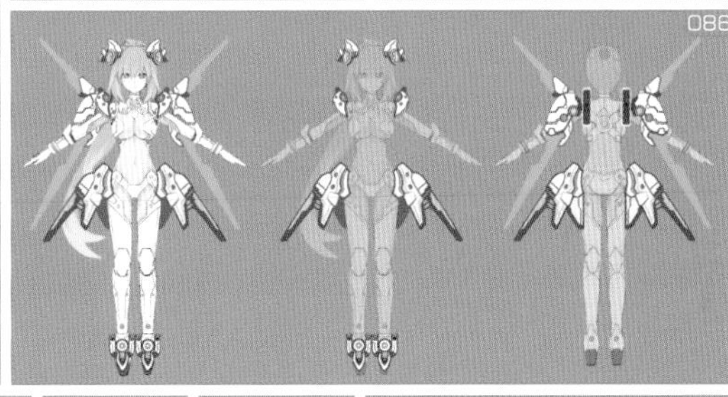

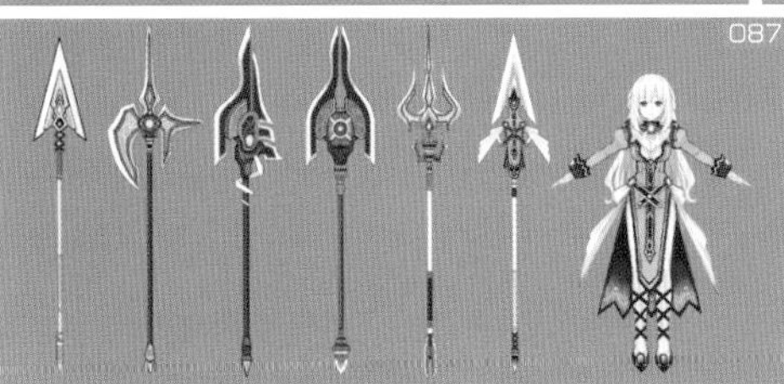

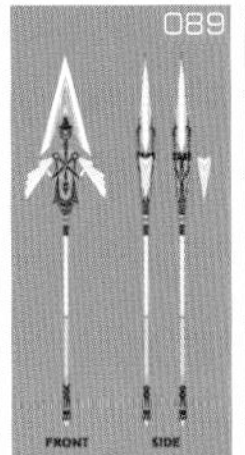

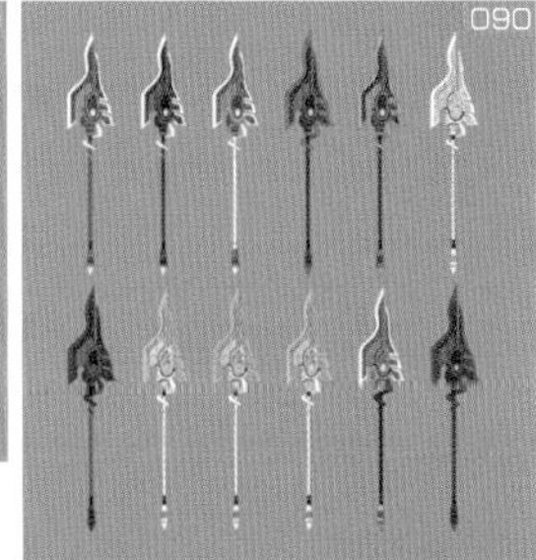

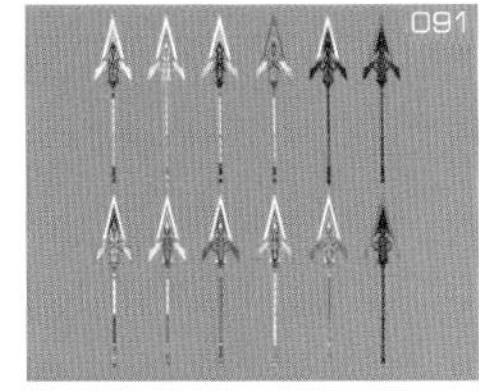

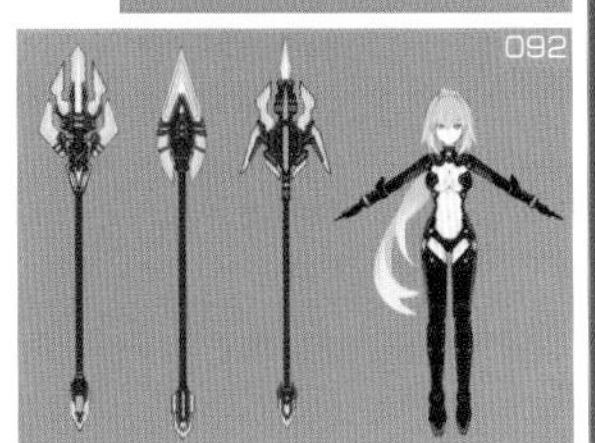

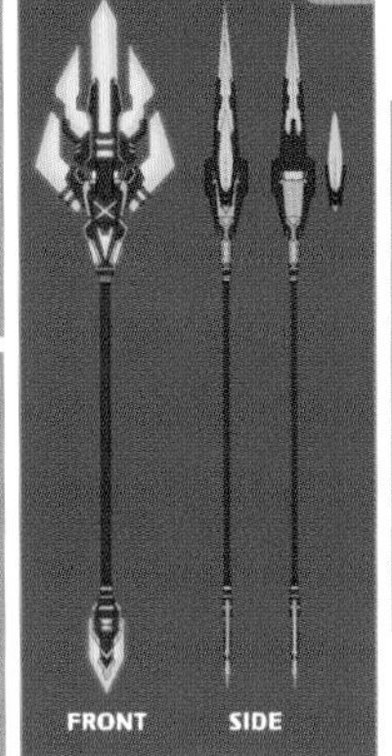

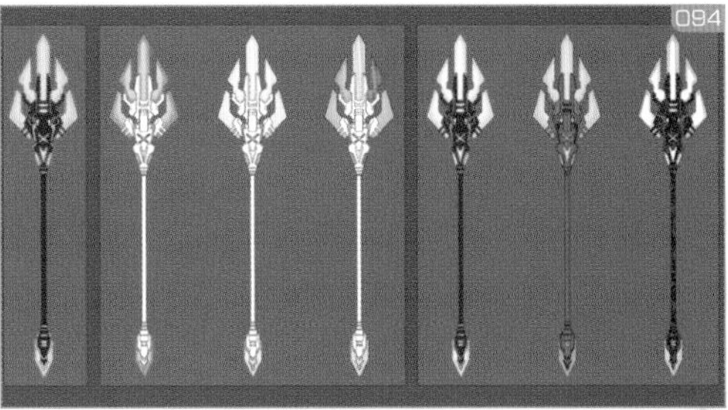

077. 프로세서를 아무것도 장비하지 않은 상태.

078. 빌드 엑스 시리즈의 프로세서를 장비.

079. 포니테일 끝부분의 곡선에 대한 지시.

080. 프로세서를 장비하지 않은 팔 부분과 손 디자인.

081. 등은 엑스 모양의 벨트로 되어 있음.

082. 더블 라운드 코어만 장비한 상태.

083. 라운드 넥스트 시리즈의 프로세서와 파츠.

084. 빌드 엑스 시리즈의 프로세서와 파츠.

085. 더블 라운드 시리즈의 프로세서를 장비.

086. 라운드 엑스 시리즈의 프로세서와 파츠.

087. 각종 무기 디자인. 사용되지 않은 것도 있음.

088. 무기 이면도.

089. 무기 삼면도.

090. 무기 색상 패턴. 왼쪽 위는 아이언 랜스.

091. 무기 색상 패턴. 오른쪽 아래는 테스터먼트.

092. 여신화 상태일 때 사용하는 무기 패턴.

093. 여신화 상태일 때 무기의 삼면도.

094. 여신화 상태일 때 무기의 색상 패턴.

●삼면도

피셰 / 옐로 하트

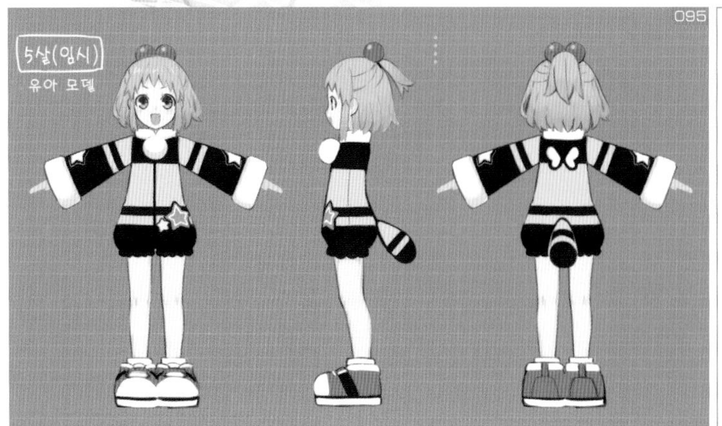

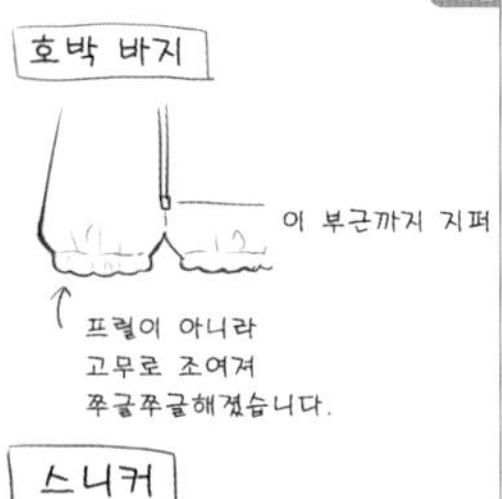

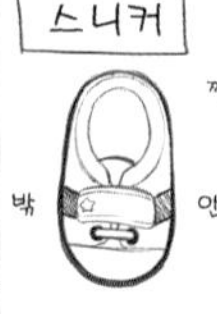

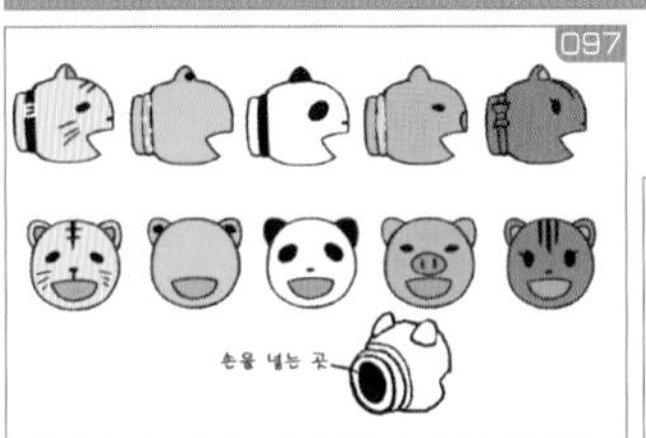

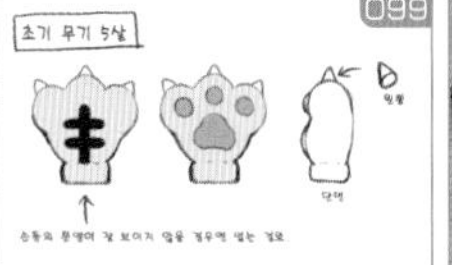

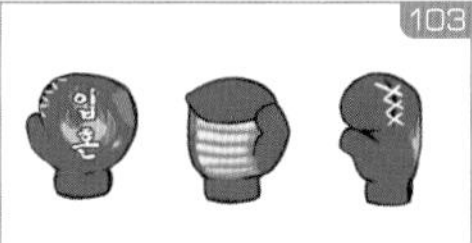

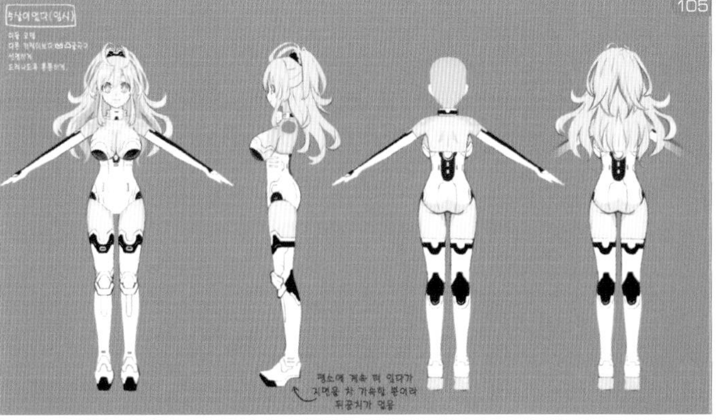

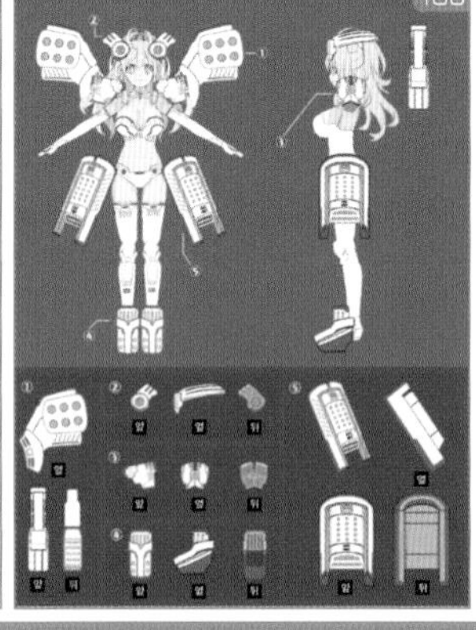

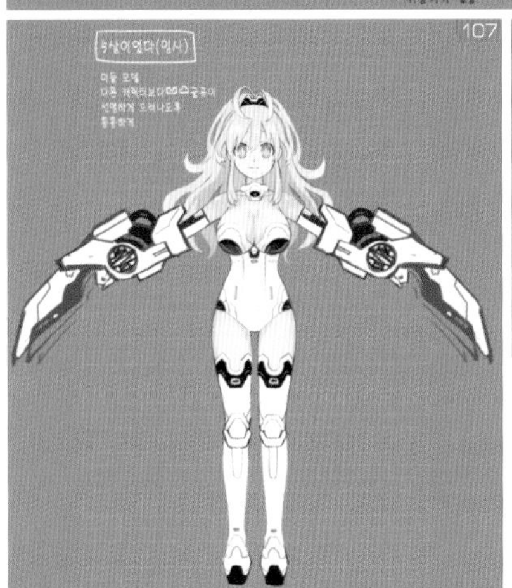

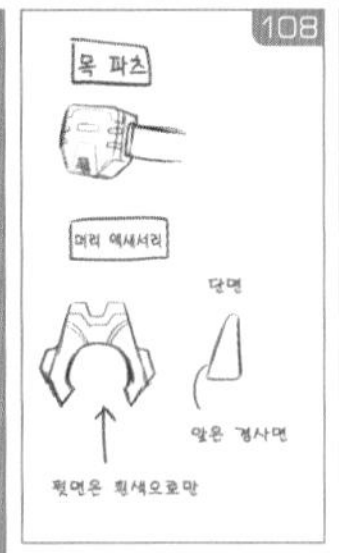

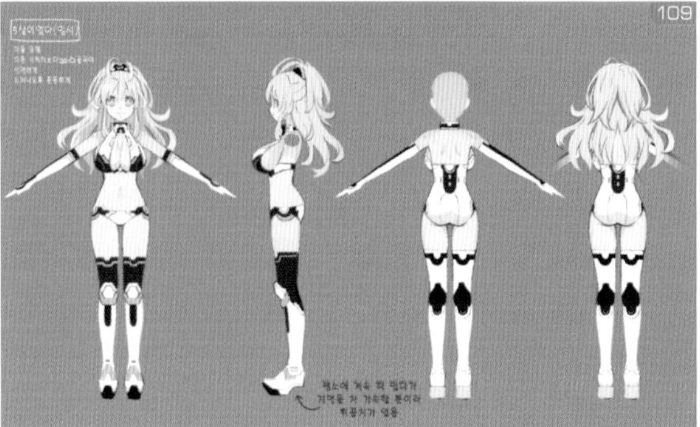

095. 기본 스타일의 삼면도. 컬러링은 벌이 모티브.

096. 호박 바지는 자락이 조이는 짧은 반바지 같은 것.

097. 무기인 각종 글러브의 디자인. 동물 얼굴이 모티브.

098. 미사용 아이템·100톤 글러브의 삼면도. 무거워 보임.

099. 고양이 글러브의 삼면도. 끝에 손톱이 달려 있어 좀 아플 것 같다.

100. 무기 장비 시 CG 모델링. 손이 들어가도록 만들었음.

101. 미사용 디자인. 털장갑을 본 딴 글러브라고 생각됨.

102. 미사용 디자인. 복싱 글러브에 스파이크가…….

103. 입혼 글러브의 삼면도. 펀치에도 기합이 들어갈 것 같음.

104. 고양이 글러브의 삼면도. 이쪽은 미사용 디자인.

105. 프로세서를 장비하지 않은 상태의 삼면도. 소녀인데도 포동포동.

106. PCF-00X 시리즈의 프로세서와 파츠 디자인.

107. 팔 디자인. 무기인 글러브가 거대한 갈고리로 변함.

108. 머리 액세서리는 변칙적인 포니테일용 머리묶음.

109. 왼쪽 두 개는 PCF-XXX의 코어만 장비한 상태. 오른쪽은 장비하지 않은 상태.

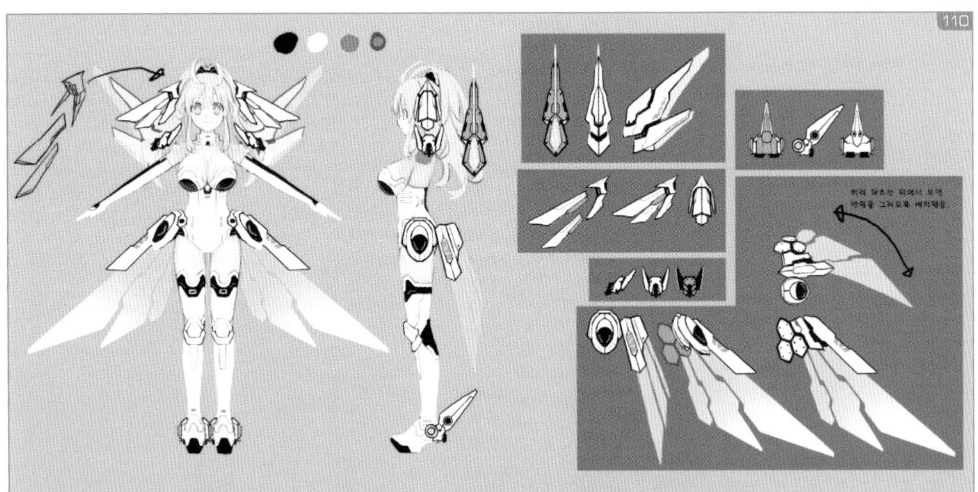

110. 베이스 코어 시리즈의 프로세서를 장비한 상태와 파츠 디자인.

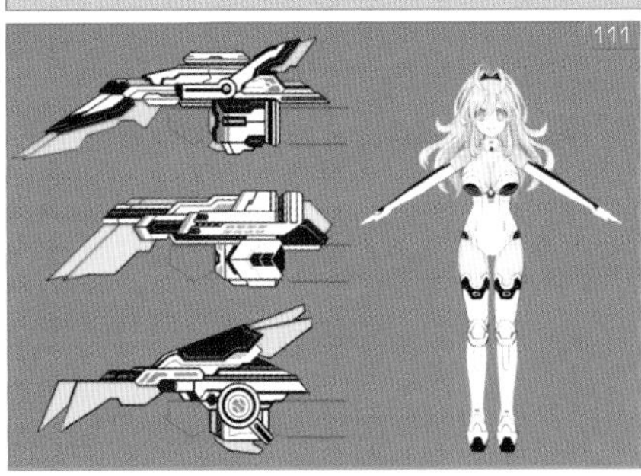

111. 팔에 장비한 갈고리 디자인. 장비한 무기에 따라 변화함.

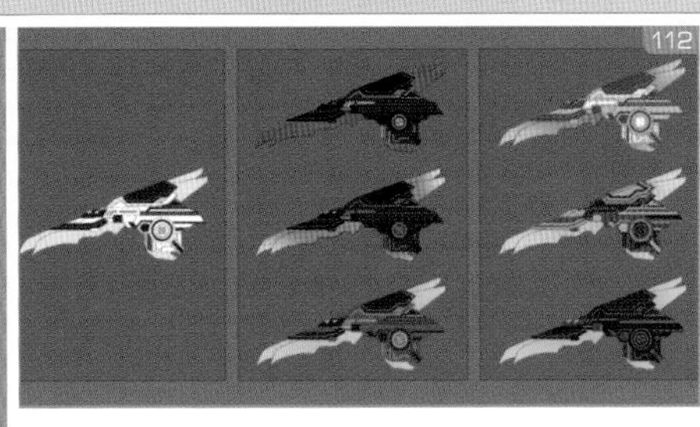

112. 색상 패턴. 왼쪽 것과 위의 두 종류는 게임에서 사용됨.

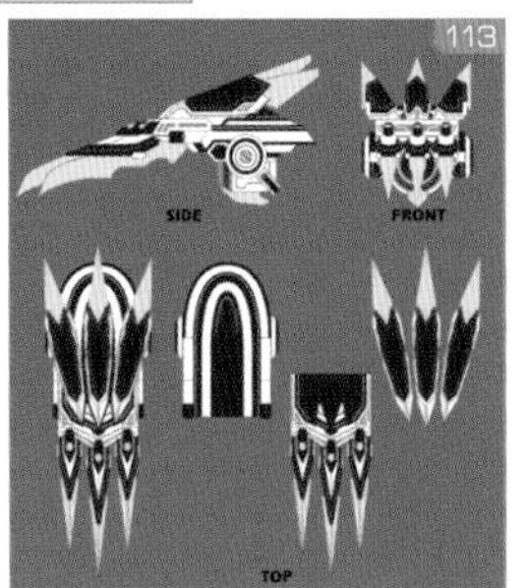

113. 갈고리를 앞뒤에서 본 디자인. 윗면은 갈고리가 방패와 같은 역할을 하는 걸까.

신차원칼럼

앨범 일람

타이틀	카테고리	타이틀	카테고리	타이틀	카테고리
키 비주얼	패키지	르위	배경	디스크 메이크	배경
키 비주얼 Ver2	패키지	린박스	배경	아노네데스의 연구소	배경
통상판 재킷	패키지	플라네튠 (신차원)	배경	가지 밭	배경
한정판 재킷	패키지	플라네튠·밤 (신차원)	배경	네프스테이션	배경
뒹굴뒹굴	이벤트CG	라스테이션 (신차원)	배경	플라네튠 (범용)	배경
네—프기어	이벤트CG	라스테이션·밤 (신차원)	배경	라스테이션 (범용)	배경
떨어진 넵튠	이벤트CG	르위 (신차원)	배경	르위 (범용)	배경
작은 잇승	이벤트CG	르위·밤 (신차원)	배경	린박스 (범용)	배경
아이리스 하트 등장	이벤트CG	린박스 (신차원)	배경	개발실	배경
여신화!	이벤트CG	린박스·밤 (신차원)	배경	플라네타워의 전망대	배경
셋이 함께 목욕	이벤트CG	플라네튠 (초차원)	배경	알현실	배경
느와르와 블랑	이벤트CG	라스테이션 (초차원)	배경	공원	배경
공개 생방송	이벤트CG	르위 (초차원)	배경	네프 자매의 방	배경
숨겨둔 아이 발각?!	이벤트CG	린박스 (초차원)	배경	유니의 방	배경
떨어진 네프기어	이벤트CG	삼림	배경	롬, 람의 방	배경
울보 벨 씨	이벤트CG	동굴	배경	벨의 방	배경
트라우마	이벤트CG	사이버 공간	배경	교회 내부	배경
옐로 하트 등장	이벤트CG	산악	배경	길드	배경
옐로 하트의 정체	이벤트CG	유적	배경	뒷골목	배경
추억	이벤트CG	블록 월드	배경	뒷골목·밤	배경
어느 날의 한 컷	이벤트CG	르위 성내	배경	게임 디멘션	배경
검은 빛을 흡수하는 프루루트	이벤트CG	플라네튠 시가지	배경	네푸의 색칠놀이	특전
무질서한 세계	이벤트CG	폐허	배경	푸르의 색칠놀이	특전
여신의 힘	이벤트CG	습지	배경	느와의 색칠놀이	특전
타리·쇼크	이벤트CG	용암 동굴	배경	블랑의 색칠놀이(칠해주지 않았다)	특전
네프스테이션!	이벤트CG	쉘터	배경	벨 씨의 색칠놀이	특전
아이리스&옐로	이벤트CG	프루루트의 방	배경	기어의 색칠놀이	특전
신체검사	이벤트CG	프루루트의 방(인형)	배경	컴파의 색칠놀이	특전
처음부터 사이좋게	이벤트CG	라스테이션 교회/작업장 겸 개인실	배경	아이에푸의 색칠놀이	특전
역시 뒹굴뒹굴	이벤트CG	르위 교회/ 알현 장소	배경	피이의 색칠놀이	특전
모두, 계속, 함께	이벤트CG	린박스 교회/ 알현 장소	배경	츠나의 색칠놀이	특전
GC2012 (초차원)	배경	7현인의 본거지	배경	카쿠네코의 퍼플 하트	특전
플라네튠	배경	지하 감옥	배경		
라스테이션	배경	상점	배경		

액세서리

아바타 아이템 중에서 머리에 달 수 있는 액세서리의 일부를 삼면도로 소개. 비교해보면 여신 저마다의 성격이 잘 반영되어 있다.

넵튠 전용 액세서리

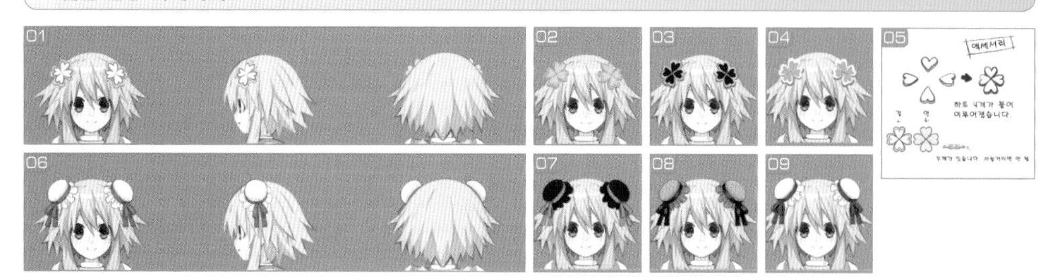

프루루트 전용 액세서리

느와르 전용 액세서리

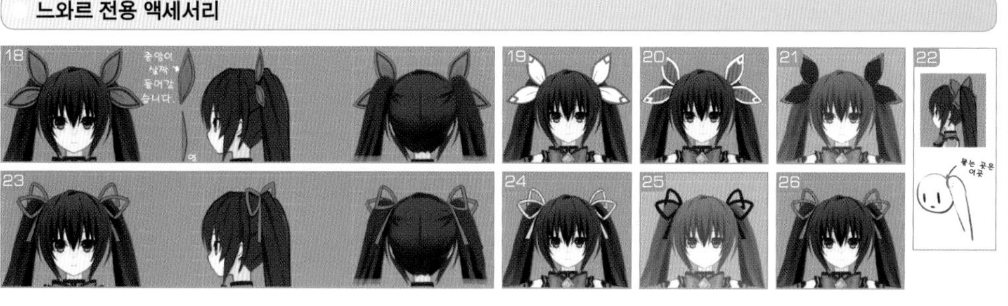

블랑 전용 액세서리

베르 전용 액세서리

넵튠 전용 액세서리

01. 아이스 클로버
02. 클로버 핀
03. 모노 클로버
04. 오렌지 클로버
05. 클로버의 구조
06. 시뇽 캡
07. 블랙 시뇽
08. 그레이 시뇽
09. 오렌지 시뇽

프루루트 전용 액세서리

10. 모노크롬 양
11. 양
12. 푹신푹신 양
13. 검은 양
14. 파스텔 버튼
15. 모노크롬 버튼
16. 스노우 버튼
17. 오렌지 버튼

느와르 전용 액세서리

18. 뾰족한 리본
19. 레인 드랍
20. 히로인 리본
21. 의자매 리본
22. 리본 묶음
23. 파인 블루
24. 파인 옐로
25. 파인 블랙
26. 파인 로즈

블랑 전용 액세서리

27. 빨간 동백꽃 머리 장식
28. 파란 꽃 머리 장식
29. 하얀 동백꽃 머리 장식
30. 복숭아꽃 머리 장식
31. 모자의 비밀
32. 벚꽃 공주 리본
33. 쪽빛 공주 리본
34. 눈빛 공주 리본

베르 전용 액세서리

35. 하트 바레트
36. 기넷 바레트
37. 페리도트 바레트
38. 스피넬 바레트
39. 리본 이면도
40. 모닝 베일
41. 레이디 베일
42. 셔틀즈 베일
43. 블러드 베일

피셰 전용 액세서리

전 캐릭터 공통 액세서리

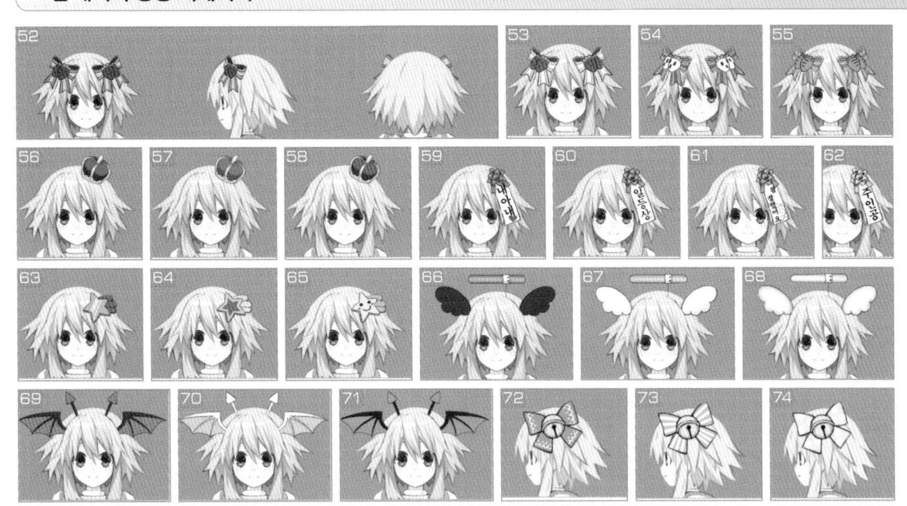

기타 액세서리

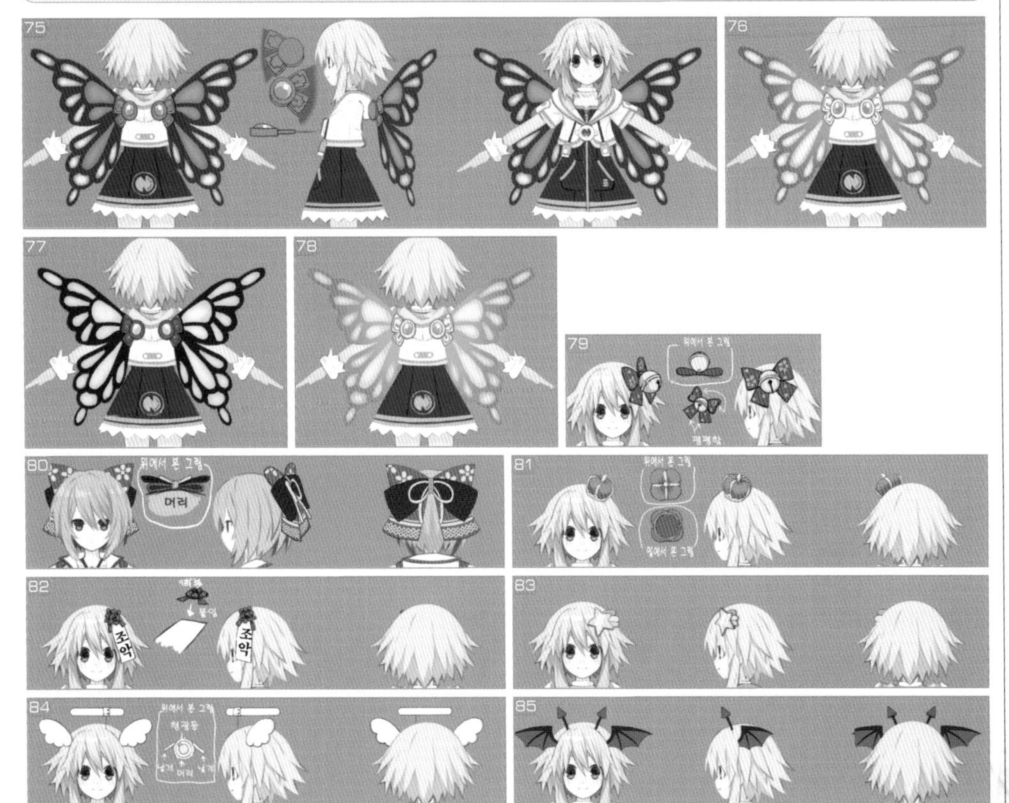

피셰 전용 액세서리
44. 원아모
45. 섬머 햇
46. 팬시 햇
47. 핑크 햇
48. 큰 리본
49. 요구르 리본
50. 팬시 리본
51. 핑크 리본

전 캐릭터 공통 액세서리
52. 딸기 리본
53. 딸기 우유
54. 무 리본
55. 당근 리본
56. 룬 크라운
57. 노블 크라운
58. 로열 크라운
59. 내 아내 리본
60. 일등상 리본
61. 꽃방울 리본
62. 주인공 리본
63. 럭키 스타
64. 네온 스타
65. 스미일 스타
66. 블랙 라이트
67. 할로겐 램프
68. 음이온 발생장치
69. 로즈 데빌
70. 스위트 데빌
71. 블루 데빌
72. 방울 리본
73. 스프라이트 리본
74. 물방울 리본

기타 액세서리
나비의 날개는 캐릭터마다 컬러링까지 만들었었음.
79는 공통 액세서리로서 고안됐지만, 게임에선 블랑 전용 전통 방울 리본으로 채용됐음.
75~78. 나비의 날개
79. 방울 리본
80. 슈팅 스타
81. 원형 형광등
82. 작은 악마 헤어밴드

그림 콘티

여기선 적을 쓰러뜨리는 화려한 스킬이나, 보고 있기만 해도 즐거운 스킬에 관한 그림 콘티를 소개. 볼거리가 있는 스킬을 선정해 게재했으니 차근히 봐주셨으면 합니다.

선더 블레이드 킥

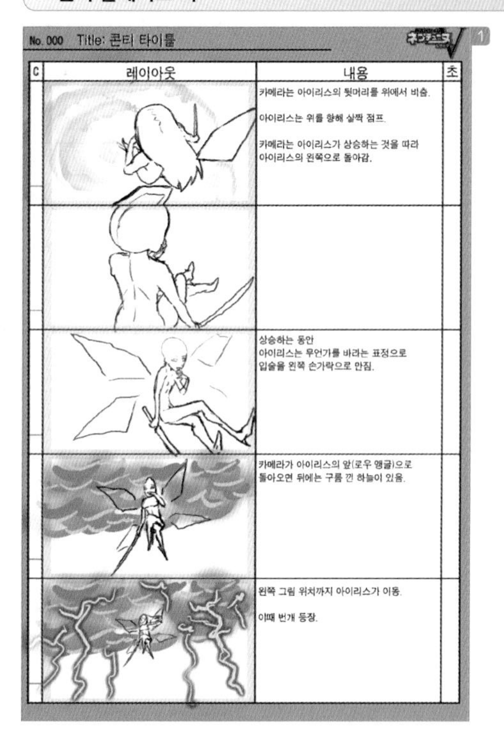
No. 000 Title: 콘티 타이틀 (1)

C	레이아웃	내용	초
		카메라는 아이리스의 뒷머리를 위에서 비춤. 아이리스는 위를 향해 살짝 점프. 카메라는 아이리스가 상승하는 것을 따라 아이리스의 왼쪽으로 돌아감.	
		상승하는 동안 아이리스는 무언가를 바라는 표정으로 입술을 왼쪽 손가락으로 만짐.	
		카메라가 아이리스의 앞(로우 앵글)으로 돌아오면 뒤에는 구름 낀 하늘이 있음.	
		왼쪽 그림 위치까지 아이리스가 이동. 이때 번개 등장.	

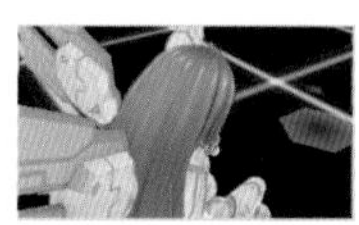

No. 000 Title: 콘티 타이틀 (2)

C	레이아웃	내용	초
		카메라가 바뀌며 아이리스의 왼쪽 위에서 비춤. 아이리스는 그대로 위로 공중제비를 돎.	
		공중제비를 도는 아이리스. 발 끝부분(발밑)에 에너지가 모임. 끝부분에 이펙트가 보이도록 카메라가 당겨짐.	
		카메라가 당겨짐.	
		아이리스가 오른발을 위로 들고 손을 교차함. 카메라는 그 움직임에 연동해 단번에 아이리스의 발밑까지 이동.	
		이펙트를 보임.	

No. 000 Title: 콘티 타이틀 (3)

C	레이아웃	내용	초
		카메라 변경 아이리스의 왼쪽 위에서 이펙트와 함께 비춤 아이리스는 머리를 밑으로 내린 형태로 공중제비를 돌며 에너지 탄에 발꿈치로 내려 차기를 날림.	
		내려 차기가 에너지 탄에 닿으면 에너지 탄은 횡거니가 그곳에서 번개가 떨어짐. 화면이 흔들림	
		※공격에 맞는 장면에서 다른 앵글로 리플레이 재생 카메라를 바꿔 캐릭터와 에너지 탄을 정면에서 비춤. 캐릭터는 에너지 탄에 공중제비 내려 차기 그 움직임에 맞춰 카메라가 단 번에 당겨짐	
		화면이 흔들림	
		카메라가 변경돼 하늘을 비춤. 하늘의 오른쪽 위가 반짝임.	

No. 000 Title: 콘티 타이틀 (4)

C	레이아웃	내용	초
		반짝 빛나는 부분에서 번개가 떨어짐. (아이리스가 떨어뜨린 번개)	
		번개는 카메라의 바로 옆을 지나감. 카메라는 그것을 따라감.	
		번개 끝부분을 따라 카메라가 아래를 향하면 아래엔 적이 있음. 적을 향해 그대로 번개가 떨어짐. 화면이 흔들림.	
		카메라가 바뀌어 바로 옆에서 적을 비춤. 적이 폭발	
		카메라가 그대로 뒤로 물러섬. 그럼 아이리스의 다리가 프레임 인	

No. 000 Title: 콘티 타이틀 (5)

C	레이아웃	내용	초
		카메라가 그대로 뒤로 당겨짐.	
		카메라가 계속 당겨져 아이리스의 온몸이 프레임 안에 담김	
		검을 휘두름. 검을 따라 이펙트. 고개를 왼쪽으로 돌림. 머리에서 파티클이 반짝 날림 화이트 아웃하여 종료	

No. 000 Title: 콘티 타이틀 추격 (6)

C	레이아웃	내용	초
		카메라가 바뀌어 아이리스의 등으로 이동. 아이리스는 오른쪽부터 빙글 돌아봄.	
		아이리스가 돌아보며 손가락을 이용해 키스를 보냄	
		왼손에서 하트가 날아감. 그 움직임을 따라 카메라가 당겨짐. 캐릭터 주위에서 빔이 날아감.	
		빔이 카메라를 향해 날아감. 카메라는 그 움직임을 따라 아이리스가 보이지 않을 정도까지 단번에 당겨짐	
		카메라가 바뀌어 적을 정면에서 잡음. 위에서 빔이 떨어지며 적에게 히트하여 종료.	

Maker's Comment

평범한 킥이라면 재미없다! 그렇게 몇 번이고 디렉터와 회의를 거듭하며 엄청나게 고생하여 완성한 스킬입니다. (나카지마)

그림 콘티 설명

프루루트가 아이리스 하트로 변신했을 때 사용할 수 있는 이그제 드라이브. 번개를 배경으로 미소 짓는 아이리스 하트는 말 그대로 여왕님. 게다가 전격 공격만으로 끝나는 게 아니라, 손으로 키스를 보내 추격하는 모습은 섹시 만점 어른의 매력이 가득하다.

네푸코도 뒤로 물러선다

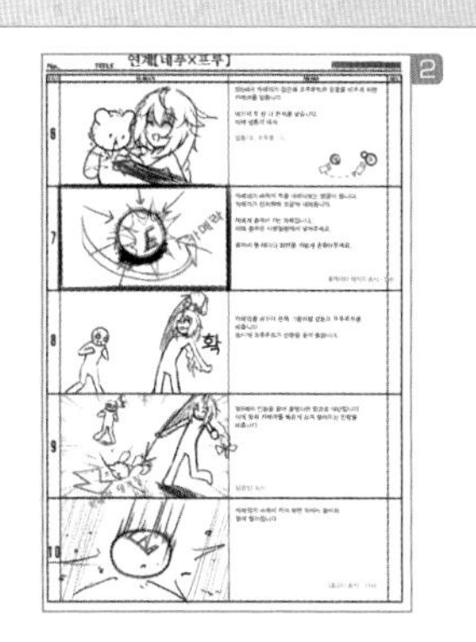

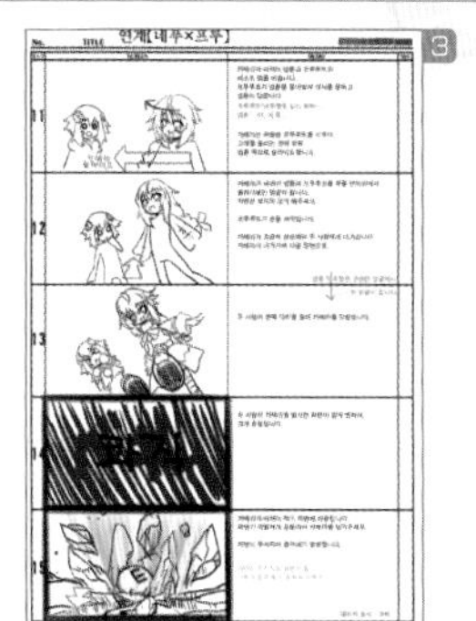

Maker's Comment

네푸코조차 자신도 모르게 뒤로 물러나게 하는 프루루트. 웃는 얼굴이 굉장히 무섭습니다. 즐거워졌다면 어쩔 수 없죠. 악의는 없었을 겁니다. 이때 네푸코 인형을 장비시키면 굉장히 환상적입니다. (토이)

그림 콘티 설명

프루루트의 어두운 일면을 살짝 엿볼 수 있는 무서운 연속기. 그림 콘티가 귀엽게 그려진 것이 보는 사람으로 하여금 한층 더 공포를 느끼게 한다. 또한 프루루트를 보고 당황한 넵튠이 표현된 것도 포인트.

파이널 하드 폼 : 벨

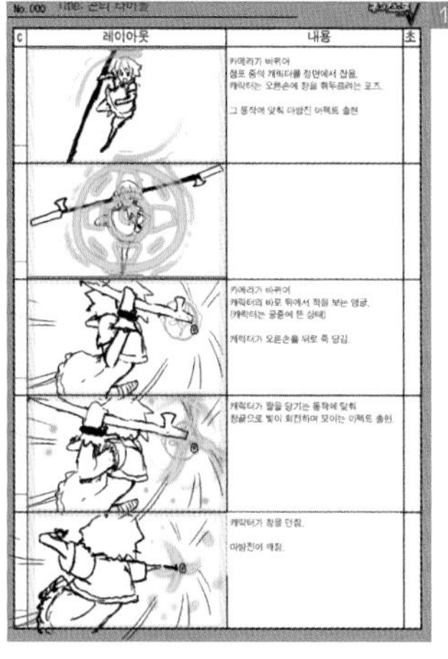

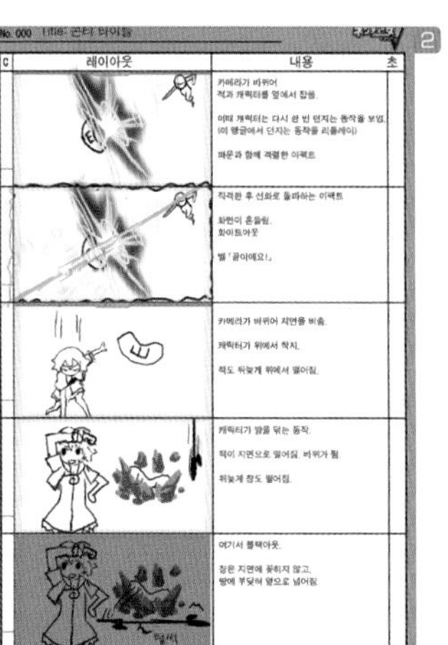

그림 콘티 설명

넵튠과 벨의 연개기. 넵튠이 창으로 변화한 벨로 적을 공격하는 멋진 기술이지만, 벨에 대한 취급이 상당히 미묘한 것이 포인트. 그림 콘티에서도 처음 변신 신이 없고, 마지막에도 버려두는 느낌이…….

Maker's Comment

파이널 하드 폼 스킬에선 멋지게 끝내는 건가…… 하고 생각하게 한 뒤, 마지막에 와서 반전이 있다. 그런 넵튠다운 느낌이 잘 나올 수 있도록 주의하며 작성했습니다. (나카지마)

빅토리 슬래시

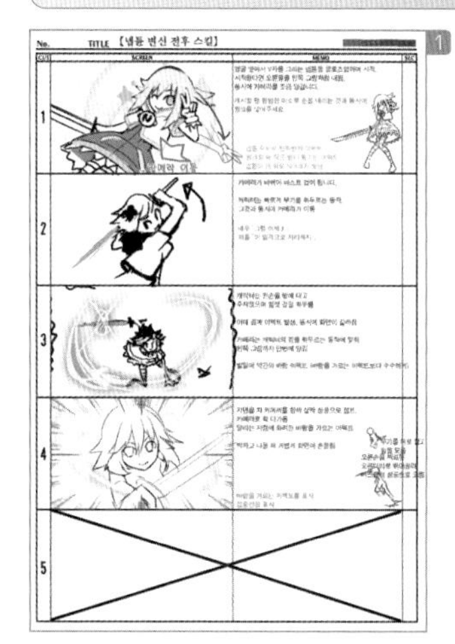

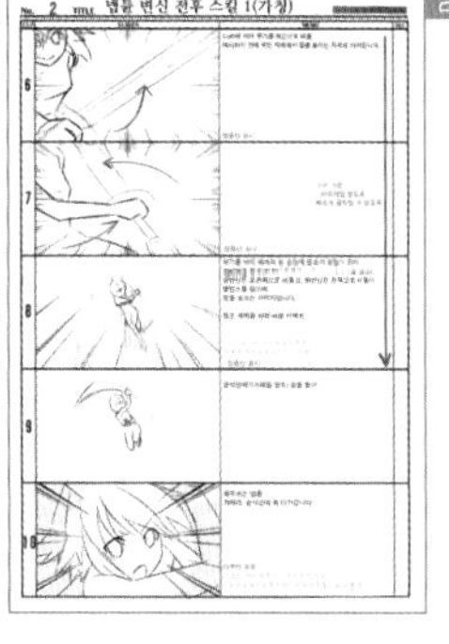

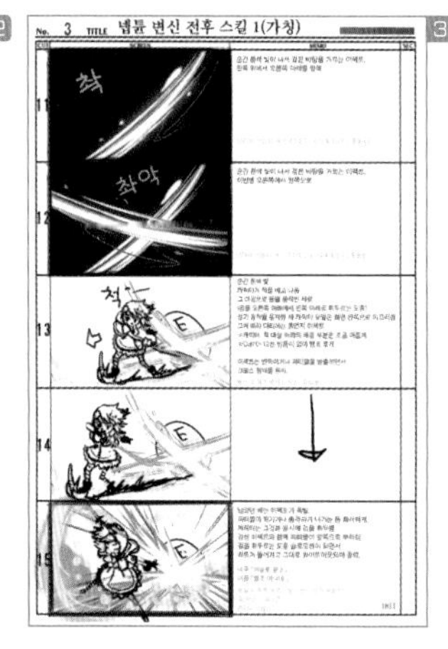

Maker's Comment

넵튠은 변신 전과 변신 후의 차이가 있는 캐릭터라서 어떻게 해야 같은 기술로 그녀를 잘 표현할 수 있을지 고민했습니다. 결국 처음 연출만 두 패턴으로 작성해봤습니다. (나카지마)

그림 콘티 설명

넵튠의 스킬. 그림 콘티도 첫 번째 컷부터 기합이 들어가 있어서 속도감을 중시한 흐름이라는 것을 알 수 있다. 또한 마지막 세 컷은 자세히 그려, 멋진 움직임으로 만들기 위한 의지를 엿볼 수 있다.

토네이도 체인

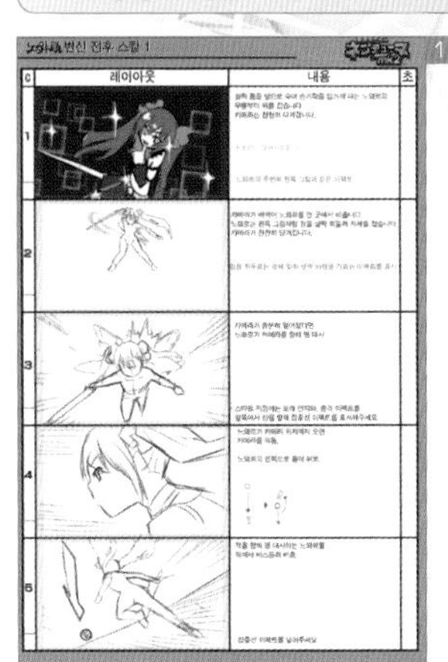

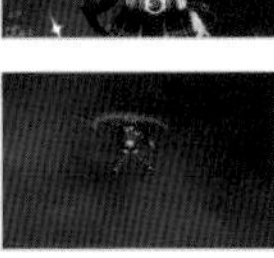
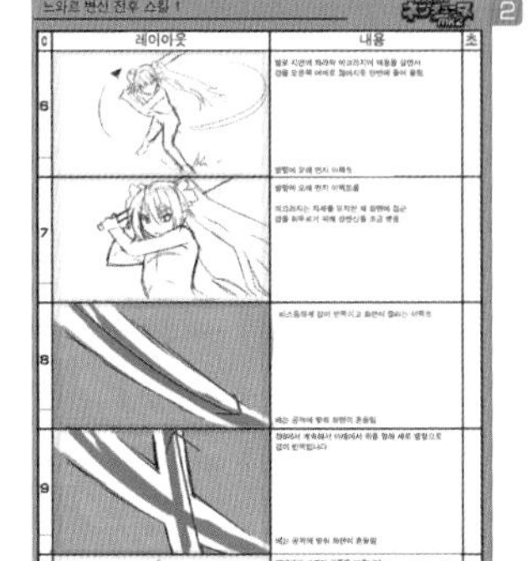

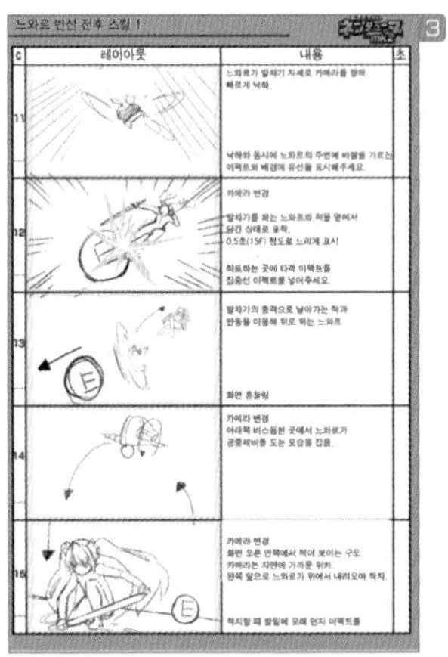
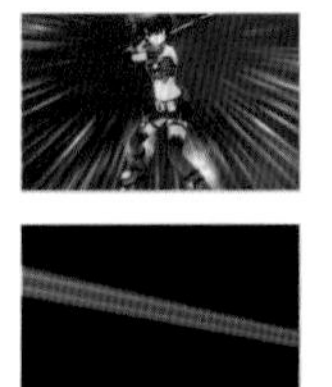
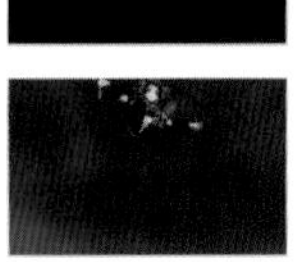

Maker's Comment

처음 연출은 느와르가 귀엽게 보이도록 노력하며 만들었습니다. 보고 있는 제가 조금 부끄러울 정도로 귀엽게 완성되어 기쁠 따름입니다. (나카지마)

그림 콘티 설명

느와르의 스킬. 상대에게 빠르게 접근해 베는 검술과 발차기 공격으로, 그림 콘티에서도 달리는 느낌이 있는 컷 분할과 카메라 이동 지정이 적혀 있다. 특히 발차기 앵글과 슬로우 지시가 멋진 효과를 만들어내고 있다.

겟타 라비네

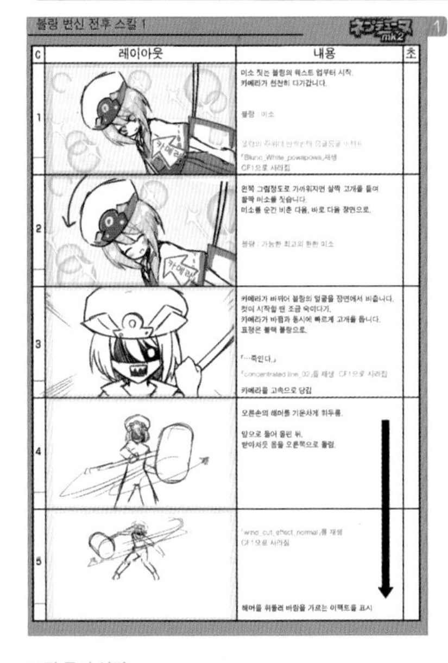
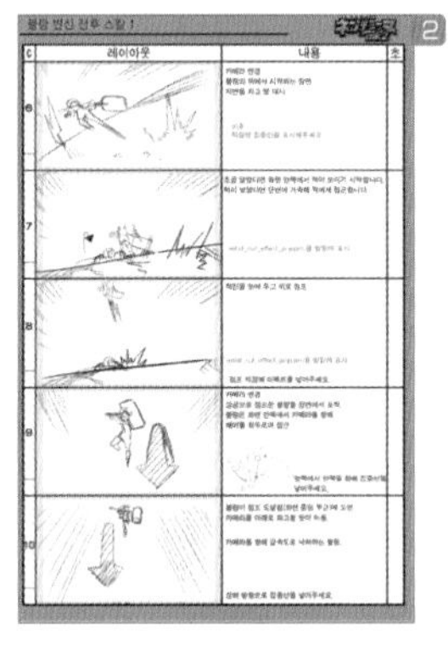
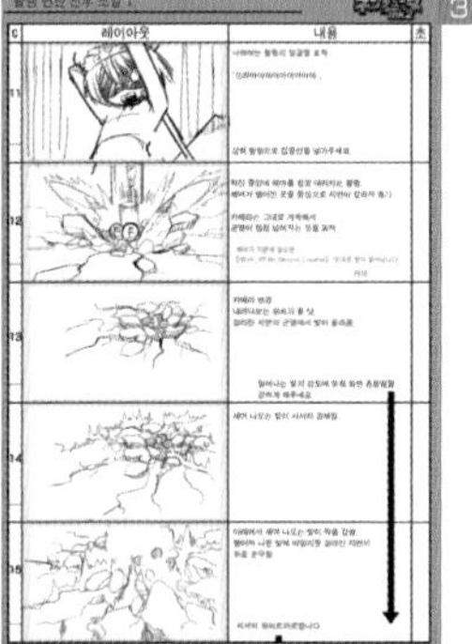
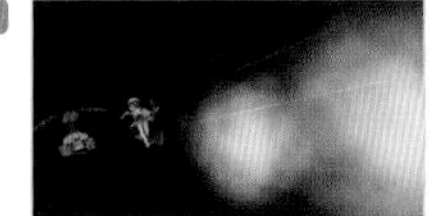
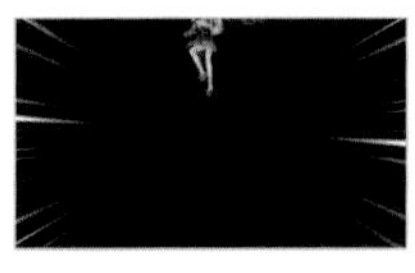
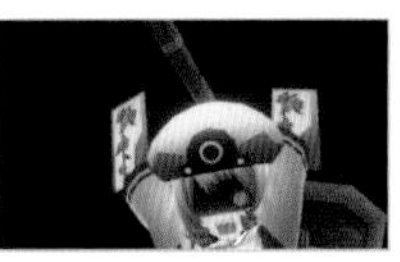

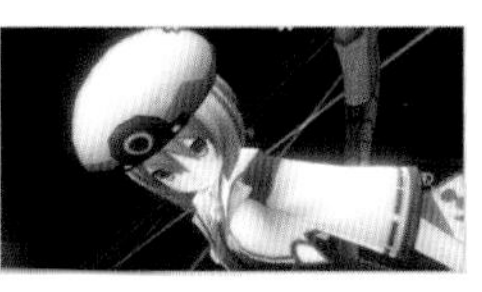

그림 콘티 설명

블랑의 스킬. 귀여운 미소에서 돌변, 무서운 표정으로 거대한 무기를 휘두르며 적에게 다가가는 장면. 그림 콘티에서도 내달린 뒤 점프해 땅을 가르는 컷을 나누어 스킬의 기세와 힘을 표현하고 있다.

Maker's Comment

블랑을 귀엽게 꾸미기 위해 다양한 포즈를 만들고 있을 때 「이런 표정도 있어요」라는 어드바이스를 받고 이 연출을 만들었습니다. 시나리오 중에서 이 미소는 거의 나오지 않으니 레어한 블랑이군요. (토이)

CHAPTER
5
『Re；Birth3 V CENTURY』
STRATEGY

테크닉

여기에는 보다 많은 대미지를 주는 방법과 캐릭터를 강화하는 방법 등 공략에 도움이 되는 테크닉뿐만 아니라, 각 장에서 발생하는 퀴즈의 정답도 적혀있다.

대미지 늘리기

대미지는 물리 공격이라면 STR, 마법 공격이라면 INT 수치가 크게 영향을 준다. 강적과 싸울 땐 이 능력치를 올린 뒤 싸울 것. 또한 등 뒤나 측면에서 공격한 경우, 가드 브레이크 상태로 만들었을 땐 더욱 대미지가 상승한다. 효율적으로 대미지를 주기 위해서는 이러한 상태를 만든 뒤 공격하자. 또한 HIT수가 올라갈수록 대미지가 증가한다. 이그제 드라이브를 사용하는 경우, 미리 다른 캐릭터로 HIT수를 올린 뒤에 공격하면 좋다.

GP를 많이 줄이는 브레이크 콤보로 공격해 가드 브레이크를 노리는 것도 효과적인 공격법 중 하나.

배틀 계산식

●기초 명중치: TEC+LUK
●기초 회피치: AGI+LUK/2
●명중률: 기초 회피치×50+방향 보정※1
※1: 정면…0 측면…15 후면…25

●기초 물리 대미지:
(STR×5×가드 브레이크 보정※1×속성 보정※2-VIT×3)×(스킬 위력+릴리 랭크 보정※3)/100×난수(90~110)/100

●기초 마법 대미지:
(INT×5×가드 브레이크 보정※1×속성 보정※2-MEN×3)×(스킬 위력+릴리 랭크 보정※3)/100×난수(90~110)/100
※1: 공격 대상이 가드 브레이크 상태일 때만 1.25를 적용
※2: 공격에 설정된 속성치만큼 가산
※3: 연계 공격에만 적용. 참가한 캐릭터의 릴리 랭크 합계치

●크리티컬 발생률※1=공격 측(TEC/5+LUK/3)-방어 측(TEC/5+LUK/5)+발생률 보정
※1: 0 이하가 되는 경우엔 크리티컬이 발생하지 않음

●최종 대미지=
기초 대미지×방향 보정※1×특수 속성 보정※2×크리티컬 보정※3×방어 보정※4×HIT수 보정※5×대미지 경감 보정※2
※1: 정면…1 측면…1.2 후면…1.4
※2: 해당 수치가 없는 경우 이 항목은 무시
※3: 크리티컬 발생할 때만 1.5를 적용
※4: 공격 대상이 방어를 선택한 경우에만 0.5를 적용
※5: HIT수×0.5/100+1(소수점 3자리 미만은 버리기)

받는 대미지 줄이기

받는 대미지는 물리 공격의 경우 VIT, 마법 공격의 경우 MEN을 기준으로 줄어든다. 그러나 캐릭터의 능력치와 방어구만으론 그다지 대미지를 줄일 수 없기 때문에 프로세서의 추가 효과와 게임 디스크용 아이디어 칩에 설정된 어빌리티 등으로 대미지를 줄일 필요가 있다. 특히 EXTRA에서 전투하는 바모와 리그에게 이러한 대미지 감소 효과를 이용하지 않으면 승리하기 어려울 것이다.

대미지 감소 효과를 가진 장비의 예

《프로세서》
●「세기말」시리즈
●「신체검사」시리즈

《아이디어 칩》
●서프라이즈 인카운트
●진동

효과적으로 SP를 축적하기

SP는 공격을 명중시키거나 공격을 받으면 축적되는데, 공격할 경우엔 러시 콤보를 이용하면 축적량이 더욱 증가한다. 또한 아이템을 사용해 SP를 회복해두면 전투가 더욱 쉬워진다.

SP를 늘리는 방법의 예

●공격을 명중시킴(러시 공격은 더 많이 가산)
●어빌리티가 있는 게임 디스크를 장비
●SP차지 등의 아이템으로 회복

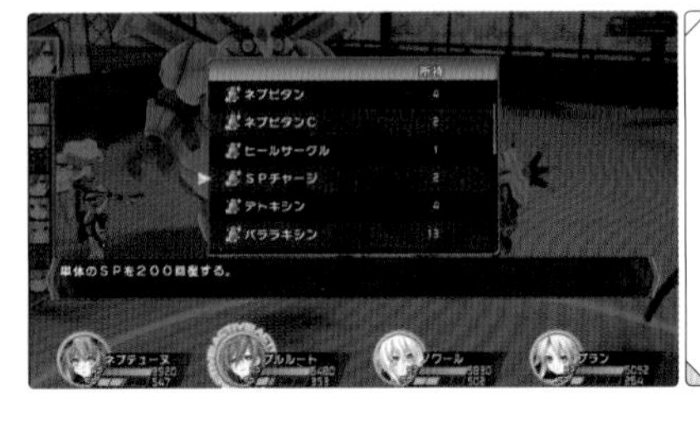

강적과의 배틀 중에는 SP차지 등의 아이템을 사용해 효과적으로 SP를 회복하는 것이 좋다.

캐릭터 강화하기

캐릭터 강화의 기본은 레벨 업과 장비의 갱신이다. 장비를 바꿀 땐, 물리 공격을 하는 캐릭터라면 STR을, 마법 공격 중심으로 싸우는 캐릭터는 INT를 중시하는 것이 좋다. 방어구는 강적의 공격에 맞춰 자주 변경해주는 것이 좋지만, 그러기 힘들다면 VIT가 크게 오르는 것을 고르는 것이 좋다. AGI, TEC, LUK는 무기나 방어구보다 장비품을 장비하는 것으로 크게 상승한다. 자신의 취향이나 전투 스타일에 맞춰 변경하는 것이 좋다.

능력치에 영향을 주는 항목

STR	물리 공격으로 적을 공격할 때 부여하는 대미지에 영향
VIT	물리 공격을 받을 때의 대미지에 영향
INT	마법 공격으로 적을 공격할 때 부여하는 대미지에 영향
MEN	마법 공격을 받을 때의 대미지에 영향
AGI	공격 회피와 도주 확률에 영향
TEC	공격 명중률과 크리티컬 발생률에 영향
LUC	공격 명중률, 공격 회피율, 크리티컬 발생률, 도주 확률 등에 영향

캐릭터 챌린지로 강화하기

캐릭터 챌린지란, 이동 거리나 점프 횟수, 승리수 등 플레이 중 다양한 행위를 정해진 수만큼 달성하는 것으로 능력치에 보너스가 가산되는 시스템이다. 달성하는 것으로 상승되는 능력치는 낮지만, 축적되면 몇 번 레벨 업한 경우와 같을 정도로 캐릭터가 강화된다. 또한 「마라톤 런너」는 리더로 설정한 캐릭터만 달성할 수 있다. 이용하고 싶은 리더 스킬이나, 리더 캐릭터를 고집하지 않는 경우엔 자주 바꿔가며 달성을 노리자.

교대 등 평범하게 플레이하면 쉽게 달성할 수 없는 조건도 많다. 의도적으로 챌린지 달성을 노리자.

사양서로 강화하기

「HP 업」이나 「전능력 업」등의 사양서는 넣기만 해도 캐릭터가 강화된다. 능력치 강화 사양서는 각 캐릭터마다 준비되어 있기 때문에 전원 분을 모으자. 이런 사양서는 캐릭터 챌린지 달성 상황에 따라 얻을 수 있다. 또한 대량의 SP를 소비하는 강력한 공격, 이그제 드라이브도 캐릭터 챌린지로 얻을 수 있는 사양서로 습득할 수 있다. 먼저 이 사양서를 손에 넣는 것을 목표로 전투하는 것이 좋다.

캐릭터 챌린지나 지켜봐줘☆던전에서 강화할 수 있는 사양서를 손에 넣었다면 바로 사용하자.

쉐어 보정으로 강화하기

각 여신은 소속국의 쉐어가 상승하면 능력치가 상승한다. 쉐어 100% 상태에서 약 33%라는 큰 보정을 얻을 수 있기 때문에 퀘스트를 이용해 쉐어를 조정해두자. 참고로 소속 여신이 가장 많은 나라는 플라네튠이기 때문에 고민된다면 이곳에 쉐어를 집중해두면 좋다.

쉐어에 의한 능력치 상승

● 각 능력치×(1+0.01×(소속국의 쉐어/3))

장이 바뀌면 쉐어도 변동한다. 다시 퀘스트를 클리어해 쉐어를 조정하자.

HP저하로 인한 능력치 보정

HP가 일정치 이하가 되면 일시적으로 능력치가 상승한다. 그러나 그렇게 큰 상승치는 아니기 때문에 HP를 회복하는 편이 안전하게 싸울 수 있다. 또한 이 보정은 적에게도 적용된다. 강적의 HP가 25% 이하가 되면 이그제 드라이브 등으로 단번에 쓰러뜨리는 편이 좋다.

공격 측의 능력치 보정

남은 HP	보정 스테이터스		보정치
25~16%	STR	INT	1.05
15~6%			1.1
5%이하			1.15

방어 측의 능력치 보정

남은 HP	보정 스테이터스		보정치
25~16%	VIT	MEN	1.05
15~6%			1.1
5%이하			1.15

스킬에 의한 능력치 보정

「주인공 보정」, 「메디 스테이션 S」 등의 서포트 스킬은 일시적으로 능력치가 상승한다. 상승치는 스킬에 따라 다양하지만, 개중에서도 VIT, MEN이 상승하는 것은 강적과 사울 때 필수. 아이템에도 일시적으로 능력치를 올리는 것이 있는데 특히 STR과 VIT가 상승하는 「머슬 부스터 Z」는 종반 배틀에선 필수다. 사양서를 손에 넣었다면 바로 장비하고 대량으로 구입해두자.

릴리 시스템과 커플링

릴리 시스템은 전위와 후위에서 커플링을 만드는 것으로 각종 보너스를 얻을 수 있게 되는 것이다. 릴리 랭크로 커플링 연결의 깊이가 표시된다. 릴리 랭크가 올라갈수록 서포트 스킬이나 연계 공격으로 높은 효과를 얻을 수 있게 되므로 특별히 고집하는 캐릭터 조합이 없는 한, 커플링은 가급적 깨지 않는 편이 좋다. 또한 후위가 되는 캐릭터가 없으면 이용할 수 없으니 멤버가 4명 이상이 되는 제4장 이후가 되지 않으면 효과를 보기 어렵다.

각 캐릭터의 릴리 랭크는 트로피 조건이기도 하다. 모든 캐릭터 최대치를 노리자.

릴리 랭크의 상승

배틀 때마다 릴리 포인트가 1포인트씩 축적되어, 이것이 100에 달했을 때 릴리 랭크가 상승한다. 랭크와는 다르게 포인트를 확인할 수 없기 때문에 배틀을 반복하는 것이 랭크 업의 지름길.

릴리 랭크의 상승 방법

- 배틀에 참가한 커플링(전위, 후위)에 +1포인트
- 100포인트마다 1랭크 상승

신의 게임을 만들어 「릴리 업+ Lv5」의 효과를 얻으면 보다 효과적으로 랭크를 올릴 수 있다.

서포트 스킬로 파트너를 강화

릴리 랭크가 일정 이상이 된 커플링은 서포트 스킬의 효과를 얻을 수 있다. 서포트 스킬은 1HIT마다 최대 대미지가 9999이상이 되는 효과나 행동 후의 대기 시간을 줄이는 것 등 다양한 것들이 준비되어 있다. 그중에서도 받는 대미지를 줄이는 「물리 대미지 감소」나 습득 경험치가 늘어나는 「획득 EXP 업」 등은 넵튠처럼 배틀의 중심이 되는 캐릭터에게 주는 것이 좋다. 또한 이런 서포트 스킬은 게임 디스크의 어빌리티의 효과와 중복된다.

특히 효과가 높은 서포트 스킬

- 물리 대미지 감소(넵튠, 피셰)
- 획득 EXP 업(프루루트, 블랑)
- 대기 시간 감소(벨, 롬)
- 스테이터스 감소 무효(네프기어, 람)
- 카테고리 특성 무효(넵튠)
- 대미지 한계돌파(네프기어)

연계 공격을 활용

릴리 랭크가 일정치를 넘은 경우 연계 공격을 사용할 수 있게 된다. 연계 공격은 참가한 캐릭터 전원이 같은 상태(여신이거나 일반)일 필요가 있으며 사용하면 전원 SP를 소비한다.

연계 공격의 종류

- 커플링 스킬: 참가자가 동일한 커플링의 전위, 후위에 있을 때 사용 가능
- 포메이션 스킬: 참가자가 전원 전열에 있을 때 사용 가능

연계 공격은 강력하지만 소비 SP등의 사용 조건도 까다롭다. 여차할 때까지 아껴두자.

HP와 상태 변화 회복

HP가 감소한 경우나 상태 변화가 된 경우, 대응하는 아이템이나 스킬을 사용해 회복할 필요가 있다. 아이템보다도 스킬을 사용하는 편이 행동 후의 대기 시간이 짧지만, 사용할 수 있는 캐릭터가 정해져 있기 때문에 상황에 따라 아이템으로 회복하는 경우가 많아진다. 따라서 상점에서 대량의 회복 아이템을 구입해두는 것은 배틀의 기본 사항 중 하나가 된다. 또한 전투 불능 이외의 상태 변화는 턴이 지나거나 배틀이 끝나면 회복한다. 또한 HP는 던전에서 나오면 전투 불능 상태라고 하더라도 전부 회복한다.

화면 밑에 있는 캐릭터 정보는 현재 상태 변화가 표시된다. 자주 체크해 회복하자.

소재를 모으거나 레벨 업을 하고 있는 경우, 아이템 절약을 위해 던전 탈출을 이용해 회복하자.

지갑 브레이커 네푸에서 득이 되는 구입

제2장 이후 각 장에 한 번씩 발생하는 특수한 숍에서는 통상 숍에서 구입하는 것보다 소비 아이템을 대폭 싼 가격으로 구입할 수 있다. 또한 프루루트 전용 무기 「네프기안담」도 이 지갑 브레이커 네푸에서만 구입할 수 있다.

여기에서만 구입할 수 있는 아이템도 많다. 놓치지 않도록 크레디트 잔고를 확인해두자.

지갑 브레이커 네푸의 상품 일람

장	상품	가격
제2장	리플렉스×10	980
제3장	패럴락신×10	980
제4장	타후밀×10	2480
제5장	블랑 호빵×3	4980
제6장	슬라이누 고기 만두×5	980
제7장	히어로 소시지×5	4980
제8장	SP 차지×10	1480
제9장	말새의 육회×5	19800
제10장	네프기안담	49800
제10장	네프비탄 EX 2×3	99800

퀴즈 밀리어네프에서 일확천금

퀴즈 밀리어네프는 제2장에서 제10장까지 각각 한 번씩 발생하는 퀴즈 게임으로 한 문항에 삼지선다 퀴즈가 세 문제 나온다. 한 번 정답을 맞힐 때마다 아이템을 획득할 수 있다. 또한 제2장에서 제10장까지 출제되는 27문항 전부를 맞추면 보너스로 100만 크레디트를 획득하게 되니 반드시 전부 정답을 맞춰보자. 또한 제10장 굿 루트에 돌입한 경우 퀴즈 챌린지를 할 수 없게 된다. 굿 루트를 선택한 경우 분기점 전에 도전해두자.

퀴즈 밀리어네프의 룰

- 제2~10장에서 각 한 번씩 발생
- 한 번에 세 문제씩 삼지선다 퀴즈가 출제됨
- 한 문제를 맞힐 때마다 상품을 획득
- 제2~10장 사이에 출제된 27문을 모두 맞추면 100만 크레디트를 획득

퀴즈 문제와 정답

출제 장	출제 수	문제 내용	해답A	해답B	해답C	획득 상품
제2장	제1문	나, 넵튠의 여동생의 이름은, 다음 중 무엇일까요?!	네프기마	네프갸네	**네프기어**	힐 글래스×2
	제2문	이쪽 게임업계에서, 여신이 되기 위해서 필요한 아이템이란?	쉐어 크리스탈	열쇠의 조각	**여신 메모리**	인텔리 부스터×2
	제3문	넵튠은 프루루트를 뭐라고 부르고 있을까?	푸푸룽	**푸루룽**	프루짱	데톡신×2
제3장	제1문	넵튠과 프루루트가 느와르에게서 배운 획기적인 시스템의 이름은?	**견문 시스템**	콤보 에이크	코스튬 캔버스	패럴럭신×2
	제2문	느와르는 국민에게 자신을 뭐라고 부르게 하고 있을까?	그레이 하트님	**블랙 하트님**	느와르님	네프비탄×2
	제3문	느와르가 건국한 나라의 이름은?	**라스테이션**	플라네튠	라스티션	네프비탄 C×2
제4장	제1문	블랑은 대신으로 변한 아쿠다이진에게 뭐라고 불렸을까?	**블랑님**	화이트 하트님	열 받는 젊은이	타후밀×2
	제2문	르위에서 길을 잃은 프루루트와 만난 자칭 수수께끼의 미소녀의 이름은?	유니	마제콘느	**벨**	안티 베놈×2
	제3문	다음 중 여신화했을 때 가장 키가 커지는 사람은?	느와르	**넵튠**	블랑	안티 패럴라이즈×2
제5장	제1문	여신화했을 때 성격이 거의 변하지 않는 것은 다음 중 누구?	넵튠	**네프기어**	블랑	안티 실×2
	제2문	전작 넵튠 Re;Birth2에서의 네프기어의 포지션은?	말단	단역	**주인공**	네프비탄 스페셜×2
	제3문	다음 중 린박스의 게임 하드에 대해서 온 적이 없는 클레임은?	지나치게 크다	전원이 카스텔라	**고장 보장이 없다**	안티 바이러스×2
제6장	제1문	넵튠이 좋아하는 음식이라고 하면?	블랑 호빵	가지	**푸딩**	힐 포트×2
	제2문	다음 중 플라네튠의 교회에 맡겨져 있지 않았던 어린이는?	아이에프	**오데코**	컴파	생명의 조각
	제3문	자칭 7현인의 아이돌이라고 하면 누구?	**아브네스**	와레츄	마제콘느	이젝트 버튼×2
제7장	제1문	자, 다음 중 가장 가슴이 큰 사람은?	그린 하트	블랙 하트	**옐로 하트**	P·SP 차지×2
	제2문	넵튠이 있던 세계와 프루루트가 있는 세계, 양쪽 다 같은 이름이 있는 캐릭터는?	하코자키 치카	**이스투아르**	니시자와 미나	힐 서클
	제3문	넵튠이 있던 세계에서 행해진 국가 세력 조사. 그 중에서 가장 인기 있었던 여신은?	넵튠	벨	**느와르**	힐 드링크×2
제8장	제1문	다음 중 왼손잡이는 누구?	**람**	롬	블랑	초만능약×2
	제2문	여신화했을 때 가장 귀밑머리가 길어지는 것은?	넵튠	**블랑**	느와르	퀵 부스터 Z×2
	제3문	아노네데스의 마음의 성별은?	나이스 가이	**소녀**	비밀	건강의 조각×2
제9장	제1문	유괴당한 아이에프를 구하러 갔을 때 이 중에서 유일하게 이름을 불리지 못한 사람은?	**네프기어**	프루루트	넵튠	이젝트 버튼×3
	제2문	피셰는 넵튠을 뭐라고 부르지?	네푸네푸	**네퓨퓨느**	네프코	P·SP 차지×3
	제3문	어른이 된 아이에프는 프루루트를 뭐라고 부르지?	프루코	프루루트	**프루루트님**	힐 보틀×2
제10장	제1문	항상 레이의 곁에 있는 이스투아르와 닮은 캐릭터의 이름은?	크로니클	**크로아르**	이스투아르	네프비탄 스페셜×2
	제2문	일찍이 키세이죠 레이가 여신으로서 통치했던 나라의 이름은?	**타리**	네오즈오	에딘	P·SP 차지×2
	제3문	넵튠이 싫어하는 음식은?	**가지**	무	당근	네프비탄 EX 2×2

※붉은 부분이 정답입니다.

신차차원칼럼

경험치나 크레디트를 많이 획득하기

경험치나 크레디트는 사양서 「획득 경험치 업」, 「획득 크레디트 업」을 이용하거나 아이디어 칩 어빌리티나 커플링 스킬을 사용하면 획득량이 오른다. 특히 사양서는 손에 넣으면 바로 이용하자. 또한 사양서 「적이 강해진다」, 「적이 약해진다」를 활용해도 획득 경험치나 크레디트는 변하지 않는다.

경험치나 크레디트를 많이 획득하는 방법

- 커플링 스킬(경험치)
- 어빌리티(경험치·크레디트)
- 사양서를 활용(경험치·크레디트)

지켜봐줘☆던전

여기선 「지켜봐줘☆던전」에 대해서 설명한다. 게임 본편과는 관계없이 진행할 수 있는 미니 게임이지만, 여기서 획득한 아이템은 본편에서도 이용할 수 있는 것이 있다.

지켜봐줘☆던전이란

제2장에서 획득할 수 있는 사양서를 넣으면 즐길 수 있는 미니 게임 「지켜봐줘☆던전」. 캐릭터가 던전을 탐색해 아이템 등을 입수하는 것이 목적으로, 본편 스토리와는 관계없이 진행된다. 스텔라의 무기, 방어구, 항석, 동행할 견문자를 선택한 시하는 것뿐. 한 번 탐색을 개시하면 나머진 자동으로 진행하기 때문에 종료할 때까지 게임 본편을 진행하자. 탐색은 1층마다 15초가 걸리며, 새로운 층에 도달할 때마다 몬스터가 등장하는 등 각종 이벤트가 발생한다. 출현한 몬스터에게 승리하면 아이템을 획득할 수 있지만, 패배한다면 탐색 중에 획득했던 아이템과 장비를 모두 잃는다. 목적 층에 도착하거나 몬스터에게 패배하면 탐색이 끝나 귀환하게 되며, 최종 층을 돌파하면 에어리어 답파가 되어 보수를 손에 넣는다.

지켜봐줘☆던전의 시스템

- 1층마다 탐색 시간은 15초
- 탐색할 때 무기, 방어구, 항석을 장비할 수 있음
- 탐색에는 한 명의 견문자를 동행시킬 수 있음
- 몬스터에게 승리하면 경험치를 획득해 스텔라가 레벨 업
- 설정한 층까지 도달하면 탐색 종료가 되어 귀환하게 되고 발견한 아이템을 획득함
- 스텔라의 HP가 0이 되면 패배하며, 장비하고 있던 아이템과 발견한 아이템을 잃어버리고 귀환한다. 견문자를 동행시킨 경우엔 그 층에서 조난당함
- 결과에 상관없이 귀환할 경우 Lv1로 돌아옴
- 에리어의 최종 층까지 도착하면 그 에리어를 클리어하게 됨

견문자란

견문자란 스텔라의 탐색에 동행하는 서브 캐릭터로 관찰력과 스킬이 설정되어 있다. 탐색 중에 발생하는 이벤트는 관찰력을 기준으로 발생하기 때문에, 탐색에 관찰력이 높은 견문자를 동행시키면 다양한 아이템을 발견할 수 있다. 관찰력은 탐색 중에 상승하는 일이 있으며, 스텔라의 레벨과는 다르게 탐색 종료 후에도 상승한 채로 유지된다. 또한 새로운 스킬을 습득하는 경우도 있다. 그리고 스텔라가 몬스터에게 진 경우에는 그 층에 남겨져 탈출할 때까지 동행시킬 수 없게 된다.

동료가 되는 견문자는 트위톡에 등장하는 캐릭터. 그들의 협력이 없이 모든 층을 답파하는 것은 불가능할 것이다.

견문자 일람

에리어	견문자	관찰력	스킬
초기	펠리스	5	스텔라 능력 UP
1	자전거 사나이	3	함정 회피
1	신인 헌터짱	3	전투 중, 일정 확률로 HP를 회복
2	에로헤이	3	전투 중, 일정 확률로 아이템을 훔친다
2	텐·바이어	3	보물상자 자물쇠 열기
3	니지오	3	적 조우율 UP
3	덴게키코짱	3	보물상자 발견률 UP
3	미스오	3	전투 중, 일정 확률로 VIT-UP
4	매뉴얼씨	4	적 조우율 DOWN
4	이노군	3	전투 중, 일정 확률로 적을 마비
5	마제콘 초등학생	3	적 조우율 UP
5	열혈 신출내기 모험가	3	감싸기
6	네프코님 FC 부회장	3	탐색 중, 일정 확률로 HP를 회복
6	마제콘 마마	3	아이템 발견
7	아마미야 린토	3	함정 회피
7	라면 라이터	3	발견률 UP
8	네프기마	3	적 조우율 UP
8	창고지기	3	쓰러져도 아이템 회수
8	중견 모험가	3	전투 중, 일정 확률로 HP를 회복
9	지미	3	탐색 중, 일정 확률로 HP를 회복
9	동굴 탐험가	4	탐색 중, 일정 확률로 HP를 회복
9	고양이	3	능력 업 보물상자 발견률 UP
10	치바씨	4	능력 업 보물상자 발견률 UP
10	데이빗·스니크	4	적 조우율 DOWN

에리어	견문자	관찰력	스킬
11	네프코님 FC 회장	3	전투 중, 일정 확률로 적을 마비
11	타카나시 명인	4	전투 중, 일정 확률로 아이템을 훔친다
11	영적 게진	3	전투 중, 일정 확률로 HP를 회복
12	슬레이어	3	전투 중, 일정 확률로 STR-UP
12	마료	3	아이템 드랍 개수 UP
12	P2	3	전투 중, 일정 확률로 VIT-UP
13	명계 시로	3	전투 중, 일정 확률로 STR-UP
14	루시엘씨	3	보물상자 자물쇠 열기
14	카케루	3	감싸기
15	토이치씨	3	회복 보물상자 발견률 UP
15	사슴 소녀	3	발견률 UP
15	아카이씨	3	능력 업 보물상자 발견률 UP
16	키노코	3	회복 보물상자 발견률 UP
16	빌리씨	3	전투 중, 일정 확률로 VIT-UP
17	돋보기짱	3	아이템 드랍 개수 UP
17	키미즈 나나	3	전투 중, 일정 확률로 HP를 회복
17	샤케코	4	아이템 드랍 개수 UP
18	베테랑 크리에이터	4	전투 중, 일정 확률로 적을 마비
18	마법 소녀	3	전투 중, 일정 확률로 아이템을 훔친다
19	베테랑 헌터씨	4	전투 중, 일정 확률로 HP를 회복
19	몬스터 할아버지	3	전투 중, 일정 확률로 HP를 회복
19	실황씨	3	보물상자 발견률 UP
20	지이루	3	함정 회피
20	하얀 어둠의 잔재	3	발견률 UP

견문자 스킬

스킬 이름	효과
함정 회피	함정 무효화
보물상자 발견률 UP	보물상자 발견률+10%
적 조우율 UP	적 조우율+10%
적 조우율 DOWN	적 조우율-10%
감싸기	전투 중, 10%의 확률로 스텔라가 받는 대미지가 0이 된다
전투 중, 일정 확률로 HP를 회복	전투 중, 20%의 확률로 HP를 회복
전투 중, 일정 확률로 STR-UP	전투 중, 25%의 확률로 STR이 상승
전투 중, 일정 확률로 VIT-UP	전투 중, 25%의 확률로 VIT이 상승
전투 중, 일정 확률로 적을 마비	전투 중, 일정 확률로 적의 행동을 방해
전투 중, 적에게서 아이템을 훔친다	전투 중, 적 몬스터의 드랍 아이템을 가져옴
전투 중, 일정 확률로 적을 내쫓는다	전투 개시 시, 20%의 확률로 전투없이 적이 물러남
전투 중, 일정 확률로 첫 공격 크리티컬	전투 개시 시, 20%의 확률로 첫 공격이 크리티컬이 됨
전투 중, 일정 확률로 전 공격 명중	전투 중, 25%의 확률로 발동. 그 전투 중의 스텔라의 공격이 전부 명중
전투 중, 확률로 적 명중치 DOWN	전투 중, 25%의 확률로 발동. 몬스터의 명중률을 30% 저하한다
전투 중, 확률로 적 VIT-DOWN	전투 중, 25%의 확률로 발동. 몬스터의 방어력을 절반을 줄인다.
전투 중, 확률로 적 STR-DOWN	전투 중, 25%의 확률로 발동. 몬스터의 공격력을 25% 다운한다.
전투 중, 확률로 적에게 대미지	전투 개시 시, 확률로 적의 최대 HP 10%의 대미지를 준다.
아이템 드랍 개수 UP	적이 아이템을 드랍할 때 판정이 두 번이 됨 (최대 두 종류의 아이템을 입수할 수 있음)
레어 아이템 드랍률 UP	레어 아이템의 드랍률이 높아짐
적 퇴각 시에도 아이템 입수	적이 떠난 경우에도 아이템을 얻을 수 있음
적 퇴각 시에도 통상 경험치 입수	적이 떠난 경우에도 경험치를 얻을 수 있음
쓰러져도 아이템 회수	쓰러져도 그때까지 획득한 아이템 전부를 보관 (창고지기 전용)
쓰러져도 1번만 부활	탐색 중, 스텔라의 힘이 다해도 한 번의 탐험에서 한 번만 스텔라의 HP을 가득 채워 회복함.(전투 중에 쓰러진다면 그 자리에서 부활해 전투 유지)

스킬 이름	효과
회복 보물상자 발견률 UP	보물상자를 발견한 경우, 회복 보물상자가 될 확률+25%
능력 업 보물상자 발견률 UP	보물상자를 발견한 경우, 능력 업 보물상자가 될 확률+25%
탐색 시간 단축	탐색 시간이 1플로어 5초가 됨
발견률 UP	견문자 이벤트 발생률+20%
아이템 발견	10%의 확률로 어디선가 아이템을 주워온다
보물상자 자물쇠 열기	잠긴 보물상자를 열 수 있음
빈사 시 귀환	스텔라의 HP가 15% 미만일 경우, 그 자리에서 탐색을 중지하고 귀환함 (전투 중에는 발동하지 않음)
입수 무기 보너스치 UP	무기를 입수했을 때, 강화치가 높은 것이 들어오기 쉬움
입수 방어구 보너스치 UP	방어구를 입수했을 때, 강화치가 높은 것이 들어오기 쉬움
입수 장식 스킬 수 UP	장식을 입수했을 때, 스킬 수가 많은 것이 들어오기 쉬움
쓰러져도 장비품 회수	스텔라가 쓰러져도 스텔라가 장비하고 있던 장비품을 가지고 돌아옴
크리티컬 대미지 UP	크리티컬 시 대미지 보정이 상승(2배)
크리티컬 대미지 대 UP	크리티컬 시 대미지 보정이 상승(2.5배)
탐색 중, 일정 확률로 HP를 회복	10%의 확률로 HP를 회복하는 아이템을 주움
쓰러져도 자력으로 귀환	스텔라가 쓰러져도 스스로 귀환함
스텔라 능력 UP	부여하는 대미지 1.2배, 받는 대미지 0.8배가 됨(펠리스 전용)
아이템 드랍률 UP	아이템 드랍률 +30%(스텔라 전용)
반격	일정 확률로 적의 공격에 대해 반격함(스텔라 전용)
응급처치	전투 종료 후 HP가 10% 회복(스텔라 전용)
연속 공격	일정 확률로 2회 연속으로 공격(스텔라 전용)
적의 초격 대미지 절반	각 전투에서 적의 첫 공격으로 받는 대미지를 절반으로 줄임 (최저1) (스텔라 전용)
HP 흡수 공격	일정 확률로 부여한 대미지의 10%를 흡수해 HP를 회복 (스텔라 전용)
방어 무시 공격	낮은 확률로 방어 무시 공격을 함(스텔라 전용)
빈사 시 크리티컬률 UP	HP가 15% 이하일 때 크리티컬률+50%(스텔라 전용)
빈사 시 대미지 UP	HP가 15% 이하일 때 대미지업(3배) (스텔라 전용)
획득 경험치 UP	획득 경험치가 1.5배가 됨(스텔라 전용)

로스트 플레이스란

견문자가 발견해오는 의문의 건축물로 월드 맵 위에 표시된다. 발견한 경우, 보고를 믿는다를 선택하면 그룹1, 믿지 않는다를 선택하면 그룹2의 로스트 플레이스가 월드 맵에 추가된다. 추가된 로스트 플레이스를 처음으로 체크한 경우에만 아이템을 2개 획득할 수 있다. 그 외의 효과는 없으니 원하는 아이템을 얻을 수 있도록 로스트 플레이스가 출현할만한 보고를 받아들이자.

로스트 플레이스란 월드 맵의 어딘가에 출현한다. 찾아내고 체크해 아이템을 획득하자.

믿는 경우와 믿지 않는 경우는 출현하는 로스트 플레이스가 변화한다. 취향에 따라 선택하자.

로스트 플레이스

에리어	그룹1			그룹2		
	로스트 플레이스	아이템1	아이템2	로스트 플레이스	아이템1	아이템2
1	낡은 기관차	액션 RPG	힐 드링크	날개가 돋은 캡슐?	업계 최초 시스템!	P·SP 차지
2	황금 도끼	킬러 타이틀 겨냥	힐 드링크	뮤하게 부서지 빌딩	퀴ㅈ	P·SP 사시
3	무언가의 토대?	고릴라	힐 드링크	커다란 링	스트래티지	P·SP 차지
4	폐기된 마광로	대전 격투	힐 드링크	커다란 주사위	MO	P·SP 차지
5	위험한 유적	남성 대상	힐 드링크	굉장한 유적	슈팅	P·SP 차지
6	뭔가의 아틀리에	싱글 온라인	P·SP 차지	버려진 텔레비전	통신 대전	힐 드링크
7	눈이 붙은 버섯	패러미터 분할 가능	힐 드링크	거대한 거북이 등껍질	연애	힐 드링크
8	불꽃 문장의 낡은 성	특수한 게이지	P·SP 차지	뽑히지 않은 검	몬스터	P·SP 차지
9	부서진 카트	미디어 믹스 전개	힐 드링크	속이 빈 설산	폴리곤	P·SP 차지
10	거대한 X자 건조물	대전 격투	힐 드링크	외계인의 시체?	아저씨	P·SP 차지
11	은 빛의 등대	서양 게임	힐 드링크	상처투성이의 디스크	킬러 타이틀 겨냥	P·SP 차지
12	음식점의 폐허	드릴	힐 드링크	특명…? 의 간판	추리	P·SP 차지
13	거대한 벌의 오브제	어드벤처 RPG	힐 필드	뭔가의 셔틀?	오토 세이브	P·SP 차지 2
14	전설의 나무	실루엣	힐 필드	대파된 전투기	퍼즐·로직	P·SP 차지 2
15	엔진 형태의 물체	남성 대상	힐 필드	커다란 CD 드라이브	모에	P·SP 차지 2
16	엄청 높은 탑	모션 컨트롤러	힐 필드	야망의 전쟁터	축구	P·SP 차지 2
17	불탄 게임 회사터	메타 픽션	힐 필드	2라고 쓰여진 초거대 항아리	스테이지 에디트	P·SP 차지 2
18	이가 빠진 사과의 오브제	영상 소프트와 팩	P·SP 차지 2	깨진 창문이 95장	인기 원작	힐 필드
19	수수께끼의 트랜시버?	밀리언 타이틀 겨냥	힐 필드	하얀 개의 동상	좀비	P·SP 차지 2
20	카드 판매소의 폐허	MMO	P·SP 차지 2	코인 판매소의 폐허	아가씨 게임	힐 필드
21	손발이 달린 버섯	인생	힐 필드	간판을 가진 다람쥐	근미래	P·SP 차지 2

이벤트 리스트

특정 이벤트가 발생하는 층에 도달한 경우, 통찰력이 일정치를 넘었다면 사양서 등을 손에 넣을 수 있는 이벤트가 발생한다. 강력한 몬스터가 출현하는 이벤트도 있으니 준비를 철저히 하자.

특정 이벤트가 발생하지 않는 층의 경우, 몬스터의 출현이나 보물상자의 발견 등의 범용 이벤트가 발생한다. 이미 발견한 로스트 플레이스나 견문자를 다시 발견한 경우, 대신 견문자의 관찰력이 +4가 된다. 또한 견문자가 새로운 스킬을 습득하는 경우도 있다.

공통

확률	이벤트 내용
50	몬스터와 조우
15	보물상자 발견 (아이템을 습득할 수 있음. 10%의 확률로 보물상자가 잠겨 있는 경우가 있으며, 견문자 스킬「보물상자 자물쇠 열기」가 없으면 포기하게 된다)
25	능력치 UP. 이하의 확률로 상승하는 수치가 변화 50%: 네프비탄 (HP가 최대치의 40% 회복) 30%: 머슬 부스터 (STR+2) 20%: 터프 부스터 (VIT+2)
10	능력치 DOWN. 이하의 확률로 하락하는 수치가 변화 60%: 독 안개 (최대 HP의 10%만큼의 대미지. 스킬「독 무효」가 있는 경우엔 이 이벤트가 발생하지 않음) 25%: 붉은 안개 (STR-2) 15%: 파란 안개 (VIT-2)

제1에리어

층	관찰력	확률	이벤트 내용
6	5	30	[사]D 변화 : 오오토리이 대삼림
12	5	30	[사]D 변화 : 제트 셋 산길
18	10	40	견문자: 자전거 사나이
24	10	35	[사]D 변화 : 퐁래 동굴
30	10	25	[사]D 변화 : 밴디 크래시
36	10	30	로스트 플레이스 그룹 1
42	10	25	[사]D 변화 : 쿠자라트 공장
48	10	25	[사]D 초변화 : 퐁래 동굴
54	10	20	[사]D 초변화 : 밴디 크래시
60	10	35	[사]D 변화 : ZECA 2호 유적
66	10	40	견문자 : 신인 헌터짱
72	10	25	[사]D 변화 : 소니이 습지
78	10	25	[사]D 초변화 : ZECA 2호 유적
84	10	25	몬스터 : 강철 슬라이누
90	10	25	[사]D 초변화 : 쿠자라트 공장

제2에리어

층	관찰력	확률	이벤트 내용
127	15	30	[사]D 변화 : 루드암즈 지하도
153	15	25	견문자 : 에로헤이
179	15	30	[사]D 변화 : 르위 성
211	15	15	몬스터 : 부메랑
232	15	30	[사]D 변화 : 지하 동굴
257	15	20	로스트 플레이스 그룹 2
291	15	25	견문자 : 텐·바이어

제3에리어

층	관찰력	확률	이벤트 내용
340	20	25	견문자 : 니지오
380	20	20	[사]D 초변화 : 루드암즈 지하도
420	20	30	로스트 플레이스 그룹 3
460	20	20	[사]D 초변화: 르위 성
500	20	25	견문자 : 미스오
540	20	20	[사]D 초변화 : 지하 동굴
580	20	15	몬스터 : WD 헤드
599	20	25	견문자 : 덴게키코짱

제4에리어

층	관찰력	확률	이벤트 내용
640	25	25	[사]D 변화 : 기고 거리
680	25	20	견문자 : 매뉴얼씨
720	25	30	[사]노린 타겟은 놓치지 않는다
760	25	20	[사]D 변화 : 헤이로우 숲
800	25	25	로스트 플레이스 그룹 4
840	25	20	견문자 : 이노군

*: [사]라고 적힌 것은 사양서로 입수

이벤트 발생 원리

- 특정 이벤트가 발생하는 층에 도착한 경우 스텔라와 견문자의 관찰력이 일정치를 넘었다면 일정 확률로 이벤트가 발생
- 특정 이벤트가 발생하지 않는 경우, 일정 확률로 공통 이벤트가 발생
- 이미 발견한 로스트 플레이스나 견문자를 발견하는 이벤트가 발생하면, 대신 견문자의 관찰력에 +4

제4에리어

층	관찰력	확률	이벤트 내용
880	25	15	[사]D 변화 : 스마폰 산길
920	25	10	[사]브레이크 콤보 칸 추가 (넵튠)
980	25	10	몬스터 : 갈그이유

제5에리어

층	관찰력	확률	이벤트 내용
1050	30	25	[사]D 초변화 : 기고 거리
1100	30	20	[사]숨겨진 보물상자 횟수 업
1150	30	30	견문자 : 마제콘 초등학생
1200	30	20	로스트 플레이스 그룹 5
1250	30	25	[사]D 초변화 : 헤이로우 숲
1300	30	20	[사]D 초변화 : 스마폰 산길
1350	30	15	[사]파워 콤보 칸 추가(프루루트)
1400	30	10	몬스터 : 플레이스 베르그
1450	30	10	[사]파워 콤보 칸 추가(네프기어)
1499	30	10	견문자 : 열혈 신출내기 모험가

제6에리어

층	관찰력	확률	이벤트 내용
1530	35	25	[사]D 변화 : 국영 공장
1560	35	20	[사]D 변화 : 채굴장
1590	35	30	[사]무조건 도주한다
1620	35	20	견문자 : 네프코님 FC 부회장
1650	35	25	[사]D 변화 : 제가 숲
1680	35	20	견문자 : 마제콘 마마
1710	35	15	몬스터 : 봉인된 재해
1740	35	10	[사]D 변화 : 하네다 산길
1770	35	10	로스트 플레이스 그룹 6
1799	35	10	[사]D 변화 : 어덜틱 숲

제7에리어

층	관찰력	확률	이벤트 내용
1860	40	25	[사]D 초변화 : 국영 공장
1920	40	20	견문자 : 아마미야 린토
1980	40	30	로스트 플레이스 그룹 7
2040	40	20	견문자 : 라면 라이터
2100	40	25	[사]D 초변화 : 채굴장
2160	40	20	몬스터 : 규격 외 슬라이누
2220	40	15	[사]한계 돌파
2280	40	10	[사]D 초변화 : 제가 숲
2340	40	10	[사]D 초변화 : 하네다 산길
2400	40	10	[사]D 초변화 : 어덜틱 숲

제8에리어

층	관찰력	확률	이벤트 내용
2550	45	25	[사]D 변화 : 메로토이드 쉘터
2600	45	20	견문자 : 중견 모험가
2650	45	30	몬스터 : 메타보 슬라이누
2700	45	20	[사]절대 심볼 어택
2750	45	25	로스트 플레이스 그룹 8
2800	45	20	견문자 : 창고지기
2850	45	15	견문자 : 네프기마

제9에리어

층	관찰력	확률	이벤트 내용
2980	50	25	견문자 : 동굴 탐험가
3060	50	20	로스트 플레이스 그룹 9
3140	50	30	견문자 : 고양이
3220	50	20	[사]D 초변화 : 메로토이드 쉘터

제9에리어

층	관찰력	확률	이벤트 내용
3300	50	25	몬스터 : 아주 큰 슬라이누
3380	50	25	견문자 : 지미

제10에리어

층	관찰력	확률	이벤트 내용
3420	55	25	견문자 : 데이빗·스니크
3440	55	20	[사]D 변화 : 아리오 고원
3460	55	30	견문자 : 치바씨
3480	55	20	[사]D 변화 : 오오토리이 동굴
3500	55	25	로스트 플레이스 그룹 10
3520	55	25	몬스터 : 절대신의 부하
3540	55	25	[사]D 변화 : 아노네데스의 연구소

제11에리어

층	관찰력	확률	이벤트 내용
3670	60	25	[사]D 초변화 : 아리오 고원
3740	60	20	견문자 : 타카나시 명인
3810	60	30	[사]D 초변화 : 오오토리이 동굴
3880	60	20	로스트 플레이스 그룹 11
3950	60	25	견문자 : 네프코님 FC 회장
4020	60	25	[사]D 초변화 : 아노네데스의 연구소
4090	60	25	몬스터 : 초차원 슬라이누
4160	60	25	견문자 : 영적 제진

제12에리어

층	관찰력	확률	이벤트 내용
4330	65	25	견문자 : P2
4460	65	20	[사]D 변화 : 지하 용암 동굴
4590	65	30	로스트 플레이스 그룹 12
4720	65	20	견문자 : 마료
4850	65	25	몬스터 : 가지 팔라딘
4980	65	25	견문자 : 슬레이어

제13에리어

층	관찰력	확률	이벤트 내용
5100	70	25	[사]D 초변화 : 지하 용암 동굴
5200	70	20	로스트 플레이스 그룹 13
5300	70	30	견문자 : 명계 시로
5399	70	20	몬스터 : 팔만 재해의 신

제14에리어

층	관찰력	확률	이벤트 내용
5580	75	25	[사]D 변화 : 변질 다차원 공간
5760	75	20	로스트 플레이스 그룹 14
5940	75	30	견문자 : 카케루
6120	75	20	몬스터 : 오염에 침식된 자
6299	75	20	견문자 : 루시엘씨

제15에리어

층	관찰력	확률	이벤트 내용
6330	80	25	견문자 : 아카이씨
6360	80	20	로스트 플레이스 그룹 15
6390	80	30	[사]D 초변화 : 변질 다차원 공간
6420	80	20	몬스터 : 팔억 재해의 신
6450	80	20	견문자 : 토이치씨
6480	80	20	견문자 : 사슴 소녀

제16에리어

층	관찰력	확률	이벤트 내용
6640	85	25	[사]D 변화 : 도시 중심부
6780	85	20	로스트 플레이스 그룹 16
6920	85	30	견문자 : 키노코
7060	85	20	몬스터 : 메가 터틀
7200	85	20	견문자 : 빌리씨
7340	85	20	로스트 플레이스 그룹 17
7480	85	20	[사]D 초변화 : 도시 중심부

제17에리어

층	관찰력	확률	이벤트 내용
7550	90	25	견문자 : 돈보기짱
7600	90	20	[사]심볼 격파로도 입수
7650	90	30	견문자 : 키미즈 나나
7700	90	20	로스트 플레이스 그룹 18
7750	90	20	견문자 : 사케코
7799	90	20	몬스터 : 혹시 넵튠?, 네프기어?

제18에리어

층	관찰력	확률	이벤트 내용
7925	95	25	견문자 : 베테랑 크리에이터
8050	95	20	로스트 플레이스 그룹 19
8175	95	30	견문자 : 마법소녀
8299	95	20	몬스터 : 느와르?, 유니?

제19에리어

층	관찰력	확률	이벤트 내용
8440	100	25	견문자 : 베테랑 헌터씨
8580	100	20	로스트 플레이스 그룹 20
8720	100	30	견문자 : 몬스터 할아버지
8860	100	20	몬스터 : 블랑?, 롬?
8999	100	20	견문자 : 실황씨

제20에리어

층	관찰력	확률	이벤트 내용
9250	110	25	견문자 : 지이루
9500	110	20	견문자 : 하얀 어둠의 잔재
9750	110	30	몬스터 : 벨?, 람?
9999	110	20	로스트 플레이스 그룹 21

초차원칼럼

숨겨진 상자를 찾아내자

넌선 안에서 아무 것도 없는 곳에 어렴풋이 그림자가 진 경우 숨겨진 상자가 있다. 숨겨진 상자는 던전 안에 다수 존재하며, 밑에서 점프하면 나타나 크레디트를 얻을 수 있다. 수많은 숨겨진 상자 중에서 랜덤으로 한 상자엔 아이템이 숨겨져 있는데, 귀중한 아이디어 칩이나 사양서를 획득할 수 있는 경우도 있다. 또한 던전에서 탈출하면 숨겨진 상자는 다시 나타난다.

숨겨진 상자 시스템

- 때릴 수 있는 횟수는 세 번. 사양서 「숨겨진 보물상자 횟수 업」을 사용하면 다섯 번이 된다.
- 한 번 발견할 때마다 현재 장×100Credit을 입수. 사양서 「점핑 스타」를 사용하면 두 배가 된다.
- 던전 안의 숨겨진 상자 중 하나에 아이템이 숨겨져 있다.
- 던전에서 나가면 모든 숨겨진 상자가 리셋된다.

숨겨진 상자에 접근하면 「???」라고 표시된다. 그림자와 함께 표시로 삼자.

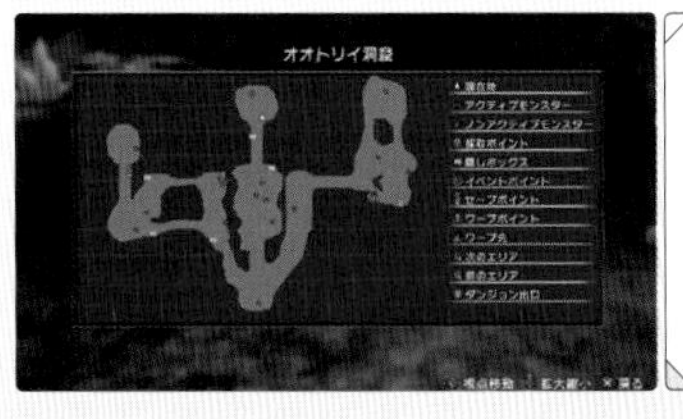

사양서 「라플라스·아이」를 이용하면 모든 숨겨진 상자의 위치가 맵에 표시된다.

에리어 정보

탐색 가능 에리어는 모두 20에리어이며 합계 10000층에 달한다. 각 에리어에는 보물상자와 몬스터가 출현하며 보물상자에선 아이템을 손에 넣을 수 있다. 같은 몬스터라도 층이 높아질수록 강해지기 때문에 같은 장비로는 질 가능성이 높아진다.

각 에리어의 마지막에는 강력한 보스 몬스터가 출현한다. 그 에리어에서 획득한 강력한 무기나 방어구를 장비해 만전의 준비를 하고나서 도전하자. 각 에리어를 클리어한 경우엔 에리어 돌파가 되어 보수 아이템을 얻는다. 보수 아이템에는 다음 에리어를 탐색할 수 있게 되는 사양서인 경우가 많으며 이것을 이용하면 탐색 에리어가 확장된다.

에리어 정보를 보는 방법

- ●에리어 : 지켜봐줘☆던전의 에리어 구분
- ●개시 : 에리어의 개시 플로어(층)
- ●플로어 수 : 에리어의 총 플로어 수
- ●아이템 : 에리어 안에서 발견할 수 있는 보물상자의 내용물. ()로 표시된 부분은 아이템을 발견할 수 있는 플로어의 범위
- ●몬스터 : 에리어 안에서 출현하는 몬스터. ()로 표시된 부분은 출현하는 플로어의 범위와 떨어뜨리는 아이템
- ●돌파 보수 : 처음 에리어의 종점까지 돌파한 경우에 획득할 수 있는 보수

각종 탐색 에리어의 기본 정보

에리어	개시	플로어 수	아이템	몬스터	돌파 보수
제1에리어	1	100	고양이의 발(1~60) / 나무 가지(21~80) / 빨랫대(41~100) / 스텔라의 사복(1~75) / 레더 아머(25~100) / 신앙의 고석(1~100) / 스포츠(1~50) / 어드벤처(51~100) / 아이돌(1~50) / 동물(51~100) / 깍깍 우후후(1~50) / 예약 캠페인(51~100)	슬라이누(고양이의 발, 레더 아머, 슬라이누 젤리 / 1~25) / 비트(스텔라의 사복, 신앙의 고석, 소형 회로 / 1~25) / 사슴베이더(신앙의 고석, 나무 가지, 도트 안테나 / 1~25) / 목젖새(나무 가지, 스포츠, 새의 동관 / 26~50) / 버섯(레더 아머, 빨랫대, 버섯의 포자 / 26~50) / 테리트스(신앙의 고석, 레더 아머, 퍼플 블록 / 26~50) / 양아치 캣(빨랫대, 허브, 양아치의 마스크 / 51~75) / 두근두근 시스터(스텔라의 사복, 어드벤처, 두근두근 / 51~75) / R-4(신앙의 고석, 허브, 불법 메모리 / 51~75) / 공작병(빨랫대, 허브, 철 장비의 조각 / 76~100) / 오우치 개구리(레더 아머, 아이돌, 철모 / 76~100) / 붉은 살(신앙의 고석, 브론즈 소드, 고양이 수염 / 76~100) / 피닉스(깍깍 우후후, 네프비탄, 봉황의 날개 / 20~35) / 돌핀(예약 캠페인, 네프비탄, 돌고래의 꼬리 / 65~85) / [레어]강철 슬라이누(무예 H, 스톤 H, 메탈 젤리 / 84) / [보스]에인션트 드래곤(마술사의 옷, 건강의 조각, 고룡의… 어떤 진주 / 100)	[사]제2에리어의 열쇠, [사]D 초변화 : 소니이 습지, [사] 전투 BGM 전환
제2에리어	101	200	브론즈 소드(101~180) / 아이언 소드(161~220) / 포이즌 나이프(221~260) / 마술사의 옷(101~180) / 달의 경갑(161~240) / 스텔라의 하복(221~300) / 신앙의 고석(101~300) / 골프(101~200) / RPG(201~300) / 얀데레(101~200) / 연예인이 성우 담당(101~200) / 일직선 진행(201~300)	콜드 보이(브론즈 소드, 신앙의 고석, 빙결 천 / 101~150) / 콜드 걸(마술사의 옷, 아이언 소드, 핑크 리본 / 101~150) / 매직 스톤(신앙의 고석, 달의 경갑, 마석 / 101~150) / 아이스 골렘(아이언 소드, 스텔라의 하복, 얼음의 결정석 / 151~200) / 전구 천사(달의 경갑, 신앙의 고석, 수수께끼의 적주 / 151~200) / 하이 비트(신앙의 고석, 포이즌 나이프, 불법 고급 회로 / 151~200) / 차일드 울프(포이즌 나이프, RPG, 늑대의 털 / 201~250) / 아펠돈(스텔라의 하복, 치유초, 붉은 꽃잎 / 201~250) / 스켈레톤(신앙의 고석, 연예인이 성우 담당, 뼈조각 / 201~250) / 수상한 사람(포이즌 나이프, 얀데레, 사악한 마음 / 251~300) / 셀 베이더(스텔라의 하복, 빨간색 색소, 셀 안테나 / 251~300) / 어스 골렘(신앙의 고석, 플래쉬 애로, 대지의 결정석 / 251~300) / 펜릴(골프, 네프비탄, 마랑의 이빨 / 140~160) / 숲 거북(일직선 진행, 네프비탄, 나무 껍질 / 240~260) / [레어]부메랑(무예 S, 스톤 S, 피투성이 부메랑 / 257) / [보스]자동 방어 시스템(광대의 옷, 건강의 조각, 불발탄 / 300)	[사]제3에리어의 열쇠
제3에리어	301	300	플래쉬 애로(301~410) / 나이트 소드(380~520) / 빙아(461~600) / 광대의 옷(301~500) / 아이언 메일(451~600) / 신앙의 고석(301~600) / 성기사의 광석(501~600) / 테이블(301~450) / 스텔스(451~600) / 잘생긴 오빠(301~450) / 실사(451~600) / 틈새(301~450) / 놀랄 정도로 금방 죽는다(451~600)	아루루나(플래쉬 애로, 아이언 메일, 요화의 꽃잎 / 301~380) / 타워 견습 병사(광대의 옷, 신앙의 고석, 철 장비의 조각 / 301~380) / 튤립(신앙의 고석, 나이트 소드, 노란 꽃잎 / 301~380) / M-3(나이트 소드, 신앙의 고석, 불법 조악 회로 / 381~460) / 고양이다람쥐(아이언 메일, 빙아, 고양이다람쥐의 손톱 / 381~460) / 파르셀(신앙의 고석, 광대의 옷, 파워스톤 / 381~460) / 큰부리새(빙아, 힐 글래스, 커다란 부리 / 461~540) / 힐 슬라이누(광대의 옷, 허브, 젤라틴 촉수 / 461~540) / 스파이더(성기사의 광석, 파란색 색소, 거미줄 / 461~540) / 비트 커스텀(빙아, 틈새, 불법 회로 / 540~600) / 마탕고(아이언 메일, 성기사의 광석, 마탕고의 포자 / 541~600) / 도칸(성기사의 광석, 불꽃의 창, 파이프 조각 541~600) / 보스 리저드(스텔스, 네프비탄, 도마뱀의 비늘 / 370~390) / 곱빼기 슬라이누(놀랄 정도로 금방 죽는다, 네프비탄, 슬라이누 젤리 / 530~550) / [레어]WD 헤드(무예 W, 스톤 W, WD의 조각 / 580) / [보스]폴룩스(귀여운 수영복, 건강의 조각, 철 장비의 조각 / 600)	[사]제4에리어의 열쇠
제4에리어	601	400	불꽃의 창(601~730) / 바람 요정의 차크람(761~870) / 데빌 랜스(921~1000) / 귀여운 수영복(601~730) / 매의 비취 갑옷(761~870) / 블러드 아머(921~1000) / 신앙의 고석(601~850) / 슈팅 RPG(601~800) / 파칭코(801~1000) / 주인공은 무능하지만 실은…(601~800) / 특수 컨트롤러(801~1000) / 연애(601~800) / 핀치가 되면 각성(801~1000)	하이에나(불꽃의 창, 매의 비취 갑옷, 하이에나의 모피 / 601~700) / 극락조(귀여운 수영복, 성기사의 광석, 무지개색 날개 / 601~700) / 인비지블 보이(신앙의 고석, 바람 요정의 차크람, 보이지 않는 천 / 601~700) / 인비지블 걸(바람 요정의 차크람, 신앙의 고석, 인비지블 리본 / 701~800) / 아에루(매의 비취 갑옷, 데빌 랜스, 아에루의 손톱 / 701~800) / 다이콘다(성기사의 광석, 블러드 아머, 큰무 잎 / 701~800) / 호랑나비(데빌 랜스, 힐 글래스, 큰 나비의 날개 / 801~900) / 말새(블러드 아머, 허브, 말새의 날개 / 801~900) / 마알 베이더(신앙의 고석, 오렌지색 색소, 훌륭한 안테나 / 801~900) / SDHC(데빌 랜스, 슈팅 RPG, 불법 ROM / 901~1000) / 물랑 루즈(블러드 아머, 성전사의 광석, 빨간 씨앗 / 901~1000) / 루흐(성기사의 광석, 뇌수의 지팡이, 매우 커다란 부리 / 901~1000) / 빅 크랩, 연애, 네프비탄, 커다란 가위 / 690~710) / 로크 새(특수 컨트롤러, 네프비탄, 괴조의 날개/ 890~910) / [레어]갈그이유(무예 B, 스톤 B, 도마뱀의 비늘 / 980) / [보스]제루가리온(마랑의 창갑, 건강의 조각, 비주얼 메모리 16X / 1000)	[사]제5에리어의 열쇠, 엔젤 H
제5에리어	1001	500	뇌수의 지팡이(1001~1200) / 브레이브 소드(1166~1350) / 캣 네일(1300~1500) / 마랑의 창갑(1001~1300) / 브리간다인(1251~1500) / 신앙의 고석(1001~1100) / 성기사의 광석(1051~1500) / 현자의 성석(1351~1500) / 노벨(1001~1250) / 마작(1251~1500) / 얌전하지만 실은 최강(1001~1250) / 마이크 사용(1251~1500) / 라이트층이 타겟(1001~1250) / 초회 특전 DLC 코드(1251~1500)	타란튤라(마수의 지팡이, 성기사의 광석, 맹독 거미줄 / 1001~1125) / 울프(마랑의 창갑, 브레이브 소드, 늑대의 모피 / 1001~1125) / 코인맨(신앙의 고석, 브리간다인, 코인의 파편 / 1001~1125) / 오토코디우스(브레이브 소드, 마랑의 창갑, 소년의 마음 / 1126~1250) / 해바라깅(성기사의 광석, 캣 네일, 해바라기 씨앗 / 1126~1250) / 아이스 스켈레톤(캣 네일, 힐 글래스, 얼음 뼈 / 1251~1375) / 아이스 보이(마랑의 창갑, 치유초, 빙결 천 / 1251~1375) / 아이스 걸(현자의 성석, 흰색 색소, 핑크 리본 / 1251~1375) / 둥근 베이더(캣 네일, 현자의 성석, 둥근 안테나 / 1376~1500) / 차일드 웨일(브리간다인, 얌전하지만 실은 최강, 성스러운 고래 알 / 1376~1500) / 너스 빈더(현자의 성석, 유성검, 풋내가 나는 너스 캡 / 1376~1500) / 킬러 머신 MK-2(노벨, 힐 레인, 신식 마광 동력로 / 1115~1135) / 니드호그(라이트층이 타겟, 힐 레인, 고룡의… 뿔같은 것 / 1365~1385) / [레어]플레이스 베르그(무예 L, 스톤 L, 괴조의 날개 / 1400) / [보스]아킬레스(도마뱀의 황금 갑옷, 천사의 날개, 불법 ROM / 1500)	[사]제6에리어의 열쇠, 데빌 H
제6에리어	1501	300	유성검(1501~1560) / 포이즌 나이프 개(1601~1750) / 닌자도(1701~1800) / 도마뱀의 황금 갑옷(1501~1650) / 사자의 비갑(1601~1750) / 풀 플레이트(1701~1800) / 성기사의 광석(1501~1750) / 현자의 성석(1601~1800) / 걸 게임(1501~1650) / 적외선 통신(1651~1800) / 쥐(1501~1650) / 특수 주변 기기(1651~1800) / 초회 한정판(1501~1650) / 왕도(1651~1800)	카라쿠테레(유성검, 성기사의 광석, 노란 꽃잎 / 1501~1580) / 상자새(도마뱀의 황금 갑옷, 포이즌 나이프 개, 상자새의 날개 / 1501~1580) / 스네그아라벼덤(성기사의 광석, 사자의 비갑, 검은 모금함 / 1501~1580) / 페어리 버터플라이(포이즌 나이프 개, 풀 플레이트, 요정의 날개 / 1581~1660) / 하이 비트 커스텀(사자의 비갑, 현자의 성석, 불법 초고급 회로 / 1581~1660) / 베놈 보이(성기사의 광석, 닌자도, 맹독 천 / 1581~1660) / 베놈 걸(닌자도, 현자의 성석, 베놈 리본 / 1661~1740) / DSTT(풀 플레이트, 힐 포트, 불법 초고급 개조 회로 / 1661~1740) / 도간(현자의 성석, 치유초, 노란 파이프 조각 / 1661~1740) / 큐베리엘(닌자도, 걸 게임, 혼의 계약서 / 1740~1800) / 스컬 프로즌(풀 플레이트, 왕도, 얼음의 해골 / 1741~1800) / 양아치 캣(플레어 랜스, 머스켓, 양아치의 마스크 / 1741~1800) / 헤비 탱크(특수 주변 기기, 인텔리 부스터 Z, 불발탄 / 1570~1590) / 가루다(초회 한정판, 퀵 부스터 Z, 괴조의 날개 / 1730~1760) / [레어]봉인된 재해(골판지 H, 골판지 S, 드래곤 소울 / 1799) / [보스]엡실론(숙녀의 드레스, 만능약, 신식 마광 동력로 / 1800)	[사]제7에리어의 열쇠, 엔젤 S

에리어	개시	플로어 수	아이템	몬스터	돌파 보수
제7에리어	1801	700	머스켓(1801~2150) / 용미곤(2001~2350) / 쿠로 츠바키(2201~2500) / 숙녀의 드레스(1801~2200) / 어리석은 자의 영의(2151~2500) / 성기사의 광석(1801~2100) / 현자의 성석(1901~2500) / 성마의 휘석(2301~2500) / 슈팅(1801~2150) / 퀴즈(2151~2500) / 폴리곤(1801~2150) / SF(2151~2500) / 누가 득을 보나 사양(1801~2150) / 추리(2151~2500)	콜드 리저드(머스켓, 어리석은 자의 영의, 얼어붙은 비늘 / 1801~1980) / 오야지디우스(숙녀의 드레스, 현자의 성석, 아저씨의 애수 / 1801~1980) / 목젖새 왕자(성기사의 광석, 용미곤, 새의 은관 / 1801~1980) / 외도 슬라이누(용미곤, 성마의 휘석, 외도 젤리 / 1981~2160) / 아르룬(어리석은 자의 영의, 쿠로 츠바키, 요화의 꽃잎 / 1981~2160) / 코요테(현자의 성석, 숙녀의 드레스, 날카로운 이빨 / 1981~2160) / 우드 스켈레톤(쿠로 츠바키, 슈팅, 엄청 딱딱한 나무조각 / 2161~2340) / 데스 스토커(숙녀의 드레스, 힐 포트, 칠흑의 비늘 / 2161~2340) / 닌진다(성마의 휘석, 흰색 색소, 당근 잎 / 2161~2340) / 하이힐 슬라이누(쿠로 츠바키, 추리, 검은 젤라틴 촉수 / 2341~2500) / 말새크스(어리석은 자의 영의, 퀴즈, 말새의 대퇴골 / 2341~2500) / 들개(성마의 휘석, 블러드 랜스, 날카로운 이빨 / 2341~2500) / 펜릴 볼프(폴리곤, 머슬 부스터 Z, 마랑의 손톱 / 1970~1990) / 알데바란(누가 득을 보나 사양, 이젝트 버튼, 신식 마광 동력로, 2330~2350) / [레어]규격 외 슬라이누(골판지 W, 골판지 B, 고급 젤리 / 2160) / [보스]주인공기(마법 갑옷 젝트, 천사의 날개, AG요 시스템 / 2500)	[사]제8에리어의 열쇠, 데빌 S
제8에리어	2501	400	블러드 랜스(2501~2700) / 프레어 랜스(2621~2850) / 황금의 창(2741~2900) / 마법 갑옷 젝트(2501~2700) / 윙 로브(2621~2850) / 발키리의 흉갑(2741~2900) / 현자의 성석(2501~2700) / 성마의 휘석(2601~2900) / 전략(2501~2700) / 서양 게임(2701~2900) / 속편한 진행(2501~2700) / 근미래(2701~2900)	플레임 보이(블러드 랜스, 성마의 휘석, 작열 천 / 2501~2600) / 플레임 걸(마법 갑옷 젝트, 플레어 랜스, 블랙 리본 / 2501~2600) / 마그마 스톤(현자의 성석, 윙 로브, 용암석 / 2501~2600) / 도곤(플레어 랜스, 발키리의 흉갑, 빨간 파이프 조각 / 2601~2700) / 화산 소라게(윙 로브, 현자의 성석, 작열 광석 / 2601~2700) / 고양이다람쥐 나이트(성마의 휘석, 황금의 창, 고양이다람쥐의 손톱 / 2601~2700) / 냐아(황금의 창, 전략, 냐아의 손톱 / 2701~2800) / 드래곤 워리어(발키리의 흉갑, 검은색 색소, 용전사의 비늘 / 2701~2800) / 터틀(현자의 성석, 힐 포트, 거북 껍질 / 2701~2800) / 숲 고래(황금의 창, 속편한 진행, 성스러운 고래 알 / 2801~2900) / 리저드 맨(발키리의 흉갑, 서양 게임, 도마뱀의 비늘 / 2801~2900) / 아르라우네(성마의 휘석, 아이젠 크래프트, 요화의 꽃잎 / 2801~2900) / 카노푸스(MO, 안티 베놈, 신식 마광 동력로 / 2590~2610) / 대형 슬라이누(근미래, 안티 패럴라이즈, 고급 젤리 / 2790~2810) / [레어]메타보 슬라이누(골판지 L, 힐 라이트, 대뱃살 슬라이누 젤리 / 2650) / [보스]와일드 와레츄(스노우 볼레로, 건강의 덩어리, 사악한 마음 / 2900)	[사]제9에리어의 열쇠, 용량 업 128MB
제9에리어	2901	500	아이젠 크래프트(2901~3070) / 백은의 차크람(3001~3200) / 다이아몬드 더스트(3121~3400) / 스노우 볼레로(2901~3200) / 페어리 케이브(3101~3400) / 현자의 성석(2901~3100) / 성마의 휘석(3001~3400) / 사신의 마석(3251~3400) / 액션 RPG(2901~3150) / 크라임 액션(3151~3400) / 아저씨(2901~3150) / 프리 시나리오(3151~3400) / 아이들 대상(2901~3150) / 킬러 타이틀 겨냥(3151~3400)	고스트 보이(아이젠 크래프트, 성마의 휘석, 너덜 천 / 2901~3025) / 고스트 걸(스노우 볼레로, 백은의 차크람, 블루 리본 / 2901~3025) / 카부리 개구리(성자의 성석, 페어리 케이브, 골판지 / 2901~3025) / 크리스탈 콜렘(백은의 차크람, 스노우 볼레로, 크리스탈 스컬 / 3026~3150) / 힐링 슬라이누(페어리 케이브, 사신의 마석, 빨간 젤라틴 촉수 / 3026~3150) / 늘어진 젤리(성마의 휘석, 다이아몬드 더스트, 고급 젤리 / 3026~3150) / 헛키(다이아몬드 더스트, P·SP 차지 2, 네거티브한 수액 / 3151~3275) / 중용기병(스노우 볼레로, 액션 RPG, 마 장비의 조각 / 3151~3275) / 노멀 샹푸르(사신의 마석, 야월초, 샹푸르의 귀 / 3151~3275) / 매우 강해보이는 샹푸르(다이아몬드 더스트, 킬러 타이틀 겨냥, 샹푸르의 귀 / 3276~3400) / 마법이 특기인 샹푸르(페어리 케이브, 프리 시나리오, 샹푸르의 귀 / 3276~3400) / 웨일(사신의 마석, 미스릴 소드, 고래 구슬 / 3276~3400) / 킬러 머신(크라임 액션, 안티 실, 마술식 광제 동력로 / 3015~3035) / 엘레멘트 드래곤(아저씨, 안티 바이러스, 드래곤의 손톱 / 3265~3285) / [레어]아주 큰 슬라이누(져지 H, 브레이브 H, 고급 슬라이누 젤리 / 3300) / [보스]갤럭 라이저(펠리스 인형옷, 천사의 날개, 비주얼 메모리 8X / 3400)	[사]제10에리어의 열쇠, 엔젤 W
제10에리어	3401	200	미스릴 소드(3401~3500) / 라이트닝 보우(3481~3600) / 베니시구레(3541~3600) / 펠리스 인형옷(3401~3500) / 이그니스(3481~3600) / 토니톨스(3541~3600) / 성마의 휘석(3401~3600) / 사신의 마석(3501~3600) / 건 슈팅(3401~3500) / 어드벤처 RPG(3501~3600) / 컬러 에디트(3401~3500) / 콤보 중시(3501~3600) / 런칭(3401~3500) / 유명 크리에이터(3501~3600)	돗칸(미스릴 소드, 사신의 마석, 파란 파이프 조각 / 3401~3450) / 테스트리(펠리스의 인형옷, 라이트닝 보우, 옐로우 블록 / 3401~3450) / 슬라이누 베스(성마의 휘석, 이그니스, 오렌지 젤리 / 3401~3450) / 하치베에(라이트닝 보우, 토니톨스, 마법의 계약서 / 3451~3500) / 메가 스파이더(이그니스, 성마의 휘석, 점착성이 강한 거미줄 / 3451~3500) / 아이 마블(사신의 마석, 베니시구레, 무지개빛 꽃잎 / 3451~3500) / 어스 리자드(베니시구레, 건 슈팅, 대지의 비늘 / 3501~3550) / 마비 슬라이누(토니톨스, 핑크색 색소, 마비 젤리 / 3501~3550) / 미스릴 골렘(성마의 휘석, 런칭, 미스릴 광석 / 3501~3550) / 블루 선(베니시구레, 만능약, 파란 씨앗 / 3551~3600) / 번장 캣(토니톨스, 건강의 파편, 번장 마스크 / 3551~3600) / EDGE(사신의 마석, 실버 스톰, 불법 RAM / 3551~3600) / 사이버 돌핀(컬러 에디트, 리프레쉬 허브, 전자 돌고래의 꼬리 / 3440~3460) / 선더 버드(유명 크리에이터, 히어로 드링크 C, 국제 구조대 배지 / 3540~3560) / [레어] 절대신의 부하(져지 S, 브레이브 S, 샹푸르의 귀 / 3520) / [보스]아크룩스(흑갑주, P·SP 차지 2, 마 장비의 조각 / 3600)	[사]제11에리어의 열쇠, 데빌 W
제11에리어	3601	600	실버 스톰(3601~3900) / 팔켄(3801~4100) / 월광검(4001~4200) / 흑갑주(3601~4000) / 별의 흉갑(3851~4200) / 성마의 휘석(3601~3900) / 사신의 마석(3801~4100) / 천마의 욕석(4051~4200) / 싱글 온라인(3601~3900) / 축구(3901~4200) / 실루엣(3601~3900) / 서프라이즈 인카운터(3901~4200) / 인기 원작(3601~3900) / 죽어서 배워라(3901~4200)	차세대형 비트(실버 스톰, 별의 흉갑, 불법 차세대 회로 / 3601~3750) / 부웅콰광 아저씨(흑갑주, 사신의 마석, 하비 혼 / 3601~3750) / R4i-SDHC(성마의 휘석, 팔켄, 매직 스톤 / 3601~3750) / 알카이드(팔켄, 흑갑주, 마술식 광제 동력로 / 3751~3900) / 팔백 재해의 신(별의 흉갑, 천마의 욕석, 드래곤의 손톱 / 3751~3900) / 레플리컨트(사신의 마석, 월광섬, 파워드 리플레이 / 3751~3900) / 아이스 웨일(월광검, 힐 드링크, 고래 구슬 / 3901~4050) / 심판의 사도(흑갑주, P·SP 차지 2, 기타 컨트롤러 / 3901~4050) / 아이스 펜릴(천마의 욕석, 야월초, 빙랑의 손톱 / 3901~4050) / 빅 와레츄(월광검, 죽어서 배워라, 마 장비의 조각 / 4051~4200) / 큰 육지 거북(별의 흉갑, 축구, 거북 껍질 / 4051~4200) / 드림 돌핀(천마의 욕석, 검은 날개의 태도, 꿈 돌고래의 꼬리 / 4051~4200) / 맥시멈 슬라이누(싱글 온라인, 천사의 날개, 대뱃살 슬라이누 젤리 / 3740~3760) / 데우스·엑스·마키나(인기 원작, 만능약, 6장식 마광 동력로 / 4040~4060) / [레어]초차원 슬라이누(져지 W, 브레이브 W, 고급 슬라이누 젤리 / 4090) / [보스]주인공기 개(프릴 에이프런, 이젝트 버튼, AG요 시스템 / 4200)	[사]제12에리어의 열쇠, 엔젤 B
제12에리어	4201	800	검은 날개의 태도(4201~4450) / 데몬 슬롯(4401~4800) / 흉전사의 도끼(4701~5000) / 프릴 에이프런(4201~4450) / 아슬아슬한 수영복(4401~4800) / 용왕의 비늘 갑옷(4701~5000) / 사신의 마석(4201~4700) / 천마의 욕석(4450~5000) / 퍼즐·로직(4201~4600) / 시뮬레이션(4601~5000) / 좀 야하다(4201~4600) / 호버 주행(4601~5000) / 우훗… 아앗~!(4201~4600) / 모험(4601~5000)	타마(검은 날개의 태도, 천마의 욕석, 고양이 강모 / 4201~4400) / A2-i(프릴 에이프런, 데몬 슬롯, 불법 회로 / 4201~4400) / 왕거미(사신의 마석, 아슬아슬한 수영복, 무척 튼튼한 거미줄 / 4201~4400) / 무덩거미(데몬 슬롯, 용왕의 비늘 갑옷, 좋은 냄새의 거미줄 / 4401~4600) / 마그마 보이(아슬아슬한 수영복, 사신의 마석, 작열 천 / 4401~4600) / 마그마 걸(천마의 욕석, 흉전사의 도끼, 블랙 리본 / 4401~4600) / 목젖새 킹(흉전사의 도끼, 우훗… 아앗~!, 새의 왕관 / 4601~4800) / 용암 게(용왕의 비늘 갑옷, 리프레쉬 허브, 용암석 / 4601~4800) / 플레임 스켈레톤(사신의 마석, 보라색 색소, 불타는 뼈 / 4601~4800) / 라플레시아(흉전사의 도끼, 건강의 덩어리, 독한 꽃잎 / 4801~5000) / 팔천 재해의 신(용왕의 비늘 갑옷, 힐 포트, 드래곤 소울 / 4801~5000) / 라이벌기(천마의 욕석, 수국의 활, 중합금 플레이트 / 4801~5000) / 빈초(퍼즐·로직, 네프비탄 C, 녹을 듯한 닭고기(4390~4410) / 드리코린콥스(조금 야하다, 힐 레인, 체크무늬 꼬리 / 4790~4801) / [레어]가지 팔라딘(져지 B, 브레이브 B, 마 장비의 조각 / 4850) / [보스]레굴루스(아이돌의 옷, 만능약, 6장식 마광 동력로 / 5000)	[사]제13에리어의 열쇠, 데빌 B
제13에리어	5001	400	수국의 활(5001~5200) / 용멸창(5081~5300) / 샤이닝 엣지(5201~5400) / 아이돌의 옷(5001~5250) / 프린세스 아머(5101~5400) / 사신의 마석(5001~5250) / 천마의 욕석(5121~5400) / 성녀의 홍석(5301~5400) / 아가씨 게임(5001~5200) / 대전 격투(5201~5400) / 고릴라(5001~5200) / 색만 다른 캐릭터(5201~5400) / 남성 대상(5001~5200) / 역사(5201~5400)	위험한 샹푸르(수국의 활, 천마의 욕석, 샹푸르의 귀 / 5001~5100) / 아주 위험한 샹푸르(아이돌의 옷, 용멸창, 샹푸르의 귀 / 5001~5100) / 초 위험한 샹푸르(사신의 마석, 프린세스 아머, 샹푸르의 귀 / 5001~5100) / 그래프 초코로(용멸창, 아이돌의 옷, 아마 액션 리플레이 / 5101~5200) / 빅 와레츄(프린세스 아머, 성녀의 홍석, 마 장비의 조각 / 5101~5200) / 팬처(천마의 욕석, 샤이닝 엣지, 대구경 불발탄 / 5101~5200) / 안타레스(샤이닝 엣지, 색만 다른 캐릭터, 2쌍식 마광 동력로 / 5201~5300) / 후계기(아이돌의 옷, 힐 드링크, 레어 플레이트 / 5201~5300) / 자이언트 슬라이누(성녀의 홍석, 녹색 색소, 슬라이누 젤리 / 5201~5300) / 말새 라이더(샤이닝 엣지, 역사, 말새의 날개 / 5301~5400) / 가지 라이더(프린세스 아머, 아가씨 게임, 말새의 대퇴골 / 5301~5400) / 숲 게(성녀의 홍석, 백랑조, 게 껍질 / 5301~5400) / 99식 전차(대전 격투, 이젝트 버튼, 메가톤 불발탄 / 5090~5110) / 천년 거북(남성 대상, 안티 바이러스, 고대로부터의 껍질 / 5290~5310) / [레어]팔만 재해의 신(져지 L, 브레이브 L, 갓 소울 / 5399) / [보스]게하츄(성염의 중갑, 세계수의 잎, 철 장비의 조각 / 5400)	[사]제14에리어의 열쇠, 엔젤 L
제14에리어	5401	900	백랑조(5401~5900) / 무신의 검(5701~6100) / 성법의 뇌창(6001~6300) / 성염의 중갑(5401~5900) / 문 로브(5701~6100) / 뇌제의 전투 갑옷(6001~6300) / 천마의 욕석(5401~5950) / 성녀의 홍석(5701~6300) / 레이스(5401~5850) / 미소녀 게임(5851~6300) / 점프(5401~5850) / 특수한 게이지(5851~6300) / 코어층을 노림(5401~5850) / 초절 난이도(5851~6300)	버그(백랑조, 성녀의 홍석, 불법 차세대 회로 / 5401~5625) / 블랙 스파이더(성염의 중갑, 무신의 검, 무척 튼튼한 거미줄 / 5401~5625) / 폭주 M-3(천마의 욕석, 문 로브, 불법 SSD / 5401~5625) / 테트스리(무신의 검, 뇌신의 전투 갑옷, 기묘한 탄력이 있는 덩어리 / 5626~5850) / 카스트랩(문 로브, 천마의 욕석, 튤립의 수술 / 5626~5850) / 오지디우 스(성녀의 홍석, 성법의 뇌창, 중년의 로망 / 5626~5850) / 누에(성법의 뇌창, 레이스, 마력을 가진 뿌리 / 5851~6075) / 얼룩 도칸(뇌제의 전투 갑옷, 물색 색소, 얼룩 무늬의 조각 / 5851~6075) / 테리스트(천마의 욕석, 히어로 드링크 C, 그린 블록 5851~6075) / 마다라쵸(성법의 뇌창, 코어층을 노림, 걸치고 있던 작은 옷 / 6076~6300) / 테라 핸섬(뇌제의 전투 갑옷, 특수한 게이지, 『※의 면죄부 / 6076~6300) / 오르토로스(미소녀 게임, 이젝트 버튼, 지옥의 갈기 / 5615~5635) / 초대형 슬라이누(초절 난이도, 세계수의 잎, 최고급 젤리 / 6065~6085) / [레어]오염에 침식된 자(트릭 H, 매직 H, 2쌍식 마광 동력로 / 6120) / [보스]멸망한 신의 잔해(해황의 패의, 초만능약, 마 장비의 조각 / 6300)	[사]제15에리어의 열쇠, 용량 업 512MB

에리어	개시	플로어 수	아이템	몬스터	돌파 보수
제15에리어	6301	200	킬링 차크람(6301~6400) / 히메자쿠라(6351~6500) / 바다 황제의 창(6401~6500) / 해황의 패의(6301~6450) / 조디악(6401~6500) / 천마의 욕석(6301~6450) / 성녀의 홍석(63351~6500) / 유성의 황석(6451~6500) / 스트래터지(6301~6400) / 액션(6401~6500) / 자동 생성 던전(6301~6400) / 진동(6401~6500) / 질척질척(6301~6400) / 싸움(6401~6500)	빅 와레츄(킬링 차크람, 성녀의 홍석, 마 장비의 조각 / 6301~6350) / 트릭 크라운(해황의 패의, 히메자쿠라, 레어 플레이트 / 6301~6350) / 플레임 펜릴(천마의 욕석, 조디악, 염랑의 손톱 / 6301~6350) / 차세대기(히메자쿠라, 해황의 패의, AG요 시스템 / 6351~6400) / 도금 드라이거(조디악, 유성의 황석, 중합금 플레이트 / 6351~6400) / 데네브(성마의 홍석, 바다 황제의 창, 비주얼 메모리 8X / 6351~6400) / 포멀 하우트(바다 제왕의 창, 노란색 색소, 6장식 마광 동력로 / 6401~6450) / 알나이르(해황의 패의, 건강의 덩어리, 파워드 리플레이 / 6401~6450) / 피콕(유성의 황석, 안티 바이러스, 아마 액션 리플레이 / 6401~6450) / 타워 병사(바다 황제의 창, 스트래터지, 철 장비의 조각 / 6451~6500) / 타워 위병(조디악, 질척질척, 철 장비의 파편 / 6451~6500) / 타워 마도병(유성의 황석, 샤노와르, 마 장비의 파편 / 6451~6500) / 켈베로스(액션, 은광석, 지옥의 갈기 / 6340~6360) / 사이버 웨일(진동, 빨간색 색소, 댄싱 컨트롤러 / 6440~6460) / [레어]팔억 재해의 신(트릭 S, 매직 S, 사귀안 / 6420) / [보스]팔조 재해의 신(정령 여왕의 풍의, 진짜 천사의 날개, 갓 소울 / 6500)	[사]제16에리어의 열쇠, 데빌 L
제16에리어	6501	1000	샤노와르(6501~7000) / 패왕의 창(6701~7299) / 파라스·아테네(7101~7500) / 정령 여왕의 풍의(6501~7000) / 레온 하트(6701~7200) / 전신의 투의(7101~7500) / 성녀의 홍석(6501~7300) / 유성의 황석(6901~7500) / 통신 대전(6501~7000) / MMO(7001~7500) / 차지(6501~7000) / 일단 물리로 때려라(7001~7500) / 밀리언 타이틀 겨냥(6501~7000) / 대자연(7001~7500)	펭귄(샤노와르, 유성의 황석, 미끈거리는 날개 / 6501~6750) / 시 보이(정령 여왕의 풍의, 패왕의 창, 수용성 천 / 6501~6750) / 시 걸(성녀의 홍석, 레온 하트, 핑크 리본 / 6501~6750) / 시 골렘(패왕의 창, 전신의 투의, 물의 결정석 / 6751~7000) / 패럴라이즈 스파이더(레온 하트, 성녀의 홍석, 마비 거미줄 / 6751~7000) / R-4 커스텀(유성의 황석, 파라스·아테네, 불법 SSD / 6751~7000) / 프로미스 링(파라스·아테네, 파란색 색소, 해약 불가의 계약서 / 7001~7250) / 하이 리저드(전신의 투의, 힐 레인, 검게 빛나는 비늘 / 7001~7250) / 매직 슬라이누(성녀의 홍석, 힐 보틀, 마도 젤리 / 7001~7250) / 드래고 나이트(파라스·아테네, 일단 물리로 때려라, 용전사의 비늘 / 7251~7500) / 숲의 성령(전신의 투의, 밀리언 타이틀 겨냥, 요화의 꽃잎 / 7251~7500) / 세인트 웨일(유성의 황석, 염왕의 철조, 작은 고래 구슬 / 7251~7500) / 크레센트 드래곤(차지, 네프비탄 스페셜, 고룡의 초승달모양의…무엇? / 6740~6760) / 팔경 재해의 신(대자연, P·SP 차지 2, 드래곤 소울 / 7240~7260) / [레어]메가 터틀(트릭 W, 매직 W, 강철의 껍질 / 7060) / [보스]델피너스(킬러 웨일, 히어로 드링크 C, 사기안 / 7500)	[사]제17에리어의 열쇠
제17에리어	7501	300	염왕의 철조(7501~7650) / 전신의 도끼(7581~7800) / 실피드(7661~7800) / 킬러 웨일(7501~7700) / 마투선의 옷(7601~7800) / 성녀의 홍석(7501~7650) / 유성의 황석(7551~7800) / 여신의 성석(7651~7800) / 탄막 슈팅(7501~7650) / 파티(7651~7800) / 성우(7501~7650) / 모션 컨트롤러(7651~7800) / 백합백합(7501~7650) / 한 번 죽으면 끝(7651~7800) / 남자다운 철(7651~7800) / 늠름한 곰(7651~7800) / 전설의 성유물(7651~7800)	침략자(염왕의 철조, 유성의 황석, UFO의 컨트롤러 / 7501~7575) / 해파리 슬라이누(킬러 웨일, 전신의 도끼, 젤라틴 촉수 / 7501~7575) / 숲의 수호자(성녀의 홍석, 마투선의 옷, 대지의 결정석/ 7501~7575) / 인면수(전신의 도끼, 킬러 웨일, 네거티브한 뿌리 / 7576~7650) / 상자새 킹(마투선의 옷, 여신의 성석, 상자새의 화려한 날개 / 7576~7650) / 자율형 방위 병기(유성의 황석, 실피드, 불법 마더 보드 / 7576~7650) / 알프레드(실피드, 여신의 황석, 붉은 꽃잎 / 7651~7725) / 사이버 버터플라이(킬러 웨일, 힐 보틀, 전자 나비의 날개 / 7651~7725) / 지원형 비트(여신의 성석, 금방망이, 불법 SSD / 7651~7725) / 타워 친위대(실피드, 백합백합, 철 장비의 조각 / 7726~7800) / 마도 슬라이누(마투선의 오스, 파티, 마도 젤리 / 7726~7800) / 타워 상급 병사(여신의 성석, 천진호곡도·진타, 은 장비의 조각 / 7726~7800) / 시리우스(호탕함의 소양, 머슬 부스터 Z, 불법 RAM / 7565~7585) / 시작형 광역 제압 병기(레어 메탈, 퀵 부스터 Z, 메가톤 불발탄 / 7715~7735) / [레어]혹시 넵튠?(트릭 B, 매직 B, 사귀안 / 7799) / [레어]네프기어?(트릭 L, 매직 L, 불법 초고급 개조 회로 / 7799) / [보스]리저드 킹(파란 작업복 G, 성황갑, 검게 빛나는 비늘 / 7800)	[사]제18에리어의 열쇠
제18에리어	7801	500	천진호곡도·진타(7801~8100) / 태양검(7881~8300) / 쿠겔 슈라이버(8101~8300) / 성황갑(7801~8100) / 발큐리아(7881~8300) / 무지개 여신의 베일(8101~8300) / 유성의 황석(7801~8300) / 여신의 성석(7881~8300) / 야구(7801~8050) / 시뮬레이션 RPG(8051~8300) / 수염난 이탈리아인(7801~8050) / 심리스(8051~8300) / 미디어 믹스 전개(7801~8050) / 전문 용어(8051~8300) / 썩은 돼지 국물(8051~8300) / 고대 룬 문자 대사전(8051~8300) / 오버 스펙 메모리(8051~8300)	자동 감시 시스템(천진호곡도·진타, 여신의 성석, 불법 ROM / 7801~7925) / 로스트 보이(성황갑, 태양검, 잃어버린 성해포 / 7801~7925) / 로스트 걸(유성의 황석, 발큐리아, 로스트 리본 7801~7925) / 유적을 지키는 자(태양검, 유성의 황석, 매지컬 코어 / 7926~8050) / 상자새 왕자(발큐리아, 쿠겔 슈라이버, 상자새의 고귀한 날개 / 7926~8050) / 패럴라이즈 슬라이누(여신의 성석, 무지개 여신의 베일, 마비 젤리 / 7926~8050) / 리저드 나이트(쿠겔 슈라이버, 오리하르콘, 마 장비의 조각 / 8051~8175) / 신식수(무지개 여신의 베일, 유성의 황석, 네거티브한 나무 껍질 / 8051~8175) / 산 게(유성의 황석, 세계수의 잎, 마석 / 8051~8175) / 스켈레톤 블레이즈(쿠겔 슈라이버, 시뮬레이션 RPG, 용암의 뼈 / 8176~8300) / 플레임 플라워(무지개 여신의 베일, 미디어 믹스 전개, 불타는 꽃잎 / 8176~8300) / 타워 수비병(여신의 성석, 별의 검, 철 장비의 조각 / 8176~8300) / 백식형 장갑 전투 차량(일렉 스위치, 힐 라이트, 에너지 백 / 7195~7935) / 대왕고래(초고급 실크, 힐 보틀, 성스러운 고래 구슬 / 8165~8185) / [레어]느와르?(컴파일 하트 H, 델피너스 H, 하비 혼 / 8299) / [레어]유니(컴파일 하트 S, 델피너스 S, 매지컬 코어 / 8299) / [보스]유적에 사는 용(오버 스펙 메모리, 여신의 성의, 고룡의… 어떤 보옥 / 8300)	[사]제19에리어의 열쇠
제19에리어	8301	700	별의 검(8301~8650) / 성광검(8451~8900) / 리니프슬레이(8601~9000) / 여신의 성의(8301~8800) / 신염의 갑옷(8501~9000) / 유성의 황석(8301~8700) / 여신의 성석(8401~9000) / 야천의 성광석(8801~9000) / 경영·운영(8301~8650) / 연예인(8651~9000) / 몬스터(8301~8650) / 쥬브나일(8651~9000) / 본고장(8301~8650) / 할렘(8651~9000) / 초고급 실크(8651~9000) / 일렉 스위치(8651~9000) / 파란 작업복 G(8651~9000)	디노사우로이드(별의 검, 여신의 성석, 초 딱딱한 비늘 / 8301~8475) / M-3D(여신의 성의, 성광검, 불법 조악 회로 / 8301~8475) / 약속을 관리하는 자(유성의 황석, 신염의 갑옷, 계약의 보주 / 8301~8475) / 줄무늬 오빠(성광검, 성녀의 성의, 작업복의 단추 / 8476~8650) / 복서 캣(신염의 갑옷, 야천의 성광석, 고양이용 글러브 / 8476~8650) / 해골(여신의 성석, 리니프슬레이, 금니 / 8476~8650) / DSTT 개(리니프슬레이, 엘데 크리스탈, 불법 마더 보드 / 8651~8825) / 이나무슨나무(여신의 성의, 마각석, 꿈틀대는 잎사귀 / 8651~8825) / 돗곤(야천의 성광석, 오리하르콘, 무척 단단한 파이프 조각 / 8651~8825) / 블레이즈 보이(리니프슬레이, 경영·운영, 불타는 천 / 8826~9000) / 블레이즈 걸(신염의 갑옷, 할렘, 불타는 리본 / 8826~9000) / 블레이즈 골렘(야천의 성광석, 낙루 / 낙엽, 불꽃의 결정석 / 8826~9000) / 로스트 드래곤(로대 룬 문자 대사전, 초만능약, 고대의… 어떤 진주 / 8465~8485) / 캣 나이트(썩은 돼지 국물, P·SP 차지 2, 고양이 강모 / 8815~8835) / [레어]블랑?(컴파일 하트 W, 델피너스 W, 메가톤 불발탄) / [레어]롬?(컴파일 하트 B, 델피너스 B, 마법의 계약서) / [보스]신차원 슬라이누(전설의 성유물, 천공의 성의, 고급 슬라이누 젤리 / 9000)	[사]최종 에리어의 열쇠
제20에리어	9001	1000	낙루 / 낙엽(9001~9500) / 멸성검 게르니메셔(9201~9800) / 성제신검 엘디아나(9501~10000) / 천공의 성의(9001~9500) / 봉신의 화의(9201~9800) / 성여신의 빛나는 갑옷(9501~10000) / 여신의 성석(9001~10000) / 야천의 성광석(9251~10000) / 헌팅(9001~9500) / TPS(9501~10000) / 심볼 인카운터(9001~9500) / DLC(9501~10000) / 여성 대상(9001~9500) / 드릴(9501~10000) / 레어 메탈(9501~10000) / 호탕함의 소양(9501~10000)	오렌지 플라워(낙루 / 낙엽, 힐 글래스, 오렌지 꽃잎 / 9001~9200) / 플라워 페어리(천공의 성의, 힐 포트, 요화의 꽃잎 / 9001~9200) / 잿빛 늑대(여신의 성석, 힐 드링크, 고급 늑대의 모피 / 9001~9200) / 괴조(헌팅, 힐 보틀, 괴조의 날개 / 9001~9200) / 데스 보이(낙루 / 낙엽, 네프비탄, 죽음의 천 / 9201~9400) / 데스 걸(천공의 성의, 네프비탄 Z, 노란 리본 / 9201~9400) / 드래고니아(야천의 성광석, 네프비탄 스페셜, 용전사의 비늘 / 9201~9400) / 범죄조직의 잔당(심볼 인카운터, 네프비탄 EX, 철 장비의 조각 / 9201~9400) / 바날간드(멸성검 게르니메셔, 힐 서클, 괴랑의 손톱 / 9401~9600) / 이성을 잃은 용인병(봉신의 화의, 힐 레인, 초 딱딱한 비늘 / 9401~9600) / 주작(여신의 성석, 힐 필드, 불타는 날개 / 9401~9600) / 천년 돌고래(여성 대상, 힐 라이트, 최고급 돌고래 지느러미 / 9401~9600) / 에어리어 도미넌스 머신(멸성검 게르니메셔, SP 차지, 마법의 불발탄 / 9601~9800) / 서벨러스(봉신의 화의, P·SP 차지, 큰 이빨 / 9601~9800) / 프로키온(야천의 성광석, P·SP 차지 2, 2쌍식 마광 동력로 / 9601~9800) / 숲의 주인(DLC, 만능약, 고룡의… 아무튼 머리 / 9601~9800) / 숲의 신(성제신검 엘디아나, 초만능약, 갓 소울 / 9801~10000) / 화산 거북이(성여신의 빛나는 갑옷, 인텔리 부스터 Z, 용암의 껍질 / 9801~10000) / 블레이즈 웨일(야천의 성광석, 퀵 부스터 Z, 고래 구슬 / 9801~10000) / 프로토타입 킬러 머신(TPS, 머슬 부스터 Z, 짝퉁 회로 / 9801~10000) / 피세?(남자다운 철, 건강의 덩어리, 하드 커버 / 9390~9410) / 프루루트?(늠름한 곰, 진짜 천사의 날개, 사귀안 / 9790~9810) / [레어]벨?(컴파일 하트 L, 델피너스 L, 기묘한 탄력이 있는 덩어리 / 9750) / [레어]람?(레어 메탈, 호탕함의 소양, 해약 불가의 계약서 / 9750) / [보스]레거시(드릴, 초만능약, 그날의 추억 / 10000)	—

스토리 공략

진행과 관련된 이벤트의 발생 타이밍과 아이템 획득, 스토리 분기 등을 해설. 모든 엔딩을 달성하는 데 도움이 되었으면 한다.

공략 플로차트

공략 플로차트는 게임 중에 발생하는 이벤트나 습득하는 스킬, 획득할 수 있는 아이템이나 퀘스트 추가 등의 타이밍을 게임 진행에 맞춰 정리한 것이다. 다음에 발생할 이벤트도 확인하기 쉬우므로 강적과의 전투를 준비하는 것도 쉬울 것이다. 물론 스토리 분기 타이밍이나 조건도 실어두었기 때문에 세 종류의 엔딩도 쉽게 확인할 수 있다. 또한 퀘스트 발생 타이밍에 대해선 스토리 진행 상 추가되는 것만 실어 두었다. 서브 던전을 추가하면 발생하는 퀘스트에 대해선 (P.122)를 참고하자.

스토리 공략을 보는 방법

나라 이름의 약칭은 다음을 참고

플라네: 프라네튠
라스테: 라스테이션
르위: 르위
린: 린박스
여보세요: 여보세요 대륙
피시: 피시 대륙
초차원: G.C.2012의 세계(넵튠이 처음에 있던 세계)

● : 이벤트 발생. 나라나 던전에 들어가면 발생하는 것, 던전 안에서 특정 포인트에 도달하면 발생하는 것, 각국의 정보 수집으로 EVENT 마크가 달린 것을 선택하면 발생하는 것까지 총 세 종류가 있음.

《월드》: 월드 맵에 던전 등이 추가됨.
《정보수집》: 각국의 정보 수집으로 등록된 메시지. 캐릭터 이름 뒤에 있는 () 안 내용은 입수 아이템이나 습득할 수 있는 스킬 등
《트위톡》: 월드 맵에 출현하는 메시지. 캐릭터 이름 뒤에 있는 () 안 내용은 입수 아이템이나 습득할 수 있는 스킬 등.
《네프스테》: 네프스테이션 발생.
《퀘스트》: 받을 수 있는 퀘스트가 추가. 사양서를 사용하는 것으로 발생하는 퀘스트에 대해선 (P.122)를 참고.
《콜로세움》: 새로이 도전할 수 있는 콜로세움이 추가됨. 콜로세움은 사양서를 추가해 이용할 수 있게 된다.
《가입》《이탈》: 캐릭터가 가입, 혹은 이탈.
《습득》: <캐릭터>가 스킬을 습득.
《입수》: 아이템을 입수
《잇승》:「가르쳐줘, 잇승!」이 발생.
《이동》: 지금 있는 던전에서 강제로 다른 던전으로 이동함.
《메뉴》: 메뉴 화면으로 들어감. 종료하면 전투가 시작.

서장

게임 디멘션에 등장하는 몬스터에게선 경험치를 얻을 수 없다. 레벨 업으로 HP를 회복할 수 없기 때문에 가급적 대미지를 받지 않도록 주의하자. 채집 포인트에서 손에 넣을 수 있는 네프비탄이 유일한 회복 수단이기 때문에 바하무트와의 전투까지 아껴두자.

게임 디멘션 탐색 종료 후에는 일시적으로 가입하는 네프기어와 함께 버추얼 포레스트 보호 지구를 탐색하게 된다. 네프기어가 이탈하기 전에 캐릭터 챌린지「바톤 터치」Lv1을 달성해 사양서「모든 능력치 업 1」을 입수해두자. 사양서를 입수했다면 이벤트를 공략해 서장을 클리어할 것.

서장 스타트
배틀: 블랙 하트, 화이트 하트, 그린 하트(SP 스킬만 사용 가능. 져도 상관없음)
《잇승》던전이란 / 던전 액션이란 / 인카운터와 도주
《이동》게임 디멘션
● 게임 디멘션에서 몬스터와 만남
《잇승》배틀의 기본 조작 / SP 스킬이란 / 여신화란
배틀: 리버스 핸드, 버그 멧, 버그 스파이더
● 게임 디멘션에서 배틀 : 버그 보이×2, 버그 걸×2
승리하면 배틀: 버그 보이×2, 버그 걸×2, 버그 스파이더, 리버스 핸드
승리하면 배틀: 바하무트

《월드》초차원: 플라네튠
《정보수집》초차원 플라네: 넵튠 / 네프기어 / 이스투아르 / 샤케코 / 패미통쨩 / 네프코님 FC 회장(힐 글래스) / 네프코님 FC 부회장 / 매뉴얼씨 / (《잇승》타운에서의 기본 조작) / 네프기마(데톡신) / 교회 직원

● 길드에서 일을 찾음
《잇승》퀘스트란
《퀘스트》E: 【입문】슬라이누 퇴치!

【입문】슬라이누 퇴치! 를 받아들임
《월드》초차원: 버추얼 포레스트 보호 지구

버추얼 포레스트 보호 지구로 진입
● 배틀: 슬라이누×2
승리하면 《잇승》가드 브레이크란
《퀘스트》D: 냄새 페티시즘
《퀘스트》E: 나의 여름 방학

【입문】슬라이누 퇴치! 클리어 후 보고
《월드》초차원: 라스테이션 / 르위 / 린박스
《정보수집》초차원 플라네: 매뉴얼씨(《잇승》리메이크 시스템이란 / 사양서란)
《정보수집》초차원 라스테: 라스테이션 교회 / 느와르 / 유니 / 덴게키코쨩 / 데이빗·스니크(힐 서클) / 에로헤이(인텔리 부스터) / 고양이 / 이쿠와 / 마왕님(생명의 조각) / 교회 직원

다음 페이지(P.112)로

전 페이지(P.111)에서

《정보수집》초차원 르위: 르위 교회 / 블랑 / 롬 / 람 / 지이루 / 마료 / 마제콘 소년(힐 글래스) / 아카이씨 / 미스오 / 교회 직원(패럴락신) / 피난셰 / 나비 들 부인(천사의 날개)
《정보수집》초차원 린: 린박스 교회 / 벨 / 낼름니스트(타후밀) / 못삐 / 마법소녀(SP 차지) / 사슴 소녀(머슬 부스터) / 자택 경비원
《트위톡》초차원: 카케루(용량 업 64MB)

이하의 이벤트를 모두 확인
라스테이션 교회에서 유니와 만남
르위 교회에서 블랑 자매와 만남
린박스 교회에서 벨과 만남

플라네튠 길드에서 퀘스트를 확인
《월드》초차원: 역 앞 광장
《퀘스트》D: 퓨어 2 하트
《퀘스트》E: 로봇이 미워

역 앞 광장으로 들어감
역 앞 광장에서 키세이죠 레이와 만남

플라네튠 길드로 이동
《이탈》네프기어
《정보수집》초차원 공통: 넵튠
《정보수집》초차원 플라네: 네프기어 / 아이에프 / 컴파 / 이스투아르 / 샤케코
《정보수집》초차원 라스테: 유니
《정보수집》초차원 르위: 블랑
《정보수집》초차원 린: 벨

버추얼 포레스트 보호 지구로 들어감
버추얼 포레스트 보호 지구에서 키세이죠 레이를 만남

제1장으로

제1장

길드에 가면 발생하는 「【시급】야생의 증명」을 클리어 보고하면 새롭게 스토리 진행에 필요한 퀘스트가 발생한다. 이런 식으로 퀘스트를 클리어 보고한 뒤, 「【접착】배합의 극의」까지 클리어하면 느와르가 이탈한다. 전력이 대폭 떨어지게 되지만, ZECA 1호 유적에 들어가면 바로 다시 합류하기 때문에 큰 문제는 없다. ZECA 1호 유적에선 마제콘느와의 전투가 발생한다. 첫 번째 전투는 제1장에서 등장하는 몬스터라고는 생각되지 않을 정도로 강하지만, 패배해도 스토리가 진행되기 때문에 회복 아이템 등은 두 번째 전투가 발생할 때까지 아껴두자. 참고로 이 첫 번째 배틀 마제콘느도 쓰러뜨릴 수 있기는 한데 2주차 이후에 육성한 캐릭터로 도전하는 것이 좋을 것이다.

제1장 스타트

《잇승》릴리 시스템이란
《가입》프루루트 / 느와르
《월드》플라네: 플라네튠 / 오오토리이 대삼림
《정보수집》플라네: 넵튠 / 프루루트 / 느와르 / 오데코쨩 / 프라플래쨩 / 매뉴얼씨 / 명왕 시로(생명의 조각) / 교회 직원(힐 포트) / 카메코 / Beep쨩

플라네튠 길드로 이동
《퀘스트》E: 【시급】야생의 증명 / 일하기 싫다
《정보수집》플라네: 넵튠 / 프루루트 / 프루루트

【시급】야생의 증명 클리어 보고
《퀘스트》D: 【증여】돌아봐주지 않는 사람

【증여】돌아봐주지 않는 사람을 보고
플라네튠의 길드로 이동
《퀘스트》D: 【접착】배합의 극의
《정보수집》플라네: 넵튠

【접착】배합의 극의 클리어 보고

플라네튠에 들어감
《이탈》느와르
《월드》플라네: ZECA 1호 유적
《정보수집》플라네: 넵튠 / 프루루트 / 이스투아르
《퀘스트》D: 멋진 밥그릇
《퀘스트》E: 반짝☆퀘스트☆

ZECA 1호 유적에서 느와르와 합류
《가입》느와르
《잇승》상태 변화란
《정보수집》플라네: 느와르
《트위톡》플라네: 몬스터 할아버지([사]던전 변화 : ZECA 1호 유적)
ZECA 1호 유적에서 배틀: 마제콘느(넵튠, 느와르만 참가. 져도 상관없음)
배틀 종료 후 《잇승》EX 피니쉬란 / SP를 축적하기 위해선
종료 후 배틀: 마제콘느
승리 후 《잇승》이그제 드라이브란

플라네튠으로 돌아감

제2장으로

제2장

초반에 느와르가 이탈하기 때문에 제트 셋 산길은 넵튠과 프루루트 둘이서만 공략해야 한다. 만약 사양서 「모든 능력치 업 1」을 획득한 상태라면 파르셀이 드랍하는 「파워 스톤」을 모아 캐릭터를 강화하자.

제트 셋 산길·정상 출구 부근에는 리저드 가드가 기다리고 있다. 비교적 VIT가 높아 대미지를 주기 어려우니 가드 브레이크를 한 뒤에 공격하는 것이 좋다. 리저드 가드를 쓰러뜨린 다음 라스테이션에서 느와르를 만나면 월드맵에서 플라네튠과 라스테이션을 오갈 수 있게 된다.

카피리에이스는 VIT가 높기 때문에 물리 공격이 잘 통하지 않는다. 하지만 MEN이 낮기 때문에 마법 공격으로 공격하면 효과적으로 대미지를 줄 수 있다. 배틀에 들어가기 전에 마법 공격을 세팅해두자.

제2장 스타트

《이탈》느와르
《월드》플라네: 제트 셋 산길
《정보수집》플라네: 넵튠 / 프루루트 / 이스투아르 / 오데코쨩 / 프라플래쨩 / 매뉴얼씨 / 교회 직원 / 카메코(생명의 조각) / Beep쨩
《트위톡》플라네: 캥거루([사]적을 강하게 한다)
《네프스테》뉴스 / 통판 / 퀴즈
《퀘스트》A: 주물럭 주물럭. 잘 반죽하는거야.
《퀘스트》D: 나의 전하
《퀘스트》E: 동쪽의 밭에서

다음 페이지로

전 페이지에서

제트 셋 산길로 들어감
《잇승》오염이란 / 위험종이란
제트 셋 산길·정상으로 이동
제트 셋 산길·정상에서 배틀: 리저드 가드
제트 셋 산길·정상의 EXIT를 통해 탈출
《월드》라스테: 라스테이션: 제트 셋 산길·정상

라스테이션으로 들어감
《정보수집》라스테: 여신 호텔 / 덴게키코 / 데이빗·스니크 / 톤데모 셰프 / 에로헤이 / 고양이 / 교회 직원 / 울프짱(퀵 부스터 Z) / 게임비평 / 카와치씨 / 폴리탄 / 샤케코
《트위톡》라스테: 슬레이어([사]원화틱한 눈썹) / 몬스터 할아버지([사]적을 약하게 한다)

라스테이션의 여신 호텔에서 느와르와 만남
《잇승》지켜봐줘☆던전이란 / 지켜봐줘☆던전에서 노는 법 / 견문자란
《트위톡》플라네: 스텔라([사]지켜봐줘☆던전 개방)

플라네튠으로 돌아감
《정보수집》라스테: 여신 호텔 / 샤케코

라스테이션의 여신 호텔에서 느와르와 만남
《가입》느와르
《정보수집》공통: 느와르
《정보수집》플라네: 프루루트(배틀: 푸치 슬라이누×3)
《퀘스트》D: 【긴급】마궁의 비보

라스테이션의 길드에서 퀘스트를 찾음
《월드》라스테: 풍래 동굴
《정보수집》플라네: ?(카세트 테이프 / 플롭 카드 / 《잇승》디스크란 / 디스크의 입수 방법)
《트위톡》플라네: 돋보기짱(ROM 카세트)
《트위톡》라스테: 에나카 사토치(디스크 카드)
《퀘스트》S: 진화하는 내일
《퀘스트》B: 모순된 선의
《퀘스트》E: 개도 더워 / KOMO's 키친

풍래 동굴로 들어감
《정보수집》공통: 프루루트

【긴급】마궁의 비보 클리어 보고
라스테이션으로 들어감
《정보수집》라스테: 여신 호텔

라스테이션의 여신 호텔에 들어감
《월드》플라네: ZECA 2호 유적
《월드》플라네: 밴디 크래시
《정보수집》플라네: 이스투아르
《퀘스트》C: 지고의 재료?
《퀘스트》D: 버본 / 트레이드 스레
《퀘스트》E: 샹푸르! / 샹푸르 축제!

밴디 크래시로 들어감
밴디 크래시에서 느와르와 블랑의 다툼을 지켜봄
《월드》라스테: 쿠자라트 공장·제1구획 / 소니이 습지
《정보수집》공통: 넵튠
《정보수집》플라네: 느와르
(배틀: 취한 보이, 취한 걸, 취한 스톤)

《퀘스트》S: 주인공기란 / 도전자
《퀘스트》D: 녀석들이 움직인다…!
《퀘스트》E: 언더 그라운드 / 버섯 VS 죽순

쿠자라트 공장·제1구획으로 들어감
쿠자라트 공장·제2구획으로 이동
쿠자라트 공장·제2구획에서 배틀: 카피리에이스
《이탈》느와르

플라네튠으로 귀환

제3장으로

제3장

제2장의 종반에서 이탈한 느와르가 동료로 들어오면 루드암즈 지하도·남문을 통해 르위로 가자. 르위의 여신 호텔에서 정보를 수집하면 르위 성 외곽이 출현한다. 여기선 블랑이 변신한 화이트 하트와 배틀이 벌어진다. 제2장에서 싸운 카피리에이스보다 능력치는 낮지만, HP가 약 1.5배나 되기 때문에 장기전이 되기 쉽다. 회복 아이템을 대량으로 구입한 다음 배틀에 임하자.

블랑에게 승리하면 지하 동굴로 강제 이동하게 된다. 먼저 지하 동굴에서 성·심부로 이동한 다음 일단 월드 맵으로 나오자. 그리고 회복 아이템을 보충하고 세이브를 한 다음 아쿠다이진에게 도전하자. 여기서 블랑이 화이트 하트로 변신할 수 있게 된다. 화이트 하트의 「디펜스 서포트」로 아군의 VIT를 강화한 다음 가드 브레이크를 노려 아쿠다이진을 공격하자.

제3장 스타트

《입수》S3-2X 시리즈
《정보수집》공통: 프루루트
《정보수집》라스테: 넵튠 / 프루루트 / 느와르 / 데이빗·스니크 / 톤데모 셰프 / 에로헤이 / 고양이 / 교회 직원(인텔리 부스터) / 게임비평 / 카와치씨
《퀘스트》C: 붙잡힌 공주

플라네튠으로 들어가 느와르의 상태를 확인
《가입》느와르
《월드》라스테: 루드암즈 지하도·남문
《정보수집》공통: 넵튠 / 느와르
《정보수집》플라네: 느와르(배틀: 울먹 병아리 벌레)
/ 이스투아르 / 프라플래짱 / 매뉴얼씨(데톡신) / 교회 직원 / 카메코 / Beep짱
《네프스테》뉴스 / 통판 / 퀴즈
《퀘스트》S: 유명한 그것
《퀘스트》E: 리얼충 박멸 계획

루드암즈 지하도·남문으로 들어감
루드암즈 지하도·북문으로 이동
루드암즈 지하도·북문에서 경비병에게서 도망침
《월드》르위: 르위 / 루드암즈 지하도·북문
《정보수집》공통: 넵튠
《정보수집》르위: 여신 호텔 / 지이루 / 마료 / 아카이씨(힐 포트) / 무희씨 / 르위 시민 / 코타츠짱 / 교회 직원 / 르위 첩보원 / 나비들 부인(힐 포트) / 마루카치 / 쥬뎀 / 샤케코 / 닌군
《트위톡》르위: 창고지기(DL-ROM)

르위의 여신 호텔로 들어감
《이동》르위 성 외곽

다음 페이지(P.114)로

전 페이지(P.113)에서

《월드》르위: 르위 성 외곽
《트위톡》르위: 카제시마(심볼 격파)
르위 성 내부로 이동
르위 성 내부에서 배틀: 화이트 하트
승리하면 《가입》블랑(여신화 불가능)
《이동》지하 동굴
지하 동굴에서 르위 탈환 계획을 세움
성·심부로 이동
성·심부에서 탈출
《정보수집》공통: 프루루트 / 느와르
《정보수집》르위: 샤케코 / 닌군
《퀘스트》S: 초회 한정 기타 컨트롤러가!!
《퀘스트》B: 마검 제조 / 강요하는 선의 / 리얼에서…
《퀘스트》C: 히나님 / 누름돌 찾습니다!
《퀘스트》E: 수상한 사람 목격 보고 / 신입 여신 주제에 건방지다
성·심부에서 아쿠다이진과 대결
블랑이 여신화할 수 있게 됨
배틀: 아쿠다이진

제4장으로

제4장

린박스는 기고 거리·심부를 통해 들어갈 수 있다. 지금까지의 나라와 마찬가지로 한 번 이동하면 그 뒤로는 월드 맵에서 자유롭게 왕래할 수 있게 된다. 린박스에서 벨과 만난 뒤에 플라네튠으로 돌아오면 네프기어가 동료가 된다. 단, 지금 시점에서 네프기어는 변신할 수 없으니 후열에 배치해두는 편이 좋다.

헤이로우 숲에선 네프기어가 일시적으로 이탈해 벨과 함께 공격해온다. 이것에 승리하면 여신화할 수 있게 된 네프기어와 벨이 함께 동료가 되며 연계 공격을 배운다. 두 사람이 들어온 직후에 린박스로 돌아가면 배틀이 발생하니 먼저 다른 나라에서 장비를 갖춰두자. 특히 여기서 벨의 장비와 콤보 스킬을 조정해두면 제5장 린박스 편에서 전투가 편해질 것이다. 벨을 전위에 두지 않는 경우에도 반드시 장비나 콤보 스킬을 설정해두자.

제4장 스타트

《입수》STV-00 시리즈 / 슈퍼 BW 시리즈 / NTD-64 시리즈
《월드》여보세요: 스마폰 산길
《정보수집》공통: 플라네튠 / 프루루트 / 블랑
《정보수집》라스테: 데이빗·스니크(SP 차지) / 톤데모 셰프 / 고양이 / 교회 직원 / 게임비평 / 카와치씨
《정보수집》르위: 블랑(배틀: 매지컬 걸 / 이기면 배틀: 매지컬 플라워, 매직 걸, 책의 요정?, 북 오브 엔젤) / 지이루(이젝트 버튼) / 마료 / 무희씨(리플렉스) / 르위 시민 / 코타츠짱 / 교회 직원 / 나비들 부인 / 샤케코 / 닌군
《퀘스트》E: 록 스피릿
《트위톡》플라네: 하얀 어둠의 잔재([사]파워 콤보 칸 추가〈네프〉)

플라네튠으로 돌아감
《월드》라스테: 기고 거리·입구
《정보수집》공통: 넵튠 / 프루루트
《정보수집》플라네: 네프기어 / 프루루트(《습득》스트레스 해소⁻) / 느와르 / 이스투아르 / ? / ? / ? / 프라플래짱 / 매뉴얼씨 / 교회 직원 / 카메코 / Beep짱
《정보수집》라스테: 교회 직원

《정보수집》르위: 르위 첩보원
《네프스테》뉴스 / 통판 / 퀴즈
《퀘스트》A: 신형 파츠, 입하?!
《퀘스트》B: 수중용 로봇
《퀘스트》C: 강한 게
《퀘스트》D: 일곱 색의 빛 / 땡땡이의 댓가는 비싸다냐 / 숙주나물 걸의 도전 / 마제콘의 탄생을 막기 위해서…
《퀘스트》E: 청소와 퇴치

기고 거리·입구로 들어감
기고 거리·심부로 이동
기고 거리·심부에서 린박스로 건너감
《월드》린: 린박스
《트위톡》린: 자칭 연금술사(대용량 USB 메모리)

린박스로 잠입
《정보수집》린: 여신 호텔 / 텐·바이어(안티 패럴라이즈) / 니지오 / 교회 직원 / 경찰 같은 사람 / 낼름니스트(힐 서클) / 스텍크짱 / 마법소녀 / 자택 경비원 / 소환부장 이자와 / 아스키짱

린박스의 여신 호텔에서 벨과 만남
《정보수집》공통: 블랑

플라네튠으로 돌아가 네프기어와 합류
《가입》네프기어
《정보수집》공통: 네프기어 / 프루루트
《정보수집》르위: 샤케코 / 닌군
《정보수집》린: 마법소녀
《퀘스트》C: 【기계】로보 머신

【기계】로보 머신 클리어 보고

플라네튠에서 근황 보고
《월드》린: 헤이로우 숲
《정보수집》공통: 넵튠 / 네프기어
《퀘스트》A: 간호사의 일
《퀘스트》D: 독의 위치
《퀘스트》E: 전설의…?!

헤이로우 숲으로 진입
헤이로우 숲에서 네프기어가 배신
《이탈》네프기어
《메뉴》그린 하트, 퍼플 시스터
《가입》네프기어 / 벨
《습득》〈넵튠〉바이올렛 슈버스터 / 어설트 콤비네이션 / 블레이드 & 스피어 / 체어슈라겐
《습득》〈프루루트〉 친구 콤비
《습득》〈느와르〉어설트 콤비네이션 / 친구 콤비
《습득》〈블랑〉체어슈라겐
《습득》〈벨〉블레이드 & 스피어
《습득》〈네프기어〉바이올렛 슈버스터
《잇숑》연계 공격이란
《정보수집》공통: 벨
《정보수집》플라네: 이스투아르

린박스에서 7현인의 파괴 활동을 저지
배틀: 카피리에이스
승리하면 배틀: 마제콘느

제5장으로

제5장

제5장의 전반은 어느 나라부터 공략해도 문제없지만, 이벤트를 효과적으로 확인하기 위해 르위 편, 린박스 편, 라스테이션 편 순으로 공략하는 것이 좋을 것이다. 또한 각 편은 넵튠, 프루루트, 네프기어 세 사람에 그 나라의 여신이 더해진 넷이서 도전하게 된다.

르위 편은 블랑이 동료로 들어온 다음 채굴장에서 카피리에이스와 배틀을 벌이게 된다. 블랑의 「디펜스 서포트」로 VIT를 강화하면서 가드 브레이크 상태로 만들어 공격하면 어렵지 않을 것이다.

린박스 편은 린박스로 들어간 순간 배틀이 시작된다. 크리처는 바이러스를 부여하는 공격을 하기 때문에 「터후밀」처럼 회복할 수 있는 아이템을 준비해둘 것. 제가 숲에선 아쿠다이진과 크리처 세 마리와 결전을 벌인다. 적의 공격을 줄이기 위해 크리처를 한 마리씩 쓰러뜨리자.

라스테이션 편에서 배틀하게 되는 아노네데스는 아이템과 스킬 사용을 방해하는 재머 비트와 함께 나타난다. 회복이 봉인된 상태이기도 하기 때문에 먼저 아이템 재머 비트부터 쓰러뜨려 회복할 수 있는 상태로 만들면 싸우기 쉬워진다. 그러고 나서 스킬 재머 비트, 아노네데스 순으로 쓰러뜨리면 된다.

세 나라의 문제를 모두 해결하면 하네다 산길에서 마제콘느와 배틀을 벌이게 된다. 상대는 마법 공격을 주로 하기 때문에 MEN이 크게 오르는 앵클릿 계열 장비를 하고서 전투에 임하자.

제5장 스타트

《이탈》느와르, 블랑, 벨
《습득》〈넵튠〉프루루트 : 하드폼
《입수》화이트 캐스트 시리즈 / 나이트 블루 시리즈 / G·큐브 시리즈
《월드》피시: 어덜틱 숲
《정보수집》공통: 넵튠 / 네프기어 / 프루루트 (※플라네튠 제외)
《정보수집》플라네: 아이에프(아이에프의 수첩) / 아이에프 / 컴파 / 피셰(컴파의 주사기) / 피셰 / 이스투아르 / 프라플래짱 / 매뉴얼씨 / 교회 직원 / 카메코 / 패미통짱 / Beep짱
《정보수집》라스테: 여신 호텔 / 데이빗·스니크 / 톤데모 셰프(네프비탄) / 에로헤이 / 고양이 / 임금님 / 교회 직원 / 게임비평 / 카와치씨 / 샤케코
《정보수집》르위: 여신 호텔 / 지이루 / 마료(히어로 드링크) / 무희씨 / 코타츠짱 / 교회 직원 / 나비들 부인 / 닌군
《트위톡》플라네: 프루루트([사]콜로세움 해방) / 영적 게진([사]브레이크 콤보 칸 추가〈프루〉)
《네프스테》뉴스 / 통판 / 퀴즈
《퀘스트》B: 모두와 친구가 되는 남자다
《퀘스트》D: 별을 본 사람 / 새로운 머리 장식 / 고급스러운 모금함 / (´·ω·`)란란♪

사양서 「콜로세움 해방」을 추가
● 《정보수집》플라네: 프루루트
《잇숑》콜로세움이란
콜로세움을 이용할 수 있게 됨
《콜로세움》D: 사회인의 적
《콜로세움》E: 슬라이누가 가득 / 튀겨서 먹고 싶다 / 지옥의 벼슬 / 나랑 계약해줘!

라스테이션 편, 르위 편, 린박스 편을 모두 클리어

라스테이션 편

● 라스테이션의 여신 호텔에서 느와르와 만남
《가입》느와르
《습득》〈넵튠〉느와르 : 하드폼
월드 맵에서 다른 나라로 이동할 수 없게 됨
《월드》라스테: 국영 공장
《정보수집》라스테: 느와르

● 국영 공장에 들어감
● 국영 공장에서 아노네데스와 조우
《잇숑》배틀에서 아이템이나 스킬을 사용할 수 없음
배틀 : 아노네데스, 스킬 재머 비트, 아이템 재머 비트
《이탈》느와르
월드 맵에서 다른 나라로 이동할 수 있게 됨

라스테이션 편 종료

르위 편

● 르위의 여신 호텔에서 블랑과 만남
《가입》블랑
《습득》〈넵튠〉블랑 : 하드폼
월드 맵에서 다른 나라로 이동할 수 없게 됨
《월드》르위: 채굴장

채굴장에 들어감
● 채굴장에서 배틀: 카피리에이스
《이탈》블랑
월드 맵에서 다른 나라로 이동할 수 있게 됨
《정보수집》르위: 르위 시민(건강의 조각) / 르위 첩보원
《트위톡》르위: 키노코([사]던전 추가 : 루지이 고원)
《트위톡》린: P2([사]라플라스·아이) / 중견 모험가(그린 라이트 디스크)
《퀘스트》S: 결함품 같은 게 아니다
《퀘스트》B: 규격을 벗어난 크기 GET?
《퀘스트》D: 복수

르위 편 종료

린박스 편

● 린박스에서 기묘한 생물과 만남
《가입》벨
배틀: 크리처×3
《습득》〈넵튠〉벨 : 하드폼
월드 맵에서 다른 나라로 이동할 수 없게 됨
《월드》린: 제가 숲
《정보수집》린: 니지오(인텔리 부스터 Z) / 교회 직원 / 경찰 같은 사람 / 낼름니스트 / 마법소녀(인텔리 부스터) / 자택 경비원 / 소환부장 이자와

제가 숲으로 들어감
● 제가 숲에서 배틀: 아쿠다이진, 크리처×3
《이탈》벨
월드 맵에서 다른 나라로 이동할 수 있게 됨
《퀘스트》C: 최초의 시련
《퀘스트》D: 사교의 Room

린박스 편 종료

다음 페이지(P.116)로

전 페이지(P.115)에서

라스테이션 편, 르위 편, 린박스 편 중 하나를 클리어

플라네튠에서 이스투아르를 봄(네푸의 푸딩)

라스테이션 편, 르위 편, 린박스 편을 모두 클리어

플라네튠에서 피셰 일행이 납치당한 것을 알게 됨
《가입》느와르, 블랑, 벨
《월드》플라네: 하네다 산길
《정보수집》공통: 넵튠 / 네프기어 / 프루루트 / 느와르 / 블랑 / 벨
《정보수집》플라네: 이스투아르
《정보수집》라스테: 샤케코
《정보수집》르위: 닌군
《정보수집》린: 마법소녀
《퀘스트》D: 뼈 장인의 길
《퀘스트》E: 당근 필요 없다니까!

하네다 산길로 들어감
하네다 산길·정상으로 이동
하네다 산길·정상에서 컴파를 구출
하네다 산길·정상에서 배틀: 마제콘느
《습득》〈넵튠〉네푸코도 뒤로 물러선다
《습득》〈프루루트〉네푸코도 뒤로 물러선다

제6장으로

제6장

제5장과 제6장에서 굿, 트루 루트로 갈리는 데 필요한 아이템이 모두 모인다. 플로어 차트를 따라 모든 이벤트를 확인한 경우엔 모두 입수할 수 있으니, 노멀 루트로 진행하고 싶은 경우엔 일부러 아이템을 놓쳐야 한다(P.121).

「【질투】눈에 독, 카포」을 클리어하면 메로토이드 쉘터가 출현한다. 여기선 아쿠다이진과 크리쳐 3마리가 기다리고 있으니 제5장에서 했던 것처럼 한 마리씩 쓰러뜨리자. 여기서 승리하면 연속으로 옐로 하트와 배틀을 벌이게 된다. 옐로 하트의 물리 속성 공격은 상당히 강력하니 미리 VIT가 상승하는 방어구를 장비한 다음 도전하자.

제6장 스타트

《습득》〈넵튠〉네프기어 : 하드폼
《입수》DX 실버 시리즈
《정보수집》공통: 넵튠 / 네프기어 / 프루루트 / 느와르 / 블랑 / 벨
《정보수집》라스테: 데이빗·스니크 / 톤데모 셰프 / 에로헤이(안티 베놈) / 고양이 / 교회 직원 / 게임비평 / 카와치씨
《정보수집》르위: 지이루 / 마료 / 무희씨 / 코타츠쨩 / 교회 직원 / 르위 첩보원(인텔리 부스터 Z) / 나비들 부인 / 닌군
《정보수집》린: 니지오 / 교회 직원 / 경찰 같은 사람 / 낼름니스트 / 스텍크쨩 / 마법소녀 / 자택 경비원 / 소환부장 이자와
《트위톡》플라네: 카제시마(용량 업 1024MB)
《트위톡》피시: 이노군([사]스니킹·스코프)
《퀘스트》D: 중년 블루스

플라네튜으로 들어감
《퀘스트》E: 【오해】인사?

플라네튠에서 프루루트가 인형을 수선함
《입수》인형
《정보수집》플라네: 네프기어 / 네프기어(《습득》〈네프기어〉브로큰 퍼닝스 / 〈벨〉브로큰 퍼닝스) / 아이에프 / 컴파 / 피셰(피셰의 그림) / 피셰 / 이스투아르 / 프라플래쨩 / 매뉴얼씨 / 교회 직원 / 카메코 / 샤케코
《네프스테》뉴스 / 통판 / 퀴즈
《퀘스트》D: 즐거운 계약
《콜로세움》D: 우리들의 적 / 올해도 0개… / 우리들의 시체를 넘어서 가라
《콜로세움》E: 게임 천국 / 게임 지옥

【오해】인사? 클리어 보고
플라네튠에서 피셰 일행이 수면 가스로 잠듦

플라네튠에 피셰의 아버지가 등장
《정보수집》공통: 넵튠 / 네프기어 / 프루루트 / 느와르 / 벨
《정보수집》플라네: 아이에프 / 컴파 / 이스투아르 / 샤케코
《정보수집》르위: 닌군
《정보수집》린: 마법소녀
《퀘스트》E: 【질투】눈에 독, 카포

【질투】눈에 독, 카포 클리어 보고
플라네튠에서 아브네스가 도움을 바람
《월드》르위: 메로토이드 쉘터
《퀘스트》B: 전투교리 지도요망 1번
《퀘스트》D: 나는… 저 사람에게 이기고 싶어! / 궁극의 조리 기구 / 도배해 버린다!
《퀘스트》E: 토관의 내부

메로토이드 쉘터에 들어감
메로토이드 쉘터·심부로 이동
메로토이드 쉘터·심부에서 배틀: 아쿠다이진, 크리쳐×3
승리하면 배틀: 옐로 하트

제7장으로

제7장

「【고독】떨어진 마물 순정파」를 수령하면 아리오 고원에서 떨어진 슬라이누 등과 배틀을 벌이게 된다. 이 이벤트 배틀에서 승리한 뒤 플라네튠으로 돌아오면, 이번엔 「【격전】불꽃 늑대」가 발생한다. 토벌 대상인 플레임 펜릴은 화염 속성 공격을 하니, 미리 내성이 있는 장식품을 장비한 뒤에 메로토이드 쉘터로 가자.

「【격전】불꽃 늑대」 클리어 보고를 하면 오오토리이 동굴에서 와레츄와의 배틀이 발생한다. 바이러스 상태 이상에 대한 대책을 마련한 다음에 배틀을 시작할 수 있도록 하자. 이 배틀에서 승리하면 계속해서 아노네데스의 연구소에서 아노네데스, 옐로 하트 두 사람과 연속으로 배틀을 하게 된다.

제7장 스타트

《입수》바이올렛 시리즈 / 피아노 블랙 시리즈 / W11 시리즈 / 라운드 엑스 시리즈
《월드》에딘: 에딘
《정보수집》공통: 넵튠 / 네프기어 / 프루루트 / 느와르 / 블랑 / 벨
《정보수집》플라네: 아이에프 / 컴파 / 이스투아르 / 프라플래쨩 / 매뉴얼씨 / 교회 직원 / 카메코 / Beep쨩 / 로쿠베 / 샤케코
《성보수집》라스테: 덴게기고 / 데이빗·스니크 / 톤데모 셰프 / 에루헤이 / 아마미야 린토 / 고양이 / 이쿠와 / 마왕님 / 임금님(머슬 부스터 Z) / 카와치씨 / 폴리탄

다음 페이지로

전 페이지에서

《정보수집》르위: 지이루 / 마료 / 마제콘 소년(패럴락신) / 마제콘 마마(타후밀) / 미스오 / 무희씨 / 르위 시민 / 코타츠짱(퀵 부스터 Z) / 교회 직원 / 피난셰 / 르위 첩보원 / 나비들 부인 / 닌군

《정보수집》린: 니지오 / 교회 직원 / 경찰 같은 사람 / 낼름니스트 / 스텍크짱 / 못삐 / 마법소녀 / 사슴 소녀 / 자택 경비원 / 소환부장 이자와 / 아스키짱

《정보수집》에딘: 카쿠네코 / 자전거 사나이 / 수박 펭귄 / 화이트 하트 매거진 / 이토 켄지 / 4Gamer짱

《네프스테》뉴스 / 통판 / 퀴즈

《퀘스트》C: 이어지는 꿈

《퀘스트》E: 【고독】떨어진 마물 순정파 / 베스란 무엇인가?

【고독】떨어진 마물 순정파를 수령

《월드》르위: 아리오 고원

아리오 고원으로 들어감

아리오 고원에서 배틀: 떨어진 슬라이누, 떨어진 병아리 벌레, 떨어진 말새

플라네튠으로 돌아옴

《퀘스트》C: 【격전】불꽃 늑대

【격전】불꽃 늑대의 클리어 보고

플라네튠에서 아이에프가 납치됨

플라네튠에서 아이에프가 납치됐다는 사실을 알게 됨

《월드》플라네: 오오토리이 동굴

《정보수집》공통: 넵튠 / 네프기어 / 프루루트

《정보수집》플라네: 샤케코

《정보수집》르위: 닌군

《정보수집》린: 마법소녀

《정보수집》에딘: 이토 켄지

《퀘스트》B: 그 배지

오오토리이 동굴로 들어감

오오토리이 동굴에서 배틀: 와레츄

《월드》라스테: 아노네데스의 연구소

《정보수집》공통: 넵튠

《정보수집》플라네: 아이에프 / 컴파

《퀘스트》B: 라스테이션 정글 / 전차를 사랑하는 남자

《퀘스트》E: 혼! 혼! 혼! Hobby 혼! / 마제콘의 탄생을 막기 위해서…2 / 용서할 수 없는 로봇

아노네데스의 연구소로 들어감

아노네데스의 연구소·심부로 이동

아노네데스의 연구소·심부에서 배틀: 아노네데스

승리하면 배틀: 옐로 하트

「네푸의 푸딩」, 「컴파의 주사기」, 「아이에프의 수첩」, 「인형」, 「피셰의 그림」을 모두 소지하고 있다.

제8장(굿·트루)로

제8장(노멀)로

이번에 싸우게 되는 아노네데스는 재머 비트와 함께 등장하지 않기 때문에 싸우기 쉬워졌다. 단번에 쓰러뜨리자.

제7장(노멀)

노멀 루트에서 발생하는 이벤트는 사실 상 옐로 하트와의 배틀 뿐. 강력한 공격을 견뎌내기 위해 VIT가 올라가는 장비는 물론 대미지를 줄여주는 어빌리티를 가진 게임 디스크를 만들어두자. 노멀 엔드가 발생한 뒤에는 각지에서 추가 던전의 사양서를 손에 넣을 수 있다. 잊지 말고 입수해두자.

제8장(노멀) 스타트

《입수》라운드 넥스트 시리즈

《월드》에딘: 지하 용암동

《정보수집》공통: 넵튠 / 네프기어 / 프루루트 / 느와르 / 블랑 / 벨

《정보수집》플라네: 아이에프 / 컴파 / 이스투아르 / 프라플래짱 / 매뉴얼씨 / 교회 직원 / 카메코 / 와레츄 / 패미통짱 / 로쿠베 / 샤케코

《정보수집》라스테: 데이빗·스니크 / 톤데모 셰프 / 에로헤이 / 아마미야 린토 /(힐 드링크) / 고양이 / 이쿠와(P·SP 차지) / 마왕님 / 교회 직원 / 카와치씨 / 폴리탄

《정보수집》르위: 지이루 / 마료 / 미스오 / 무희씨 / 르위 시민 / 코타츠짱 / 교회 직원 / 피난셰 / 르위 첩보원 / 나비들 부인 / 닌군

《정보수집》린: 니지오 / 교회 직원(건강의 조각) 경찰 같은 사람 / 낼름니스트 / 스텍크짱(안티 실) / 못삐(만능약) / 마법소녀 / 사슴 소녀(건강의 조각) / 자택 경비원 / 소환부장 이자와

《정보수집》에딘: 화이트 하트 매거진 / 이토 켄지 / 4Gamer짱

《네프스테》뉴스 / 통판 / 퀴즈

《퀘스트》B: 궁극의 식재

《퀘스트》E: 벌을 내려주마 / 그것을 연상하게 된다…! / 무섭지?

지하 용암동으로 들어감

지하 용암동·심부로 이동

지하 용암동·심부에서 배틀: 옐로 하트

노멀 엔드

《정보수집》공통: 넵튠 / 네프기어 / 프루루트 / 느와르 / 블랑 / 벨

《정보수집》플라네: 아이에프 / 컴파 / 피셰 / 이스투아르 / 교회 직원

《정보수집》라스테: 교회 직원

《정보수집》르위: 미스오

《트위톡》플라네: ? / 실황씨([사]던전 추가 : 에므에스 용암 동굴

《트위톡》르위: 지미([사]던전 추가 : 르위 성 북쪽 방)

《트위톡》피시: 모노 판다([사]던전 추가 : 도우 사원)

플라네튠 트위톡에서 ?에게 말을 걸면 다음 주차로

제8장(굿·트루)

기본적인 흐름은 노멀 루트와 마찬가지지만, 연계 공격의 습득과 아쿠다이진과의 전투가 추가된다. 특히 연계 공격인 「가디언 포스」는 사용 조건은 어렵지만 상당히 강력하기 때문에 가급적 빨리 사용 조건을 만족시켜두자. 아쿠다이진은 마법 속성 공격, 옐로 하트는 물리 속성 공격이 메인이니 제각각 배틀 전에 VIT 중시 장비와 MEN 중시 장비를 바꿔가며 전투에 임하자.

8장(굿·트루)

《습득》〈넵튠〉가디언 포스

《습득》〈느와르〉가디언 포스

다음 페이지(P.118)로

전 페이지(P.117)에서

《습득》〈블랑〉가디언 포스
《습득》〈벨〉가디언 포스
《입수》라운드 넥스트 시리즈
《월드》에딘: 지하 용암 동굴
《정보수집》공통: 넵튠 / 네프기어 / 프루루트 / 느와르 / 블랑 / 벨
《정보수집》플라네: 아이에프 / 컴파 / 이스투아르 / 프라플래쨩 / 매뉴얼씨 / 교회 직원 / 카메코 / 와레츄 / 패미통쨩 / 로쿠베 / 샤케코
《정보수집》라스테: 데이빗·스니크 / 톤데모 셰프 / 에로헤이 /아마미아 린토(힐 드링크) / 고양이 / 이쿠와(P·SP 차지) / 마왕님 / 교회 직원 / 카와치씨 / 폴리탄
《정보수집》르위: 지이루 / 마료 / 미스오 / 무희씨 / 르위 시민 / 코타츠쨩 / 교회 직원 / 피난셰 / 르위 첩보원 / 나비들 부인 / 닌군
《정보수집》린: 니지오 / 교회 직원(건강의 조각) / 경찰 같은 사람 / 낼름니스트 / 스텍크쨩(안티 실) / 못삐(만능약) / 마법소녀 / 사슴 소녀(건강의 조각) / 자택 경비원 / 소환부장 이자와
《정보수집》에딘: 화이트 하트 매거진 / 이토 켄지 / 4Gamer쨩
《트위톡》건방진 용사
([사]던전 추가 : 듀오알 유적)
《네프스테》뉴스 / 통판 / 퀴즈
《퀘스트》B: 궁극의 식재
《퀘스트》E: 벌을 내려주마 / 그것을 연상하게 된다…! / 무섭지?

지하 용암동으로 들어감
지하 용암동에서 배틀: 아쿠다이진
지하 용암동·심부로 이동
지하 용암동·심부에서 배틀: 옐로 하트

제9장으로

제9장

굿 루트와 트루 루트의 분기 조건 1이 발생한다. 그것은 넵튠이 혼자서 배틀을 치러야 하기 때문에 장비를 착실히 갖추고 나서 도전하자(P.121).

이 장에서 싸우게 되는 가짜 퍼플 하트, 가짜 블랙 하트, 키세이죠 레이는 전원 종족이 여신이다. 따라서 디스크 메이크로 대 여신 방어 어빌리티가 추가되는 「신의 게임」(P.139)을 작성해두면 배틀이 훨씬 편해진다. 가능하다면 전위에 서는 전원 분을 마련하는 것이 좋지만, 그럴 수 없는 경우엔 공격의 핵심이 되는 넵튠에게 장비하자.

제9장 스타트

《트위톡》에딘: 선더 대령([사]던전 추가 : 그라피스 고개)

플라네튠으로 들어감
《습득》〈프루루트〉쉐어링 포스
《습득》〈느와르〉쉐어링 포스
《습득》〈블랑〉쉐어링 포스
《습득》〈벨〉쉐어링 포스
《입수》코어·터보 시리즈 / 코어 그래피 시리즈
《정보수집》공통: 넵튠 / 네프기어 / 프루루트 / 느와르 / 블랑 / 벨
《정보수집》라스테: 덴게키코 / 데이빗·스니크 / 톤데모 셰프 / 에로헤이 / 아마미아 린토 / 고양이(안티 바이러스) / 이쿠와 / 마왕님 / 임금님 / 교회 직원 / 카와치씨 / 폴리탄
《정보수집》르위: 지이루 / 마료 / 미스오(힐 서클) / 무희씨 / 르위 시민 / 코타츠쨩 / 교회 직원(P·SP 차지 2) / 피난셰 / 르위 첩보원 / 나비들 부인 / 닌군
《정보수집》린: 넵튠(배틀: 안돼안돼 베이더, 안돼안돼토리스, 안돼안돼게) / 니지오 / 교회 직원 / 경찰 같은 사람 / 낼름니스트 / 스텍크쨩 / 못삐 / 마법소녀 / 사슴 소녀 / 자택 경비원 / 소환부장 이자와 / 아스키쨩
《정보수집》에딘: 화이트 하트 매거진 / 이토 켄지 / 4Gamer쨩
《트위톡》라스테: 루시엘씨([사]던전 추가 : 비타르 디멘션)
《트위톡》여보세요: 모바일러([사]던전 추가 : 소우·셜 숲)
《퀘스트》D: 【거만】임금님 기분

플라네튠으로 들어감
《가입》피셰
《습득》〈넵튠〉피셰 : 하드 폼 / 들쭉날쭉 콤비
《습득》〈프루루트〉위험한 장·난
《습득》〈피셰〉들쭉날쭉 콤비 / 위험한 장·난
《정보수집》공통: 벨 / 피셰

플라네튠으로 들어감
《정보수집》플라네: 아이에프 / 컴파 / 이스투와르 / ? / ? / ? / 후라푸라쨩 / 매뉴얼씨 / 교회 직원 / 카메코 / 로쿠베 / 샤케코
《네프스테》뉴스 / 통판 / 퀴즈
《퀘스트》S: 신까지의 계단
《콜로세움》D: 결국 북극 초 모험 / 연옥 / 바람… 어디선가 불어오고 있어 / 뇌전

플라네튠의 ?를 확인
플라네튠의 ?를 확인
플라네튠의 ?를 확인하면 배틀: 가지 빈더, 나스 빈더×2(넵튠만)
승리하면 배틀: 가지 나이트 / 가지 빈더 / 가지 빈더(넵튠만)
승리하면 전투: 가지콘느(넵튠만)

【거만】임금님 기분 클리어 보고
플라네튠으로 들어감
《퀘스트》D: 뼛속까지 불타줘

플라네튠에서 배틀: 가짜 퍼플 하트
《정보수집》공통: 넵튠 / 네프기어 / 블랑
《정보수집》플라네: 샤케코
《정보수집》라스테: 여신 호텔
《정보수집》르위: 닌군
《정보수집》린: 마법소녀
《정보수집》에딘: 이토 켄지
《트위톡》플라네: 베테랑 크리에이터([사]던전 추가 : 렛츠고 아일랜드)

라스테이션의 여신 호텔에서 아노네데스의 구조 신호를 받음
《월드》에딘: 변질 다차원 공간
《정보수집》플라네: 아이에프
《퀘스트》S: 오염 경보!
《퀘스트》C: 교섭 실패
《퀘스트》D: 미워! 녹색이! / 트랩
《퀘스트》E: 우리들이 원한 여신이다 / 그으으레이트한 남자!

변질 다차원 공간에 들어가면 배틀: 가짜 화이트 하트, 가짜 그린 하트, 가짜 옐로 하트
변질 다차원 공간에서 배틀: 가짜 블랙 하트×2

다음 페이지

전 페이지에서

승리하면 배틀: 가짜 블랙 하트×2
변질 다차원 공간에서 배틀: 키세이죠 레이

제10장 전반으로

제10장

여기선 굿 루트와 트루 루트가 분기된다(P.121). 하나의 세이브 데이터로 양쪽 엔딩을 모두 보고 싶은 경우엔 이 시점에서 세이브 데이터를 남겨두자. 굿 루트를 선택해 분기에 접어들게 되면 신차원으로 돌아갈 수 없게 된다. 네프스테이션이나 퀘스트, 서브 던전의 보물상자 등, 놓친 이벤트가 없는지 확인한 뒤에 스토리를 진행하자.

제10장 전반
《입수》넵튠 시리즈 / 오비탈 시리즈 / 더블 라운드 시리즈 / 라일락 Mk3 시리즈 / PCF-00X 시리즈
《이탈》느와르, 블랑, 벨
《정보수집》공통: 넵튠 / 네프기어 / 프루루트 / 느와르 / 블랑 / 벨 / 피셰
《정보수집》라스테: 덴게키코 / 데이빗·스니크 / 톤데모 셰프 / 에로헤이 / 아마미야 린토 / 고양이 / 이쿠와 / 마왕님(천사의 날개) / 교회 직원 / 카와치씨
《정보수집》르위: 지이루 / 마료 / 아카이씨 / 미스오 / 무희씨 / 르위 시민 / 코타츠쨩 / 교회 직원 / 피난셰(진짜 천사의 날개) / 르위 첩보원 / 나비들 부인 / 닌군
《정보수집》린: 텐·바이어/ 니지오 / 교회 직원 / 경찰 같은 사람(이젝트 버튼) / 낼름니스트 / 못삐 / 마법소녀 / 사슴 소녀 / 자택 경비원(안티 실) / 소환부장 이자와
《정보수집》에딘: 자전거 사나이 / 화이트 하트 매거진 / 이토 켄지 / 우에마츠 노부오 / 나리타 츠토무 / 히로타 요시타카 / 하뉴다 아라타 / 오카미야 미치오 / 4Gamer쨩

플라네튠에서 현 상황 보고
《가입》느와르, 블랑, 벨
《정보수집》플라네: 아이에프 / 컴파 / 이스투아르 / 매뉴얼씨 / 교회 직원 / 카메코 / Beep쨩 / 로쿠베 / 샤케코
《네프스테》뉴스 / 통판 / 퀴즈
《퀘스트》D: 그날의 추억
《콜로세움》A: 초차원을 멸망시키는 자 / 타리의 여신
《콜로세움》B: 범죄신, 다시 / 팔십 재해의 신 습격 / 원조 진 마제콘느 / 불법 카피, 절대 반대! / 에딘의 여신
《콜로세움》C: 와레츄 건강해츄~☆ / 가지가지 패닉 / 용감한 정의 / 포악한 묘지기 / 경찰 아저씨, 여기에요! / 범죄 조직의 여신 / 딸에게 멋있는 모습을 보여주고 싶다 / 느와르쨩을 괴롭히고 싶대 / 초S 푸루룽
《콜로세움》D: 아버지 분투기 / 아가씨의 미음 / 디 뜨거워지라고!!!

플라네튠에서 이스투아르가 빛의 길을 만들어줌

다음 두 가지 조건을 충족 했는가?
·제9장에서 가지콘느를 쓰러뜨렸다.
·렛츠고 아일랜드, 비타르 디멘션, 그라피스 고개, 케라가 차원, 소우·설 숲, 피시 게임 공장터 6군데에서 발생하는 이벤트를 모두 보았다.

제10장(트루)으로

제10장(굿)으로

제10장(굿)

네프기어, 느와르, 블랑, 벨, 피셰가 이탈하는 대신 유니, 롬, 람이 가입한다. 전력이 대폭 줄었을 테니, 먼저 새롭게 가입한 세 사람의 레벨을 올리자. 세 사람을 어느 정도 강화했다면 도시 중심부 안쪽에서 기다리고 있는 키세이죠 레이에게 도전하자. 「패광의 빛줄기」라는 강력한 공격에 대한 대책으로 제9장에서 만들어둔 대 여신 방어 효과가 있는 신의 게임은 반드시 장비할 것.

제10장(굿)
신차원으로 이동할 수 없게 됨
《이탈》네프기어, 느와르, 블랑, 벨, 피셰
《가입》유니, 롬, 람
《입수》크레이들 시리즈 / 디에·스라이트 시리즈
《월드》초차원: 도시 중심부
《정보수집》공통: 유니 / 롬 / 람
《정보수집》초차원 플라네: 아이에프 / 컴파 / 이스투아르 / 샤케코 / 네프코님 FC 회장 / 매뉴얼씨(초만능약) / 네프기마 / 명왕 시로 / 교회 직원(인텔리 부스터 Z) / 카메코
《정보수집》초차원 라스테: 덴게키코쨩 / 데이빗·스니크 / 톤데모 셰프 / 에로헤이 / 아마미야 린토 / 고양이(안티 패럴라이즈) / 이쿠와 / 마왕님 / 임금님 / 교회 직원
《정보수집》초차원 르위: 지이루(퀵 부스터 Z) 마료 / 마제콘 소년 / 마제콘 마마 / 아카이씨(안티 바이러스) / 미스오 / 코타츠쨩 / 교회 직원 / 피난셰 / 나비들 부인
《정보수집》초차원 린: 텐·바이어(건강의 조각) / 니지오 / 교회 직원 / 경찰 같은 사람 / 낼름니스트 / 못삐 / 마법소녀 / 사슴 소녀 / 자택 경비원(만능약)
《트위톡》초차원: 신인 헌터씨([사]던전 변화 : 플라네튠 역 앞 광장) / 신인 헌터씨([사]던전 변화 : 버추얼 포레스트 보호 지구) / 신인 헌터씨([사]던전 추가 : 버추얼 포레스트)

도시 중심부로 들어감
도시 중심부에서 여신과 레이의 싸움을 봄
도시 중심부에서 배틀: 키세이죠 레이

굿 엔드
《정보수집》공통: 넵튠 / 유니 / 롬 / 람 / 프루루트
《정보수집》초차원 플라네: 아이에프 / 컴파 / 이스투아르 / 샤케코 / 명왕 시로 / 교회 직원
《정보수집》초차원 라스테: 느와르 / 고양이 / 마왕님 / 교회 직원
《정보수집》초차원 르위: 블랑 / 마료 / 피난셰
《정보수집》초차원 린: 벨 / 못삐 / 사슴 소녀 / 저택 경비원
《트위톡》초차원: ? / 키미즈 나나([사]던전 추가 : 언더 비언즈) / 타카나시 명인([사]던전 추가 : 가짜 플라네튠)

플라네튠 트위톡의 ?에게 말을 걸면 다음 주차로

제10장(트루)

유니, 롬, 람이 가입하지만 지금까지 주력으로 싸운 캐릭터에 비하면 조금 전력이 부족하다고 느낄 것이다. 전위에 배치하지 말고 후위에서 천천히 육성하는 것이 좋을 것이다.

도시 중심부에선 가짜 아이리스 하트, 그리고 키세이죠 레이와 두 번 배틀을 벌이게 된다. 역시 종족이 여신이기 때문에 제9장에서 작성한 신의 게임 디스크를 장비해둘 것. 특히 두 번째 키세이죠 레이가 사용하는 「패광의 빛줄기」는 신의 게임으로 대미지를 줄이지 않으면 확실하게 전투 불능이 될 정도로 강력하다. 이 두 번째 전투에서 레이에게 승리한 뒤 초차원 플라네튠으로 돌아가면 대망의 엔딩이다.

제10장(트루)
《정보수집》플라네: 아이에프 / 컴파 / 이스투아르
《정보수집》초차원 라스테: 덴게키코쨩 / 데이빗·스니크 / 톤데모 셰프 / 에로헤이 / 아마미야 린토 / 고양이(안티 패럴라이즈) / 이쿠와 / 마왕님 / 임금님 / 교회 직원
《정보수집》초차원 르위: 지이루(퀵 부스터 Z) / 마료 / 마제콘 소년 / 마제콘 마마 / 아카이씨(안티 바이러스) / 미스오 / 코타츠쨩 / 교회 직원 / 피난셰 / 나비들 부인
《정보수집》초차원 린: 텐·바이어(건강의 조각) / 니지오 / 교회 직원 / 경찰 같은 사람 / 낼름니스트 / 못삐 / 마법소녀 / 사슴 소녀 / 자택 경비원(만능약)
《트위톡》초차원: 신인 헌터씨([사]던전 변화 : 플라네튠 역 앞 광장) / 신인 헌터씨([사]던전 변화 : 버추얼 포레스트 보호 지구) / 신인 헌터씨([사]던전 추가 : 버추얼 포레스트)

플라네튠으로 들어감
《가입》유니, 롬, 람
《습득》〈느와르〉리히트슈발츠
《습득》〈블랑〉서드 브레이크 / 헥세라비네 / 드라이·라비네
《습득》〈네프기어〉슈타르크 비타 / N·P·B·L 최대 출력 / 코큐토스 / 슈페리얼 엔젤러스
《습득》〈유니〉슈타르크 비타 / 리히트슈발츠 / 슈페리얼 엔젤러스
《습득》〈롬〉N·P·B·L 최대 출력 / 서드 브레이크 / 롬쨩 람쨩 / 드라이·라비네 / 슈페리얼 엔젤러스
《습득》〈람〉코큐토스 / 헥세라비네 / 롬쨩 람쨩 / 드라이·라비네 / 슈페리얼 엔젤러스
《입수》크레이들 시리즈 / 디에·스라이트 시리즈
《월드》초차원: 도시 중심부
《정보수집》공통(초차원): 넵튠 / 피셰
《정보수집》공통: 네프기어 / 유니 / 롬 / 람
《정보수집》초차원 플라네: 아이에프 / 컴파 / 이스투아르 / 샤케코 / 네프코님 FC 회장 / 네프코님 FC 부회장 / 매뉴얼씨(초만능약) / 네프기마 / 명왕 시로 / 교회 직원(인텔리 부스터 Z) / 카메코
《퀘스트》A: 난적이 마을에
《퀘스트》B: 뭐랄까… 그거야! 그거!

도시 중심부로 들어감
도시 중심부에서 이쪽 느와르와 만남
도시 중심부에서 배틀: 가짜 아이리스 하트
도시 중심부에서 배틀: 키세이죠 레이
승리하면 배틀: 키세이죠 레이

초차원 플라네튠으로 돌아옴

트루 엔드
《정보수집》공통: 넵튠 / 네프기어 / 유니 / 롬 / 람 / 프루루트 / 느와르 / 블랑 / 벨 / 피셰
《정보수집》라스테: 교회 직원 / 폴리탄
《정보수집》르위: 미스오 / 무희씨 / 르위 시민 / 코타츠쨩 / 교회 직원 / 피난셰 / 르위 첩보원 / 닌군
《정보수집》린: 교회 직원 / 경찰 같은 사람 / 못삐 / 마법소녀
《정보수집》에딘: 이토 켄지 / 우에마츠 노부오 / 나리타 츠토무 / 히로타 요시타카 / 하뉴다 아라타 / 오카미야 미치오 / 4Gamer쨩
《정보수집》초차원 플라네: 아이에프 / 컴파 / 이스투아르 / 샤케코 / 명왕 시로 / 교회 직원
《정보수집》초차원 라스테: 느와르 / 고양이 / 마왕님 / 교회 직원
《정보수집》초차원 르위: 블랑 / 마료 / 피난셰
《정보수집》초차원 린: 벨 / 못삐 / 사슴 소녀 / 자택 경비원
《트위톡》플라네: 실황씨([사]던전 추가 : 에므에스 용암 동굴)
《트위톡》르위: 지미([사]던전 추가 : 르위 성 북쪽 방)
《트위톡》피시: 모노 판다([사]던전 추가 : 도우 사원)
《트위톡》초차원: ? / 키미즈 나나([사]던전 추가 : 언더 인버즈) / 타카나시 명인([사]던전 추가 : 가짜 플라네튠)

플라네튠에서 여신의 축하 메시지를 확인
플라네튠으로 귀환

EXTRA로

EXTRA

플라네튠에서 발생하는 배틀은 프루루트와 피셰로만 싸우게 된다. 클리어 후에 상점에서 파는 프로세서 등을 구입하고서 도전하자. 다음 이벤트에서 싸우게 되는 로라이아는 재머 비트 2체를 데리고 출현한다. 기본적으로 아이템 재머 비트 리페어부터 하나씩 쓰러뜨려 회복할 수 있도록 만든 다음 싸우자.

미래를 결정하는 전자의 땅에서 싸우게 되는 바모와 리그는 Lv99의 캐릭터라도 일격에 전투 불능이 될 정도로 공격력이 강하다. 대미지를 줄여주는 게임 디스크나 클리어 후에 판매되는 프로세서를 장비하지 않으면 순식간에 전멸당하고 말 것이다.

EXTRA
《정보수집》플라네: 넵튠 / 네프기어 / 아이에프 / 컴파 / 이스투아르 / 교회 직원 / Beep쨩 / 로쿠베 / 샤케코

다음 두 정보 수집을 확인
플라네튠에서 넵튠이 조사함
플라네튠에서 네프기어가 조사함

플라네튠에 들어가면 배틀: 리저드 맨 같은 것, 모자이크 플라워, 해파리 같은 것, 얼룩 늑대(프루루트, 피셰만)

플라네튠에서 바모와 리그의 본거지를 밝혀냄

플라네튠에서 배틀: 로라시아, 스킬 재머 비트 리페어, 아이템 재머 비트 리페어
《월드》플라네: 미래를 결정하는 전자의 땅

미래를 결정하는 전자의 땅으로 들어감
미래를 결정하는 전자의 땅·심부로 이동
미래를 결정하는 전자의 땅·심부에서 보옥에 대해서 이야기함
미래를 결정하는 전자의 땅·심부에서 배틀: 바모, 리그

플라네튠 트위톡의 ?에게 말을 걸면 다음 주차로

바모와 리그가 기다리고 있는 미래를 결정하는 전자의 땅은 굉장히 넓다. 보물상자와 채집 포인트도 잊지 말고 체크하자.

바모와 리그의 공격력은 상당히 높기 때문에 금방 전투 불능이 되고 만다. 잘 준비한 다음 도전하자.

엔딩 분기

엔딩은 모두 3종류가 있으며, 제7장이 끝날 때와 제10장이 시작될 때 분기가 발생한다. 제각각 조건이 다르기 때문에 분기가 발생하는 포인트까지 스토리를 진행했다면 조건을 다시 확인해두자.

엔딩 분기 타이밍

- 노멀 엔드와 굿·트루 엔드의 분기: 제8장(P.116)
- 굿 엔드와 트루 엔드의 분기: 제10장(P.119)

「인형」을 비롯한 키 아이템은 제8장에서 발생하는 분기에서 필요하다.

노멀 엔드와 굿·트루 엔드의 분기

제7장에서 옐로 하트에게 승리하면 스토리 분기가 발생한다. 이 시점에서 「컴파의 주사기」, 「아이에프의 수첩」, 「네푸의 푸딩」, 「인형」, 「피셰의 그림」까지 5종류의 키 아이템을 모두 소지하고 있으면 굿·트루 루트로 진행된다. 단, 이 키 아이템들은 제5장과 제6장에서 입수할 수 있기 때문에 실제로 루트가 확정되는 것은 제6장에서 「피셰의 그림」을 입수한 시점이 된다. 분기 전에 세이브 데이터를 남겨두고 싶은 경우엔 이 시점에 남겨둘 것.

굿·트루 엔드 루트 진입에 필요한 아이템

《제5장에서 획득할 수 있는 아이템》
- 컴파의 주사기, 아이에프의 수첩, 네푸의 푸딩

《제6장에서 획득할 수 있는 아이템》
- 인형, 피셰의 그림

굿 엔드와 트루 엔드의 분기 1

제9장에서 발생하는 마제콘느와의 결전에서 승리하면 트루 엔드 분기 1이 확정된다. 이 배틀에선 넵튠 혼자서 3연전을 벌여야 하므로 회복 수단은 아이템밖에 없다. 두 번째 전투까지는 적이 다수 등장하니 한 마리씩 확실하게 쓰러뜨려 적의 수를 줄여나가자. 미리 대미지를 줄여주는 게임 디스크를 준비해두는 것도 좋다.

이벤트로 싸우게 되는 몬스터

- 가지 빈더, 너스 빈더×2
- 가지 나이트, 가지 빈더, 너스 빈더
- 가지콘느

넵튠 혼자서 강제로 복수의 적과 연전을 벌이게 된다. 스킬을 사용해 적의 수를 줄이는 것이 중요하다.

일련의 이벤트에 등장하는 몬스터의 종족은 모두 식물이다. 게임 디스크로 대책을 마련해두는 것도 좋다.

굿 엔드와 트루 엔드의 분기 2

여섯 군데의 던전에서 발생하는 이벤트를 모두 확인하면 트루 엔드 분기의 두 번째가 확정된다. 분기 1과 2를 모두 달성했다면 제10장에서 트루 엔드 루트로 진행된다. 제10장의 분기 직전까지 서브 던전의 이벤트를 확인할 수 있으니 분기 전 세이브 데이터는 이벤트를 다섯 개 확인한 단계에서 저장해두자.

이벤트가 발생하는 던전

- 렛츠고 아일랜드
- 그라피스 고개
- 케라가 차원
- 비타르 디멘션
- 소우·셜 숲
- 피시 게임 공장터

신차원칼럼

배틀이 발생하는 서브 이벤트

서브 이벤트 중에는 확인하면 배틀이 발생하는 것이 존재한다. 그 중에서 엔딩 분기에 연관이 없는 것은 모두 다섯 번. 갑자기 발생하기 때문에 조급해질 수도 있지만, 그 단계에서 마련할 수 있는 최고의 무기와 방어구를 장비하고 있다면 그다지 무서운 상대는 아니다. 단, 제4장에서 발생하는 것은 연속으로 배틀을 벌여야 하는데다가 마법 속성 공격을 하는 몬스터만 출현하기 때문에 MEN이 오르는 것을 장비한 다음 도전하면 안전하게 싸울 수 있다. 만약 장비를 바꿀 여유가 없는 경우엔 퀘스트 등으로 크레디트를 벌어 장비를 구입한 다음 도전하자.

이벤트가 발생하는 던전

- 제2장: 푸치 슬라이누 x3
- 제2장: 취한 보이, 취한 걸, 취한 스톤
- 제3장: 울먹 병아리 벌레
- 제4장: 매지컬 걸 / 매지컬 플라워, 매직 걸, 책의 요정?, 북 오브 엔젤
- 제9장: 안돼안돼베이더, 안돼안돼토리스, 안돼안돼게

던전 추가와 연동되는 퀘스트

기본적인 퀘스트는 스토리가 진행되면 새로이 발생하도록 되어 있다. 그러나 일부 퀘스트는 특정 서브 던전을 추가한 경우에만 발생한다. 이런 퀘스트는 연동되는 서브 던전에 출현하는 몬스터 토벌이나, 몬스터가 떨어뜨리는 아이템을 가져오는 것이 조건인 것들이다. 엔딩 후에 사양서를 손에 넣을 수 있는 던전이 많기 때문에 난이도가 높은 퀘스트가 많지만 꼭 한 번 도전해보자. 참고로 던전 변화, 던전 초변화를 해야만 추가되는 퀘스트는 없다.

추가된 던전을 탐색하는 김에 퀘스트도 공략하면 좋다.

서브 던전과 발생하는 퀘스트의 예

루지이 고원	S: 공식이 되고 싶어! / C: 모두 날려주겠어! / D: 명계의 숙명을 짊어진 타천사 / E: 슈퍼 해피 / E: 변하지 않는 약점
르위 성 북쪽 방	S: 초 천재 아이돌 마법소녀의 부탁 / C: 전차를 사랑하는 남자 3 / D: 린박스의 여신은 거유입니다 / D: 골렘 제작 / E: 마력의 생성
코바츠바 유적	S: 사람간의 인연이 무한의 힘이 된다 / B: 기어왔다
에므에스 용암동	C: 유통 경로 / E: 근위병도 훈련!
듀오알 유적	D: 어디까지나 자료! / E: 고양이 복서 / E: 천재로부터 온 의뢰
코어그라 고원	E: 오렌지 색 꽃의 비극
도우 사원	C: 친구와의 결별을 위해서 / D: 엔드로피에 관해서

클리어 후에 추가되는 요소와 주회 플레이

트루 엔딩에 도달한 경우에만 발생하는 EXTRA 이외에도 클리어 후에 추가되는 요소가 존재한다. 특히 클리어 후에 판매되는 프로세서에는 대미지 경감 효과가 있기 때문에 고난이도의 콜로세움이나 EXTRA에 출현하는 바모, 리그와 싸울 땐 필수. 이러한 강적들에게 도전하기 전에 반드시 구입해두자.

클리어 후에 판매되는 프로세서

- 스펙트럴 시리즈
- 세기말 시리즈
- 스위트 시리즈
- 스윔 시리즈

클리어 후에 추가되는 던전

어느 엔딩을 보게 되든 클리어 후에 트위톡이 발생해 던전 추가 사양서를 손에 넣을 수 있다. 이런 던전에서는 던전 변화나 던전 초변화 사양서를 손에 넣을 수 있기 때문에 찾아내보자. 단, 노멀 엔딩과 굿 엔딩에서는 이동할 수 있는 월드 맵에 제한이 있기 때문에 모든 던전 추가 사양서를 입수할 수 없다. 또한 트루 엔딩 도달 후에만 즐길 수 있는 EXTRA에선 스토리가 진행하면 미래를 결정하는 전자의 땅이 플라네튠에 추가된다.

추가 던전

《클리어 후에 사양서를 입수할 수 있는 던전》
- 언더 인버즈
- 가짜 플라네튠
- 르위 성 북쪽 방
- 도우 사원
- 에므에스 용암동

《EXTRA에서 추가되는 던전》
- 미래를 결정하는 전자의 땅

주회 플레이 시에 연동되는 요소

클리어 후에 발생하는 트위톡 「?」에게 말을 걸면 다음 주회를 플레이할 수 있게 된다. 다음 주회를 플레이한다고 선택하면 세이브 화면으로 바뀌어 데이터를 저장하게 되고, 로드 화면에서 이 세이브 데이터를 선택하면 다음 주회로 돌입한다. 다음 주회에서는 스토리의 중요한 키 아이템이나 던전 정보 등 일부 요소를 제외한 모든 것을 그대로 이은 상태에서 플레이할 수 있다. 처음부터 강한 상태에서 플레이할 수 있으니 서장의 3여신이나 제1장의 마제콘느와의 첫 번째 전투 등, 지더라도 스토리가 진행되는 강적을 쓰러보는 것도 좋을 것이다.

이어지는 요소

- 캐릭터 레벨
- 릴리 랭크
- 사양서 상황
- 아이템(스토리 진행에 관련된 키 아이템은 제외)
- 크레디트
- 지켜봐줘☆던전 상황
- 라이브러리 상황(던전 정보 제외)
- 뮤지엄 상황

엔딩에 도달한 뒤라면 언제든 다음 주회에 도전할 수 있다.

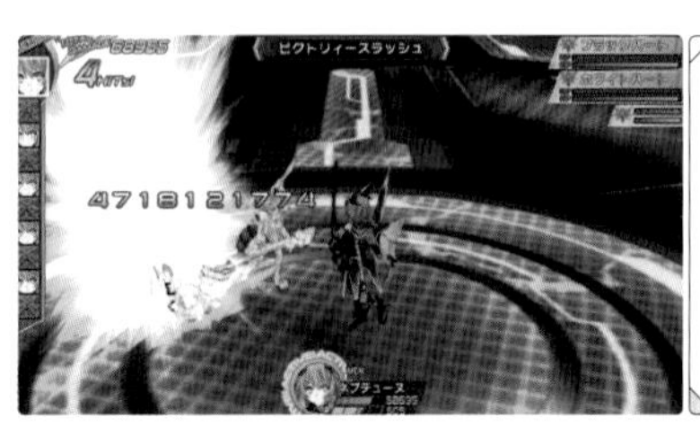

서장의 처음에 발생하는 이벤트도 주회 플레이라면 승리할 수 있다.

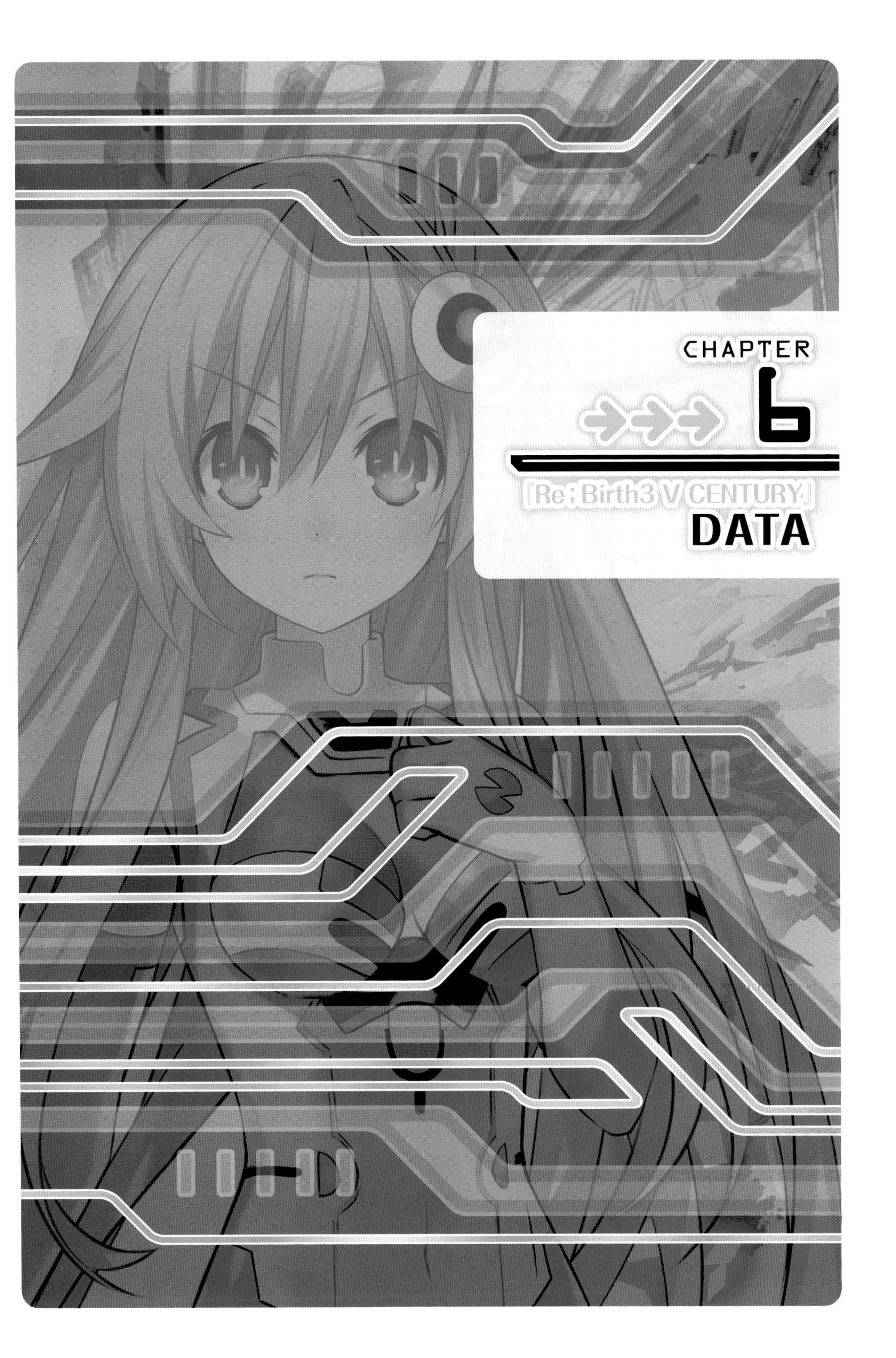
CHAPTER
6
『Re;Birth3 V CENTURY』
DATA

데이터

던전의 각종 정보와 리메이크에 필요한 소재, 나아가 무기와 방어구의 성능과 디스크 메이크 등 플레이에 도움이 되는 다양한 데이터를 확인하자.

던전 데이터 보는 방법

데이터 페이지는 P.126~P.134 참조

❶**던전**: 던전의 이름
❷**던전 정보**: 던전의 각종 정보
- 채집 아이템: 던전 안 채집 포인트에서 채집할 수 있는 아이템으로 사양서 상태로 채집할 수 있는 것이 변화한다. 「/」로 구분된 범위가 하나의 포인트에서 채집할 수 있는 아이템을 나타내며, ()안에 기입된 확률로 채집할 수 있고 기입된 개수의 범위로 아이템의 수가 결정된다.
- 보통: 보통 상태에서 채집할 수 있는 아이템
- 변화: 던전 변화를 사용한 상태에서 채집할 수 있는 아이템
- 초변: 던전 초변화를 사용한 상태에서 채집할 수 있는 아이템
- 보물상자: 던전 안에 있는 보물상자에서 입수할 수 있는 아이템. 「/」으로 구분된 범위가 하나의 보물상자에서 얻을 수 있는 아이템
- 숨겨진 상자: 던전 안에 있는 숨겨진 상자에서 출현할 가능성이 있는 아이템으로 「/」으로 구분된 범위가 하나의 숨겨진 상자에서 입수할 가능성이 있는 아이템이다. 아이템이 출현하는 숨겨진 상자는 던전 탐색 1회에 한 번만 나오며, 그 외에는 크레디트를 획득할 수 있다. 또한 아이템은 () 안에 기입된 확률로 출현한다.
- 몬스터: 던전 안에 등장하는 몬스터로 ()에 기입된 아이템 이름은 그 몬스터를 쓰러뜨렸을 때 떨어뜨릴 가능성이 있는 아이템. [오염]은 오염 몬스터가 될 가능성이 있는 몬스터, [위험]은 위험종, [상위], [접금]은 사양서 「강적 추가」를 사용했을 때에만 출현하는 상위 위험종과 접촉 금지종. 또한 《》으로 표기한 몬스터 이름은 그 앞에 적힌 몬스터가 변화한 몬스터다.

퀘스트 데이터 보는 방법

데이터 페이지는 P.134~P.136 참조

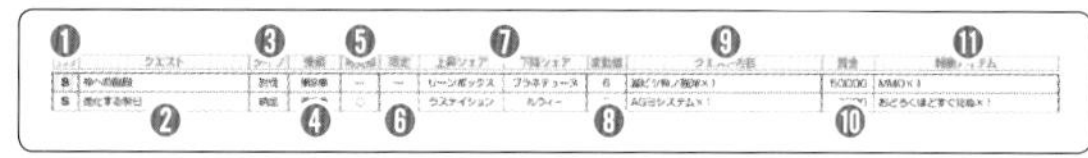

❶**랭크**: 퀘스트 랭크
❷**퀘스트**: 퀘스트 이름
❸**타입**: 퀘스트 타입
- 납품: 특정 아이템을 정해진 수만큼 모아 납품하는 타입의 퀘스트
- 토벌: 특정 몬스터를 정해진 수만큼 쓰러뜨리는 타입의 퀘스트

❹**수령**: 퀘스트를 수령할 수 있게 되는 장. 퀘스트를 클리어하기 위해 필요한 아이템이나 몬스터가 출현하는 던전이 추가되지 않은 경우엔 퀘스트가 발생하지 않는다.
❺**재수령**: 클리어 후 몇 번이고 퀘스트를 수령 가능한지를 나타냄
❻**한정**: 특정 장에서만 수령할 수 있는 퀘스트인지를 나타냄
❼**상승/하락 쉐어**: 퀘스트 클리어 보고를 할 때 쉐어가 상승하는 나라와 하락하는 나라
❽**변동치**: 퀘스트 클리어를 보고하면 변동하는 쉐어 수치. 단, 하락 후의 쉐어가 0 이하인 경우, 상승하는 쉐어는 하락하는 나라의 남은 쉐어와 같은 수치만 상승한다.
❾**퀘스트 내용**: 퀘스트를 클리어하기 위해 필요한 조건. 납품 타입인 경우 필요한 아이템의 종류와 수, 토벌 타입인 경우엔 쓰러뜨릴 몬스터의 종류와 수
❿**상금**: 퀘스트 클리어를 보고하면 얻게 되는 상금
⓫**보수 아이템**: 퀘스트 클리어를 보고할 때 얻게 되는 보수 아이템

콜로세움 데이터 보는 방법

데이터 페이지는 P.136 참조

❶**랭크**: 콜로세움 랭크
❷**콜로세움**: 콜로세움 명칭
❸**추가**: 콜로세움이 추가되는 타이밍
❹**대전 몬스터**: 콜로세움에서 대전하게 되는 몬스터
❺**상승/하락 쉐어**: 콜로세움에서 승리했을 때 쉐어가 상승하는 나라와 하락하는 나라
❻**변동치**: 콜로세움에서 승리하면 변동하는 쉐어 수치. 단, 하락 후의 쉐어가 0 이하인 경우, 상승하는 쉐어는 하락하는 나라의 남은 쉐어와 같은 수치만 상승한다.
❼**상금**: 콜로세움에서 승리했을 때 얻을 수 있는 상금
❽**보수 아이템**: 콜로세움에서 승리할 때 얻게 되는 아이템

게임 디스크 관련 데이터 보는 방법

데이터 페이지는 P.136~P.140 참조

〈게임 디스크〉
❶**디스크**: 게임 디스크 명칭
❷**슬롯**: 슬롯에 넣을 수 있는 아이디어 칩의 최대 레벨. -라고 표기된 슬롯에는 아이디어 칩을 넣을 수 없다.
❸**입수 방법**: 게임 디스크를 입수하는 방법. 커다란 메달 A~X에 대해선 드랍하는 몬스터를 함께 적음.
〈아이디어 칩〉
❹**아이디어 칩**: 아이디어 칩 명칭
❺**레벨**: 아이디어 칩의 레벨. 게임 디스크에는 슬롯에 설정된 최대 레벨 이하의 아이디어 칩만 넣을 수 있음.
❻**입수 방법**: 아이디어 칩을 입수하는 방법
- 채집: 던전 안 채집 포인트에서 입수
- 보물상자: 던전 안 보물상자에서 입수
- 숨겨진 상자: 던전 안 숨겨진 상자에서 입수
- 드랍: 몬스터를 쓰러뜨렸을 때 드랍함
- 퀘스트: 퀘스트 클리어 보고할 때의 보수

❼**어빌리티**: 아이디어 칩에 설정된 어빌리티
❽**효과**: 어빌리티의 상세한 효과
〈디스크 콤비〉
❾**아이디어 칩**: 신의 게임 / 망한 게임을 만들어내기 위해 필요한 아이디어 칩
❿**레벨**: 신의 게임 / 망한 게임을 만들어내기 위해 필요한 아이디어 칩의 레벨
⓫**어빌리티**: 신의 게임 / 망한 게임을 만들어내기 위해 필요한 아이디어 칩에 설정된 어빌리티
⓬**추가 어빌리티**: 신의 게임 / 망한 게임이 완성됐을 때 게임 디스크에 추가 설정되는 어빌리티. () 안에는 어빌리티의 상세 효과

리메이크 시스템(배틀, 시스템, 캐릭터, 던전) 데이터 보는 방법

데이터 페이지는 P.140~P.144 참조

〈공통〉
국가명의 약칭은 다음과 같음
플라네: 플라네튠 / 라스테: 라스테이션 / 르위: 르위 / 린: 린박스 / 여보세요: 여보세요 대륙 / 피시 : 피시 대륙 / 초차원: G.C. 2012의 세계(넵튠이 처음에 있던 세계)
〈배틀, 시스템, 캐릭터〉
❶**시스템**: 시스템 명칭
❷**강화 내용**: 넣으면 강화되는 캐릭터 능력치 등의 명칭
❸**입수 방법**: 사양서 입수 방법. 사양서의 명칭은 넣는 시스템의 이름과 같음
❹**용량**: 시스템을 넣기 위해 필요한 용량
❺**필요 재료**: 시스템을 넣기 위해 필요한 재료와 수
❻**효과**: 사양서를 넣을 때 발생하는 효과
〈던전〉
❼**던전**: 던전의 명칭
❽**분류**: 넣을 수 있는 내용의 분류
- 던전 추가: 던전이 추가됨. 또한 이 던전에 출현하는 몬스터 토벌이 필요한 퀘스트 등도 받을 수 있게 됨
- 던전 변화: 던전 안에서 채집할 수 있는 아이템이 변화하며 상위 위험종과 접촉 금지종이 나타남. 던전 초변화와 동시에 적용되지는 않음
- 던전 초변화: 던전 안에서 채집할 수 있는 아이템이 변화하며 상위 위험종과 접촉 금지종이 나타남. 던전 변화와 동시에 적용되지는 않음

❾**입수 방법**: 사양서의 입수 방법. 사양서 이름은 입수하는 장소에 따라 표기가 변하는 경우가 있음
❿**용량**: 시스템을 넣기 위해 필요한 용량
⓫**필요 소재**: 시스템을 넣기 위해 필요한 소재와 수

리메이크 시스템(소비 아이템, 무기, 방어구, 장식품, 코스튬, 액세서리, 소재, 프로세서) 데이터 보는 방법

데이터 페이지는 P.144~P.152 참조

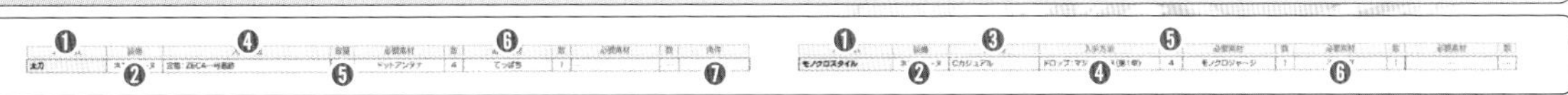

〈소비 아이템, 무기, 방어구, 장식품, 코스튬, 액세서리, 소재, 프로세서〉

❶**아이템**: 아이템 명칭

❷**장비**: 장비 가능한 캐릭터

❸**사양서**: 필요한 사양서

❹**입수 방법**: 사양서 입수 방법

❺**용량**: 시스템을 넣기 위해 필요한 용량

❻**필요 소재**: 시스템을 넣기 위해 필요한 소재와 수

❼**조건**: 시스템을 넣을 때 소재 외에도 필요한 커플링 리리 랭크. 약칭은 다음과 같다.

네프: 넵튠 / 프루: 프루루트 / 느와: 느와르 / 블랑: 블랑 / 벨: 벨 / 기어: 네프기어 / 피: 피셰 / 유니: 유니 / 롬: 롬 / 람: 람

아이템 데이터 보는 방법

데이터 페이지는 P.152~P.171 참조

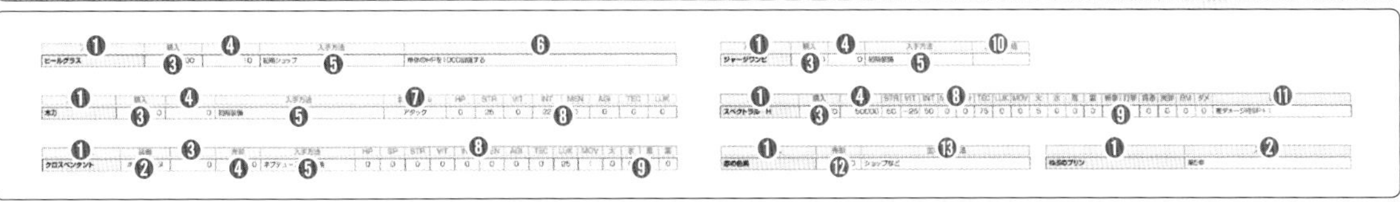

〈공통〉

국가명의 약칭은 다음과 같다

플라네: 플라네튠 / 라스테: 라스테이션 / 르위: 르위 / 린: 린박스 / 여보세요: 여보세요 대륙 / 피시: 피시 대륙 / 초차원: G.C. 2012의 세계(넵튠이 처음에 있던 세계)

〈소비 아이템, 무기, 방어구, 장식품, 코스튬, 액세서리, 프로세서〉

❶**아이템**: 아이템 명칭

❷**장비**: 장비 가능한 캐릭터

❸**구입**: 상점에서 구입할 때의 가격

❹**매각**: 상점에서 매각할 때의 가격

❺**입수 방법**: 아이템 입수 방법. (사)라고 적힌 것은 사양서 형태로 입수하며, 아이템 개발로 상점에서 구입할 수 있게 된다.

- 제○장 상점: 상점에서 구입할 수 있는 타이밍
- 제○장 ×× 정보수집: 각국의 정보수집으로 입수
- 제○장 ×× 트위톡: 월드 맵의 트위톡에서 입수
- ○○루트 이벤트: 지배 루트, 혹은 성검 루트 이벤트에서 입수
- 보물상자: 던전 안 보물상자에서 입수
- 숨겨진 상자: 던전 안 숨겨진 상자에서 입수
- 퀘스트: 퀘스트 보수로 입수
- 콜로세움: 콜로세움 보수로 입수
- 드랍: 쓰러뜨렸을 때 대상 아이템을 드랍하는 몬스터
- 초기 장비: 처음으로 동료가 됐을 때 장비하고 있는 아이템
- 지켜봐줘: 미니 게임 「지켜봐줘☆던전」에서 입수. 발견이라고 적힌 것은 그 에리어에서 발견할 수 있는 것, 돌파라고 적힌 것은 특정 에리어의 골에 처음 도달했을 때의 보수. 몬스터 이름이 적힌 것은 지켜봐줘☆던전 안에서 등장하는 해당 몬스터를 격파했을 때 입수.

❻**효과**: 아이템 효과

❼**전투 스킬**: 무기에 설정된 스킬. 스킬의 범위 등은 P.178의 스킬을 참조

❽**HP, SP, STR, VIT, INT, MEN, AGI, TEC, LUC, MOV**: 아이템을 장비했을 때 변동하는 스테이터스의 수치

❾**화염, 얼음, 바람, 번개, 참격, 타격, 관통, 실탄, BM, 대미지**: 각 속성에 대한 내성. 수치 (%)만큼 대응하는 속성 공격을 감소시킴. BM은 빔 속성, 대미지는 대미지 전반을 나타냄

❿**상승 능력치**: 장비할 때 상승하는 능력치

⓫**추가 효과**: 프로세서를 장비할 때의 추가 효과

〈소재〉

⓬**매각**: 소재를 매각할 때의 가격

⓭**주요 입수 방법**: 소재의 입수 방법

- 채집: 던전의 채집 포인트에서 입수
- 보물상자: 던전의 보물상자에서 입수
- 숨겨진 상자: 던전의 숨겨진 상자에서 입수
- 드랍: 몬스터를 격파했을 때 입수
- 상점: [사]할 수 있다! 도장술! 을 입수한 뒤에 아이템 개발로 상점에서 구입할 수 있게 됨
- 지켜봐줘: 미니 게임 「지켜봐줘☆던전」에서 입수

〈키 아이템〉

⓮**입수 방법**: 키 아이템의 입수 방법

- 제○장: 지정된 장에서 발생하는 이벤트에서 입수
- 제○장 ×× 정보수집: 각국의 정보수집으로 입수
- 제○장 ×× 트위톡: 월드 맵의 트위톡에서 입수
- 보물상자: 던전 안의 보물상자에서 입수
- 숨겨진 상자: 던전 안의 숨겨진 상자에서 입수
- 드랍: 몬스터를 격파했을 때 입수
- 퀘스트: 퀘스트 보수로 입수
- 콜로세움: 콜로세움 보수로 입수
- 지켜봐줘: 미니 게임 「지켜봐줘☆던전」에서 입수. 발견이라고 적힌 것은 그 에리어에서 발견할 수 있는 것, 돌파라고 적힌 것은 특정 에리어의 골에 처음 도달했을 때의 보수. 몬스터 이름이 적힌 것은 지켜봐줘☆던전 안에서 등장하는 해당 몬스터를 격파했을 때 입수.
- 캐릭챌린: 캐릭터 챌린지 보수로 입수
- 초기 장비: 처음 동료가 됐을 때 장비하고 있는 무기

몬스터 데이터 보는 방법

데이터 페이지는 P.172~P.178 참조

❶**몬스터**: 몬스터 명칭

❷**종족**: 몬스터 종족

❸**분류**: 몬스터 분류

- 보통: 필드 안을 움직이는 몬스터
- 위험종: 보통 상태보다 강력한 몬스터
- 상위 위험종, 접촉 금지종: 사양서 「던전 변화」 「던전 초변화」를 사용했을 때 나타나는 강력한 몬스터
- 콜로세움: 콜로세움에 출현하는 몬스터
- 스토리: 스토리를 진행하며 싸우게 되는 몬스터

❹**출현 장소**: 출현하는 던전, 이벤트, 콜로세움

❺**드랍 아이템**: 격파했을 때 입수할 수 있는 아이템. 명칭 앞에[사]라고 적힌 것은 사양서

❻**EXP**: 격파했을 때 얻을 수 있는 EXP

❼**Credit**: 격파했을 때 얻을 수 있는 돈

스킬 데이터 보는 방법

데이터 페이지는 P.178~P.189 참조

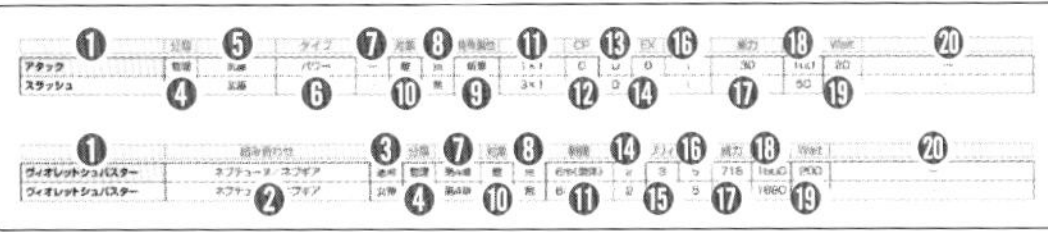

〈스킬, 커플링 스킬〉

❶**스킬**: 스킬 명칭

❷**조합**: 스킬을 사용할 때 필요한 캐릭터 조합

❸**상태**: 사용하는 캐릭터의 상태. 조합 캐릭터 전원이 이 상태가 아니면 사용할 수 없음

❹**분류**: 스킬 분류

❺**계통**: 스킬 계통

- 무기 스킬: 무기에 설정된 스킬
- 콤보 스킬: 콤보를 셋팅해 연속 공격을 하기 위한 공격 스킬
- EX 피니쉬: 콤보 스킬에 의한 연속 공격의 가장 마지막에 나가는 공격 스킬
- SP 스킬: SP를 소비해 사용하는 스킬
- 이그제 드라이브: EX 게이지를 소비해 사용하는 공격 스킬

❻**타입**: 스킬 타입

❼**습득**: 습득하는 레벨, 혹은 장

❽**속성**: 스킬 속성

❾**특수 속성**: 스킬이 가진 특수 속성

❿**대상**: 스킬 사용 대상

⓫**범위**: 선택과 효과 범위. 공격할 때 몬스터를 대상으로 잡을 수 있는 범위의 크기(미터), 혹은 칸의 수(H는 전방, F는 그 수만큼의 칸만큼 전방으로, R은 오른쪽, L은 왼쪽). 괄호 안은 효과를 줄 수 있는 범위로, 단체나 복수의 범위(반경: 미터, 혹은 칸 수)

⓬**CP**: 콤보 스킬을 셋팅할 때 소비하는 CP

⓭**SP**: SP 스킬을 사용할 때 소비하는 SP

⓮**EX**: 필요한 SP 축적 레벨. EX 피시쉬인 경우엔 사용할 때 필요한 축적 레벨을 나타내는 것으로, EX 피니쉬를 이용해도 소비하지 않는다. 이그제 드라이브의 경우 사용할 때 소비하는 SP 축적 레벨

⓯**리리**: 사용하기 위해 필요한 리리 랭크

⓰**HIT**: 스킬의 HIT 수. 괄호 안 수치는 추격 HIT 수

⓱**위력**: 스킬의 기초 대미지로, 이것을 바탕으로 최종 대미지가 결정된다. 괄호 안 내용은 추격의 위력

⓲**가드**: 1 HIT할 때 가드 게이지에 주는 대미지 량

⓳**Wait**: 스킬을 사용할 때 축적되는 행동 포인트

⓴**효과**: 스킬의 추가 효과

어빌리티 데이터 보는 방법

데이터 페이지는 P.190 참조

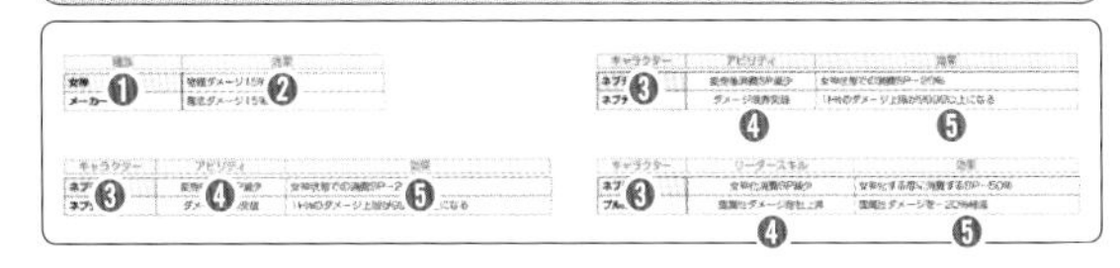

〈종족 어빌리티〉

❶**종족**: 어빌리티를 가진 몬스터의 종족

❷**효과**: 종족 어빌리티의 효과

〈캐릭터 어빌리티, 커플링 어빌리티, 리더 스킬〉

❸**캐릭터**: 어빌리티를 가진 캐릭터

❹**어빌리티 / 리너 스킬**: 어빌리티 / 리더 스킬의 명칭

❺**효과**: 어빌리티의 상세 효과

캐릭터 챌린지 데이터 보는 방법

데이터 페이지는 P.190~P.191 참조

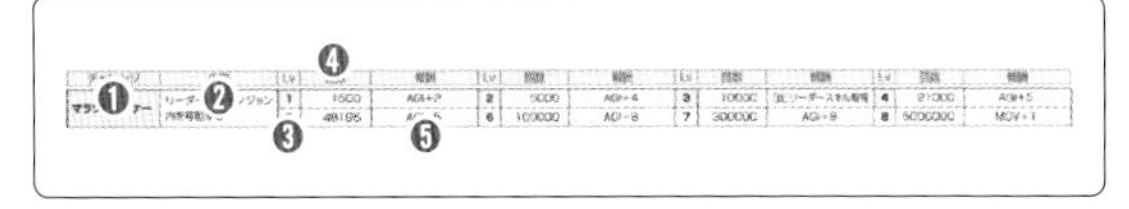

❶**챌린지**: 캐릭터 챌린지 명칭

❷**내용**: 캐릭터 챌린지 내용

❸**Lv**: 캐릭터 챌린지 레벨

❹**횟수**: 레벨마다 달성해야 하는 캐릭터 챌린지의 횟수(마라톤 런너의 경우에만 이동 거리)

❺**보수**: 레벨 달성 보수. HP, STR, INT, VIT, MEN, AGI, TEC, LUC은 상승하는 수치. [사]○○라고 적힌 것은 입수하게 되는 사양서

던전

●메인 던전

던전	던전 정보		
게임 디멘션	채집 아이템	보통	네프비탄(100%/1개) / 네프비탄(100%/1개) / 네프비탄(100%/1개)
		변화	—
		초변	—
	보물상자		안티 베놈(1개) / 안티 패럴라이즈(1개) / 안티 실(1개) / 안티 바이러스(1개)
	숨겨진 상자		힐 글래스(100%/1개) / 힐 글래스(100%/1개) / 힐 글래스(100%/1개) / 힐 글래스(100%/1개)
	몬스터		버그 멧(-) / 리버스 핸드(-) / 버그 스파이더(-) / 버그 보이(-) / 버그 걸(-)
버추얼 포레스트 보호 지구	채집 아이템	보통	허브(100%/2~3개), 슬라이누 젤리(20%/1~2개) / 허브(100%/2~3개), 도마뱀의 비늘(20%/1~2개) / 노란 꽃잎(100%/2~3개), 노란 꽃잎(20%/1~2개) / 허브(100%/1~2개), 코인의 파편(20%/1~2개) / 허브(100%/1~2개) / 허브(100%/1~2개) / 해바라기 씨앗(100%/1~2개)
		변화	슬라이누 젤리(100%/1~2개) / 도마뱀의 비늘(100%/1~2개) / 노란 꽃잎(100%/1~2개) / 코인의 파편(100%/1~2개), 슬라이누 젤리(20%/1~2개) / 허브(100%/1~2개), 도마뱀의 비늘(20%/1~2개) / 허브(100%/1~2개), 노란 꽃잎(20%/1~2개) / 해바라기 씨앗(100%/1~2개), 코인의 파편(20%/1~2개)
		초변	—
	보물상자		힐 글래스(1~2개) / 힐 글래스(1개) / 예약 캠페인(3~4개) / 생명의 조각(1개)
	숨겨진 상자		힐 글래스(100%/1~2개) / 도트(100%/3~5개) / 힐 포트(100%/1~2개) / 죽도(100%/1개)
	몬스터		슬라이누(슬라이누 젤리) / 튤립(노란 꽃잎) / 코인맨(코인의 파편) / 리저드맨(도마뱀의 비늘) / 매직 슬라이누(마도 젤리) / [오염]드래고 나이트(용전사의 비늘) / [오염]숲의 성령(요화의 꽃잎) / [상위]세인트 웨일(작은 고래 구슬)
역 앞 광장	채집 아이템	보통	허브(100%/1~2개), 소형 회로(20%/1~2개) / 허브(100%/1~2개), 슬라이누 젤리(20%/1~2개) / 빨간 씨앗(100%/1~2개), 불법 조악 회로(20%/1~2개) / 파란 씨앗(100%/1~2개), 소년의 마음(20%/1~2개) / 허브(100%/2~3개) / 허브(100%/2~3개)
		변화	소형 회로(100%/1~2개) / 슬라이누 젤리(100%/1~2개) / 불법 조악 회로(100%/1~2개), 소형 회로(20%/1~2개) / 소년의 마음(100%/1~2개), 슬라이누 젤리(20%/1~2개) / 허브(100%/2~3개), 불법 조악 회로(20%/1~2개) / 허브(100%/2~3개), 소년의 마음(20%/1~2개)
		초변	—
	보물상자		힐 글래스(1~2개) / 생명의 조각(1개) / 레더 암릿(1개) / 머슬 부스터(1개)
	숨겨진 상자		허브(100%/1~2개), SP 부스터(100%/1개) / 힐 포트(100%/3~5개) / 힐 글래스(100%/1~2개), 바보 게임(30%/3~5개) /힐 포트(100%/1~2개)
	몬스터		슬라이누(슬라이누 젤리) / 비트(소형 회로) / 오토코디우스(소년의 마음) / M-3(불법 조악 회로) / 버그(불법 차세대 회로) / 블랙 스파이더(무척 튼튼한 거미줄) / 폭주 M-3(불법 SSD) / [상위]팔조재해의 신(커다란 메달 H)
ZECA 1호 유적	채집 아이템	보통	허브(100%/1~2개), 도트 안테나(20%/1~2개) / 허브(100%/1~2개), 고양이다람쥐의 손톱(20%/1~2개) / 당근 잎(100%/1~2개), 너덜 천(20%/1~2개) / 허브(100%/2~3개), 블루 리본(20%/1~2개) / 허브(100%/2~3개), 수수께끼의 원(20%/1~2개) / 당근 잎(100%/2~3개) / 허브(100%/3~4개)
		변화	도트 안테나(100%/1~2개) / 고양이다람쥐의 손톱(100%/1~2개) / 너덜 천(100%/1~2개) / 블루 리본(100%/1~2개) / 수수께끼의 원(100%/1~2개) / 당근 잎(100%/2~3개) / 허브(100%/3~4개)
		초변	—
	보물상자		[사]사양서 : 태도(1개) / [사]사양서 : 네프비탄(1개) / 힐 글래스(1~2개) / 생명의 조각(1개) / 힐 글래스(1~3개), [사]월드 BGM 전환(1개) / 생명의 조각(1개)
	숨겨진 상자		허브(100%/1~2개) / 힐 글래스(100%/1~2개) / 마이크 사용(100%/3~5개) / 힐 포트(100%/1~2개) / 생명의 조각(100%/1~2개)
	몬스터		사슴베이더(도트 안테나) / 고스트 보이(너덜 천) / 고스트 걸(블루 리본) / 고양이다람쥐(고양이다람쥐의 손톱) / 계약천사(수수께끼의 원) / [상위]카노푸스(DL 전용 판매)
제트 셋 산길	채집 아이템	보통	허브(100%/1~2개), 새의 동관(20%/1~2개) / 야월초(100%/1~2개), 파워 스톤(20%/1~2개) / 치유초(100%/1~2개), 해바라기 씨앗(20%/1~2개) / 늑대의 털(100%/1~2개) / 야월초(100%/1~2개)
		변화	새의 동관(100%/1~2개) / 파워 스톤(100%/1~2개) / 해바라기 씨앗(100%/1~2개) / 늑대의 털(100%/1~2개) / 야월초(100%/1~2개)
		초변	—
	보물상자		[사]사양서 : 사춘기의 붕대(1개), [사]사양서 : 악마의 혼(1개) / [사]사양서 : 패럴락신(1개), [사]사양서 : 할 수 있다! 도장술!(1개) / 힐 글래스(1~2개) / 생명의 조각(1개) / 머슬 부스터(1개)
	숨겨진 상자		치유초(100%/1~2개) / 액션(100%/3~5개), 체력의 반지(100%/1~2개) / 힐 포트(100%/1~2개), 쥐씨(100%/1개)
	몬스터		목젖새(새의 동관) / 해바라깅(해바라기 씨앗) / 파르셀(파워 스톤) / [오염]아르라우네(요화의 꽃잎) / [위험]에인션트 드래곤(고룡의… 어떤 진주) / [상위]아주 큰 슬라이누(고급 슬라이누 젤리)
제트 셋 산길·정상	채집 아이템	보통	허브(100%/1~2개), 커다란 부리(20%/1~2개) / 늑대의 털(100%/1~2개), 버섯의 포자(20%/1~2개) / 치유초(100%/1~2개), 요화의 꽃잎(20%/1~2개) / 야월초(100%/1~2개) / 치유초(100%/1~2개)
		변화	커다란 부리(100%/1~2개) / 버섯의 포자(100%/1~2개) / 요화의 꽃잎(100%/1~2개), 고룡의… 어떤 진주(20%/2~3개) / 야월초(100%/1~2개), 고룡의… 어떤 진주(20%/2~3개) / 치유초(100%/1~2개), 고룡의… 어떤 진주(20%/2~3개)
		초변	—
	보물상자		패럴락신(1~3개), [사]사양서 : 머리와 멋(1개) / 스포츠(3~4개) / 인텔리 부스터(1개) / 프리 시나리오(3~4개) / 생명의 조각(1개)
	숨겨진 상자		치유초(100%/1~2개) / 얌전하지만 실은 최강(100%/3~5개) / 힐 포트(100%/1~2개) / 힐 포트(100%/3~5개) / 무브 메모리(100%/1~2개) /
	몬스터		파르셀(파워 스톤) / [오염]아르라우네(요화의 꽃잎) / [오염]큰부리새(커다란 부리) / 버섯(버섯의 포자) / [위험]에인션트 드래곤(고룡의… 어떤 진주) / [상위]아주 큰 슬라이누(고급 슬라이누 젤리)
풍래 동굴	채집 아이템	보통	허브(100%/1~2개), 골판지(20%/1~2개) / 야월초(100%/1~2개), 젤라틴 촉수(20%/1~2개) / 허브(100%/1~2개), 얼음 뼈(20%/1~2개) / 야월초(100%/1~2개), 고래 구슬(20%/1~2개) / 버섯의 포자(100%/2~3개), 하드 커버(20%/1~2개) / 야월초(100%/2~3개) / 허브(100%/2~3개)
		변화	골판지(100%/1~2개) / 젤라틴 촉수(100%/1~2개) / 얼음 뼈(100%/1~2개) / 고래 구슬(100%/1~2개) / 하드 커버(100%/1~2개) / 야월초(100%/2~3개) / 허브(100%/2~3개)
		초변	허브(100%/1~2개), 마이크 사용(20%/1개) / 야월초(100%/1~2개), 아이돌(20%/1개) / 허브(100%/1~2개), 틈새(20%/1개) / 야월초(100%/1~2개), 좀 아하다(20%/1개) / 버섯의 포자(100%/2~3개) / 야월초(100%/2~3개) / 허브(100%/2~3개)
	보물상자		[사]사양서 : 슬라이누맨(1개), [사]사양서 : 고양이가 좋아(1개) / [사]사양서 : 힐 포트(1개) / RPG(3~4개) / 생명의 조각(1~2개) / 머슬 부스터(1개), 스틸 암릿(1개)
	숨겨진 상자		힐 포트(100%/1~2개) / 힐 포트(100%/3~5개) / 얀데레(100%/3~5개) / 동물(100%/3~5개) / SP 차지(100%/1~2개)
	몬스터		카부리 개구리(골판지) / 힐 슬라이누(젤라틴 촉수) / [오염]크리스탈 콜렘(크리스탈 스컬) / 아이스 스켈레톤(얼음 뼈) / [위험]돌핀(돌고래의 꼬리) / [상위]웨일(고래 구슬) / [접금]주인공기(AG요 시스템, 커다란 메달 A)
풍래 동굴·심부	채집 아이템	보통	허브(100%/1~2개), 양아치의 마스크(20%/1~2개) / 야월초(100%/1~2개), 크리스탈 스컬(20%/1~2개) / 허브(100%/1~2개), 빙결 천(20%/1~2개) / 버섯의 포자(100%/1~2개), 핑크 리본(20%/1~2개) / 허브(100%/1~2개) / 야월초(100%/1~2개) / 허브(100%/2~3개) / 야월초(100%/2~3개)
		변화	양아치의 마스크(100%/1~2개) / 크리스탈 스컬(100%/1~2개) / 빙결 천(100%/1~2개) / 핑크 리본(100%/1~2개) / 허브(100%/1~2개), 돌고래의 꼬리(20%/2~3개) / 야월초(100%/1~2개), 돌고래의 꼬리(20%/2~3개) / 허브(100%/2~3개), 돌고래의 꼬리(20%/2~3개) / 야월초(100%/2~3개), 돌고래의 꼬리(20%/2~3개)
		초변	허브(100%/1~2개), 싸움(20%/1개) / 야월초(100%/1~2개), 일직선 진행(20%/1개) / 허브(100%/1~2개), 성우(20%/1개) / 버섯의 포자(100%/1~2개) / 허브(100%/1~2개) / 야월초(100%/1~2개) / 허브(100%/2~3개) / 야월초(100%/2~3개)
	보물상자		퀵 부스터(1~3개), [사]사양서 : 더·세레브(1개) / SP 차지(1개) / 꺅꺅 우후후(3~4개) / 힐 포트(1~2개)
	숨겨진 상자		힐 포트(100%/1~2개) / 어드벤쳐(100%/3~5개) / 힐 포트(100%/1~2개) / SP 차지(100%/1~2개) / 사춘기의 붕대(100%/1~2개)
	몬스터		[오염]크리스탈 골렘(크리스탈 스컬) / 아이스 보이(빙결 천) / 아이스 걸(핑크 리본) / 양아치 캣(양아치의 마스크) / [위험]돌핀(돌고래의 꼬리) / [상위]웨일(고래 구슬) / [접금]주인공기(AG요 시스템, 커다란 메달 A)
밴디 크래시	채집 아이템	보통	데이터 크리스탈(100%/1~2개), 퍼플 블록(20%/1~2개) / 데이터 크리스탈(100%/1~2개), 파이프 조각(20%/1~2개) / 데이터 크리스탈(100%/1~2개), 거미줄(20%/1~2개) / 불법 메모리(100%/2~3개), 두근두근(20%/1~2개) / 데이터 크리스탈(100%/2~3개)
		변화	퍼플 블록(100%/1~2개) / 파이프 조각(100%/1~2개) / 거미줄(100%/1~2개) / 두근두근(100%/1~2개) / 데이터 크리스탈(100%/2~3개), 봉황의 날개(10%/2~3개)
		초변	데이터 크리스탈(100%/1~2개), 놀랄 정도로 금방 죽는다(20%/1개) / 데이터 크리스탈(100%/1~2개), 얌전하지만 실은 최강(20%/1개) / 데이터 크리스탈(100%/1~2개), 라이트층이 타겟(20%/1개) / 불법 메모리(100%/2~3개) / 데이터 크리스탈(100%/2~3개), 미묘한 패러미터 조정(20%/1개)
	보물상자		[사]사양서 : 클레이모어(1개), [사]사양서 : 세계의 모자 대전(1개) / 머슬 부스터(1~3개) / 놀랄 정도로 금방 죽는다(3~4개) / 왕도(3~4개) / Lv이 아닌 성장 요소(3~4개)
	숨겨진 상자		힐 포트(100%/1~2개) / SP 차지(100%/3~5개) / 일직선 진행(100%/3~5개) / 냉기의 반지(100%/1~2개) / [사]사양서 : 빔 카타나(100%/1개)
	몬스터		테리트스(퍼플 블록) / 도칸(파이프 조각) / 두근두근 시스터(도근두근) / 스파이더(거미줄) / [위험]피닉스(봉황의 날개, 잇승) / [상위]메타보 슬라이누(대뱃살 슬라이누 젤리) / [접금]갤럭 라이저(비주얼 메모리 8X, 커다란 메 달 B)

●메인 던전

던전	던전 정보		
쿠자라트 공장·제1구획	채집 아이템	보통	철광석(100%/1~2개), 둥근 안테나(20%/1~2개) / 검은색 색소(100%/1~2개), 불법 회로(20%/1~2개) / 철광석(100%/1~2개), 불법 메모리(20%/1~2개) / MODEL4 기판(100%/1~2개) / 철광석(100%/2~3개) / 노란색 색소(100%/2~3개) / MODEL4 기판(100%/2~3개)
		변화	둥근 안테나(100%/1~2개) / 불법 회로(100%/1~2개) / 불법 메모리(100%/1~2개) / MODEL4 기판(100%/1~2개), 매직 스톤(20%/2~3개) / 철광석(100%/2~3개), 매직 스톤(20%/2~3개) / 노란색 색소(100%/2~3개), 매직 스톤(20%/2~3개) / MODEL4 기판(100%/2~3개), 매직 스톤(20%/2~3개)
		초변	철광석(100%/1~2개), RPG(20%/1개) / 검은색 색소(100%/1~2개), 성우(20%/1개) / 철광석(100%/1~2개), 스포츠(20%/1개) / MODEL4 기판(100%/1~2개) / 철광석(100%/2~3개) / 노란색 색소(100%/2~3개) / MODEL4 기판(100%/2~3개)
	보물상자		[사]사양서 : 브론즈 소드(1개) / 타후밀(1~2개) / SP 차지(1~2개) / 라이트층이 타겟(3~4개) / 생명의 조각(1개)
	숨겨진 상자		힐 포트(100%/1~2개) / 힐 포트(100%/1~2개) / 미묘한 패러미터 조정(100%/3~5개) / 치유초(100%/1~2개) / 기류의 반지(100%/1개)
	몬스터		둥근 베이더(둥근 안테나) / 비트 커스텀(불법 회로) / 힐링 슬라이누(빨간 젤라틴 촉수) / R-4(불법 메모리) / [위험]R4i-SDHC(매직 스톤) / [상위]킬러 머신(마술식 광제 동력로) / [접금]알카이드(댄싱 컨트롤러, 커다란 메달 C)
쿠자라트 공장·제2구획	채집 아이템	보통	철광석(100%/1~2개) / MODEL4 기판(100%/1~2개) / 철광석(100%/1~2개) / 검은색 색소(100%/1~2개) / 철광석(100%/1~2개) / MODEL4 기판(100%/2~3개) / 노란색 색소(100%/1~2개)
		변화	빨간 젤라틴 촉수(100%/1~2개) / 철 장비의 조각(100%/1~2개) / 마탕고의 포자(100%/1~2개) / 검은색 색소(100%/1~2개) / 철광석(100%/1~2개), 매직 스톤(20%/2~3개) / MODEL4 기판(100%/2~3개), 매직 스톤(20%/2~3개) / 노란색 색소(100%/1~2개), 매직 스톤(20%/2~3개)
		초변	철광석(100%/1~2개), 저가(20%/1개) / MODEL4 기판(100%/1~2개), 깍깍 우후후(20%/1개) / 철광석(100%/1~2개), 연예인이 성우 담당(20%/1개) / 검은색 색소(100%/1~2개) / 철광석(100%/1~2개) / MODEL4 기판(100%/2~3개) / 노란색 색소(100%/1~2개)
	보물상자		SP 차지(1개), [사]사양서 : 귀여운 리본(1개) / 좀 아하다(3~4개) / 머슬 부스터(1~3개) / P·SP 차지(1~2개) / [사]사양서 : 타후밀(1개) / 연예인이 성우 담당(3~4개)
	숨겨진 상자		힐 포트(100%/1~2개) / 틈새(100%/3~5개) / 힐 포트(100%/1~2개), 싸움(100%/3~5개) / P·SP 차지(100%/1~2개)
	몬스터		힐링 슬라이누(빨간 젤라틴 촉수) / R-4(불법 메모리) / 마탕고(마탕고의 포자) / 공작병(철 장비의 조각) / [위험]R4i-SDHC(매직 스톤) / [상위]킬러 머신(마술식 광제 동력로) / [접금]알카이드(댄싱 컨트롤러, 커다란 메달 C)
루드암즈 지하도·남문	채집 아이템	보통	허브(100%/1~2개), 마석(20%/1~2개) / 야월초(100%/1~2개), 얼음의 결정석(20%/1~2개) / 치유초(100%/1~2개), 빙결 천(20%/1~2개) / 동광석(100%/2~3개) / 파란 꽃잎(100%/2~3개) / 리프레쉬 허브(100%/2~3개)
		변화	마석(100%/1~2개) / 얼음의 결정석(100%/1~2개) / 빙결 천(100%/1~2개) / 동광석(100%/2~3개) / 야월초(100%/2~3개), 드래곤의 손톱(20%/2~3개) / 치유초(100%/2~3개), 드래곤의 손톱(20%/2~3개)
		초변	액션(100%/1개), 랜덤 인카운터(20%/1개), 쿨데레(5%/1개) / 마이크 사용(100%/1개), 초회 특전 DLC 코드(20%/1개), 골프(5%/1개) / 치유초(100%/1~2개) / 동광석(100%/2~3개) / 야월초(100%/2~3개) / 치유초(100%/2~3개)
	보물상자		[사]사양서 : 리플렉스(1개), [사]사양서 : NMT! NMT!(1개) / 리플렉스(1~3개) / 리플렉스(1~2개) / 생명의 조각(1개), 트레져 헌터(1개) / SP 차지(1~2개)
	숨겨진 상자		허브(100%/1~2개) / 생명의 조각(100%/1~2개) / 생명의 조각(100%/1~2개) / 힐 포트(100%/3~5개) / 빔 카타나 개(100%/1개)
	몬스터		콜드 보이(빙결 천) / 콜드 걸(핑크 리본) / 매직 스톤(마석) / [오염]아이스 골렘(얼음의 결정석) / [위험]엘레멘트 드래곤(드래곤의 손톱) / [상위]팔백 재해의 신(커다란 메달 C) / [접금]레프리칸트(파워드 리플레이, 커다란 메달 D)
루드암즈 지하도·북문	채집 아이템	보통	허브(100%/1~2개), 핑크 리본(20%/1~2개) / 야월초(100%/1~2개), 수수께끼의 적주(20%/1~2개) / 치유초(100%/2~3개) / 리프레쉬 허브(100%/2~3개) / 동광석(100%/2~3개), 치유초(100%/2~3개) / 동광석(100%/3~4개), 파란 꽃잎(100%/1~2개)
		변화	핑크 리본(100%/1~2개) / 수수께끼의 적주(100%/1~2개) / 치유초(100%/2~3개) / 동광석(100%/2~3개) / 동광석(100%/2~3개), 허브(100%/1~2개) / 동광석(100%/3~4개), 치유초(100%/1~2개)
		초변	어드벤쳐(100%/1개), 커스텀 사운드(20%/1개), 주인공은 무능하지만 실은…(5%/1개) / 예약 캠페인(100%/1개), 특수 컨트롤러(20%/1개), 샷(5%/1개) / 치유초(100%/2~3개) / 동광석(100%/2~3개) / 동광석(100%/2~3개), 허브(100%/1~2개) / 동광석(100%/3~4개), 치유초(100%/1~2개)
	보물상자		[사]사양서 : 스터드 브레슬릿(1개), [사]사양서 : 귀여운 동물(1개) / [사]사양서 : 스터드 브레슬릿(1개) / [사]사양서 : 쥐씨(1개) / 생명의 조각(1~2개)
	숨겨진 상자		야월초(100%/1~2개) / 생명의 조각(100%/1~2개) / 생명의 조각(100%/1~2개) / P·SP 차지(100%/1~2개) / P·SP 차지(100%/1~2개)
	몬스터		콜드 보이(빙결 천) / 콜드 걸(핑크 리본) / [오염]아이스 골렘(얼음의 결정석) / 전구 천사(수수께끼의 적주) / [위험]엘레멘트 드래곤(드래곤의 손톱) / [상위]팔백 재해의 신(커다란 메달 C) / [접금]레프리칸트(파워드 리플레이, 커다란 메달 D)
르위 성 외곽	채집 아이템	보통	데이터 크리스탈(100%/1~2개), 불법 고급 회로(20%/1~2개) / 허브(100%/1~2개), 늑대의 털(20%/1~2개) / 파란 꽃잎(100%/2~3개), 철 장비의 조각(20%/1~2개) / 야월초(100%/1~2개), 뼈조각(20%/1~2개) / 세계수의 잎(100%/1~2개)
		변화	데이터 크리스탈(100%/1~2개), 불법 고급 회로(20%/1~2개) / 허브(100%/1~2개), 늑대의 털(20%/1~2개) / 허브(100%/2~3개), 철 장비의 조각(20%/1~2개) / 야월초(100%/1~2개), 뼈조각(20%/1~2개) / 치유초(100%/1~2개)
		초변	연예인이 성우 담당(100%/1개), DL 전용 판매(20%/1개) / 미묘한 패러미터 조정(100%/1개), 실사(20%/1개) / 허브(100%/2~3개) / 야월초(100%/1~2개) / 치유초(100%/1~2개)
	보물상자		[사]사양서 : 빔 카타나(1개) / [사]사양서 : 메카니컬 소드(1개) / 생명의 조각(1개) / 힐 글래스(1~3개) / 힐 포트(1~2개)
	숨겨진 상자		허브(100%/1~2개) / 허브(100%/1~2개) / 허브(100%/1~2개), 습득 크레디트 업(50%/1개) / 허브(100%/1~2개) / 핑크색 색소(100%/1~2개)
	몬스터		하이 비트(불법 고급 회로) / 르위 위병(철 장비의 조각) / [오염]차일드 울프(늑대의 털) / 스켈레톤(뼈조각) / [위험]펜릴(마랑의 이빨, 꾸벅꾸벅 모자) / [상위]곱빼기 슬라이누(폴리곤) / [접금]라이벌기(중합금 플레이트, 커다란 메달 E)
르위 성 내부	채집 아이템	보통	데이터 크리스탈(100%/1~2개), 늑대의 털(20%/1~2개) / 허브(100%/1~2개), 철 장비의 조각(20%/1~2개) / 파란 꽃잎(100%/2~3개), 사악한 마음(20%/1~2개) / 야월초(100%/1~2개) / 치유초(100%/1~2개)
		변화	늑대의 털(100%/1~2개) / 철 장비의 조각(100%/1~2개) / 사악한 마음(100%/1~2개) / 야월초(100%/1~2개), 마랑의 이빨(30%/1~2개) / 치유초(100%/1~2개), 마랑의 이빨(30%/1~2개)
		초변	샷(100%/1개), 전문 용어(20%/1개) / 놀랄 정도로 금방 죽는다(100%/1개), 마작(20%/1개) / 허브(100%/2~3개) / 야월초(100%/1~2개) / 치유초(100%/1~2개)
	보물상자		힐 글래스(1~2개) / 힐 포트(1~2개) / SP 차지(1~2개) / 데톡신(1~2개) / 패럴락신(1~2개)
	숨겨진 상자		흰색 색소(100%/1~2개) / 흰색 색소(100%/1~2개) / P·SP 차지(100%/1~2개) / 슬롯(100%/3~5개) / 프라가라흐(100%/1개)
	몬스터		르위 위병(철 장비의 조각) / [오염]차일드 울프(늑대의 털) / 스켈레톤(뼈조각) / 수상한 사람(사악한 마음) / [위험]펜릴(마랑의 이빨, 꾸벅꾸벅 모자) / [상위]곱빼기 슬라이누(폴리곤) / [접금]라이벌기(중합금 플레이트, 커다란 메달 E)
지하 동굴	채집 아이템	보통	허브(100%/1~2개), 셀 안테나(20%/1~2개) / 동광석(100%/1~2개), 대지의 결정석(20%/1~2개) / 동광석(100%/2~3개), 사악한 마음(20%/1~2개) / 세계수의 잎(100%/1~2개), 요화의 꽃잎(20%/1~2개) / 동광석(100%/1~2개) / 동광석(100%/1~2개) / 동광석(100%/1~2개)
		변화	셀 안테나(100%/1~2개) / 대지의 결정석(100%/1~2개) / 사악한 마음(100%/1~2개) / 요화의 꽃잎(100%/1~2개) / 동광석(100%/1~2개) / 동광석(100%/1~2개) / 동광석(100%/1~2개)
		초변	Lv이 아닌 성장 요소(100%/1개), 노벨(20%/1개) / 동물(100%/1개), 특수 컨트롤러(20%/1개) / 동광석(100%/2~3개) / 허브(100%/1~2개) / 동광석(100%/1~2개) / 동광석(100%/1~2개) / 동광석(100%/1~2개)
	보물상자		[사]사양서 : 블레이드 해머(1개) / [사]사양서 : 이젝트 버튼(1개) / [사]사양서 : 건강의 조각(1개) / 힐 드링크(1~2개) / 호버 주행(3~4개)
	숨겨진 상자		야월초(100%/1~2개) / 역사(100%/3~5개) / 야월초(100%/1~2개) / 질척질척(100%/3~5개) / 물색 색소(100%/1~2개)
	몬스터		셀 베이더(셀 안테나) / [오염]어스 골렘(대지의 결정석) / [오염]아루루나(요화의 꽃잎) / 수상한 사람(사악한 마음) / [위험]자동 방어 시스템(불발탄) / [상위]아이스 웨일(몬스터) / [접금]심판의 사도(기타 컨트롤러, 커다란 메달 F)
성·심부	채집 아이템	보통	허브(100%/1~2개), 철 장비의 조각(20%/1~2개) / 야월초(100%/1~2개), 철 장비의 조각(20%/1~2개) / 허브(100%/1~2개), 붉은 꽃잎(20%/1~2개) / 야월초(100%/2~3개) / 치유초(100%/2~3개)
		변화	철 장비의 조각(100%/1~2개) / 철 장비의 조각(100%/1~2개) / 붉은 꽃잎(100%/1~2개), 불발탄(30%/1~2개) / 야월초(100%/2~3개), 불발탄(30%/1~2개) / 치유초(100%/2~3개), 불발탄(30%/1~2개)
		초변	아이돌(100%/1개), 불끈불끈 마초(20%/1개), 잘생긴 오빠(5%/1개) / 도트(100%/1개), 핀치가 되면 각성(20%/1개) / 허브(100%/1~2개) / 야월초(100%/2~3개) / 치유초(100%/2~3개)
	보물상자		타후밀(1~3개) / 힐 포트(1~2개) / SP 차지(1~3개) / P·SP 차지(3~4개) / 생명의 조각(1개)
	숨겨진 상자		야월초(100%/1~2개) / SP 차지(100%/3~5개) / 물색 색소(100%/1~2개) / 판타지(100%/3~5개) / 호버 주행(100%/1~2개)
	몬스터		[오염]아루루나(요화의 꽃잎) / 르위 병사(철 장비의 조각) / 아펠돈(붉은 꽃잎) / 르위 근위병(철 장비의 조각) / [위험]자동 방어 시스템(불발탄) / [상위]아이스 웨일(몬스터) / [접금]심판의 사도(기타 건트롤러, 커다란 메달 F)

●메인 던전

던전	던전 정보		
기고 거리·입구	채집 아이템	보통	철광석(100%/1~2개), 아에루의 손톱(20%/1~2개) / 동광석(100%/1~2개), 큰무 잎(20%/1~2개) / 허브(100%/1~2개), 말새의 날개(20%/1~2개) / 야월초(100%/2~3개) / 철광석(100%/2~3개)
		변화	아에루의 손톱(100%/1~2개) / 큰무 잎(100%/1~2개) / 말새의 날개(100%/1~2개) / 야월초(100%/2~3개) / 철광석(100%/2~3개)
		초변	시뮬레이션(100%/1개), 호버 주행(20%/1개), 파칭코(5%/1개) / 점프(100%/1개), 역사(20%/1개) / 허브(100%/1~2개) / 야월초(100%/2~3개) / 철광석(100%/2~3개)
	보물상자		[사]사양서 : 토끼씨(1개) / [사]사양서 : 베이직 해머(1개) / [사]사양서 : 힐 드링크(1개) / [사]사양서 : 실버 앵클릿(1개) / [사]사양서 : 히팅 배지(1개)
	숨겨진 상자		힐 포트(100%/1~2개) / 노벨(100%/3~5개) / P·SP 차지(100%/1~2개), 습득 경험치 업(50%/1개) / P·SP 차지(100%/1~2개) / 힐 포트(100%/1~2개)
	몬스터		아에루(아에루의 손톱) / 다이콘다(큰무 잎) / [오염]호랑나비(큰 나비의 날개) / 말새(말새의 날개) / [위험]빅 크랩(커다란 가위) / [상위]킬러 머신 Mk-2(신식 마광 동력로) / [접금]제루가리온(비주얼 메모리 16X, 커다란 메달 G)
기고 거리·심부	채집 아이템	보통	철광석(100%/1~2개), 큰 나비의 날개(20%/1~2개) / 동광석(100%/1~2개), 훌륭한 안테나(20%/1~2개) / 노란 꽃잎(100%/1~2개), 불법 ROM(20%/1~2개) / 야월초(100%/2~3개) / 동광석(100%/2~3개)
		변화	큰 나비의 날개(100%/1~2개) / 훌륭한 안테나(100%/1~2개) / 불법 ROM(100%/1~2개) / 야월초(100%/2~3개), 커다란 가위(30%/1~2개) / 동광석(100%/2~3개), 커다란 가위(30%/1~2개)
		초변	시뮬레이션(100%/1개), 호버 주행(20%/1개), 파칭코(5%/1개) / 점프(100%/1개), 역사(20%/1개) / 허브(100%/1~2개) / 야월초(100%/2~3개) / 철광석(100%/2~3개)
	보물상자		[사]사양서 : 성취의 미상카(1개) / 힐 포트(1~2개) / P·SP 차지(1개) / 생명의 조각(1개) / 생명의 조각(1~2개)
	숨겨진 상자		힐 포트(100%/1~2개) / P·SP 차지(100%/1~2개) / 힐 포트(100%/1~2개) / 핀치가 되면 각성(100%/3~5개) / 드라이브 해머(100%/1개)
	몬스터		아에루(아에루의 손톱) / [오염]호랑나비(큰 나비의 날개) / SDHC(불법 ROM) / 마알 베이더(훌륭한 안테나) / [위험]빅 크랩(커다란 가위) / [상위]킬러 머신 Mk-2(신식 마광 동력로) / [접금]제루가리온(비주얼 메모리 16X, 커다란 메달 G)
헤이로우 숲	채집 아이템	보통	허브(100%/1~2개), 늑대의 모피(20%/1~2개) / 야월초(100%/1~2개), 커다란 부리(20%/1~2개) / 치유초(100%/1~2개), 빨간 씨앗(20%/1~2개) / 세계수의 잎(100%/1~2개), 맹독 거미줄(20%/1~2개) / 야월초(100%/2~3개)
		변화	늑대의 모피(100%/1~2개) / 커다란 부리(100%/1~2개) / 빨간 씨앗(100%/1~2개) / 맹독 거미줄(100%/1~2개) / 야월초(100%/2~3개), 봉황의 날개(30%/1~2개)
		초변	얌전하지만 실은 최강(100%/1개), 질척질척(20%/1개), 눈물 게임(5%/1개) / 저가(100%/1개), 아이들 대상(20%/1개), 초회 특전 DLC 코드(5%/1개) / RPG(100%/1개), 눈물 게임(20%/1개) / 야월초(100%/1~2개) / 야월초(100%/2~3개)
	보물상자		[사]사양서 : 엑스트 랜스(1개) / [사]사양서 : 빔 세이버(1개) / [사]사양서 : 액션 메모리(1개) / [사]사양서 : 만능약(1개) / [사]사양서 : 힐 레인(1개)
	숨겨진 상자		힐 포트(100%/1~2개), [사]점핑 스타(50%/1개) / 힐 포트(100%/1~2개) / 물색 색소(100%/1~2개) / 랜덤 인카운터(100%/3~5개) / 커스텀 사운드(100%/3~5개)
	몬스터		물랑 루즈(빨간 씨앗) / [오염]루흐(매우 커다란 부리) / 타란튤라(맹독 거미줄) / [오염]울프(늑대의 모피) / [위험]피닉스(봉황의 날개, 잇승) / [상위]가지 빈더(풋내가 나는 너스 캡) / [접금]그래프 초코로(아마 액션 리플레이, 커다란 메달 H)
국영 공장	채집 아이템	보통	MODEL4 기판(100%/1~2개), 불법 초고급 회로(20%/1~2개) / 파일 크리스탈(100%/1~2개), 불법 초고급 개조 회로(20%/1~2개) / MAONI 기판(100%/1~2개), 맹독 천(20%/1~2개) / 데이터 크리스탈(100%/1~2개), 베놈 리본(20%/1~2개) / 파일 크리스탈(100%/2~3개)
		변화	불법 초고급 회로(100%/1~2개) / 불법 초고급 개조 회로(100%/1~2개) / 맹독 천(100%/1~2개) / 베놈 리본(100%/1~2개), 불발탄(30%/1~2개) / 파일 크리스탈(100%/2~3개), 불발탄(30%/1~2개)
		초변	본고장(100%/1개), 퀴즈(20%/1개), 걸 게임(5%/1개) / 호버 주행(100%/1개), 일본풍 테이스트(20%/1개) / 노벨(100%/1개), 초회 한정판(20%/1개) / 데이터 크리스탈(100%/1~2개) / 파일 크리스탈(100%/2~3개)
	보물상자		[사]사양서 : 실버 브레슬릿(1개), P·SP 차지(1개) / [사]사양서 : 메일 브레이커(1개) / [사]사양서 : 네프비탄 C(1개), 생명의 조각(1개) / 힐 포트(1~2개) / 이젝트 버튼(1~2개)
	숨겨진 상자		힐 포트(100%/1~2개) / 스트래터지(100%/3~5개) / 대전 격투(100%/1~2개) / P·SP 차지(100%/1~2개) / SF(100%/3~5개)
	몬스터		하이 비트 커스텀(불법 초고급 회로) / 베놈 보이(맹독 천) / 베놈 걸(베놈 리본) / DSTT(불법 초고급 개조 회로) / [위험]헤비 탱크(불발탄, 페이스 바이저) / [상위]안타레스(2쌍식 마광 동력로) / [접금]후계기(레어 플레이트, 커다란 메달 I)
채굴장	채집 아이템	보통	홍련석(100%/1~2개), 건달 마스크(20%/1~2개) / 절영석(100%/1~2개), 얼어붙은 비늘(20%/1~2개) / 버섯의 포자(100%/1~2개), 얼음의 해골(20%/1~2개) / 지각석(100%/1~2개), 아저씨의 애수(20%/1~2개) / 철광석(100%/1~2개) / 동광석(100%/1~2개) / 금광석(100%/1개) / 금광석(100%/1개)
		변화	건달 마스크(100%/1~2개) / 얼어붙은 비늘(100%/1~2개) / 얼음의 해골(100%/1~2개) / 아저씨의 애수(100%/1~2개) / 철광석(100%/1~2개), 빙랑의 손톱(30%/1~2개) / 동광석(100%/1~2개), 빙랑의 손톱(30%/1~2개) / 금광석(100%/1개), 빙랑의 손톱(30%/1~2개) / 금광석(100%/1개), 빙랑의 손톱(30%/1~2개)
		초변	역사(100%/1개), 패러미터 분할 가능(20%/1개), 특수 주변 기기(5%/1개) / 골프(100%/1개), 고릴라(20%/1개) / 랜덤 인카운터(100%/1개), 아저씨(20%/1개) / 지각석(100%/1~2개), 슈팅(20%/1개) / 철광석(100%/1~2개) / 동광석(100%/1~2개) / 금광석(100%/1~2개) / 금광석(100%/1~2개)
	보물상자		P·SP 차지(1개), [사]사양서 : 안경 모에!(1개) / 힐 포트(1~2개) / [사]사양서 : 실버 암릿(1개) / [사]사양서 : 아톰 브레이커(1개) / [사]사양서 : 히어로 드링크 C(1개)
	숨겨진 상자		힐 포트(100%/1~2개) / 아저씨(100%/3~5개) / 힐 포트(100%/1~2개) / 검은색 색소(100%/1~2개) / MO(100%/3~5개)
	몬스터		스컬 프로즌(얼음의 해골) / 건달 캣(건달 마스크) [오염]콜드 리저드(얼어붙은 비늘) / 오야지디우스(아저씨의 애수) / [위험]아이스 펜릴(빙랑의 손톱, 테헷낼름 여우) / [상위]규격 외 슬라이누(고급 젤리) / [접금]메네시스(커다란 메달 G)
제가 숲	채집 아이템	보통	허브(100%/1~2개), 새의 은관(20%/1~2개) / 치유초(100%/1~2개), 외도 젤리(20%/1~2개) / 야월초(100%/1~2개), 무지개 빛깔의 꽃잎(20%/1~2개) / 허브(100%/1~2개), 요화의 꽃잎(20%/1~2개) / 치유초(100%/1~2개) / 야월초(100%/1~2개)
		변화	새의 은관(100%/1~2개) / 외도 젤리(100%/1~2개) / 무지개 빛깔의 꽃잎(100%/1~2개), 거북 껍질(30%/1~2개) / 요화의 꽃잎(100%/1~2개), 거북 껍질(30%/1~2개) / 치유초(100%/1~2개), 거북 껍질(30%/1~2개) / 야월초(100%/1~2개), 거북 껍질(30%/1~2개)
		초변	쥐(100%/1개), 서양 게임(20%/1개), 심볼 인카운터(5%/1개) / 질척질척(100%/1개), 대전 격투(20%/1개) / 주인공은 무능하지만 실은…(100%/1개), 일본풍 테이스트(20%/1개) / 허브(100%/1~2개), 걸 게임(20%/1개) / 치유초(100%/1~2개) / 야월초(100%/1~2개)
	보물상자		[사]사양서 : 무명도(1개) / [사]사양서 : 프림 로즈(1개) / [사]사양서 : 천사의 날개(1개) / 건강의 조각(1개) / 이젝트 버튼(1~3개), 실버 암릿(1개) / 안티 패럴라이즈(1~2개), 힐 포트(1~4개)
	숨겨진 상자		힐 드링크(100%/1~2개), 물색 색소(100%/3~5개) / 적외선 통신(100%/3~5개) / 빨간색 색소(100%/1~2개) / 힐 포트(100%/4~5개) / P·SP 차지(100%/1개)
	몬스터		목젖새 왕자(새의 은관) / 외도 슬라이누(외도 젤리) / [오염]아루루나(요화의 꽃잎) / [위험]터틀(거북 껍질) / [상위]숲 고래(모험) / [접금]빅 와레츄(커다란 메달 J)
하네다 산길	채집 아이템	보통	질풍석(100%/1~2개), 당근 잎(20%/1~2개) / 지각석(100%/1~2개), 말새의 대퇴골(20%/1~2개) / 철광석(100%/1~2개), 날카로운 이빨(20%/1~2개) / 동광석(100%/2~3개) / 허브(100%/2~3개) / 허브(100%/2~3개)
		변화	당근 잎(100%/1~2개) / 말새의 대퇴골(100%/1~2개) / 날카로운 이빨(100%/1~2개) / 동광석(100%/2~3개), 마랑의 손톱(30%/1~2개) / 허브(100%/2~3개), 마랑의 손톱(30%/1~2개) / 허브(100%/2~3개), 마랑의 손톱(30%/1~2개)
		초변	특수 컨트롤러(100%/1개), 대자연(20%/1개) / 눈물 게임(100%/1개), MO(20%/1개) / 샷(100%/1개), 스트래터지(20%/1개) / 동광석(100%/2~3개) / 허브(100%/2~3개) / 동광석(100%/2~3개)
	보물상자		[사]사양서 : 팬더씨(1개) / [사]사양서 : 안티 실(1개) / [사]사양서 : 안티 베놈(1개) / 이젝트 버튼(1~3개) / 이젝트 버튼(1~2개) / 초절 난이도(3~4개) / 전문 용어(3~4개)
	숨겨진 상자		힐 포트(100%/1~2개) / 안경을 벗으면 미인(100%/3~5개) / 미디어 믹스 전개(100%/3~5개) / P·SP 차지(100%/1~2개) / P·SP 차지(100%/1~2개)
	몬스터		닌진다(당근 잎) / 하이힐 슬라이누(검은 젤라틴 촉수) / 말새크스(말새의 대퇴골) / [오염]들개(날카로운 이빨) / [위험]펜릴 볼프(마랑의 손톱) / [상위]팔천 재해의 신(커다란 메달 O) / [접금]트릭 크라운(커다란 메달 L)
하네다 산길·정상	채집 아이템	보통	허브(100%/1~2개), 검은 젤라틴 촉수(20%/1~2개) / 질풍석(100%/1~2개), 냐아의 손톱(20%/1~2개) / 지각석(100%/1~2개), 용전사의 비늘(20%/1~2개) / 상자새의 날개(100%/1~2개) / 동광석(100%/2~3개)
		변화	검은 젤라틴 촉수(100%/1~2개) / 냐아의 손톱(100%/1~2개) / 용전사의 비늘(100%/1~2개) / 상자새의 날개(100%/1~2개) / 동광석(100%/2~3개), 마랑의 손톱(30%/1~2개)
		초변	쿨데레(100%/1개), 초절 난이도(20%/1개), 컬러 에디트(5%/1개) / 판타지(100%/1개), 미디어 믹스(20%/1개) / 불끈불끈 마초(100%/1개), 싱글 온라인(20%/1개) / 상자새의 날개(100%/1~2개), 액션 RPG(20%/1개) / 동광석(100%/2~3개)
	보물상자		[사]사양서 : 인텔리 부스터 Z(1개) / [사]사양서 : 퀵 부스터 Z(1개) / 고릴라(3~4개) / 레이스(3~4개) / 남성 대상(3~4개)
	숨겨진 상자		힐 드링크(100%/1~2개) / 물색 색소(100%/1~2개) / 본고장(100%/3~5개) / 나이트 랜서(100%/1개) / 배리어블 소드(100%/1개)
	몬스터		하이힐 슬라이누(검은 젤라틴 촉수) / [오염]들개(날카로운 이빨) / 냐아(냐아의 손톱) / [오염]드래곤 워리어(용전사의 비늘) / [위험]펜릴 볼프(마랑의 손톱) / [상위]팔천 재해의 신(커다란 메달 O) / [접금]트릭 크라운(커다란 메달 L)

●메인 던전

던전	던전 정보		
메로토이드 쉘터	채집 아이템	보통	홍련석(100%/1~2개), 빨간 파이프 조각(20%/1~2개) / 마풍석(100%/1~2개), 용암석(20%/1~2개) / 은광석(100%/1~2개), 작열 천(20%/1~2개) / 홍련석(100%/2~3개) / 빨간색 색소(100%/2~3개)
		변화	빨간 파이프 조각(100%/1~2개) / 용암석(100%/1~2개) / 작열 천(100%/1~2개) / 홍련석(100%/2~3개) / 빨간색 색소(100%/2~3개), 염랑의 손톱(30%/1~2개)
		초변	전문 용어(100%1개), 드릴(20%/1개), 액션 RPG(5%/1개) / 속편한 진행(100%1개), 수염 난 이탈리아인(20%/1개) / 핀치가 되면 각성(100%1개), 적외선 통신(20%/1개) / 홍련석(100%/2~3개), 특수 주변 기기(20%/1개) / 빨간색 색소(100%/2~3개)
	보물상자		[사]사양서 : 스페리올 스피어(1개), [사]사양서 : 멋진 베일(1개) / [사]사양서 : 빔 버스터 개(1개) / 업계 최초 시스템!(3~4개) / 킬러 타이틀 겨냥(3~4개)
	숨겨진 상자		P·SP 차지(100%/1~2개) / P·SP 차지(100%/1~2개) / P·SP 차지(100%/1~2개) / 힐 드링크(100%/1~2개) / 오렌지색 색소(100%/1~2개)
	몬스터		플레임 보이(작열 천) / 플레임 걸(블랙 리본) / 마그마 스톤(용암석) / 도곤(빨간 파이프 조각) / [위험]플레임 펜릴(염랑의 손톱, 시스터) / [위험]큰 육지 거북(근미래) / [접급]차세대기(커다란 메달 M)
메로토이드 쉘터·심부	채집 아이템	보통	홍련석(100%/1~2개), 블랙 리본(20%/1~2개) / 빨간색 색소(100%/1~2개), 작열 광석(20%/1~2개) / 은광석(100%/2~3개) / 홍련석(100%/2~3개) / 마풍석(100%/2~3개) / 은광석(100%/2~3개) / 홍련석(100%/2~3개)
		변화	블랙 리본(100%/1~2개) / 작열 광석(100%/1~2개) / 은광석(100%/2~3개), 염랑의 손톱(30%/1~2개) / 홍련석(100%/2~3개), 염랑의 손톱(30%/1~2개) / 마풍석(100%/2~3개), 염랑의 손톱(30%/1~2개) / 은광석(100%/2~3개), 염랑의 손톱(30%/1~2개) / 홍련석(100%/2~3개), 염랑의 손톱(30%/1~2개)
		초변	아이들 대상(100%/1개), 추리(20%/1개), 서양 게임(5%/1개) / DL 전용 판매(100%/1개), 통신 대전(20%/1개) / 실사(100%/1개), 킬러 타이틀 겨냥(20%/1개) / 홍련석(100%/2~3개), 레이스(20%/1개) / 마풍석(100%/2~3개) / 은광석(100%/2~3개) / 홍련석(100%/2~3개)
	보물상자		힐 포트(1~2개) / P·SP 차지(1개) / 생명의 조각(1개) / 이젝트 버튼(1~2개)
	숨겨진 상자		오렌지색 색소(100%/1~2개), 힐 드링크(100%/1~2개) / 대자연(100%/3~5개) / 침울~ 인형(100%/1개) / 엘류시온(100%/1개)
	몬스터		플레임 보이(작열 천) / 플레임 걸(블랙 리본) / 마그마 스톤(용암석) / [오염]화산 소라게(작열 광석) / [위험]플레임 펜릴(염랑의 손톱, 시스터) / [상위]고양이다람쥐 나이트(메타 픽션) / [접급]차세대기(커다란 메달 M)
아리오 고원	채집 아이템	보통	엘데 크리스탈(100%/1~2개), 옐로우 블록(20%/1~2개) / 은광석(100%/1~2개), 파란 파이프 조각(20%/1~2개) / 철광석(100%/1~2개), 오렌지 젤리(20%/1~2개) / 엘데 크리스탈(100%/1~2개), 마법의 계약서(20%/1~2개)
		변화	옐로우 블록(100%/1~2개) / 파란 파이프 조각(100%/1~2개) / 오렌지 젤리(100%/1~2개) / 마법의 계약서(100%/1~2개)
		초변	패러미터 분할 가능(100%/1개), 어드벤처 RPG(20%/1개), 서프라이즈 인카운터(5%/1개) / 일본풍 테이스트(100%/1개), 모션 컨트롤러(20%/1개), 건 슈팅(5%/1개) / 초회 한정판(100%/1개), 죽어서 배워라(20%/1개) / 색만 다른 캐릭터(100%/1개)
	보물상자		힐 드링크(1~2개) / 힐 드링크(1~2개) / 퍼즐·로직(3~4개) / P·SP 차지(1개) / 생명의 조각(1개)
	숨겨진 상자		리프레쉬 허브(100%/1~2개) / P·SP 차지 2(100%/1~2개) / 힐 드링크(100%/1~2개) / 힐 드링크(100%/1~2개) / 축구(100%/3~5개)
	몬스터		돗칸(파란 파이프 조각) / 테스트리(옐로우 블록) / 슬라이누 베스(오렌지 젤리) / 하치베에(마법의 계약서) / [위험]드림 돌핀(꿈 돌고래의 꼬리) / [상위]팔만 재해의 신(갓 소울) / [접금]도금 드라이거(커다란 메달 P)
오오토리이 동굴	채집 아이템	보통	마빙석(100%/1~2개), 대지의 비늘(20%/1~2개) / 마각석(100%/1~2개), 미스릴 광석(20%/1~2개) / 철광석(100%/1~2개), 마비 젤리(20%/1~2개) / 은광석(100%/1~2개), 무지개 빛깔의 꽃잎(20%/1~2개) / 마빙석(100%/2~3개) / 마각석(100%/2~3개) / 철광석(100%/2~3개) / 철광석(100%/2~3개)
		변화	대지의 비늘(100%/1~2개) / 미스릴 광석(100%/1~2개) / 마비 젤리(100%/1~2개) / 무지개 빛깔의 꽃잎(100%/1~2개) / 마빙석(100%/2~3개), 국제 구조대 배지(30%/1~2개) / 마각석(100%/2~3개), 국제 구조대 배지(30%/1~2개) / 철광석(100%/2~3개), 국제 구조대 배지(30%/1~2개) / 철광석(100%/2~3개), 국제 구조대 배지(30%/1~2개)
		초변	특수 주변기기(100%/1개), 메타 픽스(20%/1개), 밀리언 타이틀 겨냥(5%/1개) / 컬러 에디트(100%/1개), 코어층을 노림(20%/1개), 일단 물리로 때려라(5%/1개) / SF(100%/1개), 인생(20%/1개) / 슈팅(100%/1개), 서프라이즈 인카운터(20%/1개) / 미디어 믹스 전개(100%/1개) / 마각석(100%/2~3개) / 철광석(100%/2~3개) / 철광석(100%/2~3개)
	보물상자		[사]사양서 : 로열 브레슬릿(1개) / [사]사양서 : 로열 암릿(1개) / [사]사양서 : 강철 슬라이누맨(1개) / [사]사양서 : 어드밴스드 블레이드(1개) / [사]사양서 : 엔게이지 링(1개)
	숨겨진 상자		허브(100%/1~2개) / 천사의 날개(100%/1~2개) / 힐 드링크(100%/1~2개) / 모에(100%/3~5개) / 게이볼그(100%/1개)
	몬스터		아이 마블(무지개 빛깔의 꽃잎) / [오염]어스 리저드(대지의 비늘) / 마비 슬라이누(마비 젤리) / [오염]미스릴 골렘(미스릴 광석) / [위험]선더 버드(국제 구조대 배지) / [상위]맥시멈 슬라이누(쥬브나일) / [접금]절대신의 부하(TPS, 커다란 메달 J)
아노네데스의 연구소	채집 아이템	보통	LING 기판(100%/1~2개), 번장 마스크(20%/1~2개) / 금강석(100%/1개), 불법 RAM(20%/1~2개) / 엘데 크리스탈(100%/1~2개), 파란 씨앗(20%/1~2개) / MAONI 기판(100%/2~3개) / 파일 크리스탈(100%/2~3개) / 큰무 잎(100%/2~3개) / 데이터 크리스탈(100%/2~3개)
		변화	번장 마스크(100%/1~2개) / 불법 RAM(100%/1~2개) / 파란 씨앗(100%/1~2개) / MAONI 기판(100%/2~3개), 대구경 불발탄(30%/1~2개) / 파일 크리스탈(100%/2~3개), 대구경 불발탄(30%/1~2개) / 큰무 잎(100%/2~3개), 대구경 불발탄(30%/1~2개) / 데이터 크리스탈(100%/2~3개), 대구경 불발탄(30%/1~2개)
		초변	스트래터지(100%/1개), 스테이지 에디트(20%/1개), 메타 픽션(5%/1개) / 서양 게임(100%/1개), 건 슈팅(20%/1개) / 대전 격투(100%/1개), 밀리언 타이틀 겨냥(20%/1개) / 패러미터 분할 가능(100%/1개), 인기 원작(20%/1개) / 파일 크리스탈(100%/2~3개) / 큰무 잎(100%/2~3개) / 데이터 크리스탈(100%/2~3개)
	보물상자		[사]사양서 : 블랙 커버(1개) / 힐 드링크(3~4개) / [사]사양서 : 건강의 덩어리(1개) / 건강의 조각(1~3개) / 이젝트 버튼(1~4개)
	숨겨진 상자		힐 드링크(100%/1~2개) / 유명 크리에이터(100%/3~5개) / 천사의 날개(100%/1~2개) / 로봇(100%/3~5개) / 레이저 소드(100%/1개)
	몬스터		블루 선(파란 씨앗) / 번장 캣(번장 마스크) / EDGE(불법 RAM) / [위험]팬처(대구경 불발탄) / [상위]데우스·엑스·마키나(6장식 마광 동력로) / [접금]주인공기 개(커다란 메달 R)
아노네데스의 연구소·심부	채집 아이템	보통	LING 기판(100%/1~2개), 하비 혼(20%/1~2개) / 금강석(100%/1개), 불법 차세대 회로(20%/1~2개) / 엘데 크리스탈(100%/1~2개) / MODEL4 기판(100%/2~3개) / 파일 크리스탈(100%/2~3개) / LING 기판(100%/2~3개), MAONI 기판(100%/2~3개) / 데이터 크리스탈(100%/2~3개)
		변화	하비 혼(100%/1~2개) / 불법 차세대 회로(100%/1~2개), MAONI 기판(100%/2~3개) / 엘데 크리스탈(100%/2~3개) / MODEL4 기판(100%/2~3개) / 파일 크리스탈(100%/2~3개) / LING 기판(100%/2~3개), 데이터 크리스탈(100%/2~3개)
		초변	고릴라(100%/1개), 경험치 노가다 없음(20%/1개), 진동(5%/1개) / 아저씨(100%/1개), 일단 물리로 때려라(20%/1개) / 수염난 이탈리아인(100%/1개) / 걸 게임(100%/1개) / 파일 크리스탈(100%/2~3개) / LING 기판(100%/2~3개), MAONI 기판(100%/2~3개) / 데이터 크리스탈(100%/2~3개)
	보물상자		이젝트 버튼(1~3개) / [사]사양서 : 큐브 해머(1개) / 힐 드링크(1~2개) / 생명의 반지(1개) / [사]사양서 : A-MN 느와르(1개) / 머슬 부스터(1~4개) / [사]사양서 : 네프 비탄 SP(1개)
	숨겨진 상자		건강의 덩어리(100%/1~2개) / 서프라이즈 인카운터(100%/3~5개) / 검은색 색소(100%/1~2개) / 오토 세이브(100%/3~5개) / 세계수의 잎(100%/1~2개)
	몬스터		차세대형 비트(불법 차세대 회로) / 부웅콰광 아저씨(하비 혼) / [위험]팬처(대구경 불발탄) / [상위]팔억 재해의 신(사귀안) / [접금]게하츄(커다란 메달 T)
지하 용암동	채집 아이템	보통	마염석(100%/1~2개), 새의 왕관(20%/1~2개) / 은광석(100%/1~2개), 용암석(20%/1~2개) / 금광석(100%/1개), 작열 천(20%/1~2개) / 마염석(100%/2~3개) / 마염석(100%/2~3개)
		변화	새의 왕관(100%/1~2개) / 용암석(100%/1~2개) / 작열 천(100%/1~2개) / 마염석(100%/2~3개) / 마염석(100%/2~3개)
		초변	차지(100%/1개), 퍼즐·로직(20%/1개) / 애니메이션(100%/1개) / 초절 난이도(100%/1개), 진동(20%/1개) / 액션 RPG(100%/1개), 오토 세이브(20%/1개) / 마염석(100%/2~3개)
	보물상자		[사]사양서 : 스페리올 스피어(1개) / [사]사양서 : 네프인형(1개) / 네프비탄 EX(1~2개) / [사]사양서 : 유미니테스의 부적(1개)
	숨겨진 상자		리프레쉬 허브(100%/1~2개) / 모험(100%/3~5개) / 오렌지색 색소(100%/1~2개) / 흰색 색소(100%/1~2개) / 실루엣(100%/3~5개)
	몬스터		마그마 보이(작열 천) / 마그마 걸(블랙 리본) / 목젖새 킹(새의 왕관) / [오염]용암 게(용암석) / [위험] 빈쵸(녹을 듯한 닭고기) / [상위]팔억 재해의 신(사귀안) / [접금]게하츄(커다란 메달 T)
지하 용암동·심부	채집 아이템	보통	마염석(100%/1~2개), 블랙 리본(20%/1~2개) / 은광석(100%/1~2개), 불타는 뼈(20%/1~2개) / 금광석(100%/1개), 독한 꽃잎(20%/1~2개) / 마염석(100%/2~3개) / 마염석(100%/2~3개)
		변화	블랙 리본(100%/1~2개) / 불타는 뼈(100%/1~2개) / 독한 꽃잎(100%/1~2개) / 마염석(100%/2~3개), 체크무늬 꼬리(30%/1~2개) / 마염석(100%/2~3개), 녹을 듯한 닭고기(30%/1~2개)
		초변	드릴(100%/1개), 전략(20%/1개), 우훗… 아앗~!(5%/1개) / 연애(100%/1개), 크라임 액션(20%/1개) / 싱글 온라인(100%/1개), 아가씨 게임(20%/1개) / 레이스(100%/1개), 애니메이션(20%/1개) / 마염석(100%/2~3개)
	보물상자		힐 드링크(1~2개) / 힐 드링크(1~2개) / P·SP 차지(1개) / 생명의 조각(1개)
	숨겨진 상자		파일 크리스탈(100%/1~2개) / 빨간색 색소(100%/1~2개) / 빔 카타나 EXA(100%/1개) / 곰돌이씨(100%/1개) / 이그니스 블레이드(100%/1개)
	몬스터		목젖새 킹(새의 왕관) / [오염]용암 게(용암석) / 플레임 스켈레톤(불타는 뼈) / [오염]라플레시아(독한 꽃잎) / [위험]드리코린콥스(체크무늬 꼬리) / [상위]팔억 재해의 신(사귀안) / [접금]게하츄(커다란 메달 T)

●메인 던전

던전	던전 정보		
변질 다차원 공간	채집 아이템	보통	LING 기판(100%/1~2개), 얼룩 무늬의 조각(20%/1~2개) / 엘데 크리스탈(100%/1~2개), 그린 블록(20%/1~2개) / LING 기판(100%/1~2개), 걸치고 있던 작은 옷(20%/1~2개) / LING 기판(100%/1~2개), 「※」의 면죄부(20%/1~2개) / 엘데 크리스탈(100%/2~3개)
		변화	얼룩 무늬의 조각(100%/1~2개) / 그린 블록(100%/1~2개) / 걸치고 있던 작은 옷(100%/1~2개) / 「※」의 면죄부(100%/1~2개), 지옥의 갈기(30%/1~2개) / 엘데 크리스탈(100%/2~3개), 지옥의 갈기(30%/1~2개)
		초변	코어층을 노림(100%/1개) / 엘데 크리스탈(100%/1~2개) / LING 기판(100%/1~2개) / LING 기판(100%/1~2개) / 엘데 크리스탈(100%/2~3개)
	보물상자		[사]사양서 : 엑스칼리버(1개) / [사]사양서 : 골디언 해머(1개) / 육구 글러브(1개), 피이 전용(1개) / [사]사양서 : 느와르 스트라이커(1개) / P·SP 차지(1개)
	숨겨진 상자		엘데 크리스탈(100%/1~2개) / 엘데 크리스탈(100%/1~2개), 벌써 모자(20%/1개) / 빨간색 색소(100%/1~2개) / 철도(100%/3~5개) / 브류나크(100%/1개)
	몬스터		얼룩 도칸(얼룩 무늬의 조각) / 테리스트(그린 블록) / [오염]마다라쵸(걸치고 있던 작은 옷) / 테라 핸섬(「※」의 면죄부) / [위험]켈베로스(지옥의 갈기) / [상위]사이버 웨일(한 번 죽으면 끝) / [접금]오염에 침식된 자(커다란 메달 V)
도시 중심부	채집 아이템	보통	허브(100%/1~2개), 불법 SSD(20%/1~2개) / 치유초(100%/1~2개), 검게 빛나는 비늘(20%/1~2개) / 동광석(100%/1~2개), 마비 거미줄(20%/1~2개) / 허브(100%/1~2개), 해약 불가의 계약서(20%/1~2개) / 치유초(100%/2~3개)
		변화	불법 SSD(100%/1~2개) / 검게 빛나는 비늘(100%/1~2개) / 마비 거미줄(100%/1~2개) / 해약 불가의 계약서(100%/1~2개), 고룡의 초승달 모양의…무엇?(30%/1~2개) / 치유초(100%/2~3개), 고룡의 초승달 모양의…무엇?(30%/1~2개)
		초변	실루엣(100%/1개), 인기 일러스트레이터(20%/1개) / 메타픽션(100%/1개) / 동광석(100%/1~2개) / 허브(100%/1~2개) / 치유초(100%/2~3개)
	보물상자		[사]사양서 : 머슬 슬라이누(1개) / [사]사양서 : 팬텀 블레이드(1개) / 팬더씨 퍼펫(1개) / 빈티지 라이플(1개) / 옐로 스태프(1개)
	숨겨진 상자		엘데 크리스탈(100%/1~2개), [사]사양서 : 메이드 도감(30%/1개) / 엘데 크리스탈(100%/1~2개), [사]사양서 : 4여신 온라인 설정집(30%/1개) / 빨간색 색소(100%/1~2개), [사]사양서 : 올해의 수영복!(30%/1개) / 런칭(100%/3~5개) / 플래티넘 티아라(100%/1개)
	몬스터		패럴라이즈 스파이더(마비 거미줄) / R-4 커스텀(불법 SSD) / 프로미스 링(해약 불가의 계약서) / [오염]하이 리자드(검게 빛나는 비늘) / [위험]크레센트 드래곤(고룡의 초승달 모양의…무엇?) / [상위]팔경 재해의 신(커다란 메달 X) / [접금]델피너스([사]사양서 : 엣햄한 인형, 커다란 메달 K)

●서브 던전

던전	던전 정보		
오오토리이 대삼림	채집 아이템	보통	허브(100%/1~2개) / 치유초(100%/1~2개) / 허브(100%/1~2개) / 치유초(100%/1~2개) / 허브(100%/1~2개) / 치유초(100%/1~2개) / 허브(100%/2~3개) / 치유초(100%/2~3개)
		변화	고급 젤리(100%/1~2개) / 노란 꽃잎(100%/1~2개) / 철모(100%/1~2개) / 네거티브한 수액(100%/1~2개) / 허브(100%/1~2개) / 치유초(100%/1~2개) / 허브(100%/2~3개) / 치유초(100%/2~3개)
		초변	—
	보물상자		힐 포트(3~4개) / 데톡신(1개) / 힐 글래스(1개) / 힐 포트(1개) / 자동 생성 던전(3~5개) / SP 차지(1개)
	숨겨진 상자		힐 글래스(100%/1~2개) / 점프(100%/3~5개) / SP 차지(100%/1~2개) / 테이블(100%/3~5개) / 클레이모어(100%/1개)
	몬스터		계약천사(수수께끼의 원) / 늘어진 젤리(고급 젤리) / 오우치 개구리(철모) / [오염]힛키(네거티브한 수액) / [상위]카노푸스(DL 전용 판매)
ZECA 2호 유적	채집 아이템	보통	허브(100%/1~2개), 메탈 젤리(20%/1~2개) / 야월초(100%/1~2개) / 치유초(100%/1~2개) / 허브(100%/2~3개) / 야월초(100%/2~3개) / 치유초(100%/2~3개)
		변화	메탈 젤리(100%/1~2개) / 야월초(100%/1~2개) / 치유초(100%/1~2개) / 허브(100%/2~3개) / 야월초(100%/2~3개) / 치유초(100%/2~3개), 메탈 젤리(20%/1~2개)
		초변	허브(100%/1~2개), Lv이 아닌 성장 요소(20%/1개) / 야월초(100%/1~2개), 시뮬레이션(20%/1개) / 치유초(100%/1~2개), 점프(20%/1개) / 허브(100%/2~3개), 자동 생성 던전(20%/1개) / 야월초(100%/2~3개), 바보 게임(20%/1개) / 치유초(100%/2~3개), 왕도(20%/1개)
	보물상자		[사]사양서 : 힐 서클(1개) / [사]사양서 : 히어로 드링크(1개) / 퀵 부스터(1~3개), 얀데레(3~4개) / 아이돌(3~4개), 용량 업 512MB(1개) / 성우(3~4개)
	숨겨진 상자		힐 포트(100%/1~2개) / 힐 포트(100%/1~2개), SP 부스터 2(100%/1개) / 시뮬레이션(100%/3~5개) / 치유초(100%/1~2개) / 여름방학 로보(100%/1개)
	몬스터		노멀 샹푸르(샹푸르의 귀) / 매우 강해 보이는 샹푸르(샹푸르의 귀) / 마법이 특기인 샹푸르(샹푸르의 귀) / 강철 슬라이누(메탈 젤리) / [위험]위험한 샹푸르(랜덤 인카운트) / [상위]아주 위험한 샹푸르(슬롯) / 초 위험한 샹푸르(커다란 메달 A)
렛츠고 아일랜드	채집 아이템	보통	허브(100%/1~2개), 미끈거리는 날개(20%/1~2개) / 치유초(100%/1~2개), 물의 결정석(20%/1~2개) / 야월초(100%/2~3개) / 치유초(100%/2~3개) / 야월초(100%/2~3개)
		변화	미끈거리는 날개(100%/1~2개) / 물의 결정석(100%/1~2개) / 야월초(100%/2~3개), 강철의 껍질(30%/1~2개) / 치유초(100%/2~3개), 강철의 껍질(30%/1~2개) / 야월초(100%/2~3개), 강철의 껍질(30%/1~2개)
		초변	애니메이션(100%/1개), 탄막 슈팅(20%/1개) / 모험(100%/1개) / 야월초(100%/2~3개) / 치유초(100%/2~3개) / 야월초(100%/2~3개)
	보물상자		[사]사양서 : 기계창 드레드노트(1개) / [사]사양서 : 입혼 글러브(1개) / 생명의 조각(1~3개) / 힐 드링크(1~2개) / 생명의 조각(1~3개) / 이젝트 버튼(1~3개)個
	숨겨진 상자		리프레쉬 허브(100%/1~2개) / 힐 보틀(100%/1~2개), 플라네튠 학원(20%/1개), 봉봉(20%/1개) / 리셋 필수(100%/3~5개) / 한 번 죽으면 끝(100%/3~5개) / 퍼플 리본(100%/1개)
	몬스터		펭귄(미끈거리는 날개) / 시 보이(수용성 천) / 시 걸(핑크 리본) [오염]시 골렘(물의 결정석) / [위험]메가 터틀(강철의 껍질) / [상위]시리우스(헌팅) / [접금]혹시 넵튠?([사]사양서 : 용도·키류)
렛츠고 아일랜드·심부	채집 아이템	보통	허브(100%/1~2개), 수용성 천(20%/1~2개) / 치유초(100%/1~2개), 핑크 리본(20%/1~2개) / 야월초(100%/2~3개) / 치유초(100%/2~3개) / 야월초(100%/2~3개) / 허브(100%/2~3개)
		변화	수용성 천(100%/1~2개) / 핑크 리본(20%/1~2개) / 야월초(100%/2~3개) / 치유초(100%/2~3개) / 야월초(100%/2~3개) / 허브(100%/2~3개)
		초변	츤데레(100%/1개) / 진동(100%/1개) / 야월초(100%/2~3개) / 치유초(100%/2~3개) / 야월초(100%/2~3개) / 허브(100%/2~3개)
	보물상자		블루 완드(1개) / 힐 드링크(1~2개) / 힐 드링크(1~2개) / P·SP 차지(1~3개) / 이젝트 버튼(1~3개) / 천사의 날개(1~2개) / 입체 영상(3~4개)
	숨겨진 상자		리프레쉬 허브(100%/1~2개) / 힐 보틀(100%/1~2개), [사]던전 초변화 : 렛츠고 아일랜드(50%/1개) / 여성 대상(100%/3~5개) / 탄막 슈팅(100%/1~2개) / 금방망이(100%/1~2개)
	몬스터		펭귄(미끈거리는 날개) / 시 보이(수용성 천) / 시 걸(핑크 리본) [오염]시 골렘(물의 결정석) / [위험]메가 터틀(강철의 껍질) / [상위]시리우스(헌팅) / [접금]혹시 넵튠?([사]사양서 : 용도·키류)
소니이 습지	채집 아이템	보통	허브(100%/1개) / 야월초(100%/1개) / 치유초(100%/1개) / 허브(100%/1~2개) / 튤립의 수술(100%/1개) / 치유초(100%/1개)
		변화	고양이 수염(100%/1~2개) / 마 장비의 조각(100%/1~2개) / 빨간 젤라틴 촉수(100%/1~2개) / 마탕고의 포자(100%/1~2개) / 튤립의 수술(100%/1개), 고룡의… 뿔 같은 것(20%/2~3개) / 치유초(100%/1개), 고룡의… 뿔 같은 것(20%/2~3개)
		초변	얀데레(100%/1개), 허브(20%/1개) / 얌전하지만 실은 최강(100%/1개), 야월초(20%/1개) / 미묘한 패러미터 조정(100%/1개), 치유초(20%/1개) / 허브(100%/1~2개) / 얀데레(100%/1개), 튤립의 수술(20%/1개) / 액션(100%/1개), 치유초(20%/1개)
	보물상자		[사]사양서 : 인텔리 부스터(1개) / [사]사양서 : 퀵 부스터(1개) / [사]사양서 : 머슬 부스터(1개) / 힐 포트(1~2개) / SP 차지(1~2개), [사]던전 변화 : 회귀의 초원(1개) / 타후밀(1~3개)
	숨겨진 상자		힐 포트(100%/1~2개) / 저가(100%/1~2개), 허브(100%/1개) / 치유초(100%/1개) / 전자의 반지(100%/1개) / 생명의 반지(100%/1개)
	몬스터		마탕고(마탕고의 포자) / 힐링 슬라이누(빨간 젤라틴 촉수) / 붉은 살(고양이 수염) / [오염]중용기병(마 장비의 조각) / [위험]니드호그(고룡의… 뿔 같은 것) / [상위]차일드 웨일(성스러운 고래 구슬) / [접금]아킬레스(커다란 메달 B)
피에스 디멘션	채집 아이템	보통	MODEL4 기판(100%/1~2개), 노란 파이프 조각(20%/1~2개) / 파일 크리스탈(100%/1~2개), 용전사의 비늘(20%/1~2개) / MAONI 기판(100%/1~2개) / 검은 젤라틴 촉수(20%/1~2개) / 데이터 크리스탈(100%/1~2개), 혼의 계약서(20%/1~2개) / 파일 크리스탈(100%/2~3개)
		변화	노란 파이프 조각(100%/1~2개) / 용전사의 비늘(100%/1~2개) / 검은 젤라틴 촉수(100%/1~2개) / 혼의 계약서(100%/1~2개), 슬라이누 젤리(30%/1~2개) / 파일 크리스탈(100%/2~3개), 슬라이누 젤리(30%/1~2개)
		초변	심볼 인카운터(100%/1개), 추리(20%/1개) / 파칭코(100%/1개), 특수한 게이지(20%/1개) / 스텔스(100%/1개), 안경을 벗으면 미인(20%/1개) / 몬스터(100%/1개) / 커스텀 사운드(100%/1개), 폴리곤(20%/1개)
	보물상자		[사]사양서 : SP 부스터 2(1개) / [사]사양서 : P·SP 차지2(1개) / 안티 패럴라이즈(1~3개), [사]백어택 삭제(1개) / 안티 실(1~3), 퀴즈(3~4개) / 싱글 온라인(3~4개) / 수염난 이탈리아인(3~4개)
	숨겨진 상자		힐 드링크(100%/1~2개), [사]던전 초변화 : 피에스 디멘션(50%/1개) / P·SP 차지 2(100%/1~2개), 라스테이션 제1고교(20%/1개), 학교 지정 블루 리본(20%/1개) / 통신 대전(100%/3~5개) / 패러미터 분할 가능(100%/3~5개) / 라이트 블레이드(100%/1개)
	몬스터		하이힐 슬라이누(검은 젤리틴 촉수) / 드래곤 워리어(용전사의 비늘) / 도간(노란 파이프 조각) / 큐베리엘(혼의 계약서) / [위험]자이언트 슬라이누(슬라이누 젤리) / [상위]말새 라이더(죽어서 배워라) / [접금]알데바란(커다란 메달 K)

● 서브 던전

던전	던전 정보		
비타르 디멘션	채집 아이템	보통	데이터 크리스탈(100%/1~2개), 상자새의 고귀한 날개(20%/1~2개) / 파일 크리스탈(100%/1~2개), 불법 마더 보드(20%/1~2개) / 물색 색소(100%/1~2개), 붉은 꽃잎(20%/1~2개) / 파일 크리스탈(100%/1~2개), 전자 나비의 날개(20%/1~2개) / 엘데 크리스탈(100%/1~2개), 메가톤 불발탄(20%/1~2개)
		변화	상자새의 고귀한 날개(100%/1~2개) / 불법 마더 보드(100%/1~2개) / 붉은 꽃잎(100%/1~2개) / 전자 나비의 날개(100%/1~2개) / 메가톤 불발탄(100%/1~2개)
		초변	모에(100%/1개), 철도(20%/1개) / 건 슈팅(100%/1개), 연예인(20%/1개) / 물색 색소(100%/1~2개) / 파일 크리스탈(100%/1~2개) / 엘데 크리스탈(100%/1~2개)
	보물상자		[사]사양서 : 후보생의 가호(1개) / [사]사양서 : 사냥의 부적(1개) / [사]사양서 : 하얀 고양이 스트랩(1개) / 머슬 부스터 Z(1개) / 인텔리 부스터 Z(1개)
	숨겨진 상자		엘데 크리스탈(100%/1~2개), [사]던전 초변화 : 비타르 디멘션(50%/1개) / 파란색 색소(100%/1~2개) / 터치 조작 온리(100%/3~5개) / 심리스(100%/3~5개) / 오리하르콘(100%/1~2개)
	몬스터		상자새 킹(상자새의 화려한 날개) / 자율형 방위 병기(불법 마더 보드) / 알프레드(붉은 꽃잎) / 사이버 버터플라이(전자 나비의 날개) / [위험]시작형 광역 제압 병기(메가톤 불발탄) / [상위]리저드 킹(미소녀 게임) / [접금]느와르?《블랙 하트?》([사]사양서 : 듀란달)
회귀의 초원	채집 아이템	보통	허브(100%/1~2개), 피투성이 부메랑(20%/1~2개) / 야월초(100%/1~2개), 냄새나는 진흙(20%/1~2개) / 치유초(100%/1~2개), WD의 조각(20%/1~2개) / 파란 꽃잎(100%/2~3개) / 야월초(100%/2~3개) / 리프레쉬 허브(100%/2~3개)
		변화	피투성이 부메랑(100%/1~2개) / 냄새나는 진흙(100%/1~2개) / WD의 조각(100%/1~2개) / 허브(100%/2~3개), 나무 껍질(20%/1~2개) / 야월초(100%/2~3개), 나무 껍질(20%/1~2개) / 치유초(100%/2~3개), 나무 껍질(20%/1~2개)
		초변	스텔스(100%/1개), 실사(20%/1개) / 프리 시나리오(100%/1개), 눈물 게임(20%/1개) / 일직선 진행(100%/1개), 속편한 진행(20%/1개) / 싸움(100%/1개), 판타지(20%/1개) / 틈새(100%/1개), 주인공은 무능하지만 실은…(20%/1개) / 꺅꺅 우후후(100%/1개), 슈팅 RPG(20%/1개)
	보물상자		[사]사양서 : P·SP 차지(1개) / SP 차지(1~2개) / 힐 포트(1~2개), [사]언제 어디서나 이스케이프(1개) / 타후밀(1~3개) / P·SP 차지(1~2개)
	숨겨진 상자		물색 색소(100%/1~2개), [사]던전 초변화 : 회귀의 초원(50%/1개) / 불끈불끈 마초(100%/3~5개) / 특수 컨트롤러(100%/3~5개) / 익스큐셔너(100%/1개) / 줄무늬 고양이씨(100%/1개)
	몬스터		부메랑(피투성이 부메랑) / WD 헤드(WD의 조각) / 아펠돈(붉은 꽃잎) / [위험]숲 거북(나무 껍질) / [상위]보스 리저드(남성 대상) / [접금]폴룩스(커다란 메달 D)
루지이 고원	채집 아이템	보통	허브(100%/1~2개), 날카로운 이빨(20%/1~2개) / 치유초(100%/1~2개), 칠흑의 비늘(20%/1~2개) / 노란 꽃잎(100%/1~2개), 엄청 딱딱한 나무조각(20%/1~2개) / 치유초(100%/1~2개), 마법의 계약서(20%/1~2개) / 야월초(100%/2~3개)
		변화	날카로운 이빨(100%/1~2개) / 칠흑의 비늘(100%/1~2개) / 엄청 딱딱한 나무조각(100%/1~2개), 고대로부터의 껍질(30%/1~2개) / 마법의 계약서(100%/1~2개), 고대로부터의 껍질(30%/1~2개) / 야월초(100%/2~3개), 고대로부터의 껍질(30%/1~2개)
		초변	호버 주행(100%/1개), 퀴즈(20%/1개), 드릴(5%/1개) / 노벨(100%/1개), 연애(20%/1개), 일본풍 테이스트(5%/1개) / 슈팅(100%/1개), 남성 대상(20%/1개) / 잘생긴 오빠(100%/1개) / 야월초(100%/2~3개)
	보물상자		[사]사양서 : 아크 앵클릿(1개) / [사]사양서 : 프로미넌스 배지(1개), [사]던전 추가 : 네크토키 수림(1개) / [사]사양서 : 축복의 미상가(1개), [사]사양서 : 안티 바이러스(1개) / [사]사양서 : 밀레니엄 메모리(1개) / [사]사양서 : 머슬 부스터 Z(1개), [사]사양서 : 안티 패럴라이즈(1개)
	숨겨진 상자		P·SP 차지 2(100%/1~2개), [사]던전 초변하 : 루지이 고원(50%/1개) / 힐 드링크(100%/1~2개), 르위 학원 초등부(20%/1개), 스쿨 모자(20%/1개) / 몬스터(100%/3~5개) / 폴리곤(100%/3~5개) / 묠니르(100%/1개)
	몬스터		[오염]코요테(날카로운 이빨) / 우드 스켈레톤(엄청 딱닥한 나무조각) / 데스 스토커(칠흑의 비늘) / 하치베에(마법의 계약서) / [위험]천년 거북(고대로부터의 껍질) / [상위]데네브(싱글 온라인) / [접금]포멀 하우트(커다란 메달 N)
르위 성 북쪽 방	채집 아이템	보통	허브(100%/1~2개), 불법 SSD(20%/1~2개) / 치유초(100%/1~2개), 철 장비의 조각(20%/1~2개) / 동광석(100%/2~3개) / 허브(100%/2~3개) / 치유초(100%/2~3개)
		변화	불법 SSD(100%/1~2개) / 철 장비의 조각(100%/1~2개) / 동광석(100%/2~3개), 에너지 백(30%/1~2개) / 허브(100%/2~3개), 에너지 백(30%/1~2개) / 치유초(100%/2~3개), 에너지 백(30%/1~2개)
		초변	실루엣(100%/1개), 올스타(20%/1개) / 우훗… 아앗~!(100%/1개), 초미려한 3D CG(20%/1개) / 동장비(100%/2~3개) / 허브(100%/2~3개) / 치유초(100%/2~3개)
	보물상자		[사]사양서 : 초만능약(1개) / [사]사양서 : 눈차크 스트랩(1개) / [사]사양서 : 화염의 문장(1개) / [사]사양서 : 트라이앵글 포스(1개) / 이젝트 버튼(1~2개)
	숨겨진 상자		인텔리 부스터 Z(100%/1~2개) / 본체 동봉 한정판(100%/1개) / 힐 포트(100%/3~5개), [사]던전 초변화 : 르위 성 북쪽 방(50%/1개) / 여성 대상(100%/3~5개) / 검은 고양이 귀(100%/1개)
	몬스터		지원형 비트(불법 SSD) / 르위 친위대(철 장비의 조각) / 마도 슬라이누(마도 젤리) / 르위 마도 병사(은 장비의 파편) / [위험]백식형 장갑 전투 차량(에너지 백) / [상위]대왕고래(야구) / [접금]블랑?《화이트 하트?》([사]사양서 : 하드 크러셔)
르위 성 남쪽 방	채집 아이템	보통	허브(100%/1~2개), 마도 젤리(20%/1~2개) / 치유초(100%/1~2개), 은 장비의 조각(20%/1~2개) / 동광석(100%/2~3개) / 허브(100%/2~3개) / 치유초(100%/2~3개)
		변화	마도 젤리(100%/1~2개) / 은 장비의 조각(100%/1~2개) 동광석(100%/2~3개) / 허브(100%/2~3개) / 치유초(100%/2~3개)
		초변	근미래(100%/1개), 여성 대상(20%/1개) / 좀비(100%/1개), 백합백합(20%/1개) / 동광석(100%/2~3개) / 허브(100%/2~3개) / 치유초(100%/2~3개)
	보물상자		힐 보틀(1~2개) / P·SP 차지 2(1개) / SP 부스터 2(1개) / 경영·운영(3~4개) /탄막 슈팅(3~4개)
	숨겨진 상자		LING 기판(100%/1~2개) / 퀵 부스터(100%/1~2개) / 불타는(100%/3~5개) / 헌팅(100%/3~5개) / 원아모(100%/1개)
	몬스터		자동 감시 시스템(불법 ROM) / 로스트 보이(잃어버린 성해포) / 로스트 걸(로스트 리본) / [오염]유적을 지키는 자(매지컬 코어) / [위험]유적에 사는 용(고룡의… 어떤 보옥) / [상위]대왕고래(야구) / [접금]블랑?《화이트 하트?》([사]사양서 : 하드 크러셔)
코바츠바 유적	채집 아이템	보통	질풍석(100%/1~2개), 불법 ROM(20%/1~2개) / 지각석(100%/1~2개), 매지컬 코어(20%/1~2개) / 동광석(100%/1~2개), 잃어버린 성해포(20%/1~2개) / 푸른 꽃잎(100%/1~2개), 로스트 리본(20%/1~2개) / 치유초(100%/1~2개) / 동광석(100%/1~2개) / 허브(100%/1~2개)
		변화	불법 ROM(100%/1~2개) / 매지컬 코어(100%/1~2개) / 잃어버린 성해포(100%/1~2개) / 로스트 리본(100%/1~2개) / 치유초(100%/1~2개) / 동광석(100%/1~2개), 고룡의… 어떤 보옥(30%/1~2개) / 허브(100%/1~2개), 고룡의… 어떤 보옥(30%/1~2개)
		초변	누가 득을 보나 사양(100%/1개), 컬러 에디트(20%/1개), 차지(5%/1개) / 마작(100%/1개), SF(20%/1개) / 주인공은 무능하지만 실은…(100%/1개), 차지(20%/1개) / 슬롯(100%/1개) / 초회 특전 DLC 코드(100%/1개), 업계 최조 시스템!(20%/1개) / 동광석(100%/1~2개) / 허브(100%/1~2개)
	보물상자		[사]사양서 : 어잇!! 인형(1개) / [사]사양서 : 로스트 게임 링(1개) / 타후밀(1개) / 이젝트 버튼(1~2개) / 안티 베놈(1~2개), 용량 업 128MB(1개) / 안티 패럴라이즈(1~2개) / 실버 브레슬릿(1개)
	숨겨진 상자		P·SP 차지(100%/1~2개), 연애(100%/3~5개) / 힐 포트(100%/3~5개), [사]던전 초변화 : 코바츠바 유적(50%/1개) / 흰색 색소(100%/1~2개), 특수한 게이지(100%/3~5개) / 초회 한정판(100%/3~5개) / 할버드(100%/1개)
	몬스터		린박스 병사(철 장비의 조각) / 카라쿠테레(노란 꽃잎) / [오염]미스릴 골렘(미스릴 광석) / 수상한 사람(사악한 마음) / [위험]숲 게(게 껍질) / [상위]봉인된 재해(드래곤 소울) / [접금]엡실론(커다란 메달 I)
네크토키 수림	채집 아이템	보통	허브(100%/1~2개), 미스릴 광석(20%/1~2개) / 치유초(100%/1~2개), 철 장비의 조각(20%/1~2개) / 야월초(100%/1~2개), 노란 꽃잎(20%/1~2개) / 치유초(100%/1~2개), 사악한 마음(20%/1~2개) / 치유초(100%/2~3개)
		변화	미스릴 광석(100%/1~2개) / 철 장비의 조각(100%/1~2개) / 노란 꽃잎(100%/1~2개) / 사악한 마음(100%/1~2개), 게 껍질(30%/1~2개) / 치유초(100%/2~3개), 게 껍질(30%/1~2개)
		초변	대자연(100%/1개), 로봇(20%/1개), 콤보 중시(5%/1개) / 적외선 통신(100%/1개), 실루엣(20%/1개), 인생(5%/1개) / MO(100%/1개), 유명 크리에이터(20%/1개), 전략(5%/1개) / 퀴즈(100%/1개), 콤보 중시(20%/1개), MMO(5%/1개) / 업계 최초 시스템!(100%/1개)
	보물상자		[사]사양서 : 요도·무라사메(1개) / 그람 블레이즈(1개) / [사]사양서 : 유미니테스의 부적(1개) / [사]사양서 : 힐 보틀(1개) / 화염의 반지(1개) / [사]던전 추가 : 케라가 차원(1개)
	숨겨진 상자		리프레쉬 허브(100%/1~2개), [사]던전 초변화 : 네크토키 수림(50%/1개) / 파일 크리스탈(100%/1~2개), 사립 린박스 고교(20%/1개), 학교 지정 레드 리본(20%/1개) / 크라임 액션(100%/3~5개) / 모션 컨트롤러(100%/3~5개) / 금방망이(100%/1개)
	몬스터		린박스 병사(철 장비의 조각) / 카라쿠테레(노란 꽃잎) / 아이 마블(무지개 빛깔의 꽃잎) / [오염]미스릴 골렘(미스릴 광석) / [위험]숲 게(게 껍질) / [상위]대형 슬라이누(초미려 3D CG) / [접금]와일드 와레츄(커다란 메달 Q)
에므에스 용암동굴	채집 아이템	보통	홍련석(100%/1~2개), 철 장비의 조각(20%/1~2개) / 마풍석(100%/1~2개), 마석(20%/1~2개) / 불타는 꽃잎(100%/2~3개) / 허브(100%/2~3개) / 치유초(100%/2~3개)
		변화	철 장비의 조각(100%/1~2개) / 마석(100%/1~2개) / 불타는 꽃잎(100%/2~3개), 고대의… 어떤 진주(30%/1~2개) / 허브(100%/2~3개), 고대의… 어떤 진주(30%/1~2개) / 치유초(100%/2~3개), 고대의… 어떤 진주(30%/1~2개)
		초변	콤보 중시(100%/1개), 호러(20%/1개) / 오토 세이브(100%/1개), 초필살기(20%/1개) / 불타는 꽃잎(100%/2~3개) / 허브(100%/2~3개) / 치유초(100%/2~3개)
	보물상자		[사]사양서 : 네프비탄 EX(1개) / [사]사양서 : 표고버섯 브레슬릿(1개) / P·SP 차지 2(1~2개) / 네프비탄 EX 2(1~2개)
	숨겨진 상자		리프레쉬 허브(100%/1~2개) / 금광석(100%/1~2개), [사]던전 초변화 : 에므에스 용암동(50%/1개) / 초필살기(100%/3~5개) / 입체 영상(100%/3~5개) / 경영·운영(100%/3~5개)
	몬스터		[오염]산 게(마석) / 스켈레톤 블레이즈(용암의 뼈) / [오염]플레임 플라워(불타는 꽃잎) / 린박스 근위 병사(철 장비의 조각) / [위험]로스트 드래곤(고대의… 어떤 진주) / [상위]캣 나이트(MO) / [접금]벨?《그린 하트?》([사]사양서 : 궁그닐)

●서브 던전

던전	던전 정보		
에므에스 용암동·심부	채집 아이템	보통	홍련석(100%/1~2개), 용암의 뼈(20%/1~2개) / 마풍석(100%/1~2개), 불타는 꽃잎(20%/1~2개) / 은광석(100%/2~3개) / 허브(100%/2~3개) / 불타는 꽃잎(100%/2~3개) / 홍련석(100%/2~3개) / 마풍석(100%/2~3개)
		변화	용암의 뼈(100%/1~2개) / 불타는 꽃잎(100%/1~2개) / 은광석(100%/2~3개) / 허브(100%/2~3개) / 불타는 꽃잎(100%/2~3개) / 홍련석(100%/2~3개) / 마풍석(100%/2~3개)
		초변	아가씨 게임(100%/1개) / 월드 와이드(100%/1개) / 은광석(100%/2~3개) / 허브(100%/2~3개), 헌팅(20%/1개) / 불타는 꽃잎(100%/2~3개) / 홍련석(100%/2~3개) / 마풍석(100%/2~3개)
	보물상자		이젝트 버튼(1~3개) / 호러(3~4개) / 백합백합(3~4개) / 진짜 천사의 날개(1~2개)
	숨겨진 상자		녹색 색소(100%/1~2개) / 월드 와이드(100%/3~5개) / 합성(100%/3~5개) / 할렘(100%/3~5개) / 금방망이(100%/1~2개)
	몬스터		[오염]산 게(마석) / 스켈레톤 블레이즈(용암의 뼈) / [오염]플레임 플라워(불타는 꽃잎) / 린박스 근위 병사(철 장비의 조각) / [위험]로스트 드래곤(고대의… 어떤 진주) / [상위]캣 나이트(MO) / [접금]벨?《그린 하트?》([사]사양서 : 궁그닐)
그라피스 고개	채집 아이템	보통	철광석(100%/1~2개), 기묘한 탄력이 있는 덩어리(20%/1~2개) / 허브(100%/1~2개), 마력을 가진 부리(20%/1~2개) / 치유초(100%/1~2개) / 야월초(100%/1~2개) / 허브(100%/2~3개) / 허브(100%/2~3개)
		변화	기묘한 탄력이 있는 덩어리(100%/1~2개) / 마력을 가진 부리(100%/1~2개) / 치유초(100%/1~2개), 지옥의 갈기(30%/1~2개) / 야월초(100%/1~2개), 지옥의 갈기(30%/1~2개) / 허브(100%/2~3개), 지옥의 갈기(30%/1~2개) / 마력을 가진 부리(100%/1~2개)
		초변	로봇(100%/1개), DLC(20%/1개) / 허브(100%/1~2개), 런칭(20%/1개) / 치유초(100%/1~2개) / 야월초(100%/1~2개) / 허브(100%/2~3개) / 치유초(100%/1~2개)
	보물상자		[사]사양서 : 슈베르트 게벨(1개) / [사]사양서 : 고양이 퍼펫(1개) / [사]사양서 : 명계의 반지(1개) / [사]사양서 : SP 부스터 3(1개)
	숨겨진 상자		힐 보틀(100%/1~2개), 스마일·스파이럴(20%/1개), 스마일 하트 핀(넵튠)(20%/1개) / 연예인(100%/3~5개) / 메가 빔 소드(100%/1개)
	몬스터		테트스리(묘한 탄력이 있는 덩어리) / 카스트랩(튤립의 수술) / 오지디우스(중년의 로망) / [오염]누에(마력을 가진 부리) / [위험]오르토로스(지옥의 갈기) / [상위]초대형 슬라이누(최고급 젤리) / [접금]멸망한 신의 잔해(커다란 메달 W)
그라피스 고개·정상	채집 아이템	보통	치유초(100%/1~2개), 튤립의 수술(20%/1~2개) / 야월초(100%/1~2개), 중년의 로망(20%/1~2개) / 말새의 날개(100%/1~2개) / 노란 꽃잎(100%/1~2개) / 허브(100%/2~3개)
		변화	튤립의 수술(100%/1~2개) / 중년의 로망(100%/1~2개) / 말새의 날개(100%/1~2개) / 허브(100%/1~2개) / 허브(100%/2~3개)
		초변	인생(100%/1개) / 야월초(100%/1~2개) / 말새의 날개(100%/1~2개) / 허브(100%/1~2개) / 허브(100%/2~3개)
	보물상자		힐 드링크(1~2개) / 힐 드링크(1~2개) / P·SP 차지(1개) / 생명의 조각(1~3개) / 이젝트 버튼(1개)
	숨겨진 상자		힐 포트(100%/1~2개), [사]던전 초변화 : 그라피스 고개(1개) / 퀵 부스터 Z(100%/1~2개), 쿨 걸(20%/1개), 쿨 레이디 리본(20%/1개) / 검은색 색소(100%/1~2개) / 미소녀 게임(100%/3~5개) / 오리하르콘(100%/1~2개)
	몬스터		테트스리(묘한 탄력이 있는 덩어리) / 카스트랩(튤립의 수술) / 오지디우스(중년의 로망) / [오염]누에(마력을 가진 부리) / [위험]오르토로스(지옥의 갈기) / [상위]초대형 슬라이누(최고급 젤리) / [접금]멸망한 신의 잔해(커다란 메달 W)
듀오알 유적	채집 아이템	보통	허브(100%/1~2개), 고양이용 글러브(20%/1~2개) / 치유초(100%/1~2개), 불법 마더 보드(20%/1~2개) / 동광석(100%/1~2개), 금니(20%/1~2개) / 허브(100%/1~2개), 꿈틀대는 잎사귀(20%/1~2개) / 치유초(100%/2~3개) / 치유초(100%/2~3개) / 동광석(100%/2~3개)
		변화	고양이용 글러브(100%/1~2개) / 불법 마더 보드(100%/1~2개) / 금니(100%/1~2개) / 꿈틀대는 잎사귀(100%/1~2개) / 치유초(100%/2~3개), 괴랑의 손톱(30%/1~2개) / 치유초(100%/2~3개), 괴랑의 손톱(30%/1~2개) / 동광석(100%/2~3개), 괴랑의 손톱(30%/1~2개)
		초변	서프라이즈 인카운터(100%/1개), 야구(20%/1개) / MMO(100%/1개), 리셋 필수(20%/1개) / 동광석(100%/1~2개) / 허브(100%/1~2개) / 치유초(100%/2~3개) / 치유초(100%/2~3개) / 동광석(100%/2~3개)
	보물상자		[사]사양서 : 힐 라이트(1개) / [사]사양서 : 벌써 스트랩(1개) / 힐 포트(1~3개) / 안티 베놈(1~3개) / 데톡신(1~5개) / 퀵 부스터 Z(1~2개)
	숨겨진 상자		LING 기판(100%/1~2개) / 머슬 부스터(100%/1~2개), [사]던전 초변화 : 듀오알 유적(50%/1개) / 파티(100%/3~5개) / 쥬브나일(100%/3~5개) / 오리하르콘(100%/1개)
	몬스터		복서 캣(고양이용 글러브) / 해골(금니) / DSTT 개(불법 마더 보드) / [오염]이나무슨나무(꿈틀대는 잎사귀) / [위험]바날간드(괴랑의 손톱) / [상위]이성을 잃은 용인병(MMO) / [접금]롬?《화이트 시스터·롬?》([사]사양서 : 대전 연필 G) / [접금]람?《화이트 시스터·람?》([사]사양서 : 강철 슬라이누 연필)
코어그라 고원	채집 아이템	보통	야월초(100%/1~2개), 고급 늑대의 모피(20%/1~2개) / 허브(100%/1~2개), 괴조의 날개(20%/1~2개) / 말새의 날개(100%/1~2개), 오렌지 꽃잎(20%/1~2개) / 허브(100%/1~2개), 요화의 꽃잎(20%/1~2개) / 치유초(100%/2~3개)
		변화	고급 늑대의 모피(100%/1~2개) / 괴조의 날개(100%/1~2개) / 오렌지 꽃잎(100%/1~2개) / 요화의 꽃잎(100%/1~2개) / 치유초(100%/2~3개)
		초변	모션 컨트롤러(100%/1개), 할렘(20%/1개) / 색만 다른 캐릭터(100%/1개), 본체 동봉 한정판(20%/1개) / 말새의 날개(100%/1~2개) / 허브(100%/1~2개) / 치유초(100%/2~3개)
	보물상자		P·SP 차지 2(1~2개) / DLC(3~4개) / 진짜 천사의 날개(1~2개) / 데톡신(1~3개) / 안티 패럴라이즈(1~3개)
	숨겨진 상자		LING 기판(100%/1~2개) / 야월초(100%/1~2개), [사]던전 초변화 : 코어그라 고원(50%/1개) / 호러(100%/3~5개) / 금방망이(100%/3~5개) / 슬라이누 모자(100%/1개)
	몬스터		오렌지 플라워(오렌지 꽃잎) / [오염]플라워 페어리(요화의 꽃잎) / [오염]잿빛 늑대(고급 늑대의 모피) / 괴조(괴조의 날개) / [위험]서벨러스(큰 이빨, 게씨 리본) / [상위]프로키온(리셋 필수) / [접금]피세?《옐로 하트?》([사]사양서 : 표범 무늬 글러브)
버추얼 포레스트	채집 아이템	보통	허브(100%/1~2개), UFO의 컨트롤러(20%/1~2개) / 말새의 날개(100%/1~2개), 대지의 결정석(20%/1~2개) / 야월초(100%/1~2개) / 허브(100%/1~2개) / 치유초(100%/1~2개)
		변화	UFO의 컨트롤러(100%/1~2개) / 대지의 결정석(100%/1~2개) / 야월초(100%/1~2개), 고룡의… 아무튼 머리(30%/1~2개) / 허브(100%/1~2개), 고룡의… 아무튼 머리(30%/1~2개) / 치유초(100%/1~2개), 고룡의… 아무튼 머리(30%/1~2개)
		초변	죽어서 배워라(100%/1개), 경영·운영(20%/1개) / 경험치 노가다 없음(100%/1개), 심리스(20%/1개) / 야월초(100%/1~2개) / 허브(100%/1~2개) / 치유초(100%/1~2개)
	보물상자		[사]사양서 : 트라페드 헤조론(1개) / 트윈 뱅글(1개) / [사]사양서 : 명왕 시로의 가호(1개) / 천사의 날개(1~3개) / 이젝트 버튼(1~3개)
	숨겨진 상자		치유초(100%/1~2개) / 인텔리 부스터 Z(100%/1~2개) / 흰색 색소(100%/1~2개) / 파란색 색소(100%/3~5개) / 보라색 색소(100%/1~2개)
	몬스터		침략자(UFO의 컨트롤러) / 해파리 슬라이누(젤라틴 촉수) / [오염]숲의 수호자(대지의 결정석) / [오염]인면수(네거티브한 뿌리) / [위험]숲의 주인(고룡의… 아무튼 머리) / [상위]숲의 신(시뮬레이션 RPG) / [접금]레거시(커다란 메달 Y)
버추얼 포레스트·심부	채집 아이템	보통	말새의 날개(100%/1~2개), 젤라틴 촉수(20%/1~2개) / 허브(100%/1~2개), 네거티브한 뿌리(20%/1~2개) / 노란 꽃잎(100%/2~3개) / 파란 꽃잎(100%/2~3개) / 야월초(100%/2~3개)
		변화	젤라틴 촉수(100%/1~2개) / 네거티브한 뿌리(100%/1~2개) / 치유초(100%/2~3개) / 흰색 색소(100%/2~3개) / 야월초(100%/2~3개)
		초변	일단 물리로 때려라(100%/1개), 입체 영상(20%/1개) / 퍼즐·로직(100%/1개), 전쟁(20%/1개)치유초(100%/2~3개) / 흰색 색소(100%/2~3개) / 야월초(100%/2~3개)
	보물상자		힐 드링크(1~2개) / 이젝트 버튼(1~3개) / 건강의 덩어리(1~2개) / 건강의 덩어리(1~2개) / 한 번 죽으면 끝(3~4개)
	숨겨진 상자		보라색 색소(100%/1~2개) / 금광석(100%/1~2개) / [사]던전 초변화 : 버추얼 포레스트(50%/1개) / 인기 일러스트레이터(100%/3~5개) / 초콜릿 리본(100%/1~2개) / 오렌지 버튼(100%/1개)
	몬스터		침략자(UFO의 컨트롤러) / 해파리 슬라이누(젤라틴 촉수) / [오염]숲의 수호자(대지의 결정석) / [오염]인면수(네거티브한 뿌리) / [위험]숲의 주인(고룡의… 아무튼 머리) / [상위]숲의 신(시뮬레이션 RPG) / [접금]레거시(커다란 메달 Y)
언더 인버즈	채집 아이템	보통	홍련석(100%/1~2개), 무척 단단한 파이프 조각(20%/1~2개) / 마풍석(100%/1~2개), 불꽃의 결정석(20%/1~2개) / 은광석(100%/2~3개) / 홍련석(100%/2~3개) / 마풍석(100%/2~3개)
		변화	무척 단단한 파이프 조각(100%/1~2개) / 불꽃의 결정석(100%/1~2개) / 은광석(100%/2~3개) / 홍련석(100%/2~3개) / 마풍석(100%/2~3개)
		초변	축구(100%/1개), 시뮬레이션 RPG(20%/1개) / 스테이지 에디트(100%/1개) / 은광석(100%/2~3개) / 홍련석(100%/2~3개) / 마풍석(100%/2~3개)
	보물상자		[사]사양서 : 몽키 브레슬릿(1개) / 힐 보틀(1~5개) / 할렘(3~4개) / 네프비탄 EX 2(1~2개)
	숨겨진 상자		야월초(100%/1~2개), 스마일·스파이럴(20%/1개), 스마일 하트 핀(네프기어)(20%/1개) / 퀵 부스터(100%/1~2개), [사]던전 초변화 : 언더 인버즈(50%/1개) / DLC(100%/3~5개), 쿨 걸(20%/1개), 리틀 걸 리본(20%/1개) / 경영·운영(100%/3~5개) / 클로버 너스(100%/1개)
	몬스터		돗곤(무척 단단한 파이프 조각) / 블레이즈 보이(불타는 천) / 블레이즈 걸(불타는 리본) / [오염]블레이즈 골렘(불꽃의 결정석) / [위험]화산 거북이(용암의 껍질) / [상위]블레이즈 웨일(인기 일러스트레이터) / [접금]넵튠?《퍼플 하트?》([사]사양서 : 신계의 팔찌)
언더 인버즈·심부	채집 아이템	보통	은광석(100%/1~2개), 불타는 천(20%/1~2개) / 홍련석(100%/1~2개), 불타는 리본(20%/1~2개) / 마풍석(100%/2~3개) / 은광석(100%/2~3개) / 홍련석(100%/2~3개) / 마풍석(100%/2~3개) / 은광석(100%/2~3개)
		변화	불타는 천(100%/1~2개) / 불타는 리본(100%/1~2개) / 마풍석(100%/2~3개) / 은광석(100%/2~3개) / 홍련석(100%/2~3개) / 마풍석(100%/2~3개) / 은광석(100%/2~3개)
		초변	건 슈팅(100%/1개), 쥬브나일(20%/1개) / 어드벤처 RPG(100%/1개), 합성(20%/1개) / 마풍석(100%/2~3개) / 은광석(100%/2~3개) / 홍련석(100%/2~3개) / 마풍석(100%/2~3개) / 은광석(100%/2~3개)
	보물상자		이젝트 버튼(1~2개) / 초만능약(1~2개) / 패럴락신(1~3개), [사]던전 추가 : 코어그라 고원(1개) / 안티 베놈(1~3개)
	숨겨진 상자		LING 기판(100%/1~2개) / 노란색 색소(100%/1~2개), 두근두근 아이돌(20%/1개), 두근거림 리본(롬)(20%/1개) / 합성(100%/3~5개) / 스트로베리 슈슈(100%/1개), 두근두근 아이돌(20%/1개), 두근거림 리본(람)(20%/1개) / 그린 도트(100%/1개)
	몬스터		돗곤(무척 단단한 파이프 조각) / 블레이즈 보이(불타는 천) / 블레이즈 걸(불타는 리본) / [오염]블레이즈 골렘(불꽃의 결정석) / [위험]화산 거북이(용암의 껍질) / [상위]블레이즈 웨일(인기 일러스트레이터) / [접금]넵튠?《퍼플 하트?》([사]사양서 : 신계의 팔찌)

● 서브 던전

던전	던전 정보		
가짜 플라네튠	채집 아이템	보통	데이터 크리스탈(100%/1~2개), 용전사의 비늘(20%/1~2개) / 허브(100%/1~2개), 철 장비의 조각(20%/1~2개) / 파란 꽃잎(100%/1~2개), 죽음의 천(20%/1~2개) / 동광석(100%/1~2개), 노란 리본(20%/1~2개) / 허브(100%/2~3개)
		변화	용전사의 비늘(100%/1~2개) / 철 장비의 조각(100%/1~2개) / 죽음의 천(100%/1~2개) / 노란 리본(100%/1~2개) / 허브(100%/2~3개)
		초변	밀리언 타이틀 겨냥(100%/1개), TPS(20%/1개) / 인기 원작(100%/1개), 한 번 죽으면 끝(20%/1개) / 보라색 색소(100%/1~2개) / 동광석(100%/1~2개) / 허브(100%/2~3개)
	보물상자		[사]사양서 : 네프비탄 EX 2(1개) / 이젝트 버튼(1~3개) / 힐 보틀(1~5개), 머슬 부스터 Z(1개) / 초만능약(1개), 힐 글래스(10개)
	숨겨진 상자		야월초(100%/1~2개), SP 부스터 3(100%/1개) / 머슬 부스터 Z(100%/1~2개), [사]던전 초변화 : 가짜 플라네튠(50%/1개) / 올스타(100%/3~5개) / 야구(100%/3~5개) / 금방망이(100%/1개)
	몬스터		데스 보이(죽음의 천) / 데스 걸(노란 리본) / 드래고니아(용전사의 비늘) / 범죄조직의 잔당(철 장비의 조각) / [위험]에어리어 도미넌스 머신(마법의 불발탄) / [상위]프로토 타입 킬러 머신(월드 와이드) / [접금]프루루트?《아이리스 하트?》(커다란 메달 Z)
스마폰 산길	채집 아이템	보통	허브(100%/1~2개), 하이에나의 모피(20%/1~2개) / 야월초(100%/1~2개), 무지개색 날개(20%/1~2개) / 치유초(100%/1~2개) / 파란 꽃잎(100%/1~2개) / 야월초(100%/2~3개) / 야월초(100%/2~3개)
		변화	하이에나의 모피(100%/1~2개) / 무지개색 날개(100%/1~2개) / 치유초(100%/1~2개), 괴조의 날개(30%/1~2개) / 야월초(100%/1~2개), 괴조의 날개(30%/1~2개) / 야월초(100%/2~3개), 괴조의 날개(30%/1~2개) / 야월초(100%/1~2개), 괴조의 날개(30%/1~2개)
		초변	틈새(100%/1개), 전문 용어(20%/1개), 마작(5%/1개) / 라이트층이 타겟(100%/1개), 골프(20%/1개) / 치유초(100%/1~2개) / 야월초(100%/1~2개) / 야월초(100%/2~3개) / 라이트층이 타겟(100%/1개), 골프(20%/1개)
	보물상자		[사]사양서 : 시공의 팔찌(1개) / SP 차지(1~2개) / 힐 드링크(1~2개), [사]던전 추가 : 코바츠바 유적(1개) / 리플렉스(1~3개)
	숨겨진 상자		이젝트 버튼(100%/1~2개) / 슈팅 RPG(100%/3~5개) / 야월초(100%/1~2개)
	몬스터		하이에나(하이에나의 모피) / [오염]극락조(무지개색 날개) / 인비지블 보이(보이지 않는 천) / 인비지블 걸(인비지블 리본) / [위험]로크 새(괴조의 날개) / [상위]갈그이유(연애) / [접금]알나이르(커다란 메달 E)
스마폰 산길·정상	채집 아이템	보통	허브(100%/1~2개), 보이지 않는 천(20%/1~2개) / 야월초(100%/1~2개), 인비지블 리본(20%/1~2개) / 치유초(100%/1~2개) / 허브(100%/2~3개) / 야월초(100%/2~3개)
		변화	보이지 않는 천(100%/1~2개) / 인비지블 리본(100%/1~2개) / 치유초(100%/1~2개) / 허브(100%/2~3개) / 야월초(100%/2~3개)
		초변	테이블(100%/1개), 누가 득을 보나 사양(20%/1개), 파칭코(5%/1개) / Lv이 아닌 성장 요소(100%/1개), 본고장(20%/1개) / 치유초(100%/1~2개) / 허브(100%/2~3개) / 야월초(100%/2~3개)
	보물상자		인텔리 부스터 Z(1~2개) / 퀵 부스터 Z(1~2개), 안티 베놈(1~2개) / 머슬 부스터 Z(1~2개) / P·SP 차지(1개), 제프코 인형(1개) / 타후밀(1~3개)
	숨겨진 상자		허브(100%/1~2개) / 허브(100%/1~2개), [사]상태이상에 강하게(100%/1개) / 호버 주행(100%/3~5개) / 드래곤 킬러(100%/1개) / 금방망이(100%/1개)
	몬스터		하이에나(하이에나의 모피) / [오염]극락조(무지개색 날개) / 인비지블 보이(보이지 않는 천) / 인비지블 걸(인비지블 리본) / [위험]로크 새(괴조의 날개) / [상위]갈그이유(연애) / [접금]알나이르(커다란 메달 E)
케라가 차원	채집 아이템	보통	엘데 크리스탈(100%/1~2개), 불법 RAM(20%/1~2개) / 파일 크리스탈(100%/1~2개), 점착성이 강한 거미줄(20%/1~2개) / 엘데 크리스탈(100%/1~2개), 작열 천(20%/1~2개) / 데이터 크리스탈(100%/1~2개), 블랙 리본(20%/1~2개) / 파일 크리스탈(100%/2~3개)
		변화	불법 RAM(100%/1~2개) / 점착성이 강한 거미줄(100%/1~2개) / 작열 천(100%/1~2개) / 블랙 리본(20%/1~2개) / 파일 크리스탈(100%/2~3개), 전자 돌고래의 꼬리(30%/1~2개)
		초변	심볼 인카운터(100%/1개), MMO(20%/1개), 영상 소프트와 팩(5%/1개) / 특수한 게이지(100%/1개), 영상 소프트와 팩(20%/1개), 스테이지 에디트(5%/1개) / 안경을 벗으면 미인(100%/1개), 우홋… 아앗~!(20%/1개), 경험치 노가다 없음(5%/1개) / 몬스터(100%/1개), 근미래(20%/1개), 좀비(5%/1개) / 폴리곤(100%/1개), 좀비(20%/1개)
	보물상자		[사]사양서 : 힐 필드(1개) / 머슬 부스터 Z(1~2개) / 전략(3~4개) / 힐 포트(3~4개), [사]던전 추가 : 피시 게임 공장터(1개) / 천사의 날개
	숨겨진 상자		힐 포트(100%/1~2개) / 보라색 색소(100%/1~2개) / 색만 다른 캐릭터(100%/3~5개), [사]던전 초변화 : 케라가 차원(50%/1개) / 어드벤처 RPG(100%/3~5개) / 퍼즐·로직(100%/1~2개)
	몬스터		메가 스파이더(점착성이 강한 거미줄) / EDGE(불법 RAM) / 부웅콰쾅 아저씨(하비 혼) / 차세대형 비트(불법 차세대 회로) / [위험]사이버 돌핀(전자 돌고래의 꼬리) / [상위]초차원 슬라이누(런칭) / [접금]아크룩스(커다란 메달 S)
소우·설 숲	채집 아이템	보통	야월초(100%/1~2개), 상자새의 화려한 날개(20%/1~2개) / 허브(100%/1~2개), 마 장비의 조각(20%/1~2개) / 치유초(100%/1~2개), 마비 젤리(20%/1~2개) / 야월초(100%/1~2개), 네거티브한 나무 껍질(20%/1~2개) / 야월초(100%/2~3개)
		변화	상자새의 화려한 날개(100%/1~2개) / 마 장비의 조각(100%/1~2개) / 마비 젤리(100%/1~2개) / 네거티브한 나무 껍질(100%/1~2개) / 야월초(100%/2~3개), 최고급 돌고래 지느러미(30%/1~2개)
		초변	영상 소프트와 팩(100%/1개), 미소녀 게임(20%/1개) / 유명 크리에이터(100%/1개), 불타는(20%/1개) / 치유초(100%/1~2개) / 야월초(100%/1~2개) / 야월초(100%/2~3개)
	보물상자		[사]사양서 : 여신의 가호(1개) / 이젝트 버튼(1~3개) / 초미려 3D CG(3~4개) / 초만능약(1개) / 퀵 부스터 Z(1~2개)
	숨겨진 상자		파란색 색소(100%/1~2개) / 빨간색 색소(100%/1~2개), 힐 포트(100%/3~5개), [사]던전 초변화 : 소우·설 숲(50%/1개) / TPS(100%/3~5개) / 초미려 3D CG(100%/3~5개)
	몬스터		상자새 왕자(상자새의 고귀한 날개), 패럴라이즈 슬라이누(마비 젤리) / [오염]리저드 나이트(마 장비의 조각) / [오염]신식수(네거티브한 나무 껍질) / [위험]천년 돌고래(최고급 돌고래 지느러미) / [상위]키러 모신(짝퉁 회로) / [접금]네프기어?《퍼플 시스터?》([사]사양서 : 하이퍼 빔 소드)
어덜틱 숲	채집 아이템	보통	허브(100%/1~2개), 상자새의 날개(20%/1~2개) / 야월초(100%/1~2개), 매우 커다란 부리(20%/1~2개) / 파란 꽃잎(100%/1~2개), 검은 모금함(20%/1~2개) / 야월초(100%/1~2초), 요괴 나비의 날개(20%/1~2개) / 치유초(100%/2~3개) / 야월초(100%/2~3개)
		변화	상자새의 날개(100%/1~2개) / 매우 커다란 부리(100%/1~2개) / 검은 모금함(100%/1~2개) / 요괴 나비의 날개(100%/1~2개), 괴조의 날개(30%/1~2개) / 치유초(100%/2~3개), 괴조의 날개(30%/1~2개) / 야월초(100%/2~3개), 괴조의 날개(30%/1~2개)
		초변	마이크 사용(100%/1개), 스텔스(20%/1개) / 스포츠(100%/1개), 아이들 대상(20%/1개) / 자동 생성 던전(100%/1개), 쿨데레(20%/1개) / 바보 게임(100%/1개), 슬롯(20%/1개) / 왕도(100%/1개), 노벨(20%/1개) / 성우(100%/1개), 파칭코(20%/1개)
	보물상자		타후밀(1~2개), [사]던전 추가 : 피에스 디멘션(1개) / [사]사양서 : 극염의 반지(1개) / [사]사양서 : 절영의 반지(1개) / [사]사양서 : 질풍의 반지(1개) / [사]사양서 : 진뢰의 반지(1개) / 이젝트 버튼(1~2개)
	숨겨진 상자		힐 포트(100%/1~2개), 속편한 진행(100%/3~5개) / 쥐(100%/3~5개) / 누가 득을 보나 사양(100%/3~5개) / 나이트 랜서(100%/1개) / 금방망이(100%/1개)
	몬스터		상자새(상자새의 날개) / 스네그아라벼덤(검은 모금함) / [오염]페어리 버터플라이(요괴 나비의 날개) / [오염]루흐(매우 커다란 부리) / [위험]가루다(괴조의 날개) / [상위]가지 라이더(미디어 믹스 전개) / [접금]피콕(커다란 메달 F)
피시 게임 공장터	채집 아이템	보통	LING 기판(100%/1~2개), 고양이 강모(20%/1~2개) / MODEL4 기판(100%/1~2개), 불법 메모리(20%/1~2개) / LING 기판(100%/1~2개), 무척 튼튼한 거미줄(20%/1~2개) / MAONI 기판(100%/1~2개), 좋은 냄새의 거미줄(20%/1~2개) / MAONI 기판(100%/2~3개)
		변화	고양이 강모(100%/1~2개) / 불법 메모리(100%/1~2개) / 무척 튼튼한 거미줄(100%/1~2개) / 좋은 냄새의 거미줄(100%/1~2개) / MAONI 기판(100%/2~3개), 메가톤 불발탄(30%/1~2개)
		초변	퀴즈(100%/1개), 축구(20%/1개), 죽어서 배워라(5%/1개) / 남성 대상(100%/1개), 모에(20%/1개), 근미래(5%/1개) / 킬러 타이틀 겨냥(100%/1개), 크라임 액션(20%/1개), 아가씨 게임(5%/1개) / 추리(100%/1개), 코어층을 노림(20%/1개) / 통신 대전(100%/1개), 모험(20%/1개)
	보물상자		[사]사양서 : 신비의 반지(1개) / [사]사양서 : 진짜 천사의 날개(1개) / 힐 드링크(1~2개) / P·SP 차지(1개)
	숨겨진 상자		세계수의 잎(100%/1~2개) / 힐 보틀(100%/1~2개), [사]던전 초변화 : 피시 게임 공장터(50%/1개) / 코어층을 노림(100%/3~5개) / 인기 원작(100%/3~5개) / 파괴의 망치(100%/1개)
	몬스터		타마(고양이 강모) / A2-i(불법 회로) / 왕거미(무척 튼튼한 거미줄) / 무당거미(좋은 냄새의 거미줄) / [위험]99식 전차(메가톤 불발탄) / [상위]가지 팔라딘(본체 동봉 한정판) / [접금]레굴루스(커다란 메달 U)
도우 사원	채집 아이템	보통	허브(100%/1~2개), 불법 조악 회로(20%/1~2개) / 치유초(100%/1~2개), 초 딱딱한 비늘(20%/1~2개) / 동광석(100%/1~2개), 작업복의 단추(20%/1~2개) / 허브(100%/1~2개), 계약의 보주(20%/1~2개) / 치유초(100%/2~3개) / 치유초(100%/2~3개)
		변화	불법 조악 회로(100%/1~2개) / 초 딱딱한 비늘(100%/1~2개) / 작업복의 단추(100%/1~2개) / 계약의 보주(100%/1~2개) / 치유초(100%/2~3개) / 치유초(100%/2~3개)
		초변	전략(100%/1개), 터치 조작 온리(20%/1개) / 크라임 액션(100%/1개), 파티(20%/1개) / 동광석(100%/1개) / 허브(100%/1~2개) / 치유초(100%/2~3개) / 치유초(100%/2~3개)
	보물상자		이젝트 버튼(1~3개) / P·SP 차지 2(1~2개) / 합성(3~4개) / 전쟁(3~4개) / 진짜 천사의 날개(1~2개)
	숨겨진 상자		녹색 색소(100%/1~2개), [사]던전 초변화 : 도우 사원(50%/1개) / 녹색 색소(100%/1~2개) / 츤데레(100%/3~5개) / 시뮬레이션 RPG(100%/3~5개) / 백합백합(100%/2~3개)
	몬스터		디노사우로이드(초 딱딱한 비늘) / M-3D(불법 조악 회로) / 약속을 관리하는 자(계약의 보주) / 줄무늬 오빠(작업복의 단추) / [위험]주작(불타는 날개) / [상위]신차원 슬라이누(백합백합) / [접금]유니?《블랙 시스터?》([사]사양서 : 리니어 레일건)

●서브 던전

던전	던전 정보		
미래를 결정하는 전자의 땅	채집 아이템	보통	데이터 크리스탈(100%/1~2개), 빨간색 색소(20%/1~2개) / 파일 크리스탈(100%/1~2개), 파란색 색소(20%/1~2개) / 엘데 크리스탈(100%/1~2개), 오렌지색 색소(20%/1~2개) / MODEL4 기판(100%/1~2개), 흰색 색소(20%/1~2개) / MAONI 기판(100%/1~2개), 검은색 색소(20%/1~2개)
		변화	핑크색 색소(100%/1~2개) / 보라색 색소(100%/1~2개) / 녹색 색소(100%/1~2개) / 물색 색소(100%/1~2개) / 물색 색소(100%/1~2개)
		초변	쥬브나일(100%/1개), 심리스(20%/1개) / 터치 조작 온리(100%/1개), DLC(20%/1개) / 적외선 통신(100%/1개) / 통신 대전(100%/1개) / 싱글 온라인(100%/1개)
	보물상자		P·SP 차지 2(1~2개) / TPS(1개) / 진짜 천사의 날개(1~2개) / [사]던전 변화 : 미래를 결정하는 전자의 땅(1개) / 안티 패럴라이즈(1~3개)
	숨겨진 상자		할렘(100%/1개) / 한 번 죽으면 끝(100%/1개) / 리셋 필수(100%/1개) / 금방망이(100%/1개)
	몬스터		떨어진 샹푸르(샹푸르의 귀) / 두근두근 시스터(두근두근) / 버그 버터플라이(전자 나비의 날개) / NP-02v(거시기한 설계도) / [위험]울프 블레이즈(염랑의 문장) / [상위]초은하 슬라이누(은하의 재) / [접금]VIRUS(오톤)
미래를 결정하는 전자의 땅·심부	채집 아이템	보통	데이터 크리스탈(100%/1~2개), 파티(20%/1개) / 허브(100%/1~2개), 미소녀 게임(20%/1개) / 파란 꽃잎(100%/1~2개), 야구(20%/1개) / 동광석(100%/1~2개), 탄막 슈팅(20%/1개) / 허브(100%/2~3개)
		변화	연예인(100%/1개) / 츤데레(100%/1개) / 불타는(100%/1개) / 올스타(100%/1개) / 철도(100%/1개)
		초변	초미려한 3D CG(100%/1개), TPS(20%/1개) / 입체 영상(100%/1개), 드릴(20%/1개) / 합성(100%/1개), 밀리언 타이틀 겨냥(20%/1개) / 호러(100%/1개), 인기 원작(20%/1개) / 초필살기(100%/1개)
	보물상자		P·SP 차지 2(1~2개) / 이젝트 버튼(1~3개) / [사]던전 초변화 : 미래를 결정하는 전자의 땅(1개), 머슬 부스터 Z(1개) / 초만능약(1개)
	숨겨진 상자		월드 와이드(100%/1개) / 인기 일러스트레이터(100%/1개) / 금방망이(100%/1개) / 백합백합(100%/1개) / 오토 세이브(100%/1개)
	몬스터		떨어진 샹푸르(샹푸르의 귀) / 두근두근 시스터(두근두근) / 버그 버터플라이(전자 나비의 날개) / NP-02v(거시기한 설계도) / [위험]울프 블레이즈(염랑의 문장) / [상위]초은하 슬라이누(은하의 재) / [접금]VIRUS(오톤)

+ 퀘스트

랭크	퀘스트	타입	수령	재수령	한정	상승 쉐어	하락 쉐어	변동치	퀘스트 내용	상금	보수 아이템
S	신으로 가는 계단	토벌	제9장	—	—	린박스	플라네튠	6	멸망한 신의 잔해×1	50000	MMO×1
S	진화하는 내일	납품	제2장	○	—	라스테이션	르위	6	AG요 시스템×1	2000	놀랄 정도로 금방 죽는다×1
S	주인공기란	토벌	제2장	○	—	라스테이션	르위	6	아킬레스×1	2000	RPG×1
S	도전자	납품	제2장	○	—	라스테이션	르위	3	성스러운 고래 구슬×3	2000	퀵 부스터×1
S	유명한 그것	토벌	제3장	○	—	라스테이션	플라네튠	6	레플리칸트×1	2500	동물×1
S	초회 한정 기타 컨트롤러가!!	납품	제3장	○	—	플라네튠	르위	6	기타 컨트롤러×1	2500	프리 시나리오×1
S	결함품 같은 게 아니다	토벌	제5장	○	—	르위	린박스	6	메네시스×2	4000	스트래터지×1
S	초 천재 아이돌 마법소녀의 부탁	납품	제5장	○	—	린박스	플라네튠	4	고룡의… 어떤 보옥×3	4000	건강의 조각×1
S	사람간의 인연이 무한의 힘이 된다	납품	제5장	○	—	플라네튠	르위	5	드래곤 소울×3	1200	[사]사양서 : 불행한 토끼×1
S	공식이 되고 싶어!	토벌	제6장	○	—	라스테이션	플라네튠	4	차세대기×3	1500	[사]사양서 : 파워 해머×1
S	지금부터 과외 수업을 시작한다	토벌	제7장	○	—	린박스	에딘	6	아크룩스×2	5500	일단 물리로 때려라×1
S	순종적인 부하가 필요해	토벌	제8장	○	—	르위	에딘	6	도금 드라이거×2	1800	[사]사양서 : 맥시멈 해머×1
S	오염 경보!	토벌	제9장	○	—	라스테이션	르위	6	오염에 침식된 자×2	6500	파티×1
A	주물럭 주물럭. 잘 반죽하는 거야	납품	제2장	○	—	플라네튠	르위	5	고급 슬라이누 젤리×1	2000	바보 게임×1
A	신형 파츠, 입하!?	납품	제4장	○	—	라스테이션	린박스	5	신식 마광 동력로×1	3000	성우×1
A	간호사의 일	납품	제4장	○	—	르위	라스테이션	5	풋내가 나는 너스 캡×1	3000	자동 생성 던전×1
A	궁극의 식재 2	납품	제9장	○	—	린박스	르위	3	최고급 젤리×5	6500	건강의 덩어리×2
A	난적이 마을에	토벌	제10장	○	—	플라네튠	르위	5	팔경 재해의 신×3	7000	축구×2
B	마검 제조	납품	제3장	—	—	르위	라스테이션	6	마랑의 이빨×1	15000	SP 차지×3
B	모순된 선의	납품	제2장	○	—	라스테이션	플라네튠	4	돌고래의 꼬리×2	2000	야월초×3
B	7에 대비해서	납품	제3장	○	—	르위	라스테이션	4	나무 껍질×2	2500	데이터 크리스탈×2
B	강요하는 선의	토벌	제3장	○	—	르위	라스테이션	5	아이스 웨일×1	2500	타후밀×1
B	리얼에서…	납품	제3장	○	—	라스테이션	르위	4	불발탄×2	2500	연예인이 성우 담당×2
B	수중용 로봇	토벌	제4장	○	—	라스테이션	르위	5	갈그이유×1	2500	인비지블 리본×1
B	모두와 친구가 되는 남자다	토벌	제5장	○	—	르위	린박스	5	가지 라이더×1	1000	[사]사양서 : 복잡한 사연의 팔찌×1
B	규격을 벗어난 크기 GET?	토벌	제5장	○	—	르위	라스테이션	5	규격 외 슬라이누×1	4000	파칭코×1
B	기어왔다	토벌	제5장	○	—	플라네튠	라스테이션	5	팔조 재해의 신×1	4000	눈물 게임×1
B	전투교리 지도요망 1번	토벌	제6장	○	—	린박스	라스테이션	5	고양이다람쥐 나이트×3	5000	인텔리 부스터×1
B	그 배지	납품	제7장	○	—	플라네튠	에딘	4	국제 구조대 배지×2	5500	건강의 조각×1
B	라스테이션 정글	토벌	제7장	○	—	라스테이션	린박스	5	데우스·엑스·마키나×3	5500	인텔리 부스터 Z×1
B	전차를 사랑하는 남자	납품	제7장	○	—	라스테이션	에딘	4	대구경 불발탄×2	5500	아저씨×1
B	차원의 벽을 넘어서	토벌	제7장	○	—	르위	린박스	3	초차원 슬라이누×3	5500	안경을 벗으면 미인×1
B	궁극의 식재	납품	제8장	○	—	플라네튠	에딘	4	녹을 듯한 닭고기×2	6000	연애×1
B	뭐랄가… 그거야! 그거!	납품	제10장	○	—	플라네튠	르위	4	고룡의 초승달 모양의… 무엇?×2	7000	모션 컨트롤러×2
C	붙잡힌 공주	토벌	제3장	—	—	플라네튠	르위	5	에인션트 드래곤×1	500	SP 차지×3
C	【기계】로보 머신	토벌	제4장	—	○	플라네튠	르위	5	R4i-SDHC×1	500	힐 포트×3
C	【격전】불꽃 늑대	토벌	제7장	—	○	린박스	플라네튠	4	플레임 펜릴×1	5000	머슬 부스터×1
C	지고의 재료?	토벌	제2장	—	—	라스테이션	르위	6	피닉스×1	2000	슈팅 RPG×2
C	최초의 시련	토벌	제5장	—	—	라스테이션	린박스	6	터틀×1	20000	업계 최초 시스템×1
C	이어지는 꿈	토벌	제7장	—	—	에딘	르위	6	드림 돌핀×1	25000	[사]사양서 : 여신의 팔찌×1
C	강한 게	토벌	제4장	○	—	라스테이션	린박스	4	빅 크랩×2	1000	[사]사양서 : 메탈 브링거×1
C	일어서라! 백수!	토벌	제5장	○	—	라스테이션	르위	4	자이언트 슬라이누×3	4000	패럴락신×1
C	모두 날려주겠어!	토벌	제6장	○	—	르위	라스테이션	4	천년 거북×3	1500	[사]사양서 : 대마왕의 팔찌×1
C	불쌍한 게	토벌	제7장	○	—	린박스	에딘	4	숲 게×4	1800	[사]사양서 : 기계창 드레드노트×1
C	지느러미가 먹고 싶어…	토벌	제7장	○	—	플라네튠	에딘	4	사이버 돌핀×4	5500	마비 젤리×2
C	전차를 사랑하는 남자 2	토벌	제8장	○	—	라스테이션	에딘	4	99식 전차×4	6000	남성 대상×1
C	교섭 실패	토벌	제9장	○	—	플라네튠	린박스	4	켈베로스×4	6500	로봇×1
C	불쌍한 마물	토벌	제9장	○	—	르위	린박스	4	오르토로스×4	6500	경험치 노가다 없음×1
C	최신 병기!?	토벌	제10장	○	—	라스테이션	르위	4	시작형 광역 제압 병기×4	7000	인텔리 부스터 Z×1, 퀵 부스터 Z×1, 머슬 부스터 Z×1
C	전차를 사랑하는 남자 3	토벌	제10장	○	—	르위	플라네튠	4	백식형 장갑 전투 차량×4	7000	서프라이즈 인카운터×1
C	유통 경로	토벌	제10장	○	—	린박스	라스테이션	4	로스트 드래곤×4	7000	영상 소프트와 팩×1
C	친구와의 결별을 위해서	토벌	제10장	○	—	린박스	플라네튠	4	주작×4	7000	아가씨 게임×3
D	【증여】돌아봐주지 않는 사람	납품	제1장	—	○	플라네튠	르위	3	수수께끼의 원×2	1000	힐 글래스×1
D	【접착】배합의 극의	납품	제1장	—	○	플라네튠	르위	3	네거티브한 수액×2	1000	허브×3
D	멋진 밥그릇	납품	제1장	—	—	플라네튠	르위	3	철모×2	500	불법 회로×1

랭크	퀘스트	타입	수령	재수령	한정	상승 쉐어	하락 쉐어	변동치	퀘스트 내용	상금	보수 아이템
D	【긴급】마궁의 비보	납품	제2장	—	○	라스테이션	르위	3	크리스탈 스컬×3	500	힐 글래스×1
D	중년 블루스	납품	제6장	—	—	르위	플라네튠	3	아저씨의 애수×2	500	노란 꽃잎×1
D	【거만】임금님 기분	납품	제9장	—	○	르위	플라네튠	3	새의 왕관×2	500	힐 글래스×1
D	뼛속까지 불타줘	납품	제9장	—	—	린박스	플라네튠	3	불타는 뼈×2	500	패럴락신×1
D	냄새 페티시즘	납품	서장	○	○	플라네튠	라스테이션	3	도마뱀의 비늘×3	500	SP 차지×1
D	퓨어 2 하트	납품	서장	○	○	플라네튠	린박스	3	소년의 마음×3	500	버섯의 포자×1
D	나의 전하	납품	제2장	○	—	플라네튠	르위	3	커다란 부리×3	2000	데톡신×1
D	버본	납품	제2장	○	—	르위	라스테이션	3	두근두근×3	2000	퀵 부스터×1
D	트레이드 스레	납품	제2장	○	—	플라네튠	르위	3	메탈 젤리×3	2000	타후밀×3
D	녀석들이 움직인다…!	납품	제2장	○	—	라스테이션	르위	3	마 장비의 조각×3	2000	데톡신×1
D	히나님	납품	제3장	○	—	플라네튠	라스테이션	3	늑대의 털×3	2500	셀 안테나×3
D	누름돌 찾습니다!	납품	제3장	○	—	플라네튠	르위	3	대지의 결정석×3	2500	생명의 조각×5
D	일곱 색의 빛	납품	제4장	○	—	르위	라스테이션	3	무지개색 날개×3	2500	인텔리 부스터×1
D	땡땡이의 댓가는 비싸다냐	토벌	제4장	○	—	라스테이션	린박스	3	붉은 살×5	3000	동광석×5, 철광석×5
D	숙주나무 걸의 도전	납품	제4장	○	—	라스테이션	린박스	3	큰무 잎×3	100	퀵 부스터×1
D	마제콘의 탄생을 막기 위해서…	납품	제4장	○	—	라스테이션	린박스	3	불법 ROM×3	3000	리플렉스×1
D	독의 위치	납품	제4장	○	—	린박스	르위	3	맹독 거미줄×3	3000	[사]사양서 : 차세대형 빔 카타나×1
D	별을 본 사람	토벌	제5장	○	—	플라네튠	르위	3	상자새×5	3000	야월초×10
D	새로운 머리 장식	토벌	제5장	○	—	라스테이션	린박스	3	페어리 버터플라이×5	1000	인텔리 부스터×2
D	고급스러운 모금함	납품	제5장	○	—	린박스	라스테이션	3	검은 모금함×3	3000	노란 꽃잎×1
D	(´・ω・`)란란♪	토벌	제5장	○	—	라스테이션	플라네튠	3	하이 비트 커스텀×5	4000	MAONI 기판×5
D	복수	토벌	제5장	○	—	르위	라스테이션	3	건달 캣×5	1200	[사]사양서 : 터보 해머×1
D	린박스의 여신은 거유입니다	토벌	제5장	○	—	린박스	플라네튠	3	로스트 보이×5, 로스트 걸×5	4000	퀵 부스터×1
D	골렘 제작	납품	제5장	○	—	린박스	라스테이션	3	매지컬 코어×3	1200	[사]사양서 : 할버드×1
D	사교의 Room	납품	제5장	○	—	플라네튠	린박스	3	외도 젤리×3	4000	퀵 부스터×1
D	진짜 바보	토벌	제5장	○	—	라스테이션	플라네튠	3	큐베리엘×5	4000	데톡신×1
D	은퇴의 미련	납품	제5장	○	—	라스테이션	린박스	3	노란 파이프 조각×3	4000	리플렉스×1
D	뼈 장인의 길	납품	제5장	○	—	플라네튠	린박스	3	말새의 대퇴골×3	4000	불타는 꽃잎×1
D	나는… 저 사람에게 이기고 싶어!	납품	제6장	○	—	플라네튠	린박스	4	블랙 리본×3	5000	머슬 부스터×1
D	궁극의 조리 기구	납품	제6장	○	—	린박스	르위	3	용암석×3	5000	홍련석×6
D	도배해 버린다!	납품	제6장	○	—	린박스	르위	3	작열 광석×3	5000	칠흑의 비늘×3
D	명계의 숙명을 짊어진 타천사	납품	제6장	○	—	라스테이션	르위	3	칠흑의 비늘×3	5000	힐 포트×1
D	즐거운 계약	납품	제6장	○	—	르위	린박스	3	마법의 계약서×3	1500	[사]사양서 : 블랙 크로우×1
D	냥이의 털	납품	제8장	○	—	린박스	에딘	3	고양이 강모×5	6000	P·SP 차지 2×2
D	방랑하는 냄새 페티시즘	납품	제8장	○	—	플라네튠	에딘	3	좋은 냄새의 거미줄×5	6000	건강의 덩어리×2
D	미워! 녹색이!	납품	제9장	○	—	라스테이션	린박스	3	그린 블록×5	6500	중년의 로망×1
D	트랩	납품	제9장	○	—	라스테이션	플라네튠	3	「※」의 면죄부×5	6500	불타는 꽃잎×1
D	진귀한 피리 장인	납품	제9장	○	—	린박스	라스테이션	3	마력을 가진 부리×5	1800	[사]사양서 : 로드 랜스×1
D	중년의 로망	납품	제9장	○	—	린박스	르위	3	중년의 로망×5	6500	말새의 날개×5
D	여름의 로망	납품	제10장	○	—	플라네튠	라스테이션	3	수용성 천×5	7000	퀵 부스터 Z×2
D	비밀스런 부탁	납품	제10장	○	—	라스테이션	린박스	3	불법 마더 보드×5	7000	인텔리 부스터 Z×2
D	나무 껍질의 맛은… 쓰다	납품	제10장	○	—	르위	린박스	3	네거티브한 나무 껍질×5	7000	P·SP 차지 2×2
D	GET이다!	납품	제10장	○	—	라스테이션	플라네튠	3	짝퉁 회로×5	7000	건강의 덩어리×1
D	어디까지나 자료!	납품	제10장	○	—	르위	플라네튠	3	꿈틀대는 잎사귀×5	7000	머슬 부스터 Z×2
D	엔트로피에 관해서	납품	제10장	○	—	린박스	라스테이션	3	계약의 보주×5	7000	리플렉스×4
D	그 날의 추억	납품	제10장	○	—	플라네튠	린박스	3	그 날의 추억×1	7000	탄막 슈팅×1
E	【입문】슬라이누 퇴치!	토벌	서장	—	○	플라네튠	르위	3	슬라이누×5	500	[사]사양서 : 생명의 조각×1, 허브×8, 슬라이누젤리×6
E	【시급】아생의 증명	토벌	제1장	—	○	플라네튠	르위	3	늘어진 젤리×5	500	생명의 조각×1
E	록 스피릿	토벌	제4장	—	—	플라네튠	르위	5	스켈레톤×5	500	힐 글래스×10
E	【오해】인사?	토벌	제6장	—	○	플라네튠	라스테이션	3	아예루×5	500	힐 글래스×1
E	【질투】눈에 독, 카포	토벌	제6장	—	○	린박스	르위	3	베놈 보이×5, 베놈 걸×5	500	데톡신×1
E	【고독】떨어진 마물 순정파	토벌	제7장	—	○	르위	플라네튠	3	떨어진 슬라이누×1, 떨어진 말새×1, 떨어진 병아리 벌레×1	500	패럴락신×1
E	나의 여름 방학	토벌	서장	○	○	플라네튠	르위	3	튤립×5	500	퀵 부스터×1
E	로봇이 미워	토벌	서장	○	○	플라네튠	르위	3	M-3×5	500	힐 글래스×1
E	반짝☆퀘스트☆	토벌	제1장	○	○	플라네튠	르위	3	사슴 베이더3×5	1000	힐 글래스×1
E	샹푸르!	토벌	제2장	○	—	플라네튠	르위	3	샹푸르×5	500	슬라이누 젤리×3
E	일하기 싫다	토벌	제1장	○	○	플라네튠	르위	3	오우치 개구리×5	1000	힐 글래스×1
E	동쪽 밭에서	토벌	제2장	○	—	플라네튠	라스테이션	3	해바라깅×5	2000	생명의 조각×1
E	개도 더워	토벌	제2장	○	—	플라네튠	르위	3	아이스 스켈레톤×5	2000	파란 씨앗×2
E	KOMO's 키친	납품	제2장	○	—	플라네튠	르위	3	젤라틴 촉수×3	2000	해바라기 씨앗×1
E	샹푸르 축제!	토벌	제2장	○	—	플라네튠	르위	3	노멀 샹푸르×5, 마법이 특기인 샹푸르×5, 위험한 샹푸르×1	2000	큰무 잎×2, 당근 잎×2
E	언더 그라운드	납품	제2장	○	—	라스테이션	르위	3	불법 회로×3	2000	허브×3, 치유초×3, 야월초×3
E	버섯 VS 죽순	납품	제2장	○	—	라스테이션	르위	3	마탕고의 포자×3	2000	생명의 조각×1
E	리얼충 박멸 계획	토벌	제3장	○	—	라스테이션	르위	3	골드 보이×5, 골드 걸×5	2500	동광석×4
E	수상한 사람 목격 보고	토벌	제3장	○	—	르위	라스테이션	6	수상한 사람×1	2500	싸움×1
E	신입 여신 주제에 건방지다	토벌	제3장	○	—	르위	라스테이션	4	하이 비트×5	2500	머슬 부스터×1
E	청소와 퇴치	토벌	제4장	○	—	플라네튠	르위	3	하이에나×5	2500	붉은 꽃잎×1
E	전설의…!?	토벌	제4장	○	—	린박스	라스테이션	3	물링 루즈×5	3000	SP 차지×1
E	당근 필요 없다니까!	토벌	제5장	○	—	플라네튠	라스테이션	3	닌진다×5	1200	[사]사양서 : 빔 버스터×1
E	토관의 내부	토벌	제6장	○	—	린박스	플라네튠	3	도곤×5	5000	타후밀×1
E	슈퍼 해피!	토벌	제6장	○	—	르위	라스테이션	3	코요테×5	1500	[사]사양서 : 에스페란자×1
E	변하지 않는 약점	토벌	제6장	○	—	르위	라스테이션	3	우드 스켈레톤×5	5000	건강의 조각×1
E	베스란 무엇인가?	토벌	제7장	○	—	르위	에딘	3	슬라이누 베스×8	5500	엘데 크리스탈×3
E	전투 훈련	토벌	제7장	○	—	린박스	에딘	3	린박스 병사×8	5500	P·SP 차지×1
E	아아아… 벨님!!	토벌	제7장	○	—	린박스	에딘	3	카라쿠테레×8	5500	리플렉스×1
E	혼! 혼! 혼! Hobby 혼!	납품	제7장	○	—	플라네튠	라스테이션	3	하비 혼×5	5500	퀵 부스터 Z×1
E	마제콘의 탄생을 막기 위해서… 2	납품	제7장	○	—	라스테이션	에딘	3	불법 차세대 회로×5	5500	건강의 조각×1
E	용서할 수 없는 로봇	토벌	제7장	○	—	플라네튠	르위	3	EDGE×8	1800	[사]사양서 : 라브스 카토르×1

랭크	퀘스트	타입	수령	재수령	한정	상승 쉐어	하락 쉐어	변동치	퀘스트 내용	상금	보수 아이템
E	벌을 내려주마	토벌	제8장	○	—	에딘	플라네튠	3	목젖새 킹×8	6000	「※」의 면죄부×3
E	거시기를 연상하게 된다…!	토벌	제8장	○	—	에딘	린박스	3	마그마 보이×8, 마그마 걸×8	1800	[사]사양서 : 요도·무라마사×1
E	무섭지?	토벌	제8장	○	—	에딘	라스테이션	3	라플레시아×8	6000	머슬 부스터 Z×1
E	우리들이 원한 여신이다	토벌	제9장	○	—	플라네튠	라스테이션	3	얼룩 도칸×8	6500	P·SP 차지×3
E	그으레이트한 남자!	토벌	제9장	○	—	플라네튠	라스테이션	3	마다라쵸×8	6500	리플렉스×3
E	크리에이터의 스트레스 해소	토벌	제9장	○	—	르위	플라네튠	3	테트스리×8	6500	퀵 부스터 Z×2
E	쓰레기가 걸리는 트랩	토벌	제9장	○	—	르위	라스테이션	3	카스트랩×8	6500	인텔리 부스터 Z×2
E	마력의 생성	토벌	제10장	○	—	르위	라스테이션	3	마도 슬라이누×8	7000	데톡신×1
E	근위병도 훈련!	토벌	제10장	○	—	린박스	르위	3	린박스 근위 병사×8	7000	인텔리 부스터 Z×2
E	고양이 복서	토벌	제10장	○	—	린박스	플라네튠	3	복서 캣×8	7000	[사]사양서 : 레바테인×1
E	천재로부터 온 의뢰	토벌	제10장	○	—	린박스	르위	3	해골×8	7000	[사]사양서 : 서드 크러셔×1
E	오렌지 색 꽃의 비극	토벌	제10장	○	—	르위	라스테이션	3	오렌지 플라워×8	7000	패럴락신×4

+콜로세움

랭크	콜로세움	추가	대전 몬스터	상승 쉐어	하락 쉐어	변동치	상금	보수 아이템
A	초차원을 멸망시키는 자	제10장	진·범죄신 마제콘느	라스테이션	플라네튠	3	20000	경영·운영, 모노크롬 네프코, 캐릭터 카드
A	타리의 여신	제10장	키세이죠·레이	린박스	플라네튠	3	20000	츤데레, 키세이죠레이의 전단지
B	범죄신, 다시	제10장	범죄신 마제콘느	플라네튠	린박스	3	10000	크라임 액션, 사신 피규어, 소닉 블레이드
B	팔십 재해의 신 습격	제10장	팔십 재해의 신	르위	플라네튠	3	10000	그 날의 추억, 서프라이즈 인카운터, G 드라이버
B	원조 진 마제콘느	제10장	진 마제콘느	플라네튠	르위	3	10000	코어층을 노림, 7현인 포스터, 스매시 해머
B	불법 카피, 절대 반대!	제10장	진·카피리에이스	르위	린박스	3	10000	로봇, 초합금 카피리에이스, P·SP 차지2×2
B	에딘의 여신	제10장	옐로 하트	르위	플라네튠	3	10000	축구, 여신 포스터, P·SP 차지2×2
C	와레츄 건강해츄~☆	제10장	와레츄×5	플라네튠	르위	3	5000	레이스, 라벤~더 폴카, [사]사양서 : 금의 서
C	가지가지 패닉	제10장	델피가지, 너스 빈더, 가지 빈더, 가지 기사	플라네튠	린박스	3	5000	적외선 통신, 컬러풀 라인, [사]사양서 : 자의 서
C	용감한 정의	제10장	브레이브·더·하드	라스테이션	린박스	3	5000	초회 한정판, 카시스·레이율, [사]사양서 : 흑의 서
C	포악한 묘지기	제10장	져지·더·하드	린박스	르위	3	5000	수염난 이탈리아인, 글래머러스 리프, [사]사양서 : 녹의 서
C	경찰 아저씨, 여기에요	제10장	트릭·더·하드	르위	라스테이션	3	5000	안경을 벗으면 미인, 주화의 수영복, [사]사양서 : 백의 서
C	범죄 조직의 여신	제10장	매직·더·하드	플라네튠	르위	3	5000	대자연, 프루루트 스트랩, 7현인 스티커 초코렛
C	딸에게 멋있는 모습을 보여주고 싶다	제10장	아쿠다이진	르위	린박스	3	5000	SF, 크로스 큐브, 카피리에이스의 전단지
C	느와르짱을 괴롭히고 싶대	제10장	아노네데스, 아이템 재머 비트 개, 스킬 재머 비트 개	라스테이션	르위	3	5000	초절 난이도, 초합금 아노네데스
C	초S 푸루룽	제10장	아이리스 하트	라스테이션	플라네튠	3	5000	아저씨, P·SP 차지2×2, 메가폴리스 H
D	사회인의 적	초기	월요일×5	린박스	플라네튠	3	3000	커스텀 사운드, [사]사양서 : 명왕 시로의 가호, 아이리스 H의 피규어
D	우리들의 적	제6장	크리스마스×5	르위	린박스	3	3000	불끈불끈 마초, 여신 소시지, 여신 스티커 초코렛
D	올해도 0개…	제6장	발렌타인×5	플라네튠	라스테이션	3	3000	호버 주행, [사]사양서 : 벌써 스트랩, 옐로 H의 피규어
D	우리들의 시체를 넘어서 가라	제6장	월요일, 크리스마스, 발렌타인	라스테이션	르위	3	3000	본고장, [사]사양서 : 몽키 브레슬릿 퍼플 H의 피규어
D	결국 북극 초 모험	제9장	아이스 가루다, 빙결 지옥의 마왕, 빙결 소라게, 프로즌 플라워, 펭펭권	르위	플라네튠	3	3000	쥐, [사]사양서 : V 크리스탈, 넵튠 스트랩
D	연옥	제9장	불새, 블레이즈 크랩, 작열 소라게, 마그마 골렘	라스테이션	르위	3	3000	속편한 진행, [사]사양서 : 사냥의 부적, 느와르 스트랩
D	바람… 어디선가 불어오고 있어	제9장	풍신의 사신, 풍견 게, 바람 고래	린박스	라스테이션	3	3000	판타지, [사]사양서 : 화염의 문장, 블랑 스트랩
D	뇌전	제9장	뇌신의 사신, 뇌신병, 선더 골렘	린박스	르위	3	3000	역사, [사]사양서 : 트라이앵글 포스, 피셰 스트랩
D	아버지 분투기	제10장	아쿠다이진	르위	라스테이션	3	3000	특수 컨트롤러, [사]사양서 : 표고버섯 브레슬릿, 그린 H의 피규어
D	아가씨의 마음	제10장	아노네데스	라스테이션	플라네튠	3	3000	누가 득을 보냐 사양, [사]사양서 : 하얀 고양이 스트랩, 블랙 H의 피규어
D	더 뜨거워지라고!!!	제10장	호·카피리에이스	린박스	라스테이션	3	3000	질척질척, [사]사양서 : 눈차크 스트랩, 화이트 H의 피규어
E	슬라이누가 가득	초기	슬라이누×4	플라네튠	르위	3	1000	힐 포트×5, 네프비탄 C×5, PS 차지×5
E	튀겨서 먹고 싶다	초기	병아리 벌레×4	르위	라스테이션	3	1000	안티 베놈×5, 안티 패럴라이즈×5, 리조트 글래스
E	지옥의 벗	초기	지옥의 벗×5	린박스	르위	3	1000	인텔리 부스터 Z×5, 퀵 부스터 Z×5, 밀짚모~자
E	나랑 계약해줘!	초기	레드 아이×4	라스테이션	린박스	3	1000	네프비탄 스페셜×3, 빨간 꽃의 빗, 콘 프레이크
E	게임 천국	제6장	방해 슬라이누, WD 헤드, 버섯군, 코인맨, 데굴데굴 볼	르위	라스테이션	3	1000	만능약×5, 카시스 리본, 벨 스트랩
E	게임 지옥	제6장	리버스 핸드, 반짝 체리, 부메랑, 수염 서퍼, 앙큼앙큼 터틀	라스테이션	르위	3	1000	SP 차지×5, P·SP 차지×3, 해바라기 콘

+게임디스크

디스크	슬롯1	슬롯2	슬롯3	입수 방법
카세트 테이프	1	—	—	제2장 플라네튠 정보 수집 : ?
디스크 카드	—	1	2	제2장 라스테이션 트위톡 : 에나카 사토치
DL-ROM	5	—	—	제3장 르위 트위톡 : 창고지기
대용량 USB 메모리	4	5	1	제4장 린박스 트위톡 : 자칭 연금술사
그린 라이트 디스크	3	5	4	제5장 린박스 트위톡 : 중견 모험가
플롭 카드	1	1	—	제2장 플라네튠 정보 수집 : ?
ROM 카세트	1	2	—	제2장 플라네튠 트위톡 : 돋보기짱
푸른 디스크 카드	2	1	—	커다란 메달 A(주인공기, 초 위험한 상푸르)
검은 디스크 카드	2	2	—	커다란 메달 B(아킬레스, 갤럭 라이저)
DC-ROM	2	3	—	커다란 메달 C(알카이드, 팔백 재해의 신)
골드 디스크	—	2	3	커다란 메달 D(폴룩스, 레프리칸트)
메가 ROM 카세트	1	4	—	커다란 메달 E(알나이르, 라이벌기)
미디어 카드	1	1	4	커다란 메달 F(심판의 사도, 피콕)
NO 디스크	2	4	4	커다란 메달 G(제루가리온, 메네시스)
USB 메모리	3	4	4	커다란 메달 H(그래프 초코로, 팔조 재해의 신)
108M 쇼크 롬	1	1	5	커다란 메달 I(엡실론, 후계기)

디스크	슬롯1	슬롯2	슬롯3	입수 방법
독자 광 디스크	1	5	—	커다란 메달 J(절대신의 부하, 빅 와레츄)
VDD-ROM	2	3	4	커다란 메달 K(알데바란, 델피너스)
SE 카드	4	3	—	커다란 메달 L(트릭 크라운)
메모리 플래시	—	4	4	커다란 메달 M(차세대기)
108G 파워 롬	3	3	5	커다란 메달 N(포멀 하우트)
2층 VDD-ROM	2	4	5	커다란 메달 O(팔천 재해의 신)
스틱 메모리	—	5	3	커다란 메달 P(도금 드라이거)
외장 HDD	5	—	5	커다란 메달 Q(와일드 와레츄)
블루 라이트 디스크	3	4	5	커다란 메달 R(주인공기 개)
레드 라이트 디스크	5	4	3	커다란 메달 S(아크룩스)
테라 바이트 디스크	4	4	5	커다란 메달 T(게하츄)
외장 SSD	5	3	5	커다란 메달 U(레굴루스)
초 USB 메모리	4	4	4	커다란 메달 V(오염에 침식된 자)
S 미디어 카드	4	4	4	커다란 메달 W(멸망한 신의 잔해)
퍼플레이 디스크	1	5	5	커다란 메달 X(팔경 재해의 신)
인피니트 디스크	5	5	5	이것 외의 모든 디스크를 입수

+ 게임 디스크 / 아이디어 칩

●슬롯1용 아이디어 칩

아이디어 칩	레벨	입수 방법	어빌리티	효과
슈팅	3	채집: 채굴장, 오오토리이 동굴	고속 행동Lv1	행동 후에 가산되는 대기 시간-15
건 슈팅	4	채집: 아리오 고원, 아노네데스의 연구소, 비타르 디멘션, 언더 인버즈·심부	고속 행동Lv2	행동 후에 가산되는 대기 시간-20
탄막 슈팅	5	채집: 렛츠고 아일랜드, 미래를 결정하는 전자의 땅·심부 / 드랍: 키세이죠·레이(제9장) / 보물상자: 르위 성 남쪽 방 / 숨겨진 상자: 렛츠고 아일랜드·심부 / 퀘스트: 그 날의 추억	고속 행동Lv3	행동 후에 가산되는 대기 시간-25
스포츠	1	채집: 쿠자라트 공장·제1구획, 어덜틱 숲 / 보물상자: 제트 셋 산길·정상	크리티컬률+Lv1	크리티컬 발생 확률+5%
골프	2	채집: 루드암즈 지하도·남문, 스마폰 산길, 채굴장	크리티컬률+Lv2	크리티컬 발생 확률+7%
레이스	3	채집: 메로토이드 쉘터·심부, 지하 용암동·심부 / 보물상자: 하네다 산길·정상 / 콜로세움: 와레츄 건강해츄~☆	크리티컬률+Lv3	크리티컬 발생 확률+9%
축구	4	채집: 피시 게임 공장터, 언더 인버즈 / 숨겨진 상자: 아리오 고원 / 콜로세움: 에딘의 여신 / 퀘스트: 난적이 마을에	크리티컬률+Lv4	크리티컬 발생 확률+12%
야구	5	채집: 듀오알 유적, 미래를 결정하는 전자의 땅·심부 / 드랍: 대왕고래 / 숨겨진 상자: 가짜 넵튠	크리티컬률+Lv5	크리티컬 발생 확률+15%
어드벤처	1	채집: 루드암즈 지하도·북문 / 숨겨진 상자: 풍래 동굴·심부	소비 SP 다운Lv1	스킬 사용 시의 소비SP-5%
노벨	2	채집: 지하 동굴, 어덜틱 숲, 국영 공장, 루지이 고원 / 숨겨진 상자: 기고 거리·입구	소비 SP 다운Lv2	스킬 사용 시의 소비SP-7%
걸 게임	3	채집: 국영 공장, 제가 숲, 아노네데스의 연구소·심부	소비 SP 다운Lv3	스킬 사용 시의 소비SP-9%
아가씨 게임	4	채집: 지하 용암동·심부, 피시 게임 공장터, 에므에스 용암동·심부 / 드랍: 옐로 하트(제7장) / 퀘스트: 친구와의 결별을 위해서	소비 SP 다운Lv4	스킬 사용 시의 소비SP-12%
미소녀 게임	5	채집: 소우·설 숲, 미래를 결정하는 전자의 땅·심부 / 드랍: 리저드 킹 / 숨겨진 상자: 그라피스 고개·정상	소비 SP 다운Lv5	스킬 사용 시의 소비SP-15%
테이블	1	채집: 스마폰 산길·정상 / 숨겨진 상자: 오오토리이 대삼림	스킬 봉인 부여Lv1	공격 대상에게 10%의 확률로 스킬 봉인의 상태 이상을 부여
마작	2	채집: 르위 성, 스마폰 산길, 코바츠바 유적	스킬 봉인 부여Lv2	공격 대상에게 12%의 확률로 스킬 봉인의 상태 이상을 부여
퀴즈	3	채집: 국영 공장, 루지이 고원, 네크토키 수림, 피시 게임 공장터 / 보물상자: 피에스 디멘션	스킬 봉인 부여Lv3	공격 대상에게 14%의 확률로 스킬 봉인의 상태 이상을 부여
퍼즐·로직	4	채집: 지하 용암동, 버추얼 포레스트·심부 / 보물상자: 아리오 고원 / 숨겨진 상자: 케라가 차원	스킬 봉인 부여Lv4	공격 대상에게 16%의 확률로 스킬 봉인의 상태 이상을 부여
파티	5	채집: 도우 사원, 미래를 결정하는 전자의 땅·심부 / 숨겨진 상자: 듀오알 유적 / 퀘스트: 오염 경보!	스킬 봉인 부여Lv5	공격 대상에게 20%의 확률로 스킬 봉인의 상태 이상을 부여
RPG	1	채집: 쿠자라트 공장·제1구획, 헤이로우 숲 / 보물상자: 풍래 동굴 / 퀘스트: 주인공기란	독 부여Lv1	공격 대상에게 10%의 확률로 독의 상태 이상을 부여
슈팅 RPG	2	채집: 회귀의 초원, 루지이 고원 / 숨겨진 상자: 스마폰 산길 / 퀘스트: 지고의 재료?	독 부여Lv2	공격 대상에게 12%의 확률로 독의 상태 이상을 부여
액션 RPG	3	채집: 하네다 산길·정상, 메로토이드 쉘터, 지하 용암동	독 부여Lv3	공격 대상에게 14%의 확률로 독의 상태 이상을 부여
어드벤처 RPG	4	채집: 아리오 고원, 언더 인버즈·심부 / 숨겨진 케라가 차원	독 부여Lv4	공격 대상에게 16%의 확률로 독의 상태 이상을 부여
시뮬레이션 RPG	5	채집: 언더 인버즈 / 드랍: 숲의 신 / 숨겨진 상자: 도우 사원	독 부여Lv5	공격 대상에게 20%의 확률로 독의 상태 이상을 부여
시뮬레이션	1	채집: ZECA 2호 유적, 기고 거리·입구, 기고 거리·심부 / 숨겨진 상자: ZECA 2호 유적	변신 후 소비 SP-Lv1	여신 상태에서의 소비SP-5%
파칭코	2	채집: 스마폰 산길·정상, 기고 거리·입구, 기고 거리·심부, 어덜틱 숲, 피에스 디멘션 / 퀘스트: 규격을 벗어난 크기 GET?	변신 후 소비 SP-Lv2	여신 상태에서의 소비SP-7%
스트래터지	3	채집: 하네다 산길, 아노네데스의 연구소 / 숨겨진 상자: 국영 공장 / 퀘스트: 결함품 같은 게 아니다	변신 후 소비 SP-Lv3	여신 상태에서의 소비SP-9%
전략	4	채집: 네크토키 수림, 지하 용암동·심부, 도우 사원 / 보물상자: 케라가 차원	변신 후 소비 SP-Lv4	여신 상태에서의 소비SP-12%
경영·운영	5	채집: 버추얼 포레스트 / 보물상자: 르위 성 남쪽 방 / 숨겨진 상자: 에므에스 용암동, 언더 인버즈 / 콜로세움: 초차원을 멸망시키는 자	변신 후 소비 SP-Lv5	여신 상태에서의 소비SP-15%
액션	1	채집: 소니이 습지, 루드암즈 지하도 / 숨겨진 상자: 제트 셋 산길	마비 부여Lv1	공격 대상에게 10%의 확률로 마비의 상태 이상을 부여
스텔스	2	채집: 회귀의 초원, 어덜틱 숲, 피에스 디멘션	마비 부여Lv2	공격 대상에게 12%의 확률로 마비의 상태 이상을 부여
대전 격투	3	채집: 제가 숲, 아노네데스의 연구소 / 숨겨진 상자: 국영 공장	마비 부여Lv3	공격 대상에게 14%의 확률로 마비의 상태 이상을 부여
크라임 액션	4	채집: 지하 용암동·심부, 피시 게임 공장터, 도우 사원 / 숨겨진 상자: 네크토키 수림 / 콜로세움: 범죄신, 다시	마비 부여Lv4	공격 대상에게 16%의 확률로 마비의 상태 이상을 부여
헌팅	5	채집: 에므에스 용암동·심부 / 드랍: 시리우스 / 숨겨진 상자: 르위 성 남쪽 방	마비 부여Lv5	공격 대상에게 20%의 확률로 마비의 상태 이상을 부여
적외선 통신	3	채집: 메로토이드 쉘터, 네크토키 수림, 미래를 결정하는 전자의 땅 / 숨겨진 상자: 제가 숲 / 콜로세움: 가지가지 패닉	독 무효	독의 상태 이상에 걸리지 않게 됨
통신 대전	3	채집: 메로토이드 쉘터·심부, 피시 게임 공장터, 미래를 결정하는 전자의 땅 / 숨겨진 상자: 피에스 디멘션	스킬 봉인 무효	스킬 봉인의 상태 이상에 걸리지 않게 됨
싱글 온라인	3	채집: 하네다 산길·정상, 지하 용암동·심부, 미래를 결정하는 전자의 땅 / 드랍: 데네브	바이러스 무효	바이러스의 상태 이상에 걸리지 않게 됨
MO	3	채집: 하네다 산길, 네크토키 수림 / 드랍: 캣 나이트 / 숨겨진 상자: 채굴장	서프라이즈 무효	서프라이즈 어택을 당하지 않게 됨
MMO	4	채집: 네크토키 수림, 케라가 차원, 듀오알 유적 / 드랍: 이성을 잃은 용인병 / 퀘스트: 신으로 가는 계단	마비 무효	마비의 상태 이상에 걸리지 않게 됨
TPS	5	채집: 가짜 플라네튠, 미래를 결정하는 전자의 땅·심부 / 드랍: 절대신의 부하 / 숨겨진 상자: 소우·설 숲	상태이상 무효	모든 상태 이상에 걸리지 않게 됨

●슬롯2용 아이디어 칩

아이디어 칩	레벨	입수 방법	어빌리티	효과
아이돌	1	채집: 풍래 동굴, 르위 성·심부 / 보물상자: ZECA 2호 유적	대 드래곤 방어Lv1	종족: 드래곤에게서 받는 대미지-10%
쥐	2	채집: 제가 숲 / 숨겨진 상자: 어덜틱 숲 / 콜로세움: 결국 북극 초 모험	대 드래곤 방어Lv2	종족: 드래곤에게서 받는 대미지-15%
수염 난 이탈리아인	3	채집: 메로토이드 쉘터, 아노네데스의 연구소·심부 / 보물상자: 피에스 디멘션 / 콜로세움: 포악한 묘지기	대 드래곤 방어Lv3	종족: 드래곤에게서 받는 대미지-20%
로봇	4	채집: 네크토키 수림, 그라피스 고개 / 숨겨진 상자: 아노네데스의 연구소 / 퀘스트: 교섭 실패 / 콜로세움: 불법 카피, 절대 반대!	대 드래곤 방어Lv4	종족: 드래곤에게서 받는 대미지-25%
연예인	5	채집: 비타르 디멘션, 미래를 결정하는 전자의 땅·심부 / 숨겨진 상자: 그라피스 고개	대 드래곤 방어Lv5	종족: 드래곤에게서 받는 대미지-30%
성우	1	채집: 풍래 동굴·심부, 쿠자라트 공장·제1구획, 어덜틱 숲 / 보물상자: ZECA 2호 유적 / 퀘스트: 신형 파츠, 입하!?	대 고스트 방어Lv1	종족: 고스트에게서 받는 대미지-10%
잘생긴 오빠	2	채집: 르위 성·심부, 루지이 고원	대 고스트 방어Lv2	종족: 고스트에게서 받는 대미지-15%
고릴라	3	채집: 채굴장, 아노네데스의 연구소·심부 / 보물상자: 하네다 산길·정상	대 고스트 방어Lv3	종족: 고스트에게서 받는 대미지-20%
좀비	4	채집: 케라가 차원, 르위 성 남쪽 방	대 고스트 방어Lv4	종족: 고스트에게서 받는 대미지-25%
츤데레	5	채집: 렛츠고 아일랜드·심부, 미래를 결정하는 전자의 땅·심부 / 숨겨진 상자: 도우 사원 / 콜로세움: 타리의 여신	대 고스트 방어Lv5	종족: 고스트에게서 받는 대미지-30%
얀데레	1	채집: 소니이 습지 / 보물상자: ZECA 2호 유적 / 숨겨진 상자: 풍래 동굴	대 곤충 방어Lv1	종족: 곤충에게서 받는 대미지-10%
쿨데레	2	채집: 루드암즈 지하도·남문, 어덜틱 숲, 하네다 산길·정상	대 곤충 방어Lv2	종족: 곤충에게서 받는 대미지-15%
아저씨	3	채집: 채굴장, 아노네데스의 연구소·심부 / 숨겨진 상자: 채굴장 / 퀘스트: 전차를 사랑하는 남자 / 콜로세움: 초S 푸루룽	대 곤충 방어Lv3	종족: 곤충에게서 받는 대미지-20%
모에	4	채집: 피시 게임 공장터, 비타르 디멘션 / 숨겨진 상자: 오오토리이 동굴	대 곤충 방어Lv4	종족: 곤충에게서 받는 대미지-25%
불타는	5	채집: 소우·설 숲, 미래를 결정하는 전자의 땅·심부 / 숨겨진: 르위 성 남쪽 방	대 곤충 방어Lv5	종족: 곤충에게서 받는 대미지-30%
얌전하지만 실은 최강	1	채집: 밴디 크래시, 소니이 습지, 헤이로우 숲 / 숨겨진 상자: 제트 셋 산길·정상	대 식물 방어Lv1	종족: 식물에게서 받는 대미지-10%
주인공은 무능하지만 실은…	2	채집: 루드암즈 지하도·북문, 회귀의 초원, 코바츠바 유적, 제가 숲	대 식물 방어Lv2	종족: 식물에게서 받는 대미지-15%
안경을 벗으면 미인	3	채집: 피에스 디멘션, 케라가 차원 / 숨겨진 상자: 하네다 산길 / 퀘스트: 차원의 벽을 넘어서 / 콜로세움: 경찰 아저씨, 여기에요!	대 식물 방어Lv3	종족: 식물에게서 받는 대미지-20%
색만 다른 캐릭터	4	채집: 아리오 고원, 코어그라 고원 / 숨겨진 상자: 케라가 차원	대 식물 방어Lv4	종족: 식물에게서 받는 대미지-25%
올스타	5	채집: 르위 성 북쪽 방, 미래를 결정하는 전자의 땅·심부 / 숨겨진 상자: 가짜 플라네튠	대 식물 방어Lv5	종족: 식물에게서 받는 대미지-30%
동물	1	채집: 지하 동굴 / 숨겨진 상자: 풍래 동굴 / 퀘스트: 유명한 그것	대 수생 방어Lv1	종족: 수생에게서 받는 대미지-10%
불끈불끈 마초	2	채집: 르위 성·심부, 하네다 산길·정상 / 숨겨진 상자: 회귀의 초원 / 콜로세움: 우리들의 적	대 수생 방어Lv2	종족: 수생에게서 받는 대미지-15%
몬스터	3	채집: 피에스 디멘션, 케라가 차원 / 드랍: 아이스 웨일 / 숨겨진 상자: 루지이 고원	대 수생 방어Lv3	종족: 수생에게서 받는 대미지-20%

●슬롯2용 아이디어 칩

아이디어 칩	레벨	입수 방법	어빌리티	효과
실루엣	4	채집: 네크토키 수림, 도시 중심부, 르위 성 북쪽 방 / 숨겨진 상자: 지하 용암동	대 수생 방어 Lv4	종족: 수생에게서 받는 대미지 -25%
철도	5	채집: 비타르 디멘션, 미래를 결정하는 전자의 땅·심부 / 숨겨진 상자: 변질 다차원 공간	대 수생 방어 Lv5	종족: 수생에게서 받는 대미지 -30%
도트	1	채집: 르위 성·심부 / 숨겨진 상자: 버추얼 포레스트 보호 지구	대 슬라이누 방어 Lv1	종족: 슬라이누에게서 받는 대미지 -10%
실사	2	채집: 회귀의 초원, 르위 성·외곽, 메로토이드 쉘터·심부	대 슬라이누 방어 Lv2	종족: 슬라이누에게서 받는 대미지 -15%
폴리곤	3	채집: 피에스 디멘션, 케라가 차원 / 드랍: 곱빼기 슬라이누 / 숨겨진 상자: 루지이 고원	대 슬라이누 방어 Lv3	종족: 슬라이누에게서 받는 대미지 -20%
애니메이션	4	채집: 지하 용암동, 지하 용암동·심부, 렛츠고 아일랜드	대 슬라이누 방어 Lv4	종족: 슬라이누에게서 받는 대미지 -25%
초미려한 3D CG	5	채집: 르위 성 북쪽 방, 미래를 결정하는 전자의 땅·심부 / 보물상자: 소우·설 숲 / 숨겨진 상자: 소·우설 숲	대 슬라이누 방어 Lv5	종족: 슬라이누에게서 받는 대미지 -30%
마이크 사용	1	채집: 풍래 동굴, 루드암즈 지하도, 어덜틱 숲 / 숨겨진 상자: ZECA 1호 유적	대 조류 방어 Lv1	종족: 새에게서 받는 대미지 -10%
특수 컨트롤러	2	채집: 루드암즈 지하도·북문, 지하 동굴, 하네다 산길 / 숨겨진 상자: 회귀의 초원 / 콜로세움: 아버지 분투기	대 조류 방어 Lv2	종족: 새에게서 받는 대미지 -15%
특수 주변기기	3	채집: 채굴장, 메로토이드 쉘터, 오오토리이 동굴	대 조류 방어 Lv3	종족: 새에게서 받는 대미지 -20%
모션 컨트롤러	4	채집: 아리오 고원, 코어그라 고원 / 숨겨진 상자: 네크토키 수림 / 퀘스트: 뭐랄가… 그거야! 그거!	대 조류 방어 Lv4	종족: 새에게서 받는 대미지 -25%
입체 영상	5	채집: 버추얼 포레스트·심부, 미래를 결정하는 전자의 땅·심부 / 보물상자: 렛츠고 아일랜드·심부 / 숨겨진 상자: 에므에스 용암동	대 조류 방어 Lv5	종족: 새에게서 받는 대미지 -30%
프리 시나리오	1	채집: 회귀의 초원 / 보물상자: 제트 셋 산길·정상 / 퀘스트: 초회 한정 기타 컨트롤러가!!	대 데이터 방어 Lv1	종족: 데이터에게서 받는 대미지 -10%
커스텀 사운드	2	채집: 루드암즈 지하도·북문, 피에스 디멘션 / 숨겨진 상자: 헤이로우 숲 / 콜로세움: 사회인의 적	대 데이터 방어 Lv2	종족: 데이터에게서 받는 대미지 -15%
컬러 에디트	3	채집: 코바츠바 유적, 하네다 산길·정상, 오오토리이 동굴	대 데이터 방어 Lv3	종족: 데이터에게서 받는 대미지 -20%
스테이지 에디트	4	채집: 아노네데스의 연구소, 케라가 차원, 언더 인버즈	대 데이터 방어 Lv4	종족: 데이터에게서 받는 대미지 -25%
합성	5	채집: 언더 인버즈·심부, 미래를 결정하는 전자의 땅·심부 / 보물상자: 도우 사원 / 숨겨진 상자: 에므에스 용암동·심부, 언더 인버즈	대 데이터 방어 Lv5	종족: 데이터에게서 받는 대미지 -30%
좀 야하다	1	채집: 풍래 동굴 / 보물상자: 쿠자라트 공장·제2구획	대 동물 방어 Lv1	종족: 동물에게서 받는 대미지 -10%
판타지	2	채집: 회귀의 초원, 하네다 산길·정상 / 숨겨진 상자: 르위 성·심부 / 콜로세움: 바람… 어디선가 불어오고 있어	대 동물 방어 Lv2	종족: 동물에게서 받는 대미지 -15%
SF	3	채집: 코바츠바 유적, 오오토리이 동굴 / 숨겨진 상자: 국영 공장 / 콜로세움: 딸에게 멋있는 모습을 보여주고 싶다	대 동물 방어 Lv3	종족: 동물에게서 받는 대미지 -20%
메타 픽션	4	채집: 오오토리이 동굴, 아노네데스의 연구소, 도시 중심지 / 드랍: 고양이다람쥐 나이트	대 동물 방어 Lv4	종족: 동물에게서 받는 대미지 -25%
호러	5	채집: 에므에스 용암동, 미래를 결정하는 전자의 땅·심부 / 보물상자: 에므에스 용암동·심부 / 숨겨진 상자: 코어그라 고원	대 동물 방어 Lv5	종족: 동물에게서 받는 대미지 -30%
점프	1	채집: ZECA 2호 유적, 기고 거리·입구, 기고 거리·심부 / 숨겨진 상자: 오오토리이 대삼림	대 베이더 방어 Lv1	종족: 베이더에게서 받는 대미지 -10%
샷	2	채집: 루드암즈 지하도·북문, 르위 성 내부, 하네다 산길	대 베이더 방어 Lv2	종족: 베이더에게서 받는 대미지 -15%
차지	3	채집: 코바츠바 유적, 지하 용암동	대 베이더 방어 Lv3	종족: 베이더에게서 받는 대미지 -20%
콤보 중시	4	채집: 네크토키 수림, 에므에스 용암동	대 베이더 방어 Lv4	종족: 베이더에게서 받는 대미지 -25%
초필살기	5	채집: 에므에스 용암동, 미래를 정하는 전자의 땅·심부 / 숨겨진 상자: 에므에스 용암동	대 베이더 방어 Lv5	종족: 베이더에게서 받는 대미지 -30%
바보 게임	1	채집: ZECA 2호 유적, 어덜틱 숲 / 숨겨진 상자: 플라네튠 역 앞 광장 / 퀘스트: 주물럭 주물럭, 잘 반죽하는 거야	대 머신 방어 Lv1	종족: 머신에게서 받는 대미지 -10%
눈물 게임	2	채집: 회귀의 초원, 헤이로우 숲, 하네다 산길 / 퀘스트: 기어왔다	대 머신 방어 Lv2	종족: 머신에게서 받는 대미지 -15%
서양 게임	3	채집: 제가 숲, 메로토이드 쉘터·심부, 아노네데스의 연구소	대 머신 방어 Lv3	종족: 머신에게서 받는 대미지 -20%
인생	4	채집: 오오토리이 동굴, 네크토키 수림, 그라피스 고개·정상	대 머신 방어 Lv4	종족: 머신에게서 받는 대미지 -25%
쥬브나일	5	채집: 언더 인버즈·심부, 미래를 결정하는 전자의 땅 / 드랍: 맥시멈 슬라이누 / 숨겨진 상자: 듀오알 유적	대 머신 방어 Lv5	종족: 머신에게서 받는 대미지 -30%
Lv이 아닌 성장 요소	1	채집: ZECA 2호 유적, 지하 동굴, 스마폰 산길·정상 / 보물상자: 밴디 크래시	대 무기질 방어 Lv1	종족: 무기질에게서 받는 대미지 -10%
호버 주행	2	채집: 기고 거리·입구, 기고 거리·심부, 국영 공장, 루지이 고원 / 보물상자: 지하 동굴 / 숨겨진 상자: 르위 성·심부, 스마폰 산길·정상 / 콜로세움: 올해도 0개…	대 무기질 방어 Lv2	종족: 무기질에게서 받는 대미지 -15%
일본풍 테이스트	3	채집: 국영 공장, 제가 숲, 루지이 고원, 아리오 고원	대 무기질 방어 Lv3	종족: 무기질에게서 받는 대미지 -20%
일단 물리로 때려라	4	채집: 오오토리이 동굴, 아노네데스의 연구소·심부, 버추얼 포레스트·심부 / 퀘스트: 지금부터 과외 수업을 시작한다	대 무기질 방어 Lv4	종족: 무기질에게서 받는 대미지 -25%
터치 조작 온리	5	채집: 도우 사원, 미래를 결정하는 전자의 땅 / 숨겨진: 비타르 디벤션	대 무기질 방어 Lv5	종족: 무기질에게서 받는 대미지 -30%
자동 생성 던전	1	채집: ZECA 2호 유적, 어덜틱 숲 / 보물상자: 오오토리이 대삼림 / 퀘스트: 간호사의 일	물리 방어+ Lv1	물리 공격에 의한 대미지 -10%
랜덤 인카운터	2	채집: 루드암즈 지하도·남문, 채굴장 / 드랍: 위험한 샹푸르 / 숨겨진 상자: 헤이로우 숲	물리 방어+ Lv2	물리 공격에 의한 대미지 -15%
심볼 인카운터	3	채집: 제가 숲, 피에스 디멘션, 케라가 차원	물리 방어+ Lv3	물리 공격에 의한 대미지 -20%
서프라이즈 인카운터	4	채집: 아리오 고원, 오오토리이 동굴, 듀오알 유적 / 숨겨진: 아노네데스의 연구소·심부 / 퀘스트: 차를 사랑하는 남자 3/ 콜로세움: 팔십 재해의 신 습격	물리 방어+ Lv4	물리 공격에 의한 대미지 -25%
심리스	5	채집: 버추얼 포레스트, 미래를 결정하는 전자의 땅 / 숨겨진 상자: 비타르 디멘션	물리 방어+ Lv5	물리 공격에 의한 대미지 -30%
미묘한 패러미터 조정	1	채집: 밴디 크래시, 소니이 습지, 르위 성 외곽	마법 방어+ Lv1	마법 공격에 의한 대미지 -10%
슬롯	2	채집: 어덕틱 숲, 코바츠바 유적 / 드랍: 아주 위험한 샹푸르 / 숨겨진 상자: 르위 성 내부	마법 방어+ Lv2	마법 공격에 의한 대미지 -15%
특수한 게이지	3	채집: 피에스 디멘션, 케라가 차원 / 숨겨진 상자: 코바츠바 유적	마법 방어+ Lv3	마법 공격에 의한 대미지 -20%
진동	4	채집: 아노네데스의 연구소·심부, 지하 용암동, 렛츠고 아일랜드·심부	마법 방어+ Lv4	마법 공격에 의한 대미지 -25%
DLC	5	채집: 그라피스 고개, 미래를 결정하는 전자의 땅 / 보물상자: 코어그라 고원 / 숨겨진 상자: 언더 인버즈	마법 방어+ Lv5	마법 공격에 의한 대미지 -30%
오토 세이브	4	채집: 지하 용암동, 에므에스 용암동 / 숨겨진: 아노네데스의 연구소·심부, 미래를 결정하는 전자의 땅·심부	카테고리 특성 무시	적 종족 어빌리티를 무시하고 대미지를 줌

●슬롯3용 아이디어 칩

아이디어 칩	레벨	입수 방법	어빌리티	효과
저가	1	채집: 쿠자라트 공장·제2구획, 헤이로우 숲 / 숨겨진 상자: 소니이 습지	드랍률 업 Lv1	아이템 드랍 확률 +9%
DL 전용 판매	2	채집: 르위 성 외곽, 메로토이드 쉘터·심부 / 드랍: 카노푸스	드랍률 업 Lv2	아이템 드랍 확률 +12%
초회 한정판	3	채집: 국영 공장, 아리오 고원 / 숨겨진 상자: 코바츠바 유적 / 콜로세움: 용감한 정의	드랍률 업 Lv3	아이템 드랍 확률 +16%
영상 소프트와 팩	4	채집: 케라가 차원, 소우·설 숲 / 퀘스트: 유통 경로	드랍률 업 Lv4	아이템 드랍 확률 +20%
런칭	5	채집: 그라피스 고개 / 드랍: 초차원 슬라이누 / 숨겨진 상자: 도시 중심부	드랍률 업 Lv5	아이템 드랍 확률 +25%
깍깍 우후후	1	채집: 쿠자라트 공장·제2구획, 회귀의 초원 / 보물상자: 풍래 동굴·심부	전투 후 HP 회복 Lv1	전투 종료 후 HP 3% 회복
질척질척	2	채집: 헤이로우 숲, 제가 숲 / 숨겨진 상자: 지하 동굴 / 콜로세움: 더 뜨거워지라고!!!	전투 후 HP 회복 Lv2	전투 종료 후 HP 4% 회복
연애	3	채집: 루지이 고원, 지하 용암동·심부 / 드랍: 갈그이유 / 숨겨진 상자: 코바츠바 유적 / 퀘스트: 궁극의 식재	전투 후 HP 회복 Lv3	전투 종료 후 HP 6% 회복
우훗… 아앗~!	4	채집: 케라가 차원, 지하 용암동·심부, 르위 성 북쪽 방	전투 후 HP 회복 Lv4	전투 종료 후 HP 8% 회복
백합백합	5	채집: 르위 성 남쪽 방 / 드랍: 신차원 슬라이누 / 보물상자: 에므에스 용암동 / 숨겨진 상자: 도우 사원, 미래를 결정하는 전자의 땅·심부	전투 후 HP 회복 Lv5	전투 종료 후 HP 10% 회복
라이트층이 타겟	1	채집: 밴디 크래시, 스마폰 산길 / 보물상자: 쿠자라트 공장·제1구획	전투 후 SP 회복 Lv1	전투 종료 후 SP 20 회복
아이들 대상	2	채집: 헤이로우 숲, 어덜틱 숲, 메로토이드 쉘터·심부	전투 후 SP 회복 Lv2	전투 종료 후 SP 40 회복
남성 대상	3	채집: 루지이 고원, 피시 게임 공장터 / 드랍: 보스 리저드 / 보물상자: 하네다 산길·정상 / 퀘스트: 전차를 사랑하는 남자 2	전투 후 SP 회복 Lv3	전투 종료 후 SP 60 회복
코어층을 노림	4	채집: 오오토리이 동굴, 피시 게임 공장터, 변질 다차원 공간 / 숨겨진 상자: 피시 게임 공장터 / 콜로세움: 원조 진 마제콘느	전투 후 SP 회복 Lv4	전투 종료 후 SP 80 회복
여성 대상	5	채집: 르위 성 남쪽 방 / 숨겨진 상자: 렛츠고 아일랜드·심부, 르위 성 북쪽 방	전투 후 SP 회복 Lv5	전투 종료 후 SP 99 회복
연예인이 성우 담당	1	채집: 쿠자라트 공장·제2구획, 르위 성 외곽 / 보물상자: 쿠자라트 공장·제2구획 / 퀘스트: 리얼에서…	매 턴 HP 회복 Lv1	행동 순서가 돌아올 때마다 HP 3% 회복
누가 득을 보나 사양	2	채집: 스마폰 산길·정상, 코바츠바 유적 / 숨겨진 상자: 어덜틱 숲 / 콜로세움: 아가씨의 마음	매 턴 HP 회복 Lv2	행동 순서가 돌아올 때마다 HP 4% 회복
업계 최초 시스템!	3	채집: 코바츠바 유적, 네크토키 수림 / 보물상자: 메로토이드 쉘터 / 퀘스트: 최초의 시련	매 턴 HP 회복 Lv3	행동 순서가 돌아올 때마다 HP 5% 회복
유명 크리에이터	4	채집: 네크토키 수림, 소우·설 숲 / 숨겨진 상자: 아노네데스의 연구소	매 턴 HP 회복 Lv4	행동 순서가 돌아올 때마다 HP 7% 회복
인기 일러스트레이터	5	채집: 도시 중심지 / 드랍: 블레이즈 웨일 / 숨겨진 상자: 버추얼 포레스트·심부, 미래를 결정하는 전자의 땅·심부	매 턴 HP 회복 Lv5	행동 순서가 돌아올 때마다 HP 10% 회복

●슬롯3용 아이디어 칩

아이디어 칩	레벨	입수 방법	어빌리티	효과
틈새	1	채집: 풍래 동굴, 회귀의 초원, 스마폰 산길 / 숨겨진 상자: 쿠자라트 공장·제2구획	매 턴 SP 회복 Lv1	행동 순서가 돌아올 때마다 SP 10 회복
본고장	2	채집: 스마폰 산길·정상, 국영 공장 / 숨겨진 상자: 하네다 산길·정상 / 콜로세움: 우리들의 시체를 넘어서 가라	매 턴 SP 회복 Lv2	행동 순서가 돌아올 때마다 SP 20 회복
킬러 타이틀 겨냥	3	채집: 메로토이드 쉘터·심부, 피시 게임 공장터 / 보물상자: 메로토이드 쉘터	매 턴 SP 회복 Lv3	행동 순서가 돌아올 때마다 SP 30 회복
밀리언 타이틀 겨냥	4	채집: 오오토리이 동굴, 아노네데스의 연구소, 가짜 플라네튠, 미래를 결정하는 전자의 땅·심부	매 턴 SP 회복 Lv4	행동 순서가 돌아올 때마다 SP 40 회복
월드 와이드	5	채집: 에므에스 용암동·심부 / 드랍: 프로토타입 킬러 머신 / 숨겨진 상자: 에므에스 용암동·심부, 미래를 결정하는 전자의 땅·심부	매 턴 SP 회복 Lv5	행동 순서가 돌아올 때마다 SP 50 회복
예약 캠페인	1	채집: 루드암즈 지하도·북문 / 보물상자: 버추얼 포레스트 보호 지구	도주 확률 업 Lv1	도주 확률 +15%
초회 특전 DLC 코드	2	채집: 루드암즈 지하도, 헤이로우 숲, 코바츠바 유적	도주 확률 업 Lv2	도주 확률 +20%
미디어 믹스 전개	3	채집: 하네다 산길·정상, 오오토리이 동굴 / 드랍: 가지 라이더 / 숨겨진 상자: 하네다 산길	도주 확률 업 Lv3	도주 확률 +30%
인기 원작	4	채집: 아노네데스의 연구소, 가짜 플라네튠, 미래를 결정하는 전자의 땅·심부 / 숨겨진 상자: 피시 게임 공장터	도주 확률 업 Lv4	도주 확률 +40%
본체 동봉 한정판	5	채집: 코어그라 고원 / 숨겨진 상자: 르위 성 북쪽 방	도주 확률 업 Lv5	도주 확률 +50%
싸움	1	채집: 풍래 동굴·심부, 회귀의 초원 / 숨겨진 상자: 쿠자라트 공장·제2구획 / 퀘스트: 수상한 사람 목격 보고	입수 금액 업 Lv1	획득 크레디트 +15%
역사	2	채집: 기고 거리·입구, 기고 거리·심부, 채굴장 / 숨겨진 상자: 지하 동굴 / 콜로세움: 뇌전	입수 금액 업 Lv2	획득 크레디트 +20%
추리	3	채집: 피에스 디멘션, 메로토이드 쉘터·심부, 피시 게임 공장터	입수 금액 업 Lv3	획득 크레디트 +30%
모험	4	채집: 피시 게임 공장터, 렛츠고 아일랜드 / 드랍: 숲 고래 / 숨겨진 상자: 지하 용암동	입수 금액 업 Lv4	획득 크레디트 +40%
전쟁	5	채집: 버추얼 포레스트·심부 / 보물상자: 도우 사원	입수 금액 업 Lv5	획득 크레디트 +50%
일직선 진행	1	채집: 풍래 동굴·심부, 회귀의 초원 / 숨겨진 상자: 밴디 크래시	입수 경험치 업 Lv1	획득 경험치 +10%
속편한 진행	2	채집: 회귀의 초원, 메로토이드 쉘터 / 숨겨진 상자: 어덜틱 숲 / 콜로세움: 연옥	입수 경험치 업 Lv2	획득 경험치 +15%
초절 난이도	3	채집: 하네다 산길·정상, 지하 용암동 / 보물상자: 하네다 산길 / 콜로세움: 느와르짱을 괴롭히고 싶대	입수 경험치 업 Lv3	획득 경험치 +20%
경험치 노가다 없음	4	채집: 아노네데스의 연구소·심부, 케라가 차원, 버추얼 포레스트 / 퀘스트: 불쌍한 마물	입수 경험치 업 Lv4	획득 경험치 +25%
리셋 필수	5	채집: 듀오알 유적 / 드랍: 프로키온 / 숨겨진 상자: 렛츠고 아일랜드, 미래를 결정하는 전자의 땅	입수 경험치 업 Lv5	획득 경험치 +30%
놀랄 정도로 금방 죽는다	1	채집: 밴디 크래시, 르위 성 내부 / 보물상자: 밴디 크래시 / 퀘스트: 진화하는 내일	피 크리티컬- Lv1	적에게서 크리티컬을 당할 확률 -10%
핀치가 되면 각성	2	채집: 성·심부, 메로토이드 쉘터 / 숨겨진 상자: 기고 거리·심부	피 크리티컬- Lv2	적에게서 크리티컬을 당할 확률 -20%
패러미터 분할 가능	3	채집: 채굴장, 아리오 고원, 아노네데스의 연구소 / 숨겨진 상자: 피에스 디멘션	피 크리티컬- Lv3	적에게서 크리티컬을 당할 확률 -30%
죽어서 배워라	4	채집: 아리오 고원, 피시 게임 공장터, 버추얼 포레스트 / 드랍: 말새 라이더	피 크리티컬- Lv4	적에게서 크리티컬을 당할 확률 -40%
한 번 죽으면 끝	5	채집: 가짜 플라네튠 / 드랍: 사이버 웨일 / 숨겨진 상자: 렛츠고 아일랜드, 버추얼 포레스트·심부, 미래를 결정하는 전자의 땅	피 크리티컬- Lv5	적에게서 크리티컬을 당할 확률 -50%
왕도	1	채집: ZECA 2호 유적, 어덜틱 숲 / 보물상자: 밴디 크래시	릴리 업+ Lv1	한 번 전투에서 획득할 수 있는 릴리 포인트 +1
전문 용어	2	채집: 르위 성 내부, 스마폰 산길, 메로토이드 쉘터 / 보물상자: 하네다 산길	릴리 업+ Lv2	한 번 전투에서 획득할 수 있는 릴리 포인트 +2
대자연	3	채집: 하네다 산길, 네크토키 수림 / 숨겨진 상자: 메로토이드 쉘터·심부 / 콜로세움: 범죄 조직의 여신	릴리 업+ Lv3	한 번 전투에서 획득할 수 있는 릴리 포인트 +3
근미래	4	채집: 케라가 차원, 피시 게임 공장터, 르위 성 남쪽 방 / 드랍: 큰 육지 거북	릴리 업+ Lv4	한 번 전투에서 획득할 수 있는 릴리 포인트 +4
할렘	5	채집: 코어그라 고원 / 보물상자: 언더 인버즈 / 숨겨진 상자: 에므에스 용암동·심부, 미래를 결정하는 전자의 땅	릴리 업+ Lv5	한 번 전투에서 획득할 수 있는 릴리 포인트 +5
드릴	3	채집: 메로토이드 쉘터, 루지이 고원, 지하 용암동·심부, 미래를 결정하는 전자의 땅·심부	여신화 시 완전 회복	여신으로 변신하면 HP와 SP가 완전 회복

+ 게임 디스크 / 디스크 조합

●신의 게임

아이디어 칩1	레벨	어빌리티	아이디어 칩2	레벨	어빌리티	아이디어 칩3	레벨	어빌리티	추가어빌리티
액션	1	마비 부여 Lv1	수염 난 이탈리아인	3	대 드래곤 방어 Lv3	킬러 타이틀 겨냥	3	매 턴 SP 회복 Lv3	대미지 컷 Lv2(물리 대미지, 마법 대미지 -25%)
RPG	1	독 부여 Lv1	몬스터	3	대 수생 방어 Lv3	아이돌 대상	2	전투 후 SP 회복 Lv2	매 턴 SP 회복 Lv3(행동 순서가 돌아올 때마다 SP+6)
슈팅	3	고속 행동 Lv1	초미려 3D CG	5	대 슬라이누 방어 Lv5	전쟁	5	입수 금액 업 Lv5	대 여신 방어(종족: 여신에게서 받는 대미지 -25%)
노벨	2	소비 SP 다운 Lv2	실사	2	대 슬라이누 방어 Lv2	-	—	-	입수 경험치 업 Lv3(획득 경험치 +25%)
대전 격투	3	마비 부여 Lv3	폴리곤	3	대 슬라이누 방어 Lv3	유명 크리에이터	4	매 턴 HP 회복 Lv4	크리티컬률 + Lv3 (크리티컬 발생 확률 + 10%)
레이스	3	크리티컬률 + Lv3	수염 난 이탈리아인	3	대 드래곤 방어 Lv3	라이트층이 타겟	1	전투 후 SP 회복 Lv1	고속 행동Lv2 (행동 후에 가산되는 대기 시간-15)
노벨	2	소비 SP 다운 Lv2	실루엣	4	대 수생 방어 Lv4	추리	3	입수 금액 업 Lv3	도주 확률 100%(도주할 수 있는 전투라면 100% 도주 가능)
걸 게임	3	소비 SP 다운 Lv3	모에	4	대 곤충 방어 Lv4	연애	3	전투 후 HP 회복 Lv3	릴리 업+ Lv3(한 번 전투에서 획득할 수 있는 릴리 포인트 +3)
액션	1	마비 부여 Lv1	좀비	4	대 고스트 방어 Lv4	밀리언 타이틀 겨냥	4	매 턴 SP 회복 Lv4	마비 부여 Lv2(공격 대상에게 14%의 확률로 마비를 부여)
시뮬레이션 RPG	5	독 부여 Lv5	로봇	4	대 드래곤 방어 Lv4	-		-	입수 금액+ Lv3(획득 크레디트 +35%)
액션	1	마비 부여 Lv1	바보 게임	1	대 머신 방어 Lv1	놀랄 정도로 금방 죽는다	1	피 크리티컬 - Lv1	디버프 무효(스테이터스를 다운시키는 효과 무효)
액션 RPG	3	독 부여 Lv3	판타지	2	대 동물 방어 Lv2	초절 난이도	3	입수 경험치 업 Lv3	전투 후 HP 회복 Lv3(전투 종료 후 HP 8% 회복)
RPG	1	독 부여 Lv1	합성	5	대 데이터 방어 Lv5	인기 일러스트레이터	5	매 턴 HP 회복 Lv5	드랍률 업 Lv3(적이 아이템을 떨어뜨릴 확률 +20%)
스텔스	2	마비 부여 Lv2	아저씨	3	대 곤충 방어 Lv3	전쟁	5	입수 금액 업 Lv5	백 어택 무효
TPS	5	상태 이상 무효	초미려 3D CG	5	대 슬라이누 방어 Lv5	모험	4	입수 금액 업 Lv4	입수 경험치 업 Lv2(획득 경험치 +20%)
RPG	1	독 부여 Lv1	판타지	2	대 동물 방어 Lv2	왕도	1	릴리 업 + Lv1	SP 게이지 증가량+ Lv3(1Hit할 때마다 SP 증가량 +3)
헌팅	5	마비 부여 Lv5	합성	5	대 데이터 방어 Lv5	킬러 타이틀 겨냥	3	매 턴 SP 회복 Lv3	드랍률 업 Lv3(적이 아이템을 떨어뜨릴 확률 +20%)
레이스	3	크리티컬률 + Lv3	초미려 3D CG	5	대 슬라이누 방어 Lv5	월드 와이드	5	매 턴 SP 회복 Lv5	고속 행동 Lv4(행동 후에 가산되는 대기 시간 -25)
대전 격투	3	마비 부여 Lv3	초필살기	5	대 베이더 방어 Lv5	싸움	1	입수 금액 업 Lv1	크리티컬률 + Lv4 (크리티컬 발생 확률 + 12%)

●신의 게임

아이디어 칩1	레벨	어빌리티	아이디어 칩2	레벨	어빌리티	아이디어 칩3	레벨	어빌리티	추가어빌리티
크라임 액션	4	마비 부여 Lv4	프리 시나리오	1	대 데이터 방어 Lv1	월드 와이드	5	매 턴 SP 회복 Lv5	카테고리 특성 무효(적 종족 어빌리티를 무시하고 대미지를 줌)
시뮬레이션 RPG	5	독 부여 Lv5	판타지	2	대 동물 방어 Lv2	한 번 죽으면 끝	5	피 크리티컬- Lv5	도주 확률 업 Lv5(도주 확률 +50%)
퍼즐·로직	4	스킬 봉인 부여 Lv4	-	—	-	라이트층이 타겟	1	전투 후 SP 회복 Lv1	스킬 봉인 부여Lv2 (공격 대상에게 12%의 확률로 마비의 상태 이상을 부여)
RPG	1	독 부여 Lv1	폴리곤	3	대 슬라이누 방어 Lv3	모험	4	입수 금액 업 Lv4	드랍률 업 Lv3(적이 아이템을 떨어뜨릴 확률 +20%)
액션	1	마비 부여 Lv1	올스타	5	대 식물 방어 Lv5	월드 와이드	5	매 턴 SP 회복 Lv5	매 턴 HP 회복 Lv5(행동 순서가 돌아올 때마다 HP 10% 회복)
액션 RPG	3	독 부여 Lv3	-	—	-	왕도	1	릴리 업+ Lv1	소비 SP 다운 Lv1(소비 SP -5%)
파티	5	스킬 봉인 부여 Lv5	철도	5	대 수생 방어 Lv5	본고장	2	매 턴 SP 회복 Lv2	스킬 봉인 무효
시뮬레이션	1	변신 후 소비 SP- Lv1	마이크 사용	1	대 조류 방어 Lv1	틈새	1	매 턴 SP 회복 Lv1	대 슬라이누 방어 Lv5(종족: 슬라이누에게서 받는 대미지 -30%)
시뮬레이션	1	변신 후 소비 SP- Lv1	모에	4	대 곤충 방어 Lv4	코어층을 노림	4	전투 후 SP 회복 Lv4	릴리 업+ Lv5(한 번 전투에서 획득할 수 있는 릴리 포인트 +5)

●망한망한 게임

아이디어 칩1	레벨	어빌리티	아이디어 칩2	레벨	어빌리티	아이디어 칩3	레벨	어빌리티	추가어빌리티
야구	5	크리티컬률+ Lv5	애니메이션	4	대 슬라이누 방어 Lv4	인기 원작	4	도주 확률 업 Lv4	매 턴 HP 마이너스(행동 순서가 돌아올 때마다 HP -10%)
어드벤처	1	소비 SP 다운 Lv1	호버 주행	2	대 무기질 방어 Lv2	역사	2	입수 금액 업 Lv2	피 마법 대미지 증가(적에게서 받는 마법 대미지 +20%)
골프	2	크리티컬률+ Lv2	애니메이션	4	대 슬라이누 방어 Lv4	인기 원작	4	도주 확률 업 Lv4	피 크리티컬+ Lv3(적에게서 받는 공격 크리티컬률 +30%)
RPG	1	독 부여 Lv1	심리스	5	물리 방어+ Lv5	연예인이 성우 담당	1	매 턴 HP 회복 Lv1	피 크리티컬+ Lv3(적에게서 받는 공격 크리티컬률 +40%)
MO	3	서프라이즈 무효	SF	3	대 동물 방어 Lv3	-	—	-	피 물리 대미지 증가(적에게서 받는 물리 대미지 +20%)
노벨	2	소비 SP 다운 Lv2	호러	5	대 동물 방어 Lv5	유명 크리에이터	4	매 턴 HP 회복 Lv4	매 턴 SP 마이너스(행동 순서가 돌아올 때마다 SP -10)
시뮬레이션	1	변신 후 소비 SP- Lv1	모에	4	대 곤충 방어 Lv4	역사	2	입수 금액 업 Lv2	SP 대미지 감소(1Hit할 때마다 SP 증가량 -2)
RPG	1	독 부여 Lv1	일단 물리로 때려라	4	대 무기질 방어 Lv4	월드 와이드	5	매 턴 SP 회복 Lv5	입수 경험치 다운(습득 경험치 -30%)
파티	5	스킬 봉인 부여 Lv5	인생	4	대 머신 방어 Lv4	본고장	2	매 턴 SP 회복 Lv2	버프 무효(스테이터스를 올려주는 효과 무효)
건 슈팅	4	고속 행동 Lv2	특수 컨트롤러	2	대 조류 방어 Lv2	놀랄 정도로 금방 죽는다	1	피 크리티컬- Lv1	매 턴 HP 마이너스(행동 순서가 돌아올 때마다 HP -10%)
액션	1	마비 부여 Lv1	로봇	4	대 드래곤 방어 Lv4	근미래	4	릴리 업+ Lv4	입수 경험치 다운(습득 경험치 -50%)
액션	1	마비 부여 Lv1	점프	1	대 베이더 방어 Lv1	코어층을 노림	4	전투 후 SP 회복 Lv4	SP 대미지 감소(행동 순서가 돌아올 때마다 SP 증가량 -5)

+리메이크 시스템 / 배틀

시스템	입수 방법	용량	필요 소재	수	필요 소재	수	효과
적을 강하게 한다	제2장 플라네 트위톡: 캥거루	16	수수께끼의 원	2	-	—	적의 STR, VIT, INT, MEN이 15% 상승
적을 약하게 한다	제2장 라스테 트위톡: 몬스터 할아버지	16	해바라기 씨앗	2	-	—	적의 STR, VIT, INT, MEN이 15% 하락
언제 어디서나 이스케이프	보물상자: 회귀의 초원	128	마석	2	고양이 수염	4	전투 필드 포지션에 관계없이 도주를 선택할 수 있음
무조건 도주한다	지켜봐줘: 제6에리어 발견	256	게 껍질	2	-	—	도주할 수 있는 전투에서 확실하게 도주할 수 있게 됨
상태 이상에 강하게	숨겨진 상자: 스마폰 산길·정상	256	하이에나의 모피	3	큰 나비의 날개	3	상태 이상의 최종 발생률이 절반으로 줆. 회복 판정은 2배
노린 타겟은 놓치지 않는다	지켜봐줘: 제4에리어 발견	64	매우 커다란 부리	3	철 장비의 조각	4	명중률 +75%
대미지 한계 돌파 ※1	지켜봐줘: 제7에리어 발견	512	칠흑의 비늘	2	날카로운 이빨	5	1HIT의 대미지 상한이 9999 이상이 됨

※1: 사양서의 명칭은「한계 돌파」

+리메이크 시스템 / 시스템

시스템	입수 방법	용량	필요 소재	수	필요 소재	수	효과
습득 경험치 업	숨겨진 상자: 기고 거리·입구	256	무지개색 날개	2	아에루의 손톱	2	획득 경험치 +30%
습득 크레디트 업	숨겨진 상자: 르위 성 외곽	256	WD의 조각	2	뼈조각	3	획득 크레디트 +30%
심볼 격파	제3장 르위 트위톡: 카제시마	8	불법 메모리	2	얼음의 결정석	1	레벨 차이가 있는 적을 심볼 어택하면 격파할 수 있게 됨
심볼 격파로도 입수	지켜봐줘: 제1, 제7에리어에서 발견	1024	에너지 백	2	-	—	심볼 격파를 해도 드랍 아이템을 입수할 수 있음
뒤에도 눈이 달린 건가! ※1	보물상자: 피에스 디멘션	256	혼의 계약서	3	건달 마스크	2	적의 심볼 어택이 무효
절대 심볼 어택	지켜봐줘: 제8에리어에서 발견	512	빨간 파이프 조각	2	엄청 딱딱한 나무조각	2	어떤 상태에서 적과 접촉해도 심볼 어택이 성공
점핑 스타	숨겨진 상자: 헤이로우 숲	8	맹독 거미줄	3	-	—	숨겨진 상자를 쳤을 때의 습득 크레디트가 두 배
트레저 헌터	보물상자: 루드암즈 지하도·남문	128	수수께끼의 적주	2	불법 고급 회로	2	적을 격파할 때의 아이템 드랍률 +30%
숨겨진 보물상자 횟수 업	지켜봐줘: 제5에리어에서 발견	32	말새의 날개	2	-	—	숨겨진 상자를 때릴 수 있는 횟수가 +2(합계 5회)
라플라스·아이	제5장 린 트위톡: P2	32	혼의 계약서	1	-	—	숨겨진 상자의 위치가 맵에 표시됨
스니킹·스코프	제5장 피시 트위톡: 이노군	32	검은 젤라틴 촉수	3	노란 파이프 조각	1	적의 시야가 표시됨
원화틱한 눈썹	제2장 라스테 트위톡: 슬레이어	1	새의 동관	2	-	—	3D 캐릭터 모델의 눈썹이 원화에 가깝게 변경
콜로세움 해방	제5장 플라네 트위톡: 프루루트	128	괴조의 날개	1	검은 모금함	5	콜로세움을 이용할 수 있게 됨

시스템	입수 방법	용량	필요 소재	수	필요 소재	수	효과
전투 BGM 전환	지켜봐줘: 제1에리어 돌파	1	마석	1	—	—	전투 BGM을 신곡이나 원곡으로 변경 가능
월드 BGM 전환	보물상자: ZECA 1호 유적	1	너덜 천	1	—	—	월드 BGM을 신곡이나 원곡으로 변경 가능
지켜봐줘☆던전 개방	제2장 플라네 트위톡: 스텔라	4	파워 스톤	1	—	—	지켜봐줘☆던전을 플레이할 수 있게 됨
제2에리어의 열쇠	지켜봐줘: 제1에리어 돌파	1	늑대의 털	1	—	—	지켜봐줘☆던전의 제2에리어가 개방
제3에리어의 열쇠	지켜봐줘: 제2에리어 돌파	1	아에루의 손톱	1	—	—	지켜봐줘☆던전의 제3에리어가 개방
제4에리어의 열쇠	지켜봐줘: 제3에리어 돌파	1	매우 커다란 부리	1	—	—	지켜봐줘☆던전의 제4에리어가 개방
제5에리어의 열쇠	지켜봐줘: 제4에리어 돌파	1	맹독 천	1	—	—	지켜봐줘☆던전의 제5에리어가 개방
제6에리어의 열쇠	지켜봐줘: 제5에리어 돌파	1	날카로운 이빨	1	—	—	지켜봐줘☆던전의 제6에리어가 개방
제7에리어의 열쇠	지켜봐줘: 제6에리어 돌파	1	빨간 파이프 조각	1	—	—	지켜봐줘☆던전의 제7에리어가 개방
제8에리어의 열쇠	지켜봐줘: 제7에리어 돌파	1	용암석	1	—	—	지켜봐줘☆던전의 제8에리어가 개방
제9에리어의 열쇠	지켜봐줘: 제8에리어 돌파	1	옐로우 블록	1	—	—	지켜봐줘☆던전의 제9에리어가 개방
제10에리어의 열쇠	지켜봐줘: 제9에리어 돌파	1	번장 마스크	1	—	—	지켜봐줘☆던전의 제10에리어가 개방
제11에리어의 열쇠	지켜봐줘: 제10에리어 돌파	1	고양이 강모	1	—	—	지켜봐줘☆던전의 제11에리어가 개방
제12에리어의 열쇠	지켜봐줘: 제11에리어 돌파	1	불타는 뼈	1	—	—	지켜봐줘☆던전의 제12에리어가 개방
제13에리어의 열쇠	지켜봐줘: 제12에리어 돌파	1	얼룩 무늬의 조각	1	—	—	지켜봐줘☆던전의 제13에리어가 개방
제14에리어의 열쇠	지켜봐줘: 제13에리어 돌파	1	「※」의 면죄부	1	—	—	지켜봐줘☆던전의 제14에리어가 개방
제15에리어의 열쇠	지켜봐줘: 제14에리어 돌파	1	미끈거리는 날개	1	—	—	지켜봐줘☆던전의 제15에리어가 개방
제16에리어의 열쇠	지켜봐줘: 제15에리어 돌파	1	해약 불가능한 계약서	1	—	—	지켜봐줘☆던전의 제16에리어가 개방
제17에리어의 열쇠	지켜봐줘: 제16에리어 돌파	1	전자 나비의 날개	1	—	—	지켜봐줘☆던전의 제17에리어가 개방
제18에리어의 열쇠	지켜봐줘: 제17에리어 돌파	1	잃어버린 성해포	1	—	—	지켜봐줘☆던전의 제18에리어가 개방
제19에리어의 열쇠	지켜봐줘: 제18에리어 돌파	1	용암의 뼈	1	—	—	지켜봐줘☆던전의 제19에리어가 개방
최종 에리어의 열쇠	지켜봐줘: 제19에리어 돌파	1	상자새의 고귀한 날개	1	—	—	지켜봐줘☆던전의 최종 에리어가 개방

※1: 사양서 명칭은 「백어택 삭제」

+리메이크 시스템 / 캐릭터

●넵튠

강화 내용	입수 방법	용량	필요 소재	수	효과
HP 업 1	캐릭터 챌린지: 참견쟁이 Lv3	8	핑크 리본	2	HP +500
HP 업 2	캐릭터 챌린지: 모두의 방패 Lv4	8	블랙 리본	2	HP +500
HP 업 3	캐릭터 챌린지: 참견쟁이 Lv7	8	마력을 가진 부리	2	HP +500
모든 능력치 업 1	캐릭터 챌린지: 바톤 터치 Lv1	8	파워 스톤	2	STR, VIT, INT, MEN, TEC, AGI, LUC +100
모든 능력치 업 2	캐릭터 챌린지: 혼자서도 할 수 있어! Lv4	8	상자새의 날개	2	STR, VIT, INT, MEN, TEC, AGI, LUC +100
모든 능력치 업 3	캐릭터 챌린지: 네가 울 때까지… Lv6	8	무지개 빛깔의 꽃잎	2	STR, VIT, INT, MEN, TEC, AGI, LUC +100
스킬 습득	캐릭터 챌린지: 내 비장의 기술 Lv2	16	커다란 가위	1	이그제 드라이브 「넵튠 브레이크」를 습득
러쉬 콤보 칸 추가	캐릭터 챌린지: 승리의 포즈! Lv5	32	보이지 않는 천	3	러쉬 콤보의 5th를 설정 가능
파워 콤보 칸 추가	제4장 플라네 트위톡: 하얀 어둠의 잔재	32	말새의 날개	3	파워 콤보의 5th를 설정 가능
브레이크 콤보 칸 추가	지켜봐줘: 제4에리어 발견	32	늑대의 모피	3	브레이크 콤보의 5th를 설정 가능
리더 스킬 습득	캐릭터 챌린지: 마라톤 런너 Lv3	32	셀 안테나	5	리더 효과 「여신화 소비 SP 감소」를 습득
메뉴에서 말하기	캐릭터 챌린지: 뚝심 Lv1	1	양아치의 마스크	1	메뉴에서 넵튠의 목소리가 나옴
엿보기는 적당히	캐릭터 챌린지: 판치라 Lv2	1	두근두근	3	장비 메뉴에서 터치를 이용해 밑에서 들여다볼 수 있게 됨

●프루루트

강화 내용	입수 방법	용량	필요 소재	수	효과
HP 업 1	캐릭터 챌린지: 참견쟁이 Lv3	8	핑크 리본	2	HP +500
HP 업 2	캐릭터 챌린지: 모두의 방패 Lv4	8	블랙 리본	2	HP +500
HP 업 3	캐릭터 챌린지: 참견쟁이 Lv7	8	마력을 가진 부리	2	HP +500
모든 능력치 업 1	캐릭터 챌린지: 바톤 터치 Lv1	8	파워 스톤	2	STR, VIT, INT, MEN, TEC, AGI, LUC +100
모든 능력치 업 2	캐릭터 챌린지: 혼자서도 할 수 있어! Lv4	8	상자새의 날개	2	STR, VIT, INT, MEN, TEC, AGI, LUC +100
모든 능력치 업 3	캐릭터 챌린지: 네가 울 때까지… Lv6	8	무지개 빛깔의 꽃잎	2	STR, VIT, INT, MEN, TEC, AGI, LUC +100
스킬 습득	캐릭터 챌린지: 내 비장의 기술 Lv2	16	커다란 가위	1	이그제 드라이브 「인형씨와 함께」를 습득
러쉬 콤보 칸 추가	캐릭터 챌린지: 승리의 포즈! Lv5	32	보이지 않는 천	3	러쉬 콤보의 5th를 설정 가능
파워 콤보 칸 추가	지켜봐줘: 제5에리어 발견	32	말새의 날개	3	파워 콤보의 5th를 설정 가능
브레이크 콤보 칸 추가	제5장 플라네 트위톡: 영적 게진	32	늑대의 모피	3	브레이크 콤보의 5th를 설정 가능
리더 스킬 습득	캐릭터 챌린지: 마라톤 런너 Lv3	32	셀 안테나	5	리더 효과 「번개 속성 대미지 내성 상승」을 습득
메뉴에서 말하기	캐릭터 챌린지: 뚝심 Lv1	1	양아치의 마스크	1	메뉴에서 프루루트의 목소리가 나옴
엿보기는 적당히	캐릭터 챌린지: 판치라 Lv2	1	두근두근	3	장비 메뉴에서 터치를 이용해 밑에서 들여다볼 수 있게 됨

●느와르

강화 내용	입수 방법	용량	필요 소재	수	효과
HP 업 1	캐릭터 챌린지: 참견쟁이 Lv3	8	핑크 리본	2	HP +500
HP 업 2	캐릭터 챌린지: 모두의 방패 Lv4	8	블랙 리본	2	HP +500
HP 업 3	캐릭터 챌린지: 참견쟁이 Lv7	8	마력을 가진 부리	2	HP +500
모든 능력치 업 1	캐릭터 챌린지: 바톤 터치 Lv1	8	파워 스톤	2	STR, VIT, INT, MEN, TEC, AGI, LUC +100
모든 능력치 업 2	캐릭터 챌린지: 혼자서도 할 수 있어! Lv4	8	상자새의 날개	2	STR, VIT, INT, MEN, TEC, AGI, LUC +100
모든 능력치 업 3	캐릭터 챌린지: 네가 울 때까지… Lv6	8	무지개 빛깔의 꽃잎	2	STR, VIT, INT, MEN, TEC, AGI, LUC +100
스킬 습득	캐릭터 챌린지: 내 비장의 기술 Lv2	16	커다란 가위	1	이그제 드라이브 「인피니트 슬래시」를 습득
파워 콤보 칸 추가	캐릭터 챌린지: 승리의 포즈! Lv5	32	말새의 날개	3	파워 콤보의 5th를 설정 가능
리더 스킬 습득	캐릭터 챌린지: 마라톤 런너 Lv3	32	셀 안테나	5	리더 효과 「화염 속성 대미지 내성 상승」을 습득
메뉴에서 말하기	캐릭터 챌린지: 뚝심 Lv1	1	양아치의 마스크	1	메뉴에서 느와르의 목소리가 나옴
엿보기는 적당히	캐릭터 챌린지: 판치라 Lv2	1	두근두근	3	장비 메뉴에서 터치를 이용해 밑에서 들여다볼 수 있게 됨

●블랑

강화 내용	입수 방법	용량	필요 소재	수	효과
HP 업 1	캐릭터 챌린지: 참견쟁이 Lv3	8	핑크 리본	2	HP +500
HP 업 2	캐릭터 챌린지: 모두의 방패 Lv4	8	블랙 리본	2	HP +500
HP 업 3	캐릭터 챌린지: 참견쟁이 Lv7	8	마력을 가진 부리	2	HP +500
모든 능력치 업 1	캐릭터 챌린지: 바톤 터치 Lv1	8	파워 스톤	2	STR, VIT, INT, MEN, TEC, AGI, LUC +100
모든 능력치 업 2	캐릭터 챌린지: 혼자서도 할 수 있어! Lv4	8	상자새의 날개	2	STR, VIT, INT, MEN, TEC, AGI, LUC +100
모든 능력치 업 3	캐릭터 챌린지: 네가 울 때까지… Lv6	8	무지개 빛깔의 꽃잎	2	STR, VIT, INT, MEN, TEC, AGI, LUC +100
스킬 습득	캐릭터 챌린지: 내 비장의 기술 Lv2	16	커다란 가위	1	이그제 드라이브「하드 브레이크」를 습득
브레이크 콤보 칸 추가	캐릭터 챌린지: 승리의 포즈! Lv5	32	늑대의 모피	3	브레이크 콤보의 5th를 설정 가능
리더 스킬 습득	캐릭터 챌린지: 마라톤 러너 Lv3	32	셀 안테나	5	리더 효과「얼음 속성 대미지 내성 상승」을 습득
메뉴에서 말하기	캐릭터 챌린지: 뚝심 Lv1	1	양아치의 마스크	1	메뉴에서 블랑의 목소리가 나옴
엿보기는 적당히	캐릭터 챌린지: 판치라 Lv2	1	두근두근	3	장비 메뉴에서 터치를 이용해 밑에서 들여다볼 수 있게 됨

●벨

강화 내용	입수 방법	용량	필요 소재	수	효과
HP 업 1	캐릭터 챌린지: 참견쟁이 Lv3	8	핑크 리본	2	HP +500
HP 업 2	캐릭터 챌린지: 모두의 방패 Lv4	8	블랙 리본	2	HP +500
HP 업 3	캐릭터 챌린지: 참견쟁이 Lv7	8	마력을 가진 부리	2	HP +500
모든 능력치 업 1	캐릭터 챌린지: 바톤 터치 Lv1	8	파워 스톤	2	STR, VIT, INT, MEN, TEC, AGI, LUC +100
모든 능력치 업 2	캐릭터 챌린지: 혼자서도 할 수 있어! Lv4	8	상자새의 날개	2	STR, VIT, INT, MEN, TEC, AGI, LUC +100
모든 능력치 업 3	캐릭터 챌린지: 네가 울 때까지… Lv6	8	무지개 빛깔의 꽃잎	2	STR, VIT, INT, MEN, TEC, AGI, LUC +100
스킬 습득	캐릭터 챌린지: 내 비장의 기술 Lv2	16	커다란 가위	1	이그제 드라이브「스파이럴 브레이크」를 습득
러쉬 콤보 칸 추가	캐릭터 챌린지: 승리의 포즈! Lv5	32	보이지 않는 천	3	러쉬 콤보의 5th를 설정 가능
리더 스킬 습득	캐릭터 챌린지: 마라톤 러너 Lv3	32	셀 안테나	5	리더 효과「바람 속성 대미지 내성 상승」을 습득
메뉴에서 말하기	캐릭터 챌린지: 뚝심 Lv1	1	양아치의 마스크	1	메뉴에서 벨의 목소리가 나옴
엿보기는 적당히	캐릭터 챌린지: 판치라 Lv2	1	두근두근	3	장비 메뉴에서 터치를 이용해 밑에서 들여다볼 수 있게 됨

●네프기어

강화 내용	입수 방법	용량	필요 소재	수	효과
HP 업 1	캐릭터 챌린지: 참견쟁이 Lv3	8	핑크 리본	2	HP +500
HP 업 2	캐릭터 챌린지: 모두의 방패 Lv4	8	블랙 리본	2	HP +500
HP 업 3	캐릭터 챌린지: 참견쟁이 Lv7	8	마력을 가진 부리	2	HP +500
모든 능력치 업 1	캐릭터 챌린지: 바톤 터치 Lv1	8	파워 스톤	2	STR, VIT, INT, MEN, TEC, AGI, LUC +100
모든 능력치 업 2	캐릭터 챌린지: 혼자서도 할 수 있어! Lv4	8	상자새의 날개	2	STR, VIT, INT, MEN, TEC, AGI, LUC +100
모든 능력치 업 3	캐릭터 챌린지: 네가 울 때까지… Lv6	8	무지개 빛깔의 꽃잎	2	STR, VIT, INT, MEN, TEC, AGI, LUC +100
스킬 습득	캐릭터 챌린지: 내 비장의 기술 Lv2	16	커다란 가위	1	이그제 드라이브「플라네틱 디바」를 습득
러쉬 콤보 칸 추가	캐릭터 챌린지: 승리의 포즈! Lv5	32	보이지 않는 천	3	러쉬 콤보의 5th를 설정 가능
파워 콤보 칸 추가	지켜봐줘: 제5에리어 발견	32	말새의 날개	3	파워 콤보의 5th를 설정 가능
리더 스킬 습득	캐릭터 챌린지: 마라톤 러너 Lv3	32	셀 안테나	5	리더 효과「여신화 시 쉐어 보정치 상승」을 습득
메뉴에서 말하기	캐릭터 챌린지: 뚝심 Lv1	1	양아치의 마스크	1	메뉴에서 네프기어의 목소리가 나옴
엿보기는 적당히	캐릭터 챌린지: 판치라 Lv2	1	두근두근	3	장비 메뉴에서 터치를 이용해 밑에서 들여다볼 수 있게 됨

●피셰

강화 내용	입수 방법	용량	필요 소재	수	효과
HP 업 1	캐릭터 챌린지: 참견쟁이 Lv3	8	핑크 리본	2	HP +500
HP 업 2	캐릭터 챌린지: 모두의 방패 Lv4	8	블랙 리본	2	HP +500
HP 업 3	캐릭터 챌린지: 참견쟁이 Lv7	8	마력을 가진 부리	2	HP +500
모든 능력치 업 1	캐릭터 챌린지: 바톤 터치 Lv1	8	파워 스톤	2	STR, VIT, INT, MEN, TEC, AGI, LUC +100
모든 능력치 업 2	캐릭터 챌린지: 혼자서도 할 수 있어! Lv4	8	상자새의 날개	2	STR, VIT, INT, MEN, TEC, AGI, LUC +100
모든 능력치 업 3	캐릭터 챌린지: 네가 울 때까지… Lv6	8	무지개 빛깔의 꽃잎	2	STR, VIT, INT, MEN, TEC, AGI, LUC +100
스킬 습득	캐릭터 챌린지: 내 비장의 기술 Lv2	16	커다란 가위	1	이그제 드라이브「피이의 필살기!」를 습득
파워 콤보 칸 추가	캐릭터 챌린지: 승리의 포즈! Lv5	32	말새의 날개	3	파워 콤보의 5th를 설정 가능
리더 스킬 습득	캐릭터 챌린지: 마라톤 러너 Lv3	32	셀 안테나	5	리더 효과「크리티컬 대미지 상승」을 습득
메뉴에서 말하기	캐릭터 챌린지: 뚝심 Lv1	1	양아치의 마스크	1	메뉴에서 피셰의 목소리가 나옴
엿보기는 적당히	캐릭터 챌린지: 판치라 Lv2	1	두근두근	3	장비 메뉴에서 터치를 이용해 밑에서 들여다볼 수 있게 됨

●유니

강화 내용	입수 방법	용량	필요 소재	수	효과
HP 업 1	캐릭터 챌린지: 참견쟁이 Lv3	8	핑크 리본	2	HP +500
HP 업 2	캐릭터 챌린지: 모두의 방패 Lv4	8	블랙 리본	2	HP +500
HP 업 3	캐릭터 챌린지: 참견쟁이 Lv7	8	마력을 가진 부리	2	HP +500
모든 능력치 업 1	캐릭터 챌린지: 바톤 터치 Lv1	8	파워 스톤	2	STR, VIT, INT, MEN, TEC, AGI, LUC +100
모든 능력치 업 2	캐릭터 챌린지: 혼자서도 할 수 있어! Lv4	8	상자새의 날개	2	STR, VIT, INT, MEN, TEC, AGI, LUC +100
모든 능력치 업 3	캐릭터 챌린지: 네가 울 때까지… Lv6	8	무지개 빛깔의 꽃잎	2	STR, VIT, INT, MEN, TEC, AGI, LUC +100
스킬 습득	캐릭터 챌린지: 내 비장의 기술 Lv2	16	커다란 가위	1	이그제 드라이브「N. G. P」를 습득
러쉬 콤보 칸 추가	캐릭터 챌린지: 승리의 포즈! Lv5	32	보이지 않는 천	3	러쉬 콤보의 5th를 설정 가능
리더 스킬 습득	캐릭터 챌린지: 마라톤 러너 Lv3	32	셀 안테나	5	리더 효과「브레이크 공격 시 GP 대미지 상승」을 습득
메뉴에서 말하기	캐릭터 챌린지: 뚝심 Lv1	1	양아치의 마스크	1	메뉴에서 유니의 목소리가 나옴
엿보기는 적당히	캐릭터 챌린지: 판치라 Lv2	1	두근두근	3	장비 메뉴에서 터치를 이용해 밑에서 들여다볼 수 있게 됨

●롬

강화 내용	입수 방법	용량	필요 소재	수	효과
HP 업 1	캐릭터 챌린지: 참견쟁이 Lv3	8	핑크 리본	2	HP +500
HP 업 2	캐릭터 챌린지: 모두의 방패 Lv4	8	블랙 리본	2	HP +500
HP 업 3	캐릭터 챌린지: 참견쟁이 Lv7	8	마력을 가진 부리	2	HP +500
모든 능력치 업 1	캐릭터 챌린지: 바톤 터치 Lv1	8	파워 스톤	2	STR, VIT, INT, MEN, TEC, AGI, LUC +100
모든 능력치 업 2	캐릭터 챌린지: 혼자서도 할 수 있어! Lv4	8	상자새의 날개	2	STR, VIT, INT, MEN, TEC, AGI, LUC +100
모든 능력치 업 3	캐릭터 챌린지: 네가 울 때까지… Lv6	8	무지개 빛깔의 꽃잎	2	STR, VIT, INT, MEN, TEC, AGI, LUC +100
스킬 습득	캐릭터 챌린지: 내 비장의 기술 Lv2	16	커다란 가위	1	이그제 드라이브「노던 크로스」를 습득
파워 콤보 칸 추가	캐릭터 챌린지: 승리의 포즈! Lv5	16	말새의 날개	3	파워 콤보의 5th를 설정 가능
리더 스킬 습득	캐릭터 챌린지: 마라톤 러너 Lv3	32	셀 안테나	5	리더 효과「HP MAX 상태에서 INT 상승」을 습득

●룸

강화 내용	입수 방법	용량	필요 소재	수	효과
메뉴에서 말하기	캐릭터 챌린지: 뚝심 Lv1	1	양아치의 마스크	1	메뉴에서 룸의 목소리가 나옴
엿보기는 적당히	캐릭터 챌린지: 판치라 Lv2	1	두근두근	3	장비 메뉴에서 터치를 이용해 밑에서 들여다볼 수 있게 됨

●람

강화 내용	입수 방법	용량	필요 소재	수	효과
HP 업 1	캐릭터 챌린지: 참견쟁이 Lv3	8	핑크 리본	2	HP +500
HP 업 2	캐릭터 챌린지: 모두의 방패 Lv4	8	블랙 리본	2	HP +500
HP 업 3	캐릭터 챌린지: 참견쟁이 Lv7	8	마력을 가진 부리	2	HP +500
모든 능력치 업 1	캐릭터 챌린지: 바톤 터치 Lv1	8	파워 스톤	2	STR, VIT, INT, MEN, TEC, AGI, LUC +100
모든 능력치 업 2	캐릭터 챌린지: 혼자서도 할 수 있어! Lv4	8	상자새의 날개	2	STR, VIT, INT, MEN, TEC, AGI, LUC +100
모든 능력치 업 3	캐릭터 챌린지: 네가 울 때까지… Lv6	8	무지개 빛깔의 꽃잎	2	STR, VIT, INT, MEN, TEC, AGI, LUC +100
스킬 습득	캐릭터 챌린지: 내 비장의 기술 Lv2	16	커다란 가위	1	이그제 드라이브「앱솔루트 제로」를 습득
러쉬 콤보 칸 추가	캐릭터 챌린지: 승리의 포즈! Lv5	16	보이지 않는 천	3	러쉬 콤보의 5th를 설정 가능
리더 스킬 습득	캐릭터 챌린지: 마라톤 런너 Lv3	32	셀 안테나	5	리더 효과「HP MAX 상태에서 MEN 상승」을 습득
메뉴에서 말하기	캐릭터 챌린지: 뚝심 Lv1	1	양아치의 마스크	1	메뉴에서 람의 목소리가 나옴
엿보기는 적당히	캐릭터 챌린지: 판치라 Lv2	1	두근두근	3	장비 메뉴에서 터치를 이용해 밑에서 들여다볼 수 있게 됨

+리메이크 시스템 / 던전

던전	분류	입수 방법	용량	필요 소재	수	필요 소재	수
버추얼 포레스트 보호 지구	던전 변화	제10장 초차원 트위톡: 신인 헌터짱	8	슬라이누 젤리	2	—	—
역 앞 광장	던전 변화	제10장 초차원 트위톡: 신인 헌터짱	8	소형 회로	2	—	—
ZECA 1호 유적	던전 변화	제1장 플라네 트위톡: 몬스터 할아버지	8	도트 안테나	2	—	—
제트 셋 산길	던전 변화	지켜봐줘: 제1에리어 발견	8	해바라기 씨앗	2	—	—
풍래 동굴	던전 변화	지켜봐줘: 제1에리어 발견	8	젤라틴 촉수	2	—	—
	던전 초변화	지켜봐줘: 제1에리어 발견	16	고래 구슬	1	—	—
밴디 크래시	던전 변화	지켜봐줘: 제1에리어 발견	8	퍼플 블록	2	—	—
	던전 초변화	지켜봐줘: 제1에리어 발견	16	대뱃살 슬라이누 젤리	1	—	—
쿠자라트 공장·제1구획	던전 변화	지켜봐줘: 제1에리어 발견	8	셀 안테나	2	—	—
	던전 초변화	지켜봐줘: 제1에리어 발견	16	마술식 광제 동력로	1	—	—
루드암즈 지하도·남문	던전 변화	지켜봐줘: 제2에리어 발견	8	핑크 리본	2	—	—
	던전 초변화	지켜봐줘: 제3에리어 발견	16	비주얼 메모리 8X	1	—	—
르위 성 외곽	던전 변화	지켜봐줘: 제2에리어 발견	8	불법 고급 회로	2	—	—
	던전 초변화	지켜봐줘: 제3에리어 발견	16	댄싱 컨트롤러	1	—	—
지하 동굴	던전 변화	지켜봐줘: 제2에리어 발견	8	대지의 결정석	2	—	—
	던전 초변화	지켜봐줘: 제3에리어 발견	16	파워드 리플레이	1	—	—
기고 거리·입구	던전 변화	지켜봐줘: 제4에리어 발견	8	아에루의 손톱	2	—	—
	던전 초변화	지켜봐줘: 제5에리어 발견	16	신식 마광 동력로	1	—	—
헤이로우 숲	던전 변화	지켜봐줘: 제4에리어 발견	8	빨간 씨앗	2	—	—
	던전 초변화	지켜봐줘: 제5에리어 발견	16	풋내가 나는 너스 캡	1	—	—
국영 공장	던전 변화	지켜봐줘: 제6에리어 발견	8	베놈 리본	2	—	—
	던전 초변화	지켜봐줘: 제7에리어 발견	16	2쌍식 마광 동력로	1	—	—
채굴장	던전 변화	지켜봐줘: 제6에리어 발견	8	얼어붙은 비늘	2	—	—
	던전 초변화	지켜봐줘: 제7에리어 발견	16	고급 젤리	1	—	—
제가 숲	던전 변화	지켜봐줘: 제6에리어 발견	8	외도 젤리	2	—	—
	던전 초변화	지켜봐줘: 제7에리어 발견	16	레어 플레이트	1	—	—
하네다 산길	던전 변화	지켜봐줘: 제6에리어 발견	8	말새의 대퇴골	2	—	—
	던전 초변화	지켜봐줘: 제7에리어 발견	16	마랑의 손톱	2	—	—
메로토이드 쉘터	던전 변화	지켜봐줘: 제8에리어 발견	8	용암석	2	—	—
	던전 초변화	지켜봐줘: 제9에리어 발견	16	염랑의 손톱	2	—	—
아리오 고원	던전 변화	지켜봐줘: 제10에리어 발견	8	오렌지 젤리	2	—	—
	던전 초변화	지켜봐줘: 제11에리어 발견	16	갓 소울	1	—	—
오오토리이 동굴	던전 변화	지켜봐줘: 제10에리어 발견	8	미스릴 광석	2	—	—
	던전 초변화	지켜봐줘: 제11에리어 발견	16	국제 구조대 배지	2	—	—
아노네데스의 연구소	던전 변화	지켜봐줘: 제10에리어 발견	8	불법 RAM	2	—	—
	던전 초변화	지켜봐줘: 제11에리어 발견	16	6잔식 마광 동력로	1	—	—
지하 용암동	던전 변화	지켜봐줘: 제12에리어 발견	8	새의 왕관	2	—	—
	던전 초변화	지켜봐줘: 제13에리어 발견	16	녹을 듯한 닭고기	2	—	—
변질 다차원 공간	던전 변화	지켜봐줘: 제14에리어 발견	8	「※」의 면죄부	2	—	—
	던전 초변화	지켜봐줘: 제15에리어 발견	16	사귀안	1	—	—
도시 중심부	던전 변화	지켜봐줘: 제16에리어 발견	8	검게 빛나는 비늘	2	—	—
	던전 초변화	지켜봐줘: 제16에리어 발견	16	고룡의 초승달 모양의…무엇?	2	—	—
오오토리이 대삼림	던전 변화	지켜봐줘: 제1에리어 발견	8	네거티브한 수액	2	—	—
ZECA 2호 유적	던전 변화	지켜봐줘: 제1에리어 발견	8	메탈 젤리	2	—	—
	던전 초변화	지켜봐줘: 제1에리어 발견	16	대뱃살 슬라이누 젤리	1	—	—
렛츠고 아일랜드	던전 추가	제9장 플라네 트위톡: 베테랑 크리에이터	16	마력을 가진 부리	2	그린 블록	1
	던전 변화	렛츠고 아일랜드 추가 후 플라네 트위톡: 치바씨	8	미끈거리는 날개	2	—	—
	던전 초변화	숨겨진 상자: 렛츠고 아일랜드·심부	16	강철의 껍질	2	—	—
소니이 습지	던전 변화	지켜봐줘: 제1에리어 발견	8	고양이 수염	2	—	—
	던전 초변화	지켜봐줘: 제1에리어 발견	16	성스러운 고래 구슬	1	—	—
피에스 디멘션	던전 추가	보물상자: 어덜틱 숲	16	상자새의 날개	2	불법 초고급 회로	1
	던전 변화	피에스 디멘션 추가 후 라스테 트위톡: 베테랑 헌터씨	8	혼의 계약서	2	—	—
	던전 초변화	숨겨진 상자: 피에스 디멘션	16	빙랑의 손톱	2	—	—
비타르 디멘션	던전 추가	제9장 라스테 트위톡: 루시엘씨	16	고양이 강모	2	용암석	1
	던전 변화	비타르 디멘션 추가 후 라스테 트위톡: 베테랑 헌터씨	8	전자 나비의 날개	2	—	—
	던전 초변화	숨겨진 상자: 비타르 디멘션	16	강철의 껍질	1	—	—

던전	분류	입수 방법	용량	필요 소재	수	필요 소재	수
회귀의 초원	던전 추가	보물상자: 소니이 습지	16	고양이 수염	2	미탕고의 포자	1
	던전 변화	회귀의 초원 추가 후 플라네 트위톡: 동굴 탐험가	8	피투성이 부메랑	2	—	—
	던전 초변화	숨겨진 상자: 회귀의 초원	16	마술식 광제 동력로	1	—	—
루지이 고원	던전 추가	제5장 르위 트위톡: 키노코	16	혼의 계약서	2	외도 젤리	1
	던전 변화	루지이 고원 추가 후 르위 트위톡: 키노코	8	칠흑의 비늘	2	—	—
	던전 초변화	숨겨진 상자: 루지이 고원	16	고대로부터의 껍질	2	—	—
르위 성 북쪽 방	던전 추가	엔딩 후 르위 트위톡: 지미	16	전자 나비의 날개	3	—	—
	던전 변화	르위 성 북쪽 방 추가 후 트위톡: 동굴 탐험가	8	불법 SSD	2	—	—
	던전 초변화	숨겨진 상자: 르위 성 북쪽 방	16	에너지 백	2	—	—
코바츠바 유적	던전 추가	보물상자: 스마폰 산길	16	맹독 거미줄	2	인비지블 리본	1
	던전 변화	코바츠바 유적 추가 후 린 트위톡: 빌리씨	8	게 껍질	1	—	—
	던전 초변화	숨겨진 상자: 코바츠바 유적	16	드래곤 소울	1	—	—
네크토키 수림	던전 추가	보물상자: 루지이 고원	16	칠흑의 비늘	2	냐아의 손톱	1
	던전 변화	네크토키 수림 추가 후 린 트위톡: 빌리씨	8	작열 천	2	—	—
	던전 초변화	숨겨진 상자: 네크토키 수림	16	염랑의 손톱	2	—	—
에므에스 용암동	던전 추가	엔딩 후 플라네 트위톡: 실황씨	16	상자새의 고귀한 날개	3	—	—
	던전 변화	에므에스 용암동 추가 후 린 트위톡: 빌리씨	8	불타는 꽃잎	2	—	—
	던전 초변화	숨겨진 상자: 에므에스 용암동	16	고대의… 어떤 진주	2	—	—
그라피스 고개	던전 추가	제8장 에딘 트위톡: 선더 대령	16	좋은 냄새의 거미줄	2	새의 왕관	1
	던전 변화	그라피스 고개 추가 후 에딘 트위톡: 은행원	8	툴립의 수술	2	—	—
	던전 초변화	숨겨진 상자: 그라피스 고개·정상	16	최고급 젤리	1	—	—
듀오알 유적	던전 추가	제8장 에딘 트위톡: 건방진 용사	16	작업복의 단추	3	—	—
	던전 변화	듀오알 유적 추가 후 에딘 트위톡: 은행원	8	꿈틀대는 잎사귀	2	—	—
	던전 초변화	숨겨진 상자: 듀오알 유적	16	괴랑의 손톱	2	—	—
코어그라 고원	던전 추가	보물상자: 언더 인버즈·심부	16	불꽃의 결정석	2	꿈틀대는 잎사귀	1
	던전 변화	코어그라 고원 추가 후 에딘 트위톡: 은행원	8	고급 늑대의 모피	2	—	—
	던전 초변화	숨겨진 상자: 코어그라 고원	16	큰 이빨	2	—	—
버추얼 포레스트	던전 추가	제10장 플라네 트위톡: 신인 헌터짱	16	미끈거리는 날개	2	검게 빛나는 비늘	1
	던전 변화	버추얼 포레스트 추가 후 초차원 트위톡: 토이치씨	8	UFO의 컨트롤러	2	—	—
	던전 초변화	숨겨진 상자: 버추얼 포레스트·최심부	16	고룡의… 아무튼 머리	2	—	—
언더 인버즈	던전 추가	엔딩 후 초차원 트위톡: 키미즈 나나	16	금니	3	—	—
	던전 변화	언더 인버즈 추가 후 초차원 트위톡: 토이치씨	8	불꽃의 결정석	2	—	—
	던전 초변화	숨겨진 상자: 언더 인버즈	16	용암의 껍질	2	—	—
가짜 플라네튠	던전 추가	엔딩 후 초차원 트위톡: 타카나시 명인	16	고룡의 초승달 모양의…무엇?	3	—	—
	던전 변화	가짜 플라네튠 추가 후 초차원 트위톡: 토이치씨	8	죽음의 천	2	—	—
	던전 초변화	숨겨진 상자: 가짜 프라네튠	16	마법의 불발탄	2	—	—
스마폰 산길	던전 변화	지켜봐줘: 제4에리어 발견	8	인비지블 리본	2	—	—
	던전 초변화	지켜봐줘: 제5에리어 발견	16	신식 마광 동력로	1	—	—
케라가 차원	던전 추가	보물상자: 네크토키 수림	16	꿈 돌고래의 꼬리	1	마법의 계약서	2
	던전 변화	케라가 차원 추가 후 여보세요 트위톡: 라면 라이터	8	점착성이 강한 거미줄	2	—	—
	던전 초변화	숨겨진 상자: 케라가 차원	16	전자 돌고래의 꼬리	2	—	—
소우·설 숲	던전 추가	제9장 여보세요 트위톡: 모바일러	16	잃어버린 성해포	3	—	—
	던전 변화	소우·설 숲 추가 후 여보세요 트위톡: 라면 라이터	8	상자새의 고귀한 날개	2	—	—
	던전 초변화	숨겨진 상자: 소우·설 숲	16	짝퉁 회로	1	—	—
어덜틱 숲	던전 변화	지켜봐줘: 제6에리어 발견	8	검은 모금함	2	—	—
	던전 초변화	지켜봐줘: 제7에리어 발견	16	2쌍식 마광 동력로	1	—	—
피시 게임 공장터	던전 추가	보물상자: 케라가 차원	16	점착성이 강한 거미줄	2	번장 마스크	1
	던전 변화	피시 게임 공장터 추가 후 피시 트위톡: 실황씨	8	좋은 냄새의 거미줄	2	—	—
	던전 초변화	숨겨진 상자: 피시 게임 공장터	16	메가톤 불발탄	2	—	—
도우 사원	던전 추가	엔딩 후 피시 트위톡: 모노 판다	16	고대의… 어떤 진주	2	—	—
	던전 변화	도우 사원 추가 후 피시 트위톡: 실황 씨	8	작업복의 단추	2	—	—
	던전 초변화	숨겨진 상자: 도우 사원	16	불타는 날개	2	—	—
미래를 정하는 전자의 땅	던전 변화	보물상자: 미래를 결정하는 전자의 땅	8	염랑의 문장	1	—	—
	던전 초변화	숨겨진 상자: 미래를 결정하는 전자의 땅	16	은하의 재	1	—	—

+ 리메이크 시스템 / 소비 아이템

아이템	입수 방법	용량	필요 소재	수	필요 소재	수	필요 소재	수
힐 포트	보물상자: 풍래 동굴	1	허브	5	노란 꽃잎	2	버섯의 포자	3
힐 드링크	보물상자: 기고 거리·입구	1	야월초	5	큰무 잎	3	빨간 꽃잎	3
힐 보틀	보물상자: 네크토키 수림	1	야월초	5	오렌지 젤리	2	꿈 돌고래의 꼬리	2
네프비탄	보물상자: ZECA 1호 유적	1	허브	5	슬라이누 젤리	4	노란 꽃잎	3
네프비탄 C	보물상자: 국영 공장	1	허브	5	고급 젤리	2	빨간 꽃잎	3
네프비탄 SP	보물상자: 아노네데스의 연구소·심부	1	야월초	5	기묘한 탄력이 있는 덩어리	2	최고급 젤리	2
네프비탄 EX ※1	보물상자: 에므에스 용암동	1	리프레쉬 허브	5	마비 젤리	2	불타는 꽃잎	2
네프비탄 EX 2	보물상자: 가짜 플라네튠	1	리프레쉬 허브	5	세계수의 잎	2	죽음의 천	2
힐 서클	보물상자: ZECA 2호 유적	1	허브	5	빙결 천	2	해바라기 씨앗	4
힐 레인	보물상자: 헤이로우 숲	1	야월초	5	빨간 씨앗	5	냉기의 반지	2
힐 필드	보물상자: 케라가 차원	1	리프레쉬 허브	5	전자 돌고래의 꼬리	1	녹을 듯한 닭고기	2
힐 라이트	보물상자: 듀오알 유적	1	리프레쉬 허브	5	짝퉁 회로	2	노란 리본	2
P·SP 차지	보물상자: 회귀의 초원	1	빙결 천	5	WD의 조각	2	피투성이 부메랑	2
P·SP 차지 2	보물상자: 피에스 디멘션	1	리프레쉬 허브	5	드래곤 소울	1	오렌지 젤리	2
히어로 드링크	보물상자: ZECA 2호 유적	1	허브	5	치유초	5	두근두근	2
히어로 드링크 C	보물상자: 채굴장	1	리프레쉬 허브	5	외도 젤리	2	빨간 꽃잎	3
패럴락신	보물상자: 제트 셋 산길	1	치유초	5	블루 리본	2	해바라기 씨앗	3
리플렉스	보물상자: 루드암즈 지하도	1	치유초	5	파란 꽃잎	2	해바라기 씨앗	3
타후밀	보물상자: 쿠자라트 공장·제2구획	1	치유초	5	파란 꽃잎	2	오렌지 젤리	2
안티 베놈	보물상자: 하네다 산길	1	치유초	5	날카로운 이빨	2	절영석	5

아이템	입수 방법	용량	필요 소재	수	필요 소재	수	필요 소재	수
안티 패럴라이즈	보물상자: 루지이 고원	1	치유초	5	지각석	2	마각석	5
안티 실	보물상자: 하네다 산길	1	치유초	5	말새의 대퇴골	2	질풍석	5
안티 바이러스	보물상자: 루지이 고원	1	치유초	5	LING 기판	2	엘데 크리스탈	5
만능약	보물상자: 헤이로우 숲	1	맹독 거미줄	3	요괴 나비의 날개	2	고급 젤리	2
초만능약	보물상자: 르위 성 북쪽 방	1	리프레쉬 허브	5	마도 젤리	2	전자 나비의 날개	2
인텔리 부스터	보물상자: 소니이 습지	1	얼음 뼈	3	얼음의 결정석	2	고양이 수염	2
인텔리 부스터 Z	보물상자: 하네다 산길·정상	1	인텔리 부스터	3	마빙석	5	엘데 크리스탈	5
퀵 부스터	보물상자: 소니이 습지	1	불법 회로	5	빨간 젤라틴 촉수	2	마탕고의 포자	2
퀵 부스터 Z	보물상자: 하네다 산길·정상	1	퀵 부스터	3	마풍석	5	엘데 크리스탈	5
머슬 부스터	보물상자: 소니이 습지	1	메탈 젤리	3	둥근 안테나	2	골판지	2
머슬 부스터 Z	보물상자: 루지이 고원	1	머슬 부스터	3	홍련석	4	엘데 크리스탈	4
생명의 조각	퀘스트: 【입문】슬라이누 퇴치!	1	허브	8	슬라이누 젤리	6	-	—
건강의 조각	보물상자: 지하 동굴	1	리프레쉬 허브	3	냄새나는 진흙	2	붉은 꽃잎	3
건강의 덩어리	보물상자: 아노네데스의 연구소	1	세계수의 잎	3	건강의 조각	2	파란 씨앗	2
천사의 날개	보물상자: 제가 숲	1	혼의 계약서	3	고급 젤리	2	마법의 계약서	2
진짜 천사의 날개	보물상자: 피시 게임 공장터	1	세계수의 잎	3	좋은 냄새의 거미줄	2	최고급 젤리	2
이젝트 버튼	보물상자: 지하 동굴	1	나무 껍질	2	보이지 않는 천	2	인비지블 리본	2

※1: 넵튠과 네프기어의 릴리 랭크 Lv6 이상이 필요

+ 리메이크 시스템 / 무기

아이템	장비	입수 방법	용량	필요 소재	수	필요 소재	수	필요 소재	수	조건
태도	넵튠	보물상자: ZECA 1호 유적	1	도트 안테나	4	철모	1	-	—	—
클레이모어	넵튠	보물상자: 밴디 크래시	1	파이프 조각	3	철 장비의 조각	2	양아치의 마스크	2	—
빔 카타나	넵튠	보물상자: 르위 성 외곽 / 숨겨진 상자: 밴디 크래시	1	수수께끼의 적주	3	불법 메모리	2	불법 회로	2	—
차세대형 빔 카타나	넵튠	퀘스트: 독의 위치	1	불법 ROM	3	아에루의 손톱	1	빔 카타나 개	1	—
무명도	넵튠	보물상자: 제가 숲	1	외도 젤리	3	용전사의 비늘	2	빙랑의 손톱	1	—
에스페란자	넵튠	퀘스트: 슈퍼 해피!	1	칠흑의 비늘	3	날카로운 이빨	1	마법의 불발탄	2	—
요도·무라사메	넵튠	보물상자: 네크토키 수림	1	마법의 계약서	3	국제 구조대 배지	1	사악한 마음	2	—
요도·무라마사	넵튠	퀘스트: 거시기를 연상하게 된다…!	1	혼의 계약서	3	복잡한 사연의 팔찌	1	불타는 뼈	2	—
엑스칼리버	넵튠	보물상자: 변질 다차원 공간	1	마염석	3	「※」의 면죄부	2	체크무늬 꼬리	1	—
레반테인	넵튠	퀘스트: 고양이 복서	1	대지의 결정석	3	강철의 껍질	1	튤립의 수술	2	—
용도·키류	넵튠	드랍: 혹시 넵튠?	4	남자다운 철	1	고룡의… 아무튼 머리	1	중년의 로망	2	네프×기어 Lv6
샤이닝 블레이드	넵튠	드랍: 바모	4	패권의 힘	1	오톤	1	거시기한 설계도	2	네프×기어 Lv6
슬라이누맨	프루루트	보물상자: 풍래 동굴	1	퍼플 블록	3	젤라틴 촉수	2	파워 스톤	2	—
쥐씨	프루루트	보물상자: 루드암즈 지하도·심부	1	늑대의 털	3	거미줄	2	사악한 마음	2	—
토끼씨	프루루트	보물상자: 기고 거리·입구	1	훌륭한 안테나	3	늑대의 모피	2	말새의 날개	2	—
어잇!! 인형	프루루트	보물상자: 코바츠바 유적	1	베놈 리본	3	아저씨의 애수	2	로스트 리본	2	—
팬더씨	프루루트	보물상자: 하네다 산길	1	당근 잎	3	건달 마스크	2	늑대의 모피	2	—
불행한 토끼	프루루트	퀘스트: 사람간의 인연이 무한의 힘이 된다	1	블랙 리본	3	파란 파이프 조각	1	당근 잎	2	—
강철 슬라이누맨	프루루트	보물상자: 오오토리이 동굴	1	번장 마스크	3	하비 혼	2	냐아의 손톱	2	—
네프 인형	프루루트	보물상자: 지하 용암동	1	꿈 돌고래의 꼬리	1	불타는 뼈	2	독한 꽃잎	2	—
머슬 슬라이누	프루루트	보물상자: 도시 중심부	1	고급 젤리	3	해약 불가의 계약서	2	불법 SSD	2	—
엣헴한 인형	프루루트	드랍: 델피너스	4	늠름한 곰	1	고룡의 초승달 모양의…무엇?	1	기묘한 탄력이 있는 덩어리	2	네프×프루 Lv6
브론즈 소드	느와르	보물상자: 쿠자라트 공장·제1구획	1	철 장비의 조각	3	둥근 안테나	2	크리스탈 스컬	2	—
메카니컬 소드	느와르	보물상자: 르위 성 외곽	1	불법 고급 회로	3	핑크 리본	2	마석	2	—
메탈 브링거	느와르	퀘스트: 강한 게	1	철 장비의 조각	3	마랑의 이빨	1	큰 나비의 날개	2	—
메일 브레이커	느와르	보물상자: 국영 공장	1	불발탄	3	건달 마스크	2	드래곤의 손톱	2	—
블랙 크로우	느와르	퀘스트: 즐거운 계약	1	염랑의 손톱	2	냐아의 손톱	1	블랙 리본	2	—
어드밴스드 블레이드	느와르	보물상자: 오오토리이 동굴	1	마법의 계약서	3	불법 RAM	2	미스릴 광석	2	—
A-MN 느와르	느와르	보물상자: 아노네데스의 연구소·심부	1	불타는 뼈	1	새의 왕관	3	점착성이 강한 거미줄	2	—
느와르 스트라이커	느와르	보물상자: 변질 다차원 공간	1	그린 블록	3	고양이 강모	2	「※」의 면죄부	3	—
팬텀 블레이드	느와르	보물상자: 도시 중심부	1	마비 거미줄	3	검게 빛나는 비늘	2	「※」의 면죄부	2	—
듀란달	느와르	드랍: 블랙 하트?	4	전설의 성유물	1	오리하르콘	1	마 장비의 조각	2	느와×유니 Lv6
블레이드 해머	블랑	보물상자: 지하 동굴	1	대지의 결정석	3	셀 안테나	2	붉은 꽃잎	2	—
베이직 해머	블랑	기고 거리·입구	1	굵은 부리	3	불법 ROM	2	요화의 꽃잎	2	—
[illegible]	[illegible]	[illegible]	1	[illegible]	3	[illegible]	[illegible]	[illegible]	[illegible]	
터보 해머	블랑	퀘스트: 복수	1	아저씨의 애수	3	얼음의 해골	1	신식 마광 동력로	1	—
파워 해머	블랑	퀘스트: 공식이 되고 싶어!	1	엄청 딱딱한 나무조각	3	파란 파이프 조각	1	마법의 불발탄	2	—
큐브 해머	블랑	보물상자: 아노네데스의 연구소·심부	1	무지개 빛깔의 꽃잎	3	대구경 불발탄	1	미스릴 광석	2	—
맥시멈 해머	블랑	퀘스트: 순종적인 부하가 필요해	1	새의 왕관	3	대구경 불발탄	1	용암석	2	—
골디언 해머	블랑	보물상자: 변질 다차원 공간	1	불타는 뼈	3	얼룩 무늬의 조각	2	무척 튼튼한 거미줄	2	—
서드 크러셔	블랑	퀘스트: 천재로부터 온 의뢰	1	강철의 껍질	2	해약 불가의 계약서	1	불법 SSD	2	—
하드 크러셔	블랑	드랍: 화이트 하트?	4	썩은 국물	1	은 장비의 조각	9	고룡의… 아무튼 머리	2	프루×블랑 Lv6
엑스트 랜스	벨	보물상자: 헤이로우 숲	1	아에루의 손톱	3	굵은 부리	2	보이지 않는 천	2	—
할버드	벨	퀘스트: 골렘 제작	1	베놈 리본	3	날카로운 이빨	1	용전사의 비늘	2	—
스페리올 스피어	벨	보물상자: 메로토이드 쉘터, 지하 용암동	1	새의 왕관	3	작열 천	2	은광석	2	—
로드 랜스	벨	퀘스트: 진귀한 피리 장인	1	지옥의 갈기	2	그린 블록	1	새의 왕관	2	—
기계창 드레드노트	벨	보물상자: 렛츠고 아일랜드	1	강철의 껍질	3	물의 결정석	2	핑크 리본	2	—
궁그닐	벨	드랍: 그린 하트?	4	고대 룬 문자 대사전	1	오리하르콘	2	고대의… 어떤 진주	1	벨×기어 Lv6
빔 세이버	네프기어	보물상자: 헤이로우 숲	1	불법 메모리	3	불법 ROM	2	훌륭한 안테나	2	
빔 버스터	네프기어	퀘스트: 당근 필요 없다니까!	1	불법 초고급 개조 회로	3	혼의 계약서	1	용전사의 비늘	2	—
빔 버스터 개	네프기어	보물상자: 메로토이드 쉘터	1	염랑의 손톱	1	작열 광석	2	용암석	2	—
라브스 카토르	네프기어	퀘스트: 용서할 수 없는 로봇	1	번장 마스크	3	불법 차세대 회로	1	철 장비의 조각	5	—
블랙 커버	네프기어	보물상자: 아노네데스의 연구소	1	블랙 리본	3	대구경 불발탄	2	마비 젤리	2	—
슈베르트 게벨	네프기어	보물상자: 그라피스 고개	1	마력을 가진 부리	3	그린 블록	2	중년의 로망	2	—
하이퍼 빔 소드	네프기어	드랍: 퍼플 시스터?	4	오버 스펙 메모리	1	에너지 백	2	불법 마더 보드	2	네프×기어 Lv6
고양이 퍼펫	피셰	보물상자: 그라피스 고개	1	마랑의 손톱	1	염랑의 손톱	2	빙랑의 손톱	2	—

아이템	장비	입수 방법	용량	필요 소재	수	필요 소재	수	필요 소재	수	조건
입혼 글러브	피셰	보물상자: 렛츠고 아일랜드	1	고룡의 초승달모양의…무엇?	1	마비 거미줄	2	미끈거리는 날개	2	-
표범 무늬 글러브	피셰	드랍: 옐로 하트?	4	초고급 실크	1	고급 늑대의 모피	3	괴랑의 손톱	1	네프×피셰 Lv6
리니어 레일건	유니	드랍: 블랙 시스터?	4	일렉 스위치	1	메가톤 불발탄	1	에너지 백	2	느와×유니 Lv6
대전 연필 G	롬	드랍: 화이트 시스터 · 롬?	4	파란 작업복 G	1	대전 연필	1	불타는 날개	2	롬×람 Lv6
강철 슬라이누 연필	람	드랍: 화이트 시스터 · 람?	4	레어 메탈	1	슬라이누 베스 연필	1	초 딱딱한 비늘	2	롬×람 Lv6

+리메이크 시스템 / 방어구

아이템	장비	입수 방법	용량	필요 소재	수	필요 소재	수	필요 소재	수
사춘기의 붕대	전원	보물상자: 제트 셋 산길	1	너덜 천	3	수수께끼의 원	1	하드 커버	2
스터드 브레슬릿	전원	보물상자: 루드암즈 지하도 · 심부	1	마석	2	뼈조각	2	철 장비의 조각	2
스터드 암릿	전원	보물상자: 루드암즈 지하도 · 심부	1	마석	2	마탕고의 포자	2	철 장비의 조각	2
시공의 팔찌	전원	보물상자: 스마폰 산길	1	매우 커다란 부리	3	봉황의 날개	2	불발탄	2
복잡한 사연의 팔찌	전원	퀘스트: 모두와 친구가 되는 남자다	1	불법 ROM	3	굵은 부리	1	보이지 않는 천	2
실버 브레슬릿	전원	보물상자: 국영 공장	1	신식 마광 동력로	1	불법 초고급 개조 회로	2	새의 은관	2
실버 암릿	전원	보물상자: 채굴장	1	거북 껍질	1	말새의 대퇴골	2	검은 젤라틴 촉수	2
대마왕의 팔찌	전원	퀘스트: 모두 날려주겠어!	1	블랙 리본	3	드래곤 소울	1	혼의 계약서	2
로열 브레슬릿	전원	보물상자: 오오토리이 동굴	1	대지의 비늘	3	미스릴 광석	3	옐로우 블록	2
로열 암릿	전원	보물상자: 오오토리이 동굴	1	대지의 비늘	3	미스릴 광석	3	파란 파이프 조각	2
여신의 팔찌	전원	퀘스트: 이어지는 꿈	4	작열 천	3	갓 소울	1	불타는 뼈	2
표고버섯 브레슬릿	벨	보물상자: 에므에스 용암동 / 콜로세움: 아버지 분투기	4	고대의… 어떤 진주	3	네거티브한 나무 껍질	2	마도 젤리	2
하얀 고양이 스트랩	느와르	보물상자: 비타르 디멘션 / 콜로세움: 아가씨의 마음	4	메가톤 불발탄	3	전자 나비의 날개	2	고양이 강모	2
눈차크 스트랩	블랑	보물상자: 르위 성 북쪽 방 / 콜로세움: 더 뜨거워지라고!!!	4	에너지 백	3	은 장비의 조각	2	작업복의 단추	2
몽키 브레슬릿	넵튠	보물상자: 언더 인버즈 / 콜로세움: 우리들의 시체를 넘어서 가라	4	용암의 껍질	3	불타는 날개	2	불타는 리본	2
명왕 시로의 가호	프루루트	보물상자: 버추얼 포레스트 / 콜로세움: 사회인의 적	4	고대의… 어떤 진주	3	꿈틀대는 잎사귀	2	마 장비의 조각	2
벌씨 스트랩	피셰	보물상자: 듀오알 유적 / 콜로세움: 올해도 0개…	4	괴랑의 손톱	3	고양이용 글러브	2	무척 단단한 파이프 조각	2
V 크리스탈	네프기어	콜로세움: 결국 북극 초 모험	4	네거티브한 나무 껍질	3	최고급 돌고래 지느러미	1	강철의 껍질	1
사냥의 부적	유니	보물상자: 비타르 디멘션 / 콜로세움: 연옥	4	메가톤 불발탄	3	불법 마더 보드	2	마빙석	2
화염의 문장	롬	보물상자: 르위 성 북쪽 방 / 콜로세움: 바람… 어디선가 불어오고 있어	4	에너지 백	3	마 장비의 조각	2	최고급 돌고래의 지느러미	1
트라이앵글 포스	람	보물상자: 르위 성 북쪽 방 / 콜로세움: 뇌전	4	에너지 백	3	마 장비의 조각	2	고대의… 어떤 진주	1
트라페드 헤조론	전원	보물상자: 버추얼 포레스트	8	대지의 결정석	3	메가톤 불발탄	1	UFO의 컨트롤러	2
신계의 팔찌	전원	드랍: 퍼플 하트?	8	계약의 보주	3	불타는 천	2	마법의 계약서	2

+리메이크 시스템 / 장식품

아이템	입수 방법	용량	필요 소재	수	필요 소재	수	필요 소재	수
SP 부스터 2	보물상자: 피에스 디멘션	2	노란 파이프 조각	3	용전사의 비늘	2	은광석	2
실버 앵클릿	보물상자: 기고 거리 · 입구	2	은광석	3	무지개색 날개	2	커다란 가위	2
히팅 배지	보물상자: 기고 거리 · 입구	2	상자새의 날개	3	매우 커다란 부리	2	요괴 나비의 날개	2
성취의 미상가	보물상자: 기고 거리 · 심부	2	봉황의 날개	3	괴조의 날개	2	하이에나의 모피	2
액션 메모리	보물상자: 헤이로우 숲	2	검은 모금함	3	큰 나비의 날개	2	6장식 마광 동력로	1
프림 로즈	보물상자: 제가 숲	2	요화의 꽃잎	3	노란 파이프 조각	2	당근 잎	2
극염의 반지	보물상자: 어덜틱 숲	2	화염의 반지	3	홍련석	2	매지컬 코어	2
절영의 반지	보물상자: 어덜틱 숲	2	냉기의 반지	3	절영석	2	매지컬 코어	2
질풍의 반지	보물상자: 어덜틱 숲	2	기류의 반지	3	질풍석	2	매지컬 코어	2
진뢰의 반지	보물상자: 어덜틱 숲	2	전자의 반지	3	지각석	2	매지컬 코어	2
로스트 게임 링	보물상자: 코바츠바 유적	2	잃어버린 성해포	3	고룡의… 어떤 보옥	1	불법 RAM	2
아크 앵클릿	보물상자: 루지이 고원	2	칠흑의 비늘	3	고대로부터의 껍질	1	엄청 딱딱한 나무조각	2
프로미넌스 배지	보물상자: 루지이 고원	2	홍련석	3	날카로운 이빨	2	작열 광석	2
축복의 미상가	보물상자: 루지이 고원	2	엄청 딱딱한 나무조각	3	불법 차세대 회로	2	꿈 돌고래의 꼬리	1
밀레니엄 메모리	보물상자: 루지이 고원	2	엘데 크리스탈	3	핑크 리본	2	불법 초고급 개조 회로	2
엔게이지 링	보물상자: 오오토리이 동굴	2	금광석	3	엘데 크리스탈	2	2쌍식 마광 동력로	1
유미니테스의 부적	보물상자: 네크토키 수림	4	하비 혼	3	게 껍질	1	불법 차세대 회로	2
유니미테스의 부적	보물상자: 지하 용암동	4	고양이 강모	3	무척 튼튼한 거미줄	2	불법 차세대 회로	2
신비의 반지	보물상자: 피시 게임 공장터	4	얼룩 무늬의 조각	3	걸치고 있던 작은 옷	2	튤립의 수술	2
SP 부스터 3	보물상자: 그라피스 고개	8	호탕함의 소양	1	UFO의 컨트롤러	2	고룡의… 아무튼 머리	1
명계의 반지	보물상자: 그라피스 고개	8	걸치고 있던 작은 옷	3	점착성이 강한 거미줄	2	네거티브한 뿌리	2
후보생의 가호	보물상자: 비타르 디멘션	8	마 장비의 조각	3	LING 기판	2	네거티브한 뿌리	2
여신의 가호	보물상자: 소우 · 셜 숲	8	마 장비의 조각	3	상자새의 화려한 날개	2	불타는 꽃잎	2

+리메이크 시스템 / 코스튬

아이템	장비	사양서	입수 방법	용량	필요 소재	수	필요 소재	수	필요 소재	수
모노크롬 스타일	넵튠	C 캐주얼	드랍: 마제콘느(제1장)	4	모노크롬 져지	1	보이지 않는 천	1	—	—
버추얼 스타일	넵튠	C 캐주얼	드랍: 마제콘느(제1장)	4	버추얼 져지	1	보이지 않는 천	1	—	—
드림 스타일	넵튠	C 캐주얼	드랍: 마제콘느(제1장)	4	드림 캐롯	1	보이지 않는 천	1	—	—
팬시 스타일	프루루트	폭신폭신 스타일	드랍: 아쿠다이진(제5장)	4	팬시~	1	보이지 않는 천	1	—	—
얀데레 스타일	프루루트	폭신폭신 스타일	드랍: 아쿠다이진(제5장)	4	얀데레	1	보이지 않는 천	1	—	—
초콜~릿 스타일	프루루트	폭신폭신 스타일	드랍: 아쿠다이진(제5장)	4	초콜~릿	1	보이지 않는 천	1	—	—
슈가 스타일	느와르	코스프레 대전집	드랍: 카피리에이스(제2장)	4	슈가 레인	1	보이지 않는 천	1	—	—
스톤 리크 스타일	느와르	코스프레 대전집	드랍: 카피리에이스(제2장)	4	스톤 리크	1	보이지 않는 천	1	—	—
프리티 스타일	느와르	코스프레 대전집	드랍: 카피리에이스(제2장)	4	프리티 핑크	1	보이지 않는 천	1	—	—

아이템	장비	사양서	입수 방법	용량	필요 소재	수	필요 소재	수	필요 소재	수
여름의 무녀	블랑	전통 장식	드랍: 화이트 하트(제3장)	4	여름밤의 무녀	1	보이지 않는 천	1	—	—
봄의 무녀	블랑	전통 장식	드랍: 화이트 하트(제3장)	4	벚꽃의 무녀	1	보이지 않는 천	1	—	—
겨울의 무녀	블랑	전통 장식	드랍: 화이트 하트(제3장)	4	하얀 눈의 무녀	1	보이지 않는 천	1	—	—
프린세스 스타일	벨	S 코디네이트	드랍: 그린 하트(제4장)	4	프린세스 드레스	1	보이지 않는 천	1	—	—
엘리트 스타일	벨	S 코디네이트	드랍: 그린 하트(제4장)	4	엘리트 드레스	1	보이지 않는 천	1	—	—
블러드 스타일	벨	S 코디네이트	드랍: 그린 하트(제4장)	4	블러드 드레스	1	보이지 않는 천	1	—	—
토끼씨의 옷	피셰	어린이 옷 C	드랍: 옐로 하트(제8장)	4	토끼씨	1	보이지 않는 천	1	—	—
푸루루토의 옷	피셰	어린이 옷 C	드랍: 옐로 하트(제8장)	4	푸루루토	1	보이지 않는 천	1	—	—
네푸튜느의 옷	피셰	어린이 옷 C	드랍: 옐로 하트(제8장)	4	네푸튜느	1	보이지 않는 천	1	—	—
클래시컬 메이드	네프기어	메이드 도감	숨겨진 상자: 도시 중심부	8	블랙 리본	1	중년의 로망	1	무지개색 날개	3
블랙 하트 에이프런	유니	메이드 도감	숨겨진 상자: 도시 중심부	8	블랙 리본	1	중년의 로망	1	무지개색 날개	3
고딕 메이드	롬	메이드 도감	숨겨진 상자: 도시 중심부	8	블랙 리본	1	중년의 로망	1	무지개색 날개	3
고딕 메이드	람	메이드 도감	숨겨진 상자: 도시 중심부	8	블랙 리본	1	중년의 로망	1	무지개색 날개	3
로열 나이트	네프기어	4여신 온라인 설정집	숨겨진 상자: 도시 중심부	8	마 장비의 조각	2	소년의 마음	1	보이지 않는 천	1
토넬 아머	유니	4여신 온라인 설정집	숨겨진 상자: 도시 중심부	8	은 장비의 조각	3	소년의 마음	1	보이지 않는 천	1
서니 로브	롬	4여신 온라인 설정집	숨겨진 상자: 도시 중심부	8	상자새의 화려한 날개	3	소년의 마음	1	보이지 않는 천	1
문 로브	람	4여신 온라인 설정집	숨겨진 상자: 도시 중심부	8	상자새의 화려한 날개	3	소년의 마음	1	보이지 않는 천	1
스트라이프 모니	네프기어	올해의 수영복!	숨겨진 상자: 도시 중심부	8	걸치고 있던 작은 옷	3	사악한 마음	1	—	—
슈거 프람	유니	올해의 수영복!	숨겨진 상자: 도시 중심부	8	걸치고 있던 작은 옷	3	사악한 마음	1	—	—
스위트 플라워	롬	올해의 수영복!	숨겨진 상자: 도시 중심부	8	걸치고 있던 작은 옷	3	사악한 마음	1	—	—
비타민 플라워	람	올해의 수영복!	숨겨진 상자: 도시 중심부	8	걸치고 있던 작은 옷	3	사악한 마음	1	—	—

+ 리메이크 시스템 / 액세서리

● 넵튠

아이템	사양서	입수 방법	용량	필요 소재	수	필요 소재	수	필요 소재	수
래빗 리본	사양서 : 귀여운 리본	보물상자: 쿠자라트 공장 · 제2구획	1	허브	1	도트 안테나	2	노란 꽃잎	1
퍼플 리본	사양서 : 귀여운 리본	보물상자: 쿠자라트 공장 · 제2구획	1	래빗 리본	1	보라색 색소	2	—	—
깃털 장식	사양서 : 머리와 멋	보물상자: 제트 셋 산길 · 정상	1	말새의 날개	1	요화의 꽃잎	2	잃어버린 성해포	1
흰색 고양이 귀	사양서 : 고양이가 좋아	보물상자: 풍래 동굴	1	고양이다람쥐의 손톱	1	수수께끼의 원	2	커다란 뿌리	1
검은 고양이 귀	사양서 : 고양이가 좋아	보물상자: 풍래 동굴	1	흰색 고양이 귀	1	검은색 색소	2	—	—
토끼 귀	사양서 : 귀여운 동물	보물상자: 루드암즈 지하도 · 심부	1	상푸르의 귀	1	무지개 빛깔의 꽃잎	2	파란 파이프 조각	1
새싹 리본 HC	사양서 : 귀여운 리본	보물상자: 쿠자라트 공장 · 제2구획	1	리프레쉬 허브	1	무지개 빛깔의 꽃잎	2	파란 씨앗	1
검은 고양이	사양서 : 고양이가 좋아	보물상자: 풍래 동굴	1	고양이 강모	1	번장 마스크	2	사악한 마음	1
튤립	사양서 : 귀여운 리본	보물상자: 쿠자라트 공장 · 제2구획	1	세계수의 잎	1	오렌지 꽃잎	2	붉은 꽃잎	1
찰떡	사양서 : 머리와 멋	보물상자: 제트 셋 산길 · 정상	1	최고급 젤리	1	튤립의 수술	2	녹을 듯한 닭고기	1
아이스 클로버	사양서 : 머리와 멋	보물상자: 제트 셋 산길 · 정상	1	도마뱀의 비늘	1	새의 동관	2	마랑의 이빨	1
클로버 핀	사양서 : 머리와 멋	보물상자: 제트 셋 산길 · 정상	1	아이스 클로버	1	녹색 색소	2	—	—
모노 클로버	사양서 : 머리와 멋	보물상자: 제트 셋 산길 · 정상	1	아이스 클로버	1	검은색 색소	2	—	—
오렌지 클로버	사양서 : 머리와 멋	보물상자: 제트 셋 산길 · 정상	1	아이스 클로버	1	오렌지색 색소	2	—	—
시뇽 캡	사양서 : 세계의 모자 대전	보물상자: 밴디 크래시	1	괴조의 날개	1	보이지 않는 천	2	말새의 날개	1
블랙 시뇽	사양서 : 세계의 모자 대전	보물상자: 밴디 크래시	1	시뇽 캡	1	검은색 색소	2	—	—
그레이 시뇽	사양서 : 세계의 모자 대전	보물상자: 밴디 크래시	1	시뇽 캡	1	검은색 색소	2	—	—
오렌지 시뇽	사양서 : 세계의 모자 대전	보물상자: 밴디 크래시	1	시뇽 캡	1	흰색 색소	2	—	—
딸기 우유	사양서 : 귀여운 리본	보물상자: 쿠자라트 공장 · 제2구획	1	딸기 리본	1	흰색 색소	2	—	—
무 리본	사양서 : 귀여운 리본	보물상자: 쿠자라트 공장 · 제2구획	1	딸기 리본	1	큰무 잎	2	—	—
당근 리본	사양서 : 귀여운 리본	보물상자: 쿠자라트 공장 · 제2구획	1	딸기 리본	1	당근 잎	2	—	—
룬 크라운	사양서 : 더 · 세레브	보물상자: 풍래 동굴 · 심부	1	엘레강트 크라운	1	검은색 색소	2	—	—
노블 크라운	사양서 : 더 · 세레브	보물상자: 풍래 동굴 · 심부	1	엘레강트 크라운	1	파란색 색소	2	—	—
로열 크라운	사양서 : 더 · 세레브	보물상자: 풍래 동굴 · 심부	1	엘레강트 크라운	1	빨간색 색소	2	—	—
스트라이프 리본	사양서 : 귀여운 리본	보물상자: 쿠자라트 공장 · 제2구획	1	방울 리본	1	녹색 색소	2	—	—
물방울 리본	사양서 : 귀여운 리본	보물상자: 쿠자라트 공장 · 제2구획	1	방울 리본	1	파란색 색소	2	—	—
내 아내 리본	사양서 : 귀여운 리본	보물상자: 쿠자라트 공장 · 제2구획	1	선물용 리본	1	두근두근	1	—	—
일등상 리본	사양서 : 귀여운 리본	보물상자: 쿠자라트 공장 · 제2구획	1	선물용 리본	1	아저씨의 애수	8	—	—
꽃방울 리본	사양서 : 귀여운 리본	보물상자: 쿠자라트 공장 · 제2구획	1	선물용 리본	1	소년의 마음	1	—	—
주인공 리본	사양서 : 귀여운 리본	보물상자: 쿠자라트 공장 · 제2구획	1	선물용 리본	1	사악한 마음	5	—	—
[illegible] 스타	사양서 : 머리와 멋	보물상자: 제트 셋 산길 · 정상	1	슈팅 스타	1	빨간 색소	[illegible]		
네온 스타	사양서 : 머리와 멋	보물상자: 제트 셋 산길 · 정상	1	슈팅 스타	1	물색 색소	2	—	—
스마일 스타	사양서 : 머리와 멋	보물상자: 제트 셋 산길 · 정상	1	슈팅 스타	1	노란색 색소	2	—	—
블랙 라이트	사양서 : NMT! NMT!	보물상자: 루드암즈 지하도	1	원형 형광등	1	보라색 색소	2	—	—
할로겐 램프	사양서 : NMT! NMT!	보물상자: 루드암즈 지하도	1	원형 형광등	1	노란색 색소	2	—	—
음이온 발생장치	사양서 : NMT! NMT!	보물상자: 루드암즈 지하도	1	원형 형광등	1	녹색 색소	2	—	—
로즈 데빌	사양서 : 악마의 혼	보물상자: 제트 셋 산길	1	소악마 헤어밴드	1	보라색 색소	2	—	—
스위트 데빌	사양서 : 악마의 혼	보물상자: 제트 셋 산길	1	소악마 헤어밴드	1	흰색 색소	2	—	—
블루 데빌	사양서 : 악마의 혼	보물상자: 제트 셋 산길	1	소악마 헤어밴드	1	파란색 색소	2	—	—

● 프루루트

아이템	사양서	입수 방법	용량	필요 소재	수	필요 소재	수	필요 소재	수
모노크롬 양	사양서 : 귀여운 동물	보물상자: 루드암즈 지하도 · 심부	1	검은 젤라틴 촉수	3	거북 껍질	2	블랙 리본	1
양	사양서 : 세계의 모자 대전	보물상자: 밴디 크래시	1	모노크롬 양	1	흰색 색소	2	—	—
폭신폭신 양	사양서 : 세계의 모자 대전	보물상자: 밴디 크래시	1	모노크롬 양	1	핑크색 색소	2	—	—
검은 양	사양서 : 세계의 모자 대전	보물상자: 밴디 크래시	1	모노크롬 양	1	검은색 색소	2	—	—
파스텔 버튼	사양서 : 머리와 멋	보물상자: 제트 셋 산길 · 정상	1	파란 씨앗	2	전자 돌고래의 꼬리	1	노란 꽃잎	1
모노크롬 버튼	사양서 : 머리와 멋	보물상자: 제트 셋 산길 · 정상	1	파스텔 버튼	1	검은색 색소	2	—	—
스노우 버튼	사양서 : 머리와 멋	보물상자: 제트 셋 산길 · 정상	1	파스텔 버튼	1	흰색 색소	2	—	—
오렌지 버튼	사양서 : 머리와 멋	보물상자: 제트 셋 산길 · 정상	1	파스텔 버튼	1	오렌지색 색소	2	—	—
딸기 우유	사양서 : 귀여운 리본	보물상자: 쿠자라트 공장 · 제2구획	1	딸기 리본	1	흰색 색소	2	—	—
무 리본	사양서 : 귀여운 리본	보물상자: 쿠자라트 공장 · 제2구획	1	딸기 리본	1	큰무 잎	2	—	—

●프루루트

아이템	사양서	입수 방법	용량	필요 소재	수	필요 소재	수	필요 소재	수
당근 리본	사양서 : 귀여운 리본	보물상자: 쿠자라트 공장 · 제2구획	1	딸기 리본	1	당근 잎	2	—	—
룬 크라운	사양서 : 더 · 세레브	보물상자: 풍래 동굴 · 심부	1	엘레강트 크라운	1	검은색 색소	2	—	—
노블 크라운	사양서 : 더 · 세레브	보물상자: 풍래 동굴 · 심부	1	엘레강트 크라운	1	파란색 색소	2	—	—
로열 크라운	사양서 : 더 · 세레브	보물상자: 풍래 동굴 · 심부	1	엘레강트 크라운	1	빨간색 색소	2	—	—
스트라이프 리본	사양서 : 귀여운 리본	보물상자: 쿠자라트 공장 · 제2구획	1	방울 리본	1	녹색 색소	2	—	—
물방울 리본	사양서 : 귀여운 리본	보물상자: 쿠자라트 공장 · 제2구획	1	방울 리본	1	파란색 색소	2	—	—
내 아내 리본	사양서 : 귀여운 리본	보물상자: 쿠자라트 공장 · 제2구획	1	선물용 리본	1	두근두근	1	—	—
일등상 리본	사양서 : 귀여운 리본	보물상자: 쿠자라트 공장 · 제2구획	1	선물용 리본	1	아저씨의 애수	8	—	—
꽃방울 리본	사양서 : 귀여운 리본	보물상자: 쿠자라트 공장 · 제2구획	1	선물용 리본	1	소년의 마음	1	—	—
주인공 리본	사양서 : 귀여운 리본	보물상자: 쿠자라트 공장 · 제2구획	1	선물용 리본	1	사악한 마음	5	—	—
럭키 스타	사양서 : 머리와 멋	보물상자: 제트 셋 산길 · 정상	1	슈팅 스타	1	빨간색 색소	2	—	—
네온 스타	사양서 : 머리와 멋	보물상자: 제트 셋 산길 · 정상	1	슈팅 스타	1	파란색 색소	2	—	—
스마일 스타	사양서 : 머리와 멋	보물상자: 제트 셋 산길 · 정상	1	슈팅 스타	1	노란색 색소	2	—	—
블랙 라이트	사양서 : NMT! NMT!	보물상자: 루드암즈 지하도	1	원형 형광등	1	보라색 색소	2	—	—
할로겐 램프	사양서 : NMT! NMT!	보물상자: 루드암즈 지하도	1	원형 형광등	1	노란색 색소	2	—	—
음이온 발생장치	사양서 : NMT! NMT!	보물상자: 루드암즈 지하도	1	원형 형광등	1	녹색 색소	2	—	—
로즈 데빌	사양서 : 악마의 혼	보물상자: 제트 셋 산길	1	소악마 헤어밴드	1	보라색 색소	2	—	—
스위트 데빌	사양서 : 악마의 혼	보물상자: 제트 셋 산길	1	소악마 헤어밴드	1	흰색 색소	2	—	—
블루 데빌	사양서 : 악마의 혼	보물상자: 제트 셋 산길	1	소악마 헤어밴드	1	파란색 색소	2	—	—
검은 고양이 귀	사양서 : 고양이가 좋아	보물상자: 풍래 동굴	1	흰색 고양이 귀	1	검은색 색소	2	—	—

●느와르

아이템	사양서	입수 방법	용량	필요 소재	수	필요 소재	수	필요 소재	수
뾰족한 리본	사양서 : 귀여운 리본	보물상자: 쿠자라트 공장 · 제2구획	1	너덜 천	1	소년의 마음	2	블루 리본	1
레인 드랍	사양서 : 귀여운 리본	보물상자: 쿠자라트 공장 · 제2구획	1	뾰족한 리본	1	빨간색 색소	2	—	—
히로인 리본	사양서 : 귀여운 리본	보물상자: 쿠자라트 공장 · 제2구획	1	뾰족한 리본	1	검은색 색소	2	—	—
의자매 리본	사양서 : 귀여운 리본	보물상자: 쿠자라트 공장 · 제2구획	1	뾰족한 리본	1	흰색 색소	2	—	—
파인 블루	사양서 : 귀여운 리본	보물상자: 쿠자라트 공장 · 제2구획	1	철모	1	요화의 꽃잎	2	빙결 천	1
파인 옐로	사양서 : 귀여운 리본	보물상자: 쿠자라트 공장 · 제2구획	1	파인 블루	1	노란색 색소	2	—	—
파인 블랙	사양서 : 귀여운 리본	보물상자: 쿠자라트 공장 · 제2구획	1	파인 블루	1	핑크색 색소	2	—	—
파인 로즈	사양서 : 귀여운 리본	보물상자: 쿠자라트 공장 · 제2구획	1	파인 블루	1	파란색 색소	2	—	—
클리어 리본	사양서 : 귀여운 리본	보물상자: 쿠자라트 공장 · 제2구획	1	핑크 리본	1	마석	2	사악한 마음	1
화이트 리본	사양서 : 귀여운 리본	보물상자: 쿠자라트 공장 · 제2구획	1	클리어 리본	1	흰색 색소	2	—	—
핑크 리본	사양서 : 귀여운 리본	보물상자: 쿠자라트 공장 · 제2구획	1	클리어 리본	1	핑크색 색소	2	—	—
디바 리본	사양서 : 귀여운 리본	보물상자: 쿠자라트 공장 · 제2구획	1	클리어 리본	1	노란색 색소	2	—	—
메탈 아이패치	사양서 : 악마의 혼	보물상자: 제트 셋 산길	1	훌륭한 안테나	1	셀 안테나	2	대지의 결정석	1
위치 햇	사양서 : 세계의 모자 대전	보물상자: 밴디 크래시	1	맹독 천	1	베놈 리본	2	건달 마스크	1
플래티넘 티아라	사양서 : 더 · 세레브	보물상자: 풍래 동굴 · 심부	1	금광석	1	새의 은관	2	엘데 크리스탈	1
메이드 카츄샤	사양서 : 머리와 멋	보물상자: 제트 셋 산길 · 정상	1	꿈 돌고래의 꼬리	1	국제 구조대 배지	1	전자 돌고래의 꼬리	1
검은 고양이 귀	사양서 : 고양이가 좋아	보물상자: 풍래 동굴	1	샹푸르의 귀	1	고양이 강모	2	블랙 리본	1
흰색 고양이 귀	사양서 : 고양이가 좋아	보물상자: 풍래 동굴	1	검은 고양이 귀	1	흰색 색소	2	—	—
클래식 너스	사양서 : 세계의 모자 대전	보물상자: 밴디 크래시	1	중년의 로망	1	좋은 냄새의 거미줄	2	검은색 색소	1
스트로베리 슈슈	사양서 : 머리와 멋	보물상자: 제트 셋 산길 · 정상	1	튤립의 수술	1	불꽃의 결정석	2	붉은 꽃잎	1
딸기 우유	사양서 : 귀여운 리본	보물상자: 쿠자라트 공장 · 제2구획	1	딸기 리본	1	흰색 색소	2	—	—
무 리본	사양서 : 귀여운 리본	보물상자: 쿠자라트 공장 · 제2구획	1	딸기 리본	1	큰무 잎	2	—	—
당근 리본	사양서 : 귀여운 리본	보물상자: 쿠자라트 공장 · 제2구획	1	딸기 리본	1	당근 잎	2	—	—
룬 크라운	사양서 : 더 · 세레브	보물상자: 풍래 동굴 · 심부	1	엘레강트 크라운	1	검은색 색소	2	—	—
노블 크라운	사양서 : 더 · 세레브	보물상자: 풍래 동굴 · 심부	1	엘레강트 크라운	1	파란색 색소	2	—	—
로열 크라운	사양서 : 더 · 세레브	보물상자: 풍래 동굴 · 심부	1	엘레강트 크라운	1	빨간색 색소	2	—	—
스트라이프 리본	사양서 : 귀여운 리본	보물상자: 쿠자라트 공장 · 제2구획	1	방울 리본	1	녹색 색소	2	—	—
물방울 리본	사양서 : 귀여운 리본	보물상자: 쿠자라트 공장 · 제2구획	1	방울 리본	1	파란색 색소	2	—	—
내 아내 리본	사양서 : 귀여운 리본	보물상자: 쿠자라트 공장 · 제2구획	1	선물용 리본	1	두근두근	1	—	—
일등상 리본	사양서 : 귀여운 리본	보물상자: 쿠자라트 공장 · 제2구획	1	선물용 리본	1	아저씨의 애수	8	—	—
꽃방울 리본	사양서 : 귀여운 리본	보물상자: 쿠자라트 공장 · 제2구획	1	선물용 리본	1	소년의 마음	1	—	—
주인공 리본	사양서 : 귀여운 리본	보물상자: 쿠자라트 공장 · 제2구획	1	선물용 리본	1	사악한 마음	5	—	—
럭키 스타	사양서 : 머리와 멋	보물상자: 제트 셋 산길 · 정상	1	주인공 리본	1	빨간색 색소	2	—	—
네온 스타	사양서 : 머리와 멋	보물상자: 제트 셋 산길 · 정상	1	주인공 리본	1	파란색 색소	2	—	—
스마일 스타	사양서 : 머리와 멋	보물상자: 제트 셋 산길 · 정상	1	주인공 리본	1	노란색 색소	2	—	—
블랙 라이트	사양서 : NMT! NMT!	보물상자: 루드암즈 지하도	1	스마일 스타	1	보라색 색소	2	—	—
할로겐 램프	사양서 : NMT! NMT!	보물상자: 루드암즈 지하도	1	스마일 스타	1	노란색 색소	2	—	—
음이온 발생장치	사양서 : NMT! NMT!	보물상자: 루드암즈 지하도	1	스마일 스타	1	녹색 색소	2	—	—
로즈 데빌	사양서 : 악마의 혼	보물상자: 제트 셋 산길	1	소악마 헤어밴드	1	보라색 색소	2	—	—
스위트 데빌	사양서 : 악마의 혼	보물상자: 제트 셋 산길	1	소악마 헤어밴드	1	흰색 색소	2	—	—
블루 데빌	사양서 : 악마의 혼	보물상자: 제트 셋 산길	1	소악마 헤어밴드	1	파란색 색소	2	—	—

●블랑

아이템	사양서	입수 방법	용량	필요 소재	수	필요 소재	수	필요 소재	수
빨간 동백꽃 머리 장식	사양서 : 머리와 멋	보물상자: 제트 셋 산길 · 정상	1	요화의 꽃잎	1	말새의 날개	2	큰 나비의 날개	1
파란 꽃 머리 장식	사양서 : 머리와 멋	보물상자: 제트 셋 산길 · 정상	1	빨간 동백꽃 머리 장식	1	물색의 색소	2	—	—
하얀 동백꽃 머리 장식	사양서 : 머리와 멋	보물상자: 제트 셋 산길 · 정상	1	빨간 동백꽃 머리 장식	1	흰색 색소	2	—	—
복숭아꽃 머리 장식	사양서 : 머리와 멋	보물상자: 제트 셋 산길 · 정상	1	빨간 동백꽃 머리 장식	1	핑크색 색소	2	—	—
벚꽃 공주 리본	사양서 : 귀여운 리본	보물상자: 쿠자라트 공장 · 제2구획	1	빨간 공주 리본	1	흰색 색소	2	핑크색 색소	2
쪽빛 공주 리본	사양서 : 귀여운 리본	보물상자: 쿠자라트 공장 · 제2구획	1	빨간 공주 리본	1	파란색 색소	2	빨간색 색소	2
눈빛 공주 리본	사양서 : 귀여운 리본	보물상자: 쿠자라트 공장 · 제2구획	1	빨간 공주 리본	1	흰색 색소	2	파란색 색소	2
빈티지 햇	사양서 : 세계의 모자 대전	보물상자: 밴디 크래시	1	얼어붙은 비늘	1	맹독 천	2	날카로운 이빨	1
흑	사양서 : 세계의 모자 대전	보물상자: 밴디 크래시	1	빈티지 햇	1	검은색 색소	2	—	—
백	사양서 : 세계의 모자 대전	보물상자: 밴디 크래시	1	빈티지 햇	1	흰색 색소	2	핑크색 색소	2
프린세스 리본	사양서 : 세계의 모자 대전	보물상자: 밴디 크래시	1	빈티지 햇	1	흰색 색소	2	파란색 색소	2
검은 고양이 귀	사양서 : 고양이가 좋아	보물상자: 풍래 동굴	1	흰색 고양이 귀	1	검은색 색소	2	—	—
초콜릿 리본	사양서 : 머리와 멋	보물상자: 제트 셋 산길 · 정상	1	엄청 딱딱한 나무조각	1	블랙 리본	2	마풍석	1

●프루루트

아이템	사양서	입수 방법	용량	필요 소재	수	필요 소재	수	필요 소재	수
안대	사양서 : 악마의 혼	보물상자: 제트 셋 산길	1	대지의 비늘	1	철 장비의 조각	2	블랙 리본	1
학자 세트	사양서 : 세계의 모자 대전	보물상자: 밴디 크레시	1	불법 차세대 회로	1	불타는 뼈	2	갓 소울	1
학자 모자	사양서 : 세계의 모자 대전	보물상자: 밴디 크레시	1	체크무늬 꼬리	1	블랙 리본	2	기묘한 탄력이 있는 덩어리	1
그린 도트	사양서 : 세계의 모자 대전	보물상자: 밴디 크레시	1	그린 블록	1	얼룩 무늬의 조각	2	마법의 불발탄	1
딸기 우유	사양서 : 귀여운 리본	보물상자: 쿠자라트 공장 · 제2구획	1	딸기 리본	1	흰색 색소	2	—	—
무 리본	사양서 : 귀여운 리본	보물상자: 쿠자라트 공장 · 제2구획	1	딸기 리본	1	큰무 잎	2	—	—
당근 리본	사양서 : 귀여운 리본	보물상자: 쿠자라트 공장 · 제2구획	1	딸기 리본	1	당근 잎	2	—	—
룬 크라운	사양서 : 더 · 세레브	보물상자: 풍래 동굴 · 심부	1	엘레강트 크라운	1	검은색 색소	2	—	—
노블 크라운	사양서 : 더 · 세레브	보물상자: 풍래 동굴 · 심부	1	엘레강트 크라운	1	파란색 색소	2	—	—
로열 크라운	사양서 : 더 · 세레브	보물상자: 풍래 동굴 · 심부	1	엘레강트 크라운	1	빨간색 색소	2	—	—
스트라이프 리본	사양서 : 귀여운 리본	보물상자: 쿠자라트 공장 · 제2구획	1	방울 리본	1	녹색 색소	2	—	—
물방울 리본	사양서 : 귀여운 리본	보물상자: 쿠자라트 공장 · 제2구획	1	방울 리본	1	파란색 색소	2	—	—
전통 방울 리본	사양서 : 귀여운 리본	보물상자: 쿠자라트 공장 · 제2구획	1	방울 리본	1	빨간색 색소	2	—	—
내 아내 리본	사양서 : 귀여운 리본	보물상자: 쿠자라트 공장 · 제2구획	1	선물용 리본	1	두근두근	1	—	—
일등상 리본	사양서 : 귀여운 리본	보물상자: 쿠자라트 공장 · 제2구획	1	선물용 리본	1	아저씨의 애수	8	—	—
꽃방울 리본	사양서 : 귀여운 리본	보물상자: 쿠자라트 공장 · 제2구획	1	선물용 리본	1	소년의 마음	1	—	—
주인공 리본	사양서 : 귀여운 리본	보물상자: 쿠자라트 공장 · 제2구획	1	선물용 리본	1	사악한 마음	5	—	—
럭키 스타	사양서 : 머리와 멋	보물상자: 제트 셋 산길 · 정상	1	주인공 리본	1	빨간색 색소	2	—	—
네온 스타	사양서 : 머리와 멋	보물상자: 제트 셋 산길 · 정상	1	주인공 리본	1	파란색 색소	2	—	—
스마일 스타	사양서 : 머리와 멋	보물상자: 제트 셋 산길 · 정상	1	주인공 리본	1	노란색 색소	2	—	—
블랙 라이트	사양서 : NMT! NMT!	보물상자: 루드암즈 지하도	1	스마일 스타	1	보라색 색소	2	—	—
할로겐 램프	사양서 : NMT! NMT!	보물상자: 루드암즈 지하도	1	스마일 스타	1	노란색 색소	2	—	—
음이온 발생장치	사양서 : NMT! NMT!	보물상자: 루드암즈 지하도	1	스마일 스타	1	녹색 색소	2	—	—
로즈 데빌	사양서 : 악마의 혼	보물상자: 제트 셋 산길	1	소악마 헤어밴드	1	보라색 색소	2	—	—
스위트 데빌	사양서 : 악마의 혼	보물상자: 제트 셋 산길	1	소악마 헤어밴드	1	흰색 색소	2	—	—
블루 데빌	사양서 : 악마의 혼	보물상자: 제트 셋 산길	1	소악마 헤어밴드	1	파란색 색소	2	—	—

●벨

아이템	사양서	입수 방법	용량	필요 소재	수	필요 소재	수	필요 소재	수
하트 바레트	사양서 : 머리와 멋	보물상자: 제트 셋 산길 · 정상	1	매지컬 코어	1	용전사의 비늘	2	혼의 계약서	1
스피넬 바레트	사양서 : 머리와 멋	보물상자: 제트 셋 산길 · 정상	1	하드 바레트	1	핑크색 색소	2	—	—
페리도트 바레트	사양서 : 머리와 멋	보물상자: 제트 셋 산길 · 정상	1	하드 바레트	1	녹색 색소	2	—	—
가넷 바레트	사양서 : 머리와 멋	보물상자: 제트 셋 산길 · 정상	1	하드 바레트	1	빨간색 색소	2	—	—
모닝 베일	사양서 : 멋진 베일	보물상자: 메로토이드 쉘터	1	마법의 계약서	1	작열 천	2	꿈 돌고래의 꼬리	1
레이디 벨	사양서 : 멋진 베일	보물상자: 메로토이드 쉘터	1	모닝 베일	1	흰색 색소	2	핑크색 색소	2
셔틀즈 베일	사양서 : 멋진 베일	보물상자: 메로토이드 쉘터	1	모닝 베일	1	검은색 색소	2	녹색 색소	2
블러드 베일	사양서 : 멋진 베일	보물상자: 메로토이드 쉘터	1	모닝 베일	1	검은색 색소	2	빨간색 색소	2
실크 리본	사양서 : 귀여운 리본	보물상자: 쿠자라트 공장 · 제2구획	1	에메랄드 리본	1	흰색 색소	2	핑크색 색소	2
엘리트 리본	사양서 : 귀여운 리본	보물상자: 쿠자라트 공장 · 제2구획	1	에메랄드 리본	1	검은색 색소	2	녹색 색소	2
와인레드 리본	사양서 : 귀여운 리본	보물상자: 쿠자라트 공장 · 제2구획	1	에메랄드 리본	1	검은색 색소	2	빨간색 색소	2
플래티넘 티아라	사양서 : 더 · 세레브	보물상자: 풍래 동굴 · 심부	1	미스릴 광석	1	은광석	2	하비 혼	1
토끼 귀	사양서 : 귀여운 동물	보물상자: 루드암즈 지하도 · 심부	1	샹푸르의 귀	1	무척 튼튼한 거미줄	2	독한 꽃잎	1
검은 고양이 귀	사양서 : 고양이가 좋아	보물상자: 풍래 동굴	1	흰색 고양이 귀	1	검은색 색소	2	—	—
클로버 너스	사양서 : 세계의 모자 대전	보물상자: 밴디 크레시	1	중년의 로망	1	좋은 냄새의 거미줄	2	녹색 색소	1
머메이드 리본	사양서 : 귀여운 리본	보물상자: 쿠자라트 공장 · 제2구획	1	핑크 리본	1	젤라틴 촉수	2	물의 결정석	1
딸기 우유	사양서 : 귀여운 리본	보물상자: 쿠자라트 공장 · 제2구획	1	딸기 리본	1	흰색 색소	2	—	—
무 리본	사양서 : 귀여운 리본	보물상자: 쿠자라트 공장 · 제2구획	1	딸기 리본	1	큰무 잎	2	—	—
당근 리본	사양서 : 귀여운 리본	보물상자: 쿠자라트 공장 · 제2구획	1	딸기 리본	1	당근 잎	2	—	—
룬 크라운	사양서 : 더 · 세레브	보물상자: 풍래 동굴 · 심부	1	엘레강트 크라운	1	검은색 색소	2	—	—
노블 크라운	사양서 : 더 · 세레브	보물상자: 풍래 동굴 · 심부	1	엘레강트 크라운	1	파란색 색소	2	—	—
로열 크라운	사양서 : 더 · 세레브	보물상자: 풍래 동굴 · 심부	1	엘레강트 크라운	1	빨간색 색소	2	—	—
스트라이프 리본	사양서 : 귀여운 리본	보물상자: 쿠자라트 공장 · 제2구획	1	방울 리본	1	녹색 색소	2	—	—
물방울 리본	사양서 : 귀여운 리본	보물상자: 쿠자라트 공장 · 제2구획	1	방울 리본	1	파란색 색소	2	—	—
내 아내 리본	사양서 : 귀여운 리본	보물상자: 쿠자라트 공장 · 제2구획	1	선물용 리본	1	두근두근	1	—	—
일등상 리본	사양서 : 귀여운 리본	보물상자: 쿠자라트 공장 · 제2구획	1	선물용 리본	1	아저씨의 애수	8	—	—
꽃방울 리본	사양서 : 귀여운 리본	보물상자: 쿠자라트 공장 · 제2구획	1	선물용 리본	1	소년의 마음	1	—	—
주인공 리본	사양서 : 귀여운 리본	보물상자: 쿠자라트 공장 · 제2구획	1	선물용 리본	1	사악한 마음	5	—	—
럭키 스타	사양서 : 머리와 멋	보물상자: 제트 셋 산길 · 정상	1	주인공 리본	1	빨간색 색소	2	—	—
네온 스타	사양서 : 머리와 멋	보물상자: 제트 셋 산길 · 정상	1	주인공 리본	1	파란색 색소	2	—	—
스마일 스타	사양서 : 머리와 멋	보물상자: 제트 셋 산길 · 정상	1	주인공 리본	1	노란색 색소	2	—	—
블랙 라이트	사양서 : NMT! NMT!	보물상자: 루드암즈 지하도	1	스마일 스타	1	보라색 색소	2	—	—
할로겐 램프	사양서 : NMT! NMT!	보물상자: 루드암즈 지하도	1	스마일 스타	1	노란색 색소	2	—	—
음이온 발생장치	사양서 : NMT! NMT!	보물상자: 루드암즈 지하도	1	스마일 스타	1	녹색 색소	2	—	—
로즈 데빌	사양서 : 악마의 혼	보물상자: 제트 셋 산길	1	소악마 헤어밴드	1	보라색 색소	2	—	—
스위트 데빌	사양서 : 악마의 혼	보물상자: 제트 셋 산길	1	소악마 헤어밴드	1	흰색 색소	2	—	—
블루 데빌	사양서 : 악마의 혼	보물상자: 제트 셋 산길	1	소악마 헤어밴드	1	파란색 색소	2	—	—
꿈을 보는 섬의 장식	사양서 : 머리와 멋	보물상자: 제트 셋 산길 · 정상	1	나비의 머리 장식	1	핑크색 색소	2	—	—
호접의 머리 장식	사양서 : 머리와 멋	보물상자: 제트 셋 산길 · 정상	1	나비의 머리 장식	1	녹색 색소	2	—	—
홍접의 머리 장식	사양서 : 머리와 멋	보물상자: 제트 셋 산길 · 정상	1	나비의 머리 장식	1	오렌지색 색소	2	—	—

●네프기어

아이템	사양서	입수 방법	용량	필요 소재	수	필요 소재	수	필요 소재	수
고양이 귀 모자	사양서 : 고양이가 좋아	보물상자: 풍래 동굴	1	아저씨의 애수	1	외도 젤리	2	냐아의 손톱	1
블랙 캣	사양서 : 고양이가 좋아	보물상자: 풍래 동굴	1	고양이 귀 모자	1	검은색 색소	2	—	—
핑크 캣	사양서 : 고양이가 좋아	보물상자: 풍래 동굴	1	고양이 귀 모자	1	핑크색 색소	2	—	—
그린 캣	사양서 : 고양이가 좋아	보물상자: 풍래 동굴	1	고양이 귀 모자	1	녹색 색소	2	—	—
고양이 귀 모자와 안경	사양서 : 고양이가 좋아	보물상자: 풍래 동굴	1	고양이 귀 모자	1	퍼플 프레임	2	—	—
블랙 캣과 안경	사양서 : 고양이가 좋아	보물상자: 풍래 동굴	1	고양이 귀 모자	1	블랙 프레임	2	—	—
핑크 캣과 안경	사양서 : 고양이가 좋아	보물상자: 풍래 동굴	1	고양이 귀 모자	1	핑크 프레임	2	—	—
그린 캣과 안경	사양서 : 고양이가 좋아	보물상자: 풍래 동굴	1	고양이 귀 모자	1	녹색 색소	2	—	—

●네프기어

아이템	사양서	입수 방법	용량	필요 소재	수	필요 소재	수	필요 소재	수
슬라이누 모자	사양서 : 세계의 모자 대전	보물상자: 밴디 크래시	1	오렌지 젤리	3	마비 젤리	3	작열 천	4
강철 슬라이누 모자	사양서 : 세계의 모자 대전	보물상자: 밴디 크래시	1	슬라이누 모자	1	검은색 색소	2	—	—
복숭아 슬라이누 모자	사양서 : 세계의 모자 대전	보물상자: 밴디 크래시	1	슬라이누 모자	1	핑크색 색소	2	—	—
슬라이누 베스 모자	사양서 : 세계의 모자 대전	보물상자: 밴디 크래시	1	슬라이누 모자	1	오렌지색 색소	2	—	—
퍼플 프레임	사양서 : 안경 모에!	보물상자: 채굴장	1	용암의 뼈	2	큰 이빨	3	그린 블록	1
블랙 프레임	사양서 : 안경 모에!	보물상자: 채굴장	1	퍼플 프레임	1	검은색 색소	2	—	—
핑크 프레임	사양서 : 안경 모에!	보물상자: 채굴장	1	퍼플 프레임	1	핑크색 색소	2	—	—
레드 프레임	사양서 : 안경 모에!	보물상자: 채굴장	1	퍼플 프레임	1	빨간색 색소	2	—	—
에어로 파이버	사양서 : 머리와 멋	보물상자: 제트 셋 산길 · 정상	1	플라네 파이버	1	검은색 색소	2	—	—
오로라 파이버	사양서 : 머리와 멋	보물상자: 제트 셋 산길 · 정상	1	플라네 파이버	1	핑크색 색소	2	—	—
호타루 파이버	사양서 : 머리와 멋	보물상자: 제트 셋 산길 · 정상	1	플라네 파이버	1	녹색 색소	2	—	—
블랙 크라운	사양서 : 더 · 세레브	보물상자: 풍래 동굴 · 심부	1	미니 크라운	1	검은색 색소	2	—	—
화이트 크라운	사양서 : 더 · 세레브	보물상자: 풍래 동굴 · 심부	1	미니 크라운	1	흰색 색소	2	—	—
골드 크라운	사양서 : 더 · 세레브	보물상자: 풍래 동굴 · 심부	1	미니 크라운	1	금방망이	2	—	—
크리슈 로즈	사양서 : 세계의 모자 대전	보물상자: 밴디 크래시	1	드리 로즈	1	흰색 색소	2	—	—
팬시 로즈	사양서 : 세계의 모자 대전	보물상자: 밴디 크래시	1	드리 로즈	1	핑크색 색소	2	—	—
노블 로즈	사양서 : 세계의 모자 대전	보물상자: 밴디 크래시	1	드리 로즈	1	빨간색 색소	2	—	—
검은 여우	사양서 : 귀여운 동물	보물상자: 루드암즈 지하도	1	여우 귀	1	검은색 색소	2	—	—
하얀 여우	사양서 : 귀여운 동물	보물상자: 루드암즈 지하도	1	여우 귀	1	흰색 색소	2	—	—
빨간 여우	사양서 : 귀여운 동물	보물상자: 루드암즈 지하도	1	여우 귀	1	빨간 색소	2	—	—
블루 모르포	사양서 : 머리와 멋	보물상자: 제트 셋 산길 · 정상	1	왕오색 나비	1	파란색 색소	2	—	—
마젠타 빠삐용	사양서 : 머리와 멋	보물상자: 제트 셋 산길 · 정상	1	왕오색 나비	1	핑크색 색소	2	—	—
미도리 아게하	사양서 : 머리와 멋	보물상자: 제트 셋 산길 · 정상	1	왕오색 나비	1	녹색 색소	2	—	—
블랙 베레	사양서 : 세계의 모자 대전	보물상자: 밴디 크래시	1	베레모	1	검은색 색소	2	—	—
아쿠아 베레	사양서 : 세계의 모자 대전	보물상자: 밴디 크래시	1	베레모	1	파란색 색소	2	—	—
핑크 베레	사양서 : 세계의 모자 대전	보물상자: 밴디 크래시	1	베레모	1	핑크색 색소	2	—	—
고딕 헤드 드레스	사양서 : 머리와 멋	보물상자: 제트 셋 산길 · 정상	1	퍼플 헤드 드레스	1	검은색 색소	2	—	—
핑크 스위트	사양서 : 머리와 멋	보물상자: 제트 셋 산길 · 정상	1	퍼플 헤드 드레스	1	핑크색 색소	2	—	—
앨리스 헤드 드레스	사양서 : 머리와 멋	보물상자: 제트 셋 산길 · 정상	1	퍼플 헤드 드레스	1	파란색 색소	2	—	—
검은 고양이 귀	사양서 : 귀여운 동물	보물상자: 루드암즈 지하도 · 심부	1	흰색 고양이 귀	1	검은색 색소	2	—	—

●피셰

아이템	사양서	입수 방법	용량	필요 소재	수	필요 소재	수	필요 소재	수
원아모	사양서 : 세계의 모자 대전	보물상자: 밴디 크래시	1	노란 꽃잎	1	걸치고 있던 작은 옷	2	튤립의 수술	1
섬머 햇	사양서 : 세계의 모자 대전	보물상자: 밴디 크래시	1	원아모	1	보라색 색소	2	—	—
팬시 햇	사양서 : 세계의 모자 대전	보물상자: 밴디 크래시	1	원아모	1	물색 색소	2	—	—
핑크 햇	사양서 : 세계의 모자 대전	보물상자: 밴디 크래시	1	원아모	1	핑크색 색소	2	—	—
큰 리본	사양서 : 귀여운 리본	보물상자: 쿠자라트 공장 · 제2구획	1	상자새의 고귀한 날개	1	괴조의 날개	2	고급 늑대의 모피	1
요구르 리본	사양서 : 귀여운 리본	보물상자: 쿠자라트 공장 · 제2구획	1	큰 리본	1	보라색 색소	2	—	—
팬시 리본	사양서 : 귀여운 리본	보물상자: 쿠자라트 공장 · 제2구획	1	큰 리본	1	물색 색소	2	—	—
핑크 리본	사양서 : 귀여운 리본	보물상자: 쿠자라트 공장 · 제2구획	1	큰 리본	1	핑크색 색소	2	—	—
딸기 우유	사양서 : 귀여운 리본	보물상자: 쿠자라트 공장 · 제2구획	1	딸기 리본	1	흰색 색소	2	—	—
무 리본	사양서 : 귀여운 리본	보물상자: 쿠자라트 공장 · 제2구획	1	딸기 리본	1	큰무 잎	2	—	—
당근 리본	사양서 : 귀여운 리본	보물상자: 쿠자라트 공장 · 제2구획	1	딸기 리본	1	당근 잎	2	—	—
룬 크라운	사양서 : 더 · 세레브	보물상자: 풍래 동굴 · 심부	1	엘레강트 크라운	1	검은색 색소	2	—	—
노블 크라운	사양서 : 더 · 세레브	보물상자: 풍래 동굴 · 심부	1	엘레강트 크라운	1	파란색 색소	2	—	—
로열 크라운	사양서 : 더 · 세레브	보물상자: 풍래 동굴 · 심부	1	엘레강트 크라운	1	빨간색 색소	2	—	—
스트라이프 리본	사양서 : 귀여운 리본	보물상자: 쿠자라트 공장 · 제2구획	1	방울 리본	1	녹색 색소	2	—	—
물방울 리본	사양서 : 귀여운 리본	보물상자: 쿠자라트 공장 · 제2구획	1	방울 리본	1	파란색 색소	2	—	—
내 아내 리본	사양서 : 귀여운 리본	보물상자: 쿠자라트 공장 · 제2구획	1	선물용 리본	1	두근두근	1	—	—
일등상 리본	사양서 : 귀여운 리본	보물상자: 쿠자라트 공장 · 제2구획	1	선물용 리본	1	아저씨의 애수	8	—	—
꽃방울 리본	사양서 : 귀여운 리본	보물상자: 쿠자라트 공장 · 제2구획	1	선물용 리본	1	소년의 마음	1	—	—
주인공 리본	사양서 : 귀여운 리본	보물상자: 쿠자라트 공장 · 제2구획	1	선물용 리본	1	사악한 마음	5	—	—
럭키 스타	사양서 : 머리와 멋	보물상자: 제트 셋 산길 · 정상	1	슈팅 스타	1	빨간색 색소	2	—	—
네온 스타	사양서 : 머리와 멋	보물상자: 제트 셋 산길 · 정상	1	슈팅 스타	1	파란색 색소	2	—	—
스마일 스타	사양서 : 머리와 멋	보물상자: 제트 셋 산길 · 정상	1	슈팅 스타	1	노란색 색소	2	—	—
블랙 라이트	사양서 : NMT! NMT!	보물상자: 루드암즈 지하도	1	원형 형광등	1	보라색 색소	2	—	—
할로겐 램프	사양서 : NMT! NMT!	보물상자: 루드암즈 지하도	1	원형 형광등	1	노란색 색소	2	—	—
음이온 발생장치	사양서 : NMT! NMT!	보물상자: 루드암즈 지하도	1	원형 형광등	1	녹색 색소	2	—	—
로즈 데빌	사양서 : 악마의 혼	보물상자: 제트 셋 산길	1	소악마 헤어밴드	1	보라색 색소	2	—	—
스위트 데빌	사양서 : 악마의 혼	보물상자: 제트 셋 산길	1	소악마 헤어밴드	1	흰색 색소	2	—	—
블루 데빌	사양서 : 악마의 혼	보물상자: 제트 셋 산길	1	소악마 헤어밴드	1	파란색 색소	2	—	—
흰색 고양이 귀	사양서 : 고양이가 좋아	보물상자: 풍래 동굴	1	고양이 강모	1	샹푸르의 귀	1	—	—
검은 고양이 귀	사양서 : 고양이가 좋아	보물상자: 풍래 동굴	1	흰색 고양이 귀	1	검은색 색소	2	—	—
호랑이 귀	사양서 : 귀여운 동물	보물상자: 루드암즈 지하도 · 심부	1	흰색 고양이 귀	1	노란색 색소	2	검은색 색소	1

●네프기어

아이템	사양서	입수 방법	용량	필요 소재	수	필요 소재	수	필요 소재	수
라스테 폴리스	사양서 : 세계의 모자 대전	보물상자: 밴디 크래시	1	상자새의 고귀한 날개	1	검게 빛나는 비늘	2	중년의 로망	1
플라네 폴리스	사양서 : 세계의 모자 대전	보물상자: 밴디 크래시	1	라스테 폴리스	1	보라색 색소	2	—	—
르위 폴리스	사양서 : 세계의 모자 대전	보물상자: 밴디 크래시	1	라스테 폴리스	1	흰색 색소	2	—	—
린 폴리스	사양서 : 세계의 모자 대전	보물상자: 밴디 크래시	1	라스테 폴리스	1	녹색 색소	2	—	—
검은 고양이 리본	사양서 : 귀여운 리본	보물상자: 쿠자라트 공장 · 제2구획	1	하얀 고양이 리본	1	검은색 색소	2	—	—
하얀 고양이 핑크 리본	사양서 : 귀여운 리본	보물상자: 쿠자라트 공장 · 제2구획	1	하얀 고양이 리본	1	흰색 색소	2	—	—
얼룩무늬 고양이 리본	사양서 : 귀여운 리본	보물상자: 쿠자라트 공장 · 제2구획	1	하얀 고양이 리본	1	노란색 색소	2	—	—
카시스 아이	사양서 : 안경 모에!	보물상자: 채굴장	1	레드 아이	1	보라색 색소	2	—	—
스트로베리 아이	사양서 : 안경 모에!	보물상자: 채굴장	1	레드 아이	1	핑크색 색소	2	—	—
에메랄드 아이	사양서 : 안경 모에!	보물상자: 채굴장	1	레드 아이	1	녹색 색소	2	—	—
제트 리본	사양서 : 머리와 멋	보물상자: 제트 셋 산길 · 정상	1	애미시스트 리본	1	물색 색소	2	—	—
로즈 리본	사양서 : 머리와 멋	보물상자: 제트 셋 산길 · 정상	1	애미시스트 리본	1	핑크색 색소	2	—	—

●유니

아이템	사양서	입수 방법	용량	필요 소재	수	필요 소재	수	필요 소재	수
에메랄드 리본	사양서 : 머리와 멋	보물상자: 제트 셋 산길 · 정상	1	애미시스트 리본	1	녹색 색소	2	—	—
슈발츠 크로네	사양서 : 더 · 세레브	보물상자: 풍래 동굴 · 심부	1	바이올렛 크로네	1	검은색 색소	2	—	—
바이스 크로네	사양서 : 더 · 세레브	보물상자: 풍래 동굴 · 심부	1	바이올렛 크로네	1	핑크색 색소	2	—	—
그륜 크로네	사양서 : 더 · 세레브	보물상자: 풍래 동굴 · 심부	1	바이올렛 크로네	1	금방망이	2	—	—
토레네 로제	사양서 : 세계의 모자 대전	보물상자: 밴디 크래시	1	게뮤트 로제	1	물색 색소	2	—	—
하이룬 로제	사양서 : 세계의 모자 대전	보물상자: 밴디 크래시	1	게뮤트 로제	1	핑크색 색소	2	—	—
리베 로제	사양서 : 세계의 모자 대전	보물상자: 밴디 크래시	1	게뮤트 로제	1	빨간색 색소	2	—	—
블랙 폭스	사양서 : 귀여운 동물	보물상자: 루드암즈 지하도 · 심부	1	폭스 이어	1	검은색 색소	2	—	—
화이트 폭스	사양서 : 귀여운 동물	보물상자: 루드암즈 지하도 · 심부	1	폭스 이어	1	흰색 색소	2	—	—
옐로 폭스	사양서 : 귀여운 동물	보물상자: 루드암즈 지하도 · 심부	1	폭스 이어	1	노란색 색소	2	—	—
오오루리 아게하	사양서 : 머리와 멋	보물상자: 제트 셋 산길 · 정상	1	바이올렛 아게하	1	파란색 색소	2	—	—
모모이로 아게하	사양서 : 머리와 멋	보물상자: 제트 셋 산길 · 정상	1	바이올렛 아게하	1	빨간색 색소	2	—	—
루리오비 아게하	사양서 : 머리와 멋	보물상자: 제트 셋 산길 · 정상	1	바이올렛 아게하	1	녹색 색소	2	—	—
슈발츠 베레	사양서 : 세계의 모자 대전	보물상자: 밴디 크래시	1	바이스 베레	1	검은색 색소	2	—	—
브라우 베레	사양서 : 세계의 모자 대전	보물상자: 밴디 크래시	1	바이스 베레	1	물색 색소	2	—	—
로제 베레	사양서 : 세계의 모자 대전	보물상자: 밴디 크래시	1	바이스 베레	1	핑크색 색소	2	—	—
모노크롬 스타일	사양서 : 머리와 멋	보물상자: 제트 셋 산길 · 정상	1	쿨 스타일	1	검은색 색소	2	—	—
큐트 스타일	사양서 : 머리와 멋	보물상자: 제트 셋 산길 · 정상	1	쿨 스타일	1	핑크색 색소	2	—	—
팬시 스타일	사양서 : 머리와 멋	보물상자: 제트 셋 산길 · 정상	1	쿨 스타일	1	물색 색소	2	—	—
검은 고양이 귀	사양서 : 고양이가 좋아	보물상자: 풍래 동굴	1	흰색 고양이 귀	1	검은색 색소	2	—	—

●룸

아이템	사양서	입수 방법	용량	필요 소재	수	필요 소재	수	필요 소재	수
아이스 리본	사양서 : 귀여운 리본	보물상자: 쿠자라트 공장 · 제2구획	1	물의 결정석	1	마빙석	2	핑크 리본	1
바이올렛 리본	사양서 : 귀여운 리본	보물상자: 쿠자라트 공장 · 제2구획	1	아이스 리본	1	보라색 색소	2	—	—
블랙 리본	사양서 : 귀여운 리본	보물상자: 쿠자라트 공장 · 제2구획	1	아이스 리본	1	검은색 색소	2	—	—
라임 리본	사양서 : 귀여운 리본	보물상자: 쿠자라트 공장 · 제2구획	1	아이스 리본	1	녹색 색소	2	—	—
제비꽃 토끼	사양서 : 세계의 모자 대전	보물상자: 밴디 크래시	1	눈 토끼	1	보라색 색소	2	—	—
검은 토끼	사양서 : 세계의 모자 대전	보물상자: 밴디 크래시	1	눈 토끼	1	검은색 색소	2	—	—
하얀 토끼	사양서 : 세계의 모자 대전	보물상자: 밴디 크래시	1	눈 토끼	1	흰색 색소	2	—	—
블랙 글래스	사양서 : 안경 모에!	보물상자: 채굴장	1	아쿠아 글래스	1	검은색 색소	2	—	—
블루 글래스	사양서 : 안경 모에!	보물상자: 채굴장	1	아쿠아 글래스	1	파란색 색소	2	—	—
캐롯 글래스	사양서 : 안경 모에!	보물상자: 채굴장	1	아쿠아 글래스	1	빨간색 색소	2	—	—
버추얼 리본	사양서 : 머리와 멋	보물상자: 제트 셋 산길 · 정상	1	사이버 리본	1	물색 색소	2	—	—
퓨처 리본	사양서 : 머리와 멋	보물상자: 제트 셋 산길 · 정상	1	사이버 리본	1	핑크색 색소	2	—	—
테크노 리본	사양서 : 머리와 멋	보물상자: 제트 셋 산길 · 정상	1	사이버 리본	1	녹색 색소	2	—	—
미니 크라운	사양서 : 더 · 세레브	보물상자: 풍래 동굴 · 심부	1	프티 크라운	1	검은색 색소	2	—	—
심플 크라운	사양서 : 더 · 세레브	보물상자: 풍래 동굴 · 심부	1	프티 크라운	1	핑크색 색소	2	—	—
고져스 크라운	사양서 : 더 · 세레브	보물상자: 풍래 동굴 · 심부	1	프티 크라운	1	금방망이	2	—	—
드레스 햇	사양서 : 세계의 모자 대전	보물상자: 밴디 크래시	1	스위츠 햇	1	물색 색소	2	—	—
화이트 햇	사양서 : 세계의 모자 대전	보물상자: 밴디 크래시	1	스위츠 햇	1	핑크색 색소	2	—	—
빈티지 햇	사양서 : 세계의 모자 대전	보물상자: 밴디 크래시	1	스위츠 햇	1	빨간색 색소	2	—	—
검은 여우의 귀	사양서 : 귀여운 동물	보물상자: 루드암즈 지하도 · 심부	1	여우의 귀	1	검은색 색소	2	—	—
하얀 여우의 귀	사양서 : 귀여운 동물	보물상자: 루드암즈 지하도 · 심부	1	여우의 귀	1	흰색 색소	2	—	—
북방 여우의 귀	사양서 : 귀여운 동물	보물상자: 루드암즈 지하도 · 심부	1	여우의 귀	1	노란색 색소	2	—	—
아쿠아 버터플라이	사양서 : 머리와 멋	보물상자: 제트 셋 산길 · 정상	1	바이올렛 버터플라이	1	물색 색소	2	—	—
레드 버터플라이	사양서 : 머리와 멋	보물상자: 제트 셋 산길 · 정상	1	바이올렛 버터플라이	1	빨간색 색소	2	—	—
그린 버터플라이	사양서 : 머리와 멋	보물상자: 제트 셋 산길 · 정상	1	바이올렛 버터플라이	1	녹색 색소	2	—	—
그라파이트 베레	사양서 : 세계의 모자 대전	보물상자: 밴디 크래시	1	퓨어 베레	1	검은색 색소	2	—	—
타코이즈 베레	사양서 : 세계의 모자 대전	보물상자: 밴디 크래시	1	퓨어 베레	1	물색 색소	2	—	—
캔디 베레	사양서 : 세계의 모자 대전	보물상자: 밴디 크래시	1	퓨어 베레	1	핑크색 색소	2	—	—
모노크롬 헤드 드레스	사양서 : 머리와 멋	보물상자: 제트 셋 산길 · 정상	1	로리타 헤드 드레스	1	검은색 색소	2	—	—
핑크 헤드 드레스	사양서 : 머리와 멋	보물상자: 제트 셋 산길 · 정상	1	로리타 헤드 드레스	1	핑크색 색소	2	—	—
아쿠아 헤드 드레스	사양서 : 머리와 멋	보물상자: 제트 셋 산길 · 정상	1	로리타 헤드 드레스	1	물색 색소	2	—	—
검은 고양이 귀	사양서 : 고양이가 좋아	보물상자: 풍래 동굴	1	흰색 고양이 귀	1	검은색 색소	2	—	—

●람

아이템	사양서	입수 방법	용량	필요 소재	수	필요 소재	수	필요 소재	수
캔디 리본	사양서 : 귀여운 리본	보물상자: 쿠자라트 공장 · 제2구획	1	수용성 천	1	오렌지 꽃잎	2	마석	1
바이올렛 리본	사양서 : 귀여운 리본	보물상자: 쿠자라트 공장 · 제2구획	1	캔디 리본	1	보라색 색소	2	—	—
블랙 리본	사양서 : 귀여운 리본	보물상자: 쿠자라트 공장 · 제2구획	1	캔디 리본	1	검은색 색소	2	—	—
라임 리본	사양서 : 귀여운 리본	보물상자: 쿠자라트 공장 · 제2구획	1	캔디 리본	1	녹색 색소	2	—	—
붓꽃 토끼	사양서 : 세계의 모자 대전	보물상자: 밴디 크래시	1	벚꽃 토끼	1	보라색 색소	2	—	—
검은 토끼	사양서 : 세계의 모자 대전	보물상자: 밴디 크래시	1	벚꽃 토끼	1	검은색 색소	2	—	—
하얀 토끼	사양서 : 세계의 모자 대전	보물상자: 밴디 크래시	1	벚꽃 토끼	1	흰색 색소	2	—	—
블랙 글래스	사양서 : 안경 모에!	보물상자: 채굴장	1	핑크 글래스	1	검은색 색소	2	—	—
레드 글래스	사양서 : 안경 모에!	보물상자: 채굴장	1	핑크 글래스	1	빨간색 색소	2	—	—
캐롯 글래스	사양서 : 안경 모에!	보물상자: 채굴장	1	핑크 글래스	1	핑크색 색소	2	—	—
클리어 블루 리본	사양서 : 머리와 멋	보물상자: 제트 셋 산길 · 정상	1	클리어 퍼플 리본	1	파란색 색소	2	—	—
클리어 핑크 리본	사양서 : 머리와 멋	보물상자: 제트 셋 산길 · 정상	1	클리어 퍼플 리본	1	핑크색 색소	2	—	—
클리어 라임 리본	사양서 : 머리와 멋	보물상자: 제트 셋 산길 · 정상	1	클리어 퍼플 리본	1	녹색 색소	2	—	—
약간만 크라운	사양서 : 더 · 세레브	보물상자: 풍래 동굴 · 심부	1	조금만 크라운	1	검은색 색소	2	—	—
미니멈 크라운	사양서 : 더 · 세레브	보물상자: 풍래 동굴 · 심부	1	조금만 크라운	1	핑크색 색소	2	—	—
미니미니 크라운	사양서 : 더 · 세레브	보물상자: 풍래 동굴 · 심부	1	조금만 크라운	1	금방망이	2	—	—
블루 리본 햇	사양서 : 세계의 모자 대전	보물상자: 밴디 크래시	1	퍼플 리본 햇	1	물색 색소	2	—	—
아쿠아 리본 햇	사양서 : 세계의 모자 대전	보물상자: 밴디 크래시	1	퍼플 리본 햇	1	핑크색 색소	2	—	—
그린 리본 햇	사양서 : 세계의 모자 대전	보물상자: 밴디 크래시	1	퍼플 리본 햇	1	빨간색 색소	2	—	—
검은 여우 카츄샤	사양서 : 귀여운 동물	보물상자: 루드암즈 지하도 · 심부	1	여우 카츄샤	1	검은색 색소	2	—	—
하얀 여우 카츄샤	사양서 : 귀여운 동물	보물상자: 루드암즈 지하도 · 심부	1	여우 카츄샤	1	흰색 색소	2	—	—
북방 여우 카츄샤	사양서 : 귀여운 동물	보물상자: 루드암즈 지하도 · 심부	1	여우 카츄샤	1	노란색 색소	2	—	—

●람

아이템	사양서	입수 방법	용량	필요 소재	수	필요 소재	수	필요 소재	수
블루 버터플라이	사양서 : 머리와 멋	보물상자: 제트 셋 산길 · 정상	1	퍼플 버터플라이	1	파란색 색소	2	—	—
핑크 버터플라이	사양서 : 머리와 멋	보물상자: 제트 셋 산길 · 정상	1	퍼플 버터플라이	1	핑크색 색소	2	—	—
라임 버터플라이	사양서 : 머리와 멋	보물상자: 제트 셋 산길 · 정상	1	퍼플 버터플라이	1	녹색 색소	2	—	—
제트 블랙 베레	사양서 : 세계의 모자 대전	보물상자: 밴디 크래시	1	크리스탈 베레	1	검은색 색소	2	—	—
아이스 블루 베레	사양서 : 세계의 모자 대전	보물상자: 밴디 크래시	1	크리스탈 베레	1	물색 색소	2	—	—
노멀 핑크 베레	사양서 : 세계의 모자 대전	보물상자: 밴디 크래시	1	크리스탈 베레	1	핑크색 색소	2	—	—
심플 헤드 드레스	사양서 : 머리와 멋	보물상자: 제트 셋 산길 · 정상	1	팬시 헤드 드레스	1	검은색 색소	2	—	—
메르헨 헤드 드레스	사양서 : 머리와 멋	보물상자: 제트 셋 산길 · 정상	1	팬시 헤드 드레스	1	핑크색 색소	2	—	—
스카이 헤드 드레스	사양서 : 머리와 멋	보물상자: 제트 셋 산길 · 정상	1	팬시 헤드 드레스	1	물색 색소	2	—	—
검은 고양이 귀	사양서 : 고양이가 좋아	보물상자: 풍래 동굴	1	흰색 고양이 귀	1	검은색 색소	2	—	—

+리메이크 시스템 / 소재

아이템	사양서	입수 방법	용량	필요 소재	수	필요 소재	수
빨간색 색소	사양서 : 할 수 있다! 도장술!	보물상자: 제트 셋 산길	1	붉은 꽃잎	3	—	—
파란색 색소	사양서 : 할 수 있다! 도장술!	보물상자: 제트 셋 산길	1	파란 꽃잎	3	—	—
오렌지색 색소	사양서 : 할 수 있다! 도장술!	보물상자: 제트 셋 산길	1	빨간색 색소	3	노란색 색소	3
흰색 색소	사양서 : 할 수 있다! 도장술!	보물상자: 제트 셋 산길	1	소년의 마음	3	—	—
검은색 색소	사양서 : 할 수 있다! 도장술!	보물상자: 제트 셋 산길	1	사악한 마음	1	검은 모금함	1
핑크색 색소	사양서 : 할 수 있다! 도장술!	보물상자: 제트 셋 산길	1	빨간색 색소	3	흰색 색소	3
보라색 색소	사양서 : 할 수 있다! 도장술!	보물상자: 제트 셋 산길	1	빨간색 색소	3	파란색 색소	3
녹색 색소	사양서 : 할 수 있다! 도장술!	보물상자: 제트 셋 산길	1	파란색 색소	3	노란색 색소	3
물색 색소	사양서 : 할 수 있다! 도장술!	보물상자: 제트 셋 산길	1	파란색 색소	3	흰색 색소	3
노란색 색소	사양서 : 할 수 있다! 도장술!	보물상자: 제트 셋 산길	1	노란 꽃잎	3	—	—

+리메이크 시스템 / 프로세서

아이템	장비	사양서	입수 방법	용량	필요 소재	수	필요 소재	수	필요 소재	수
퍼플 H	넵튠	사양서 : 자의 서	콜로세움: 가지가지 패닉	8	엘데 크리스탈	15	남자다운 철	1	보라색 색소	6
퍼플 S	넵튠	사양서 : 자의 서	콜로세움: 가지가지 패닉	8	엘데 크리스탈	15	계약의 보주	5	보라색 색소	6
퍼플 W	넵튠	사양서 : 자의 서	콜로세움: 가지가지 패닉	8	엘데 크리스탈	15	불법 차세대 회로	5	보라색 색소	6
퍼플 B	넵튠	사양서 : 자의 서	콜로세움: 가지가지 패닉	8	엘데 크리스탈	15	꿈 돌고래의 꼬리	3	보라색 색소	6
퍼플 L	넵튠	사양서 : 자의 서	콜로세움: 가지가지 패닉	8	엘데 크리스탈	15	고급 젤리	5	보라색 색소	6
프루루트 C	프루루트	사양서 : 자의 서	콜로세움: 가지가지 패닉	8	에너지 백	10	늠름한 곰	1	보라색 색소	6
프루루트 H	프루루트	사양서 : 자의 서	콜로세움: 가지가지 패닉	8	에너지 백	10	비주얼 메모리 16X	1	보라색 색소	6
프루루트 S	프루루트	사양서 : 자의 서	콜로세움: 가지가지 패닉	8	에너지 백	10	계약의 보주	5	보라색 색소	6
프루루트 W	프루루트	사양서 : 자의 서	콜로세움: 가지가지 패닉	8	에너지 백	10	불법 차세대 회로	5	보라색 색소	6
프루루트 B	프루루트	사양서 : 자의 서	콜로세움: 가지가지 패닉	8	에너지 백	10	꿈 돌고래의 꼬리	3	보라색 색소	6
프루루트 L	프루루트	사양서 : 자의 서	콜로세움: 가지가지 패닉	8	에너지 백	10	고급 젤리	5	보라색 색소	6
블랙 H	느와르	사양서 : 흑의 서	콜로세움: 용감한 정의	8	신식 마광 동력로	4	AG요 시스템	1	검은색 색소	6
블랙 S	느와르	사양서 : 흑의 서	콜로세움: 용감한 정의	8	신식 마광 동력로	4	계약의 보주	5	검은색 색소	6
블랙 W	느와르	사양서 : 흑의 서	콜로세움: 용감한 정의	8	신식 마광 동력로	4	불법 차세대 회로	5	검은색 색소	6
블랙 B	느와르	사양서 : 흑의 서	콜로세움: 용감한 정의	8	신식 마광 동력로	4	꿈 돌고래의 꼬리	3	검은색 색소	6
블랙 L	느와르	사양서 : 흑의 서	콜로세움: 용감한 정의	8	신식 마광 동력로	4	고급 젤리	5	검은색 색소	6
화이트 H	블랑	사양서 : 백의 서	콜로세움: 경찰 아저씨, 여기에요!	8	UFO의 컨트롤러	8	댄싱 컨트롤러	1	흰색 색소	6
화이트 S	블랑	사양서 : 백의 서	콜로세움: 경찰 아저씨, 여기에요!	8	UFO의 컨트롤러	8	계약의 보주	5	흰색 색소	6
화이트 W	블랑	사양서 : 백의 서	콜로세움: 경찰 아저씨, 여기에요!	8	UFO의 컨트롤러	8	불법 차세대 회로	5	흰색 색소	6
화이트 B	블랑	사양서 : 백의 서	콜로세움: 경찰 아저씨, 여기에요!	8	UFO의 컨트롤러	8	꿈 돌고래의 꼬리	3	흰색 색소	6
화이트 L	블랑	사양서 : 백의 서	콜로세움: 경찰 아저씨, 여기에요!	8	UFO의 컨트롤러	8	고급 젤리	5	흰색 색소	6
그린 H	벨	사양서 : 녹의 서	콜로세움: 포악한 묘지기	8	용전사의 비늘	10	파워드 리플레이	1	녹색 색소	6
그린 S	벨	사양서 : 녹의 서	콜로세움: 포악한 묘지기	8	용전사의 비늘	10	계약의 보주	5	녹색 색소	6
그린 W	벨	사양서 : 녹의 서	콜로세움: 포악한 묘지기	8	용전사의 비늘	10	불법 차세대 회로	5	녹색 색소	6
그린 B	벨	사양서 : 녹의 서	콜로세움: 포악한 묘지기	8	용전사의 비늘	10	꿈 돌고래의 꼬리	3	녹색 색소	6
그린 L	벨	사양서 : 녹의 서	콜로세움: 포악한 묘지기	8	용전사의 비늘	10	고급 젤리	5	녹색 색소	6
PCF-XXX C	피셰	사양서 : 금의 서	콜로세움: 와레츄 건강해츄~☆	8	금방망이	6	최고급 실크	1	노란색 색소	6
PCF-XXX H	피셰	사양서 : 금의 서	콜로세움: 와레츄 건강해츄~☆	8	금방망이	6	아마추어 액션 리플레이	1	노란색 색소	6
PCF-XXX S	피셰	사양서 : 금의 서	콜로세움: 와레츄 건강해츄~☆	8	금방망이	6	계약의 보주	5	노란색 색소	6
PCF-XXX W	피셰	사양서 : 금의 서	콜로세움: 와레츄 건강해츄~☆	8	금방망이	6	불법 차세대 회로	5	노란색 색소	6
PCF-XXX B	피셰	사양서 : 금의 서	콜로세움: 와레츄 건강해츄~☆	8	금방망이	6	꿈 돌고래의 꼬리	3	노란색 색소	6
PCF-XXX L	피셰	사양서 : 금의 서	콜로세움: 와레츄 건강해츄~☆	8	금방망이	6	고급 젤리	5	노란색 색소	6

+아이템 / 소비 아이템

아이템	구입	매각	입수 방법	효과
힐 글래스	100	10	초기 상점	한 명의 HP를 1000 회복시킨다
힐 포트	500	50	보물상자: 풍래 동굴	한 명의 HP를 2500 회복시킨다
힐 드링크	2000	200	보물상자: 기고 거리 입구(사)	한 명의 HP를 5000 회복시킨다
힐 보틀	8000	800	보물상자: 네크토키 수림(사)	한 명의 HP를 10000 회복시킨다
네프비탄	750	75	보물상자: ZECA 1호 유적(사)	한 명의 HP를 30% 회복시킨다
네프비탄 C	3000	300	보물상자: 국영 공장(사)	한 명의 HP를 50% 회복시킨다
네프비탄 SP	5500	550	보물상자: 아노네데스의 연구소 · 심부(사)	한 명의 HP를 70% 회복시킨다

아이템	구입	매각	입수 방법	효과
네프비탄 EX	8000	800	보물상자: 에므에스 용암동(사)	한 명의 HP를 100% 회복시킨다
네프비탄 EX 2	100000	10000	보물상자: 가짜 플라네튠(사)	한 명의 HP와 SP를 100% 회복, 모든 상태이상을 치료
힐 서클	3500	350	보물상자: ZECA 2호 유적(사)	작은 범위 안에 있는 대상의 HP를 30% 회복시킨다
힐 레인	7500	750	보물상자: 헤이로우 숲(사)	작은 범위 안에 있는 대상의 HP를 50% 회복시킨다
힐 필드	16000	1600	보물상자: 케라가 차원(사)	작은 범위 안에 있는 대상의 HP를 70% 회복시킨다
힐 라이트	32000	3200	보물상자: 듀오알 유적(사)	작은 범위 안에 있는 대상의 HP를 100% 회복시킨다
SP 차지	5000	500	초기 상점	한 명의 SP를 200 회복시킨다
P · SP 차지	15000	1500	보물상자: 회귀의 초원(사)	한 명의 SP를 400 회복시킨다
P · SP 차지 2	25000	2500	보물상자: 피에스 디멘션(사)	한 명의 SP를 600 회복시킨다
히어로 드링크	8000	800	보물상자: ZECA 2호 유적(사)	한 명의 HP를 20% 회복, SP를 100 회복시킨다
히어로 드링크 C	12000	1200	보물상자: 채굴장(사)	한 명의 HP를 30% 회복, SP를 200 회복시킨다
히어로 소시지	30000	3000	제7장 지갑 브레이커 네푸	한 명의 HP를 50% 회복, SP를 300 회복시킨다
블랑 호빵	10000	1000	제5장 지갑 브레이커 네푸	HP 완전 회복, TEC+25%
슬라이누 고기 만두	750	75	제6장 지갑 브레이커 네푸	HP 30% 회복
말새의 육회	50000	5000	제9장 지갑 브레이커 네푸	HP 50% 회복, SP를 500 회복시킨다
데톡신	250	25	초기 상점	한 명의 독을 치료
패럴락신	250	25	보물상자: 제트 셋 산길(사)	한 명의 마비를 치료
리플렉스	250	25	보물상자: 루드암즈 지하도(사)	한 명의 스킬 봉인을 치료
타후밀	250	25	보물상자: 쿠자라트 공장 · 제2구획(사)	한 명의 바이러스를 치료
안티 베놈	5500	550	보물상자: 하네다 산길(사)	한 명의 HP를 30% 회복, 독을 치료
안티 패럴라이즈	5500	550	보물상자: 루지이 고원(사)	한 명의 HP를 30% 회복, 마비를 치료
안티 실	5500	550	보물상자: 하네다 산길(사)	한 명의 HP를 30% 회복, 스킬 봉인을 치료
안티 바이러스	5500	550	보물상자: 루지이 고원(사)	한 명의 HP를 30% 회복, 바이러스를 치료
만능약	5000	500	보물상자: 헤이로우 숲(사)	작은 범위 안에 있는 대상의 HP를 30% 회복, 모든 상태이상을 회복시킨다
초만능약	12000	1200	보물상자: 르위 성 북쪽 방(사)	작은 범위 안에 있는 대상의 HP를 50% 회복, 모든 상태이상을 회복시킨다
인텔리 부스터	3500	350	보물상자: 소니이 습지(사)	작은 범위 안에 있는 대상의 INT+25%
인텔리 부스터 Z	8000	800	보물상자: 하네다 산길 · 정상(사)	작은 범위 안에 있는 대상의 INT와 MEN+25%
퀵 부스터	3500	350	보물상자: 소니이 습지(사)	작은 범위 안에 있는 대상의 AGI+25%
퀵 부스터 Z	8000	800	보물상자: 하네다 산길 · 정상(사)	작은 범위 안에 있는 대상의 AGI와 TEC+25%
머슬 부스터	3500	350	보물상자: 소니이 습지(사)	작은 범위 안에 있는 대상의 STR+25%
머슬 부스터 Z	8000	800	보물상자: 루지이 고원(사)	작은 범위 안에 있는 대상의 STR와 VIT+25%
생명의 조각	500	50	퀘스트: 【입문】슬라이누 퇴치!	한 명을 최대 HP의 30%로 부활시킨다
건강의 조각	5500	550	보물상자: 지하 동굴(사)	한 명을 최대 HP의 50%로 부활시킨다
건강의 덩어리	10000	1000	보물상자: 아노네데스의 연구소(사)	한 명을 최대 HP의 80%로 부활시킨다
천사의 날개	5000	500	보물상자: 제가 숲(사)	작은 범위 안에 있는 대상을 최대 HP의 30%로 부활시킨다
진짜 천사의 날개	12000	1200	보물상자: 피시 게임 공장터(사)	작은 범위 안에 있는 대상을 최대 HP의 50%로 부활시킨다
이젝트 버튼	1000	100	보물상자: 지하 동굴(사)	던전에서 탈출할 수 있음

+아이템 / 무기

●넵튠

아이템	구입	매각	입수 방법	무기 스킬	HP	STR	VIT	INT	MEN	AGI	TEC	LUK
목도	0	0	초기 장비	어택	0	25	0	22	0	0	0	0
죽도	100	20	초기 상점	어택	0	42	0	30	0	-5	-5	0
헌팅 소드	250	50	제1장 상점	슬래시	0	65	0	58	0	0	0	0
태도	500	100	보물상자: ZECA 1호 유적(사)	어택	0	94	0	67	0	-10	-10	0
바스타드 소드	1000	200	제2장 상점	L 슬래시	0	125	0	112	0	0	0	0
클레이모어	1500	300	보물상자: 밴디 크래시(사) / 숨겨진: 오오토리이 대삼림	슬래시	0	162	0	116	0	-17	-17	0
프로토 타입 빔 카타나	2500	500	제3장 상점	어택	0	200	0	180	0	0	0	0
빔 카타나	3500	700	보물상점: 르위 성 외곽(사) / 숨겨진: 밴디 크래시(사)	어택	0	252	0	180	0	-26	-26	0
빔 카타나 개	5000	1000	제4장 상점	어택	0	300	0	270	0	0	0	0
차세대형 빔 카타나	7500	1500	퀘스트: 독의 위치(사)	어택	0	367	0	262	0	-37	-37	0
익스큐셔너	10000	2000	제5장 상점	L 슬래시	0	415	0	373	0	0	0	0
무명도	12500	2500	보물상점: 제가 숲(사)	어택	0	483	0	345	0	-49	-49	0
배리어블 소드	15000	3000	제6장 상점	어택	0	525	0	472	0	0	0	0
에스페란자	17500	3500	퀘스트: 슈퍼 해피!(사)	슬래시	0	603	0	431	0	-61	-61	0
빔 카타나 Ver.V	20000	4000	제7장 상점	어택	0	650	0	585	0	0	0	0
요도 · 무라사메	25000	5000	보물상자: 네크토키 수림(사)	슬래시	0	761	0	543	0	-77	-77	0
크라우 · 소라스	35000	7000	제8장 상점	L 슬래시	0	825	0	742	0	0	0	0
요도 · 무라마사	50000	10000	퀘스트: 거시기를 연상하게 된다…!(사)	슬래시	0	945	0	675	0	-95	-95	0
빔 카타나 EXA	75000	15000	제9장 상점	어택	0	1000	0	900	0	0	0	0
엑스칼리버	100000	20000	보물상자: 변질 다차원 공간(사)	L 슬래시	0	1150	0	1150	0	57	57	0
아가트람	150000	30000	제10장 상점	슬래시	0	1365	0	975	0	-137	-137	0
레바테인	1000000	50000	퀘스트: 고양이 복서(사)	L 슬래시	0	1600	0	1600	0	80	80	0
용도 · 키류	5000000	62500	드랍: 혹시 넵튠?(사)	어택	0	2150	0	1500	0	-215	-215	0
소닉 블레이드	10000000	500000	콜로세움: 범죄신, 다시	슬래시	0	2160	0	1440	0	108	108	0
샤이닝 블레이드	15000000	750000	드랍: 바모(사)	어택	0	2500	0	2500	250	0	125	0

●프루루트

아이템	구입	매각	입수 방법	무기 스킬	HP	STR	VIT	INT	MEN	AGI	TEC	LUK
고양이씨	0	0	초기 장비	어택	0	52	0	66	0	0	0	0
개구리씨	500	100	제2장 상점	에~잇	0	63	0	94	0	0	-10	0
슬라이누맨	1000	200	보물상자: 풍래 동굴(사)	어택	0	100	0	128	0	0	0	0
제프코 인형	1500	300	제3장 상점	있는 히임껏~	0	108	0	162	0	0	-17	0
쥐씨	2500	500	보물상자: 루드암즈 지하도 · 북문(사)	에~잇	0	160	0	205	0	0	0	0
여름방학 로보	3500	700	제4장 상점	어택	0	168	0	252	0	0	-26	0
토끼씨	5000	1000	보물상자: 기고 거리 입구(사)	에~잇	0	240	0	307	0	0	0	0
줄무늬 고양이씨	7500	1500	제5장 상점	있는 히임껏~	0	245	0	367	0	0	-37	0
어잇!! 인형	10000	2000	보물상자: 코바츠바 유적(사)	어택	0	332	0	425	0	0	0	0
팬더씨	12500	2500	보물상자: 하네다 산길(사)	에~잇	0	322	0	483	0	0	-49	0
레트로보	15000	3000	제6장 상점	있는 히임껏~	0	420	0	538	0	0	0	0
불행한 토끼	17500	3500	퀘스트: 사람간의 인연이 무한의 힘이 된다	어택	0	402	0	603	0	0	-61	0
침울~ 인형	20000	4000	제7장 상점	있는 히임껏~	0	520	0	666	0	0	0	0
강철 슬라이누맨	25000	5000	보물상자: 오오토리이 동굴(사)	에~잇	0	507	0	761	0	0	-77	0
아메쇼씨	35000	7000	제8장 상점	어택	0	660	0	845	0	0	0	0
네프인형	50000	10000	보물상자: 지하 용암동(사)	에~잇	0	630	0	945	0	0	-95	0
곰돌이씨	75000	15000	숨겨진: 지하 용암동	있는 히임껏~	0	800	0	1025	0	102	0	0
네프기안담	100000	20000	제10장 지갑 브레이커 네푸	어택	0	920	0	1178	0	0	117	117
반짝반짝 토끼시	150000	30000	제10장 상점	있는 히임껏~	0	1040	0	1332	0	133	0	0
머슬 슬라이누	1000000	50000	보물상자: 도시 중심지(사)	에~잇	0	1440	163	1632	0	0	163	0
엣헴한 인형	5000000	62500	드랍: 델피나스(사)	어택	0	1400	0	2100	210	0	-210	0
모노크롬 네프코	10000	5000	콜로세움: 초차원을 멸망시키는 자	에~잇	2700	1440	216	2160	0	0	0	0

●느와르

아이템	구입	매각	입수 방법	무기 스킬	HP	STR	VIT	INT	MEN	AGI	TEC	LUK
숏 소드	0	0	초기 장비	어택	0	61	0	61	0	6	0	0
레이피어	500	100	제1장 상점	슬래시	0	90	0	76	0	0	0	-8
실버 소드	1000	200	제2장 상점	어택	0	118	0	118	0	11	0	0
브론즈 소드	1500	300	보물상자: 쿠자라트 공장 · 제1구획	펜서	0	155	0	131	0	0	0	-14
느와르 블레이드	2500	500	제3장 상점	어택	0	190	0	190	0	19	0	0
메카니컬 소드	3500	700	보물상자: 르위 성 외곽(사)	슬래시	0	240	0	204	0	0	0	-21
프라가라흐	5000	1000	제4장 상점	어택	0	285	0	285	0	28	0	0
메탈 브링거	7500	1500	퀘스트: 강한 게(사)	펜서	0	350	0	297	0	0	0	-30
드래곤 킬러	10000	2000	제5장 상점	어택	0	394	0	394	0	39	0	0
메일 브레이커	12500	2500	보물상자: 국영 공장(사)	슬래시	0	460	0	391	0	0	0	-40
나이트 스트라이커	15000	3000	제6장 상점	펜서	0	498	0	498	0	49	0	0
블랙 크로우	17500	3500	퀘스트: 즐거운 계약(사)	어택	0	575	0	488	0	0	0	-49
엘류시온	20000	4000	제7장 상점	슬래시	0	617	0	617	0	61	0	0
어드밴스드 블레이드	25000	5000	보물상자: 오오토리이 동굴(사)	펜서	0	725	0	616	0	0	0	-62
아론다이트	35000	7000	제8장 상점	어택	0	783	0	783	0	78	0	0
A-MN 느와르	50000	10000	보물상자: 아노네데스의 연구소 · 심부(사)	어택	0	900	0	765	0	0	0	-77
이그니스 블레이드	75000	15000	제9장 상점	슬래시	0	950	0	950	0	95	0	0
느와르 스트라이커	100000	20000	보물상자: 변질 다차원 공간(사)	어택	0	1092	0	1092	0	109	0	0
칼리번	150000	30000	제10장 상점	펜서	0	1300	0	1105	0	0	0	-111
팬텀 블레이드	1000000	50000	보물상자: 도시 중심부(사)	슬래시	0	1520	0	1520	0	152	0	0
듀란달	5000000	62500	드랍: 블랙 하트?(사) / 숨겨진: 지하 용암동 · 심부	어택	0	2000	0	1700	0	0	0	-170
G 드라이버	10000	5000	콜로세움: 팔십 재해의 신 습격	펜서	1800	1800	180	1710	0	0	0	0

●블랑

아이템	구입	매각	입수 방법	무기 스킬	HP	STR	VIT	INT	MEN	AGI	TEC	LUK
해머	0	0	초기 장비	어택	0	206	30	140	0	0	0	0
헤비 해머	3000	600	제3장 상점	L 어택	0	252	0	168	0	0	-26	0
블레이드 해머	3500	700	보물상자: 지하 동굴(사)	어택	0	264	0	156	0	-27	0	0
페더 해머	5000	1000	제4장 상점	R 어택	0	309	46	210	0	0	0	0
베이직 해머	7500	1500	보물상자: 기고 거리 입구(사)	L 어택	0	385	0	227	0	-39	0	0
드라이브 해머	10000	2000	제5장 상점	R 어택	0	427	64	290	0	0	0	0
아톰 브레이커	10000	2000	보물상자: 채굴장(사)	어택	0	483	0	322	0	0	-49	0
터보 해머	12500	2500	퀘스트: 복수(사)	R 어택	0	506	0	299	0	-51	0	0
바위 부수기	15000	3000	제6장 상점	L 어택	0	540	81	367	0	0	0	0
파워 해머	17500	3500	퀘스트: 공식이 되고 싶어!(사)	어택	0	632	0	373	0	-64	0	0
별 부수기	20000	4000	제7장 상점	R 어택	0	669	100	455	0	0	0	0
큐브 해머	25000	5000	보물상자: 아노네데스의 연구소 · 심부(사)	어택	0	797	0	471	0	-80	0	0
묠니르	35000	7000	제8장 상점	R 어택	0	849	127	577	0	0	0	0
맥시멈 해머	50000	10000	퀘스트: 순종적인 부하가 필요해(사)	L 어택	0	990	0	585	0	-99	0	0
스틸 해머	75000	15000	제9장 상점	어택	0	1030	0	700	0	0	0	0
골디언 해머	100000	20000	보물상자: 변질 다차원 공간(사)	L 어택	0	1184	177	805	0	0	0	0
파괴의 망치	150000	30000	제10장 상점	R 어택	0	1430	0	845	0	-143	0	0
서드 크러셔	1000000	50000	퀘스트: 천재로부터 온 의뢰(사)	L 어택	0	1648	247	1120	0	0	0	0
하드 크러셔	5000000	62500	드랍: 화이트 하트?(사)	어택	0	2200	0	1300	0	-220	0	0
스매시 해머	10000	5000	콜로세움: 원조 진 마제콘느	L 어택	0	2070	0	1440	0	103	103	0

● 벨

아이템	구입	매각	입수 방법	무기 스킬	HP	STR	VIT	INT	MEN	AGI	TEC	LUK
아이언 랜스	0	0	초기 장비	어택	0	306	0	240	0	0	-31	0
블레이드 랜스	6000	1200	제4장 상점	펜서	0	357	0	280	0	0	-36	0
엑스트 랜스	7500	1500	보물상자: 헤이로우 숲(사)	어택	0	280	-14	357	0	0	17	0
파르티잔	10000	2000	제5장 상점	스트라이크	0	423	0	332	0	0	-43	0
나이트 랜서	15000	3000	제6장 상점	펜서	0	535	0	420	0	0	-54	0
할버드	17500	3500	숨겨진: 코바츠바 유적 / 퀘스트: 골렘 제작(사)	어택	0	586	0	460	0	0	-59	0
스트라이크 랜서	20000	4000	제7장 상점	어택	0	520	-26	663	0	0	33	0
게이볼그	35000	7000	제8장 상점	스트라이크	0	660	-33	841	0	0	42	0
스페리올 스피어	50000	10000	보물상자: 메로토이드 쉘터(사), 지하 용암동(사)	펜서	0	918	0	720	0	0	-92	0
소드 랜스	75000	15000	제9장 상점	어택	0	800	-40	1020	0	0	51	0
로드 랜스	100000	20000	퀘스트: 진귀한 피리 장인 2(사)	어택	0	1173	0	920	0	0	-118	0
브류나크	150000	30000	제10장 상점	펜서	0	1040	-52	1326	0	0	66	0
기계창 드레드노트	1000000	50000	보물상자: 렛츠고 아일랜드(사)	스트라이크	0	1632	0	1280	0	0	-164	0
궁그닐	5000000	62500	드랍: 그린 하트?(사)	어택	0	2000	0	2000	100	0	100	100
크로스 큐브	0	0	콜로세움: 딸에게 멋있는 모습을 보여주고 싶다	펜서	0	1620	0	2160	108	0	108	0

● 네프기어

아이템	구입	매각	입수 방법	무기 스킬	HP	STR	VIT	INT	MEN	AGI	TEC	LUK
빔 소드	0	0	초기 장비	어택	0	309	0	247	0	0	-25	0
빔 블레이드	6000	1200	제4장 상점	L 슬래시	0	350	0	315	0	0	0	17
빔 세이버	7500	1500	보물상자: 헤이로우 숲(사)	어택	0	360	0	288	0	0	-29	0
빔 소드 MK-2	10000	2000	제5장 상점	어택	0	427	0	342	0	0	-35	0
빔 버스터	12500	2500	퀘스트: 당근 필요 없다니까!(사)	R 슬래시	0	473	0	379	0	0	-38	0
라이트 소드	15000	3000	제6장 상점	어택	0	525	0	472	0	0	0	26
빔 버스터 개	17500	3500	보물상자: 메로토이드 쉘터(사)	R 슬래시	0	592	0	474	0	0	-48	0
라이트 블레이드	20000	4000	제7장 상점	L 슬래시	0	650	0	585	0	0	0	32
라브스 카토르	23000	4600	퀘스트: 용서할 수 없는 로봇(사)	어택	0	746	0	598	0	0	-60	0
블랙 커버	25000	5000	보물상자: 아노네데스의 연구소(사)	어택	0	725	0	652	0	0	0	36
그람 블레이즈	35000	7000	보물상자: 네크토키 수림	어택	0	825	0	742	0	0	0	41
레이저 소드	50000	10000	제8장 상점	어택	0	927	0	742	0	0	-75	0
레이저 블레이드	75000	15000	제9장 상점	R 슬래시	0	1030	0	825	0	0	-83	0
슈베르트 게벨	100000	20000	보물상자: 그라피스 고개(사)	어택	0	1150	0	1150	0	0	57	57
메가 빔 소드	150000	30000	제10장 상덤	L 슬래시	0	1339	0	1072	0	0	-108	0
하이퍼 빔 소드	5000000	62500	드랍: 퍼플 시스터?(사)	L 슬래시	0	2060	0	1650	0	0	-165	0

● 피셰

아이템	구입	매각	입수 방법	무기 스킬	HP	STR	VIT	INT	MEN	AGI	TEC	LUK
고양이 글러브	0	0	초기 장비	어택	0	1125	-113	600	-113	0	0	0
빨간 글러브	75000	15000	제9장 상점	오른 펀치	0	1050	0	750	0	52	0	0
육구 글러브	100000	20000	보물상자: 변질 다차원 공간	왼 펀치	0	1293	-130	690	-130	0	0	0
고양이 퍼펫	125000	25000	보물상자: 그라피스 고개(사)	오른 펀치	0	1207	0	862	0	60	0	0
삼색 고양이 글러브	150000	30000	제10장 상점	어택	0	1462	-147	780	-147	0	0	0
팬더씨 퍼펫	1000000	50000	보물상자: 도시 중심부	어택	0	1800	-180	960	-180	0	0	0
입혼 글러브	2500000	55555	보물상자: 렛츠고 아일랜드(사)	오른 펀치	0	1680	0	1200	0	84	0	0
표범 무늬 글러브	5000000	62500	드랍: 옐로 하트?(사)	어택	0	2250	-225	1200	-225	0	0	0

● 유니

아이템	구입	매각	입수 방법	무기 스킬	HP	STR	VIT	INT	MEN	AGI	TEC	LUK
롱 레인지 라이플	0	0	초기 장비	스나이프 샷	0	1207	0	805	0	-121	0	0
빈티지 라이플	125000	25000	보물상자: 도시 중심부	샷	0	1365	0	910	0	-137	0	0
레이디언트 레드	150000	30000	제10장 상점	산탄	0	1300	0	1170	0	0	65	0
리니어 레일건	5000000	62500	드랍: 블랙 시스터?(사)	샷	0	2100	0	1400	0	-210	0	0

● 롬

아이템	구입	매각	입수 방법	무기 스킬	HP	STR	VIT	INT	MEN	AGI	TEC	LUK
주사위 연필	0	0	초기 장비	브레이크	0	690	0	1265	0	-127	0	0
대전 연필	100000	20000	제10장 상점	사인	0	920	0	1150	57	0	57	0
옐로 스태프	125000	25000	보물상자: 도시 중심부	임펄스	0	780	0	1430	0	-143	0	0
블랙 완드	150000	30000	제10장 상점	브레이크	0	1040	0	1300	65	0	65	0
대전 연필 G	5000000	62500	드랍: 화이트 시스터 · 롬?(사)	임펄스	0	1200	0	2200	0	-220	0	0

● 람

아이템	구입	매각	입수 방법	무기 스킬	HP	STR	VIT	INT	MEN	AGI	TEC	LUK
슬라이누 연필	0	0	초기 장비	사인	0	690	0	1265	0	-127	0	0
슬라이누 베스 연필	100000	20000	제10장 상점	브레이크	0	920	0	1150	57	0	57	0
블루 완드	125000	25000	보물 상점: 렛츠고 아일랜드 · 심부	임펄스	0	780	0	1430	0	-143	0	0
블랙 스태프	150000	30000	제10장 상점	브레이크	0	1040	0	1300	65	0	65	0
강철 슬라이누 연필	5000000	62500	드랍: 화이트 시스터 · 람?(사)	임펄스	0	1200	0	2200	0	-220	0	0

+ 아이템 / 방어구

아이템	장비	구입	매각	입수 방법	HP	STR	VIT	INT	MEN	AGI	TEC	LUK	MOV
가위표 브레슬릿	넵튠	0	0	넵튠 초기 장비	0	0	25	0	25	0	0	10	0
드라이브 링	프루루트	0	0	프루루트 초기 장비	0	0	65	0	65	0	26	0	0
토네이도 링	느와르	0	0	느와르 초기 장비	0	0	65	0	65	26	0	0	0
리모트 링	블랑	0	0	블랑 초기 장비	0	0	240	0	240	0	0	0	0
레드 링	벨	0	0	벨 초기 장비	0	0	300	0	330	0	33	0	0
바이올렛 링	네프기어	0	0	네프기어 초기 장비	0	0	330	0	300	33	0	0	0
슈퍼 링 2	피셰	0	0	피셰 초기 장비	0	525	1050	0	1050	0	0	0	0
유니버셜 링	유니	0	0	유니 초기 장비	0	0	1207	0	1207	0	0	0	0
Wi-링	롬	0	0	롬 초기 장비	0	0	862	0	1265	0	0	0	0
Fi-링	람	0	0	람 초기 장비	0	0	862	0	1265	0	0	0	0
레더 브레슬릿	전원	150	30	초기 상점 / 보물상자: 역 앞 광장	0	0	65	0	48	0	0	0	0
레더 암릿	전원	150	30	초기 상점	0	0	48	0	65	0	0	0	0
스틸 브레슬릿	전원	750	150	제2장 상점	0	0	125	0	93	0	0	0	0
스틸 암릿	전원	750	150	제2장 상점 / 보물상자: 풍래 동굴	0	0	93	0	125	0	0	0	0
사춘기의 붕대	전원	1250	250	보물상자: 제트 셋 산길(사) / 숨겨진: 풍래동	232	0	155	0	155	0	0	0	0
스터드 브레슬릿	전원	2000	400	보물상자: 루드암즈 지하도 · 심부(사)	0	0	200	0	150	0	0	0	0
스터드 암릿	전원	2000	400	보물상자: 루드암즈 지하도 · 심부(사)	0	0	150	0	200	0	0	0	0
코드 브레슬릿	전원	3500	700	제4장 상점	0	0	300	0	225	0	0	0	0
코드 암릿	전원	3500	700	제4장 상점	0	0	225	0	300	0	0	0	0
시공의 팔찌	전원	5000	1000	보물상자: 스마폰 산길(사)	0	0	262	0	367	0	0	0	0
복잡한 사연의 팔찌	전원	5000	1000	퀘스트: 모두와 친구가 되는 남자다	0	0	367	0	262	0	0	0	0
개량형 스터드 브레슬릿	전원	6500	1300	제5장 상점	0	0	415	0	311	0	0	0	0
개량형 스터드 암릿	전원	6500	1300	제5장 상점	0	0	311	0	415	0	0	0	0
실버 브레슬릿	전원	7500	1500	보물상자: 국영 공장(사), 코바츠바 유적	0	0	460	0	345	0	0	0	0
실버 암릿	전원	7500	1500	보물상자: 채굴장(사), 제가 숲	0	0	345	0	460	0	0	0	0
크로스 브레슬릿	전원	10000	2000	제6장 상점	0	0	551	0	393	0	0	0	0
크로스 암릿	전원	10000	2000	제6장 상점	0	0	393	0	551	0	0	0	0
대마왕의 팔찌	전원	12500	2500	퀘스트: 모두 날려주겠어!(사)	0	143	575	143	575	0	0	0	−1
펄 브레슬릿	전원	15000	3000	제7장 상점	0	0	682	0	487	0	0	0	0
펄 암릿	전원	15000	3000	제7장 상점	0	0	487	0	682	0	0	0	0
로열 브레슬릿	전원	17500	3500	보물상자: 오오토리이 동굴(사)	0	0	761	0	543	0	0	0	0
로열 암릿	전원	17500	3500	보물상자: 오오토리이 동굴(사)	0	0	543	0	761	0	0	0	0
룬 브레슬릿	전원	25000	5000	제8장 상점	0	0	907	0	618	0	0	0	0
룬 암릿	전원	25000	5000	제8장 상점	0	0	618	0	907	0	0	0	0
여신의 팔찌	전원	30000	6000	퀘스트: 이어지는 꿈(사)	0	0	900	0	900	0	67	67	0
아크 브레슬릿	전원	50000	10000	제9장 상점	0	0	1100	0	750	0	0	0	0
아크 암릿	전원	50000	10000	제9장 상점	0	0	750	0	1100	0	0	0	0
표고버섯 브레슬릿	벨	250000	25000	보물상자: 에므에스 용암동(사) / 콜로세움: 아버지 분투기(사)	0	0	1365	170	1365	0	170	0	0
하얀 고양이 스트랩	느와르	250000	25000	보물상자: 비타르 디멘션(사) / 콜로세움: 아가씨의 마음(사)	0	0	1365	0	1365	170	170	0	0
눈챠크 스트랩	블랑	250000	25000	보물상자: 르위 성 북쪽 방(사) / 콜로세움: 더 뜨거워지라고!!!(사)	0	178	1430	0	1300	0	162	0	0
몽키 브레슬릿	넵튠	250000	25000	보물상자: 언더 인버즈(사) / 콜로세움: 우리들의 시체를 넘어서 가라(사)	0	178	1430	0	1300	97	0	97	0
명왕 시로의 가호	프루루트	250000	25000	보물상자: 버추얼 포레스트(사) / 콜로세움: 사회인의 적(사)	0	0	1300	178	1430	97	0	97	0
벌씨 스트랩	피셰	250000	25000	보물상자: 듀오알 유적(사) / 콜로세움: 올해도 0개…(사)	0	170	1365	0	1365	0	170	0	0
V 크리스탈	네프기어	250000	25000	콜로세움: 결국 북극 초 모험	0	102	1365	0	1365	0	170	102	0
사냥의 부적	유니	250000	25000	보물상자: 비타르 디멘션(사) / 콜로세움: 연옥(사)	0	0	1365	0	1365	170	0	170	0
화염의 문장	롬	250000	25000	보물상자: 르위 성 북쪽 방(사) / 콜로세움: 바람… 어디선가 불어오고 있어(사)	0	0	1300	178	1430	162	0	0	0
트라이앵글 포스	람	250000	25000	보물상자: 르위 성 북쪽 방(사) / 콜로세움: 뇌전(사)	0	0	1300	178	1430	162	0	0	0
트라페드 헤조론	전원	100000	10000	보물상자: 버추얼 포레스트(사)	575	0	1150	0	1150	0	0	0	0
신계의 팔찌	전원	5000000	62500	드랍: 퍼플 하트?(사)	0	0	2240	0	2240	112	0	0	0
무한의 가호	전원	1000000	100000	드랍: 가지콘느	1200	120	2400	−240	1200	0	0	120	0
트윈 뱅글	전원	0	0	보물상자: 버추얼 포레스트	0	−240	1200	120	2400	0	120	0	0

+ 아이템 / 장식품

아이템	장비	구입	매각	입수 방법	HP	SP	STR	VIT	INT	MEN	AGI	TEC	LUK	MOV	화염	얼음	바람	번개
크로스 펜던트	넵튠	0	0	넵튠 초기 장비	0	0	0	0	0	0	0	0	25	1	0	0	0	0
고양이 배지	프루루트	0	0	프루루트 초기 장비	0	0	0	0	0	0	0	25	25	0	0	0	0	0
블랙 링	느와르	0	0	느와르 초기 장비	0	0	0	25	0	0	25	0	0	0	0	0	0	0
손수 만든 책갈피	블랑	0	0	블랑 초기 장비	0	0	0	0	0	25	0	25	0	0	0	0	0	0
그린 리본	벨	0	0	벨 초기 장비	250	0	0	0	0	0	0	25	0	0	0	0	0	0
플라네티 링	네프기어	0	0	네프기어 초기 장비	0	0	25	25	0	0	0	0	0	0	0	0	0	0
레귤레이션 배지	피셰	0	0	피셰 초기 장비	0	0	0	0	0	0	50	0	0	2	0	0	0	0
NG 펜던트	유니	0	0	유니 초기 장비	0	0	50	0	0	0	0	50	0	0	0	0	0	0
장난감 반지	롬	0	0	롬 초기 장비	0	0	0	50	50	0	0	0	0	0	0	0	0	0
장난감 목걸이	람	0	0	람 초기 장비	0	0	0	0	50	0	0	50	0	0	0	0	0	0
앵클릿	전원	1000	200	제1장 상점	0	0	0	0	0	0	50	0	0	0	0	0	0	0
테크닉 배지	전원	1000	200	제1장 상점	0	0	0	0	0	0	0	50	0	0	0	0	0	0
미상가	전원	1000	200	제1장 상점	0	0	0	0	0	0	0	0	50	0	0	0	0	0
무브 메모리	전원	1000	200	제1장 상점 등	0	0	0	0	0	0	0	0	0	3	0	0	0	0
명계의 혼	전원	1000	200	제1장 상점	0	0	25	0	25	0	0	0	0	0	0	0	0	0
체력의 반지	전원	2500	500	제1장 상점 등	1000	0	0	0	0	0	0	0	0	0	0	0	0	0
SP 부스터	전원	2500	500	제1장 상점 등	0	1	0	0	0	0	0	0	0	0	0	0	0	0
화염의 반지	전원	2500	500	제1장 상점 등	0	0	0	0	0	0	0	0	0	0	25	0	0	0

아이템	장비	구입	매각	입수 방법	HP	SP	STR	VIT	INT	MEN	AGI	TEC	LUK	MOV	화염	얼음	바람	번개
냉기의 반지	전원	2500	500	제2장 상점 등	0	0	0	0	0	0	0	0	0	0	0	25	0	0
기류의 반지	전원	2500	500	제2장 상점 등	0	0	0	0	0	0	0	0	0	0	0	0	25	0
전자의 반지	전원	2500	500	제2장 상점 등	0	0	0	0	0	0	0	0	0	0	0	0	0	25
생명의 반지	전원	5000	1000	제2장 상점 등	2500	0	0	0	0	0	0	0	0	0	0	0	0	0
SP 부스터 2	전원	12500	2500	보물상자: 피에스 디멘션(사), 르위 성남쪽 방 / 숨겨진: ZECA 2호 유적	0	2	0	0	0	0	0	0	0	0	0	0	0	0
실버 앵클릿	전원	10000	2000	보물상자: 기고 거리 · 입구(사)	0	0	0	0	0	0	100	0	0	0	0	0	0	0
히팅 배지	전원	10000	2000	보물상자: 기고 거리 · 입구(사)	0	0	0	0	0	0	0	100	0	0	0	0	0	0
성취의 미상가	전원	10000	2000	보물상자: 기고 거리 · 심부(사)	0	0	0	0	0	0	0	0	100	0	0	0	0	0
액션 메모리	전원	10000	2000	보물상자: 헤이로우 숲(사)	0	0	0	0	0	0	0	0	0	4	0	0	0	0
프림 로즈	전원	15000	3000	보물상자: 제가 숲(사)	0	0	0	0	100	100	−100	0	0	0	0	0	0	0
극염의 반지	전원	10000	2000	보물상자: 어덜틱 숲(사)	0	0	0	0	0	0	0	0	0	0	50	0	0	0
절영의 반지	전원	10000	2000	보물상자: 어덜틱 숲(사)	0	0	0	0	0	0	0	0	0	0	0	50	0	0
질풍의 반지	전원	10000	2000	보물상자: 어덜틱 숲(사)	0	0	0	0	0	0	0	0	0	0	0	0	50	0
진뢰의 반지	전원	10000	2000	보물상자: 어덜틱 숲(사)	0	0	0	0	0	0	0	0	0	0	0	0	0	50
로스트 게임 링	전원	15000	3000	보물상자: 코바츠바 유적(사)	0	0	100	100	0	0	0	0	−100	0	0	0	0	0
아크 앵클릿	전원	15000	3000	보물상자: 루지이 고원(사)	0	0	0	0	0	0	200	0	0	0	0	0	0	0
프로미넌스 배지	전원	15000	3000	보물상자: 루지이 고원(사)	0	0	0	0	0	0	0	200	0	0	0	0	0	0
축복의 미상가	전원	15000	3000	보물상자: 루지이 고원(사)	0	0	0	0	0	0	0	0	200	3	0	0	0	0
밀레니엄 메모리	전원	15000	3000	보물상자: 루지이 고원(사)	0	0	0	100	0	100	0	0	0	0	0	0	0	0
엔게이지 링	전원	25000	5000	보물상자: 오오토리이 동굴(사)	0	0	0	0	0	0	0	250	250	0	0	0	0	0
유미니테스의 부적	전원	50000	10000	보물상자: 네크토키 수림(사)	0	0	0	0	0	250	250	0	0	2	0	0	0	0
유니미테스의 부적	전원	100000	20000	보물상자: 지하 용암동(사)	0	0	0	250	0	0	0	250	0	0	0	0	0	0
신비의 반지	전원	250000	50000	보물상자: 피시 게임 공장터(사)	1000	1	0	0	0	0	150	150	150	2	0	0	0	0
SP 부스터 3	전원	1000000	50000	보물상자: 그라피스 고개(사) / 숨겨진: 가짜 플라네튠	0	3	0	0	150	150	0	0	0	0	0	0	0	0
명계의 반지	전원	250000	50000	보물상자: 그라피스 고개(사)	5000	0	150	150	0	0	0	0	0	0	0	0	0	0
후보생의 가호	전원	5000000	62500	보물상자: 비타르 디멘션(사)	0	1	0	0	200	200	0	200	200	0	0	50	50	0
여신의 가호	전원	5000000	62500	보물상자: 소우 · 설 숲(사)	2500	0	200	0	200	0	200	0	0	1	50	0	0	50

+ 아이템 / 코스튬

●넵튠

아이템	구입	매각	입수 방법	상승 능력치
저지 원피스	0	0	초기 장비	—
모노크롬 저지	5000	2500	제1장 상점	—
버추얼 저지	100000	50000	제1장 상점	—
드림 캐롯	100000	50000	제1장 상점	—
모노크롬 스타일	2500000	1250000	드랍: 마제콘느(제1장)(사)	—
버추얼 스타일	2500000	1250000	드랍: 마제콘느(제1장)(사)	—
드림 스타일	2500000	1250000	드랍: 마제콘느(제1장)(사)	—
컬러풀 라인	0	0	콜로세움: 가지가지 패닉	MEN + 30
플라네튠 학원	0	0	숨겨진: 렛츠고 아일랜드	VIT + 30
스마일 · 스파이럴	1000	500	숨겨진: 그라피스 고개	STR + 30

●프루루트

아이템	구입	매각	입수 방법	상승 능력치
집에서 입는 옷	0	0	초기 장비	—
팬시~	5000	2500	제1장 상점	—
얀데레	100000	50000	제1장 상점	—
초콜~릿	100000	50000	제1장 상점	—
팬시 스타일	2500000	1250000	드랍: 아쿠다이진(제5장)(사)	—
얀데레 스타일	2500000	1250000	드랍: 아쿠다이진(제5장)(사)	—
초콜~릿 스타일	2500000	1250000	드랍: 아쿠다이진(제5장)(사)	—
라벤~더 폴카	0	0	콜로세움: 와레츄 건강해츄~☆	VIT + 30

●느와르

아이템	구입	매각	입수 방법	상승 능력치
라 · 빅토아르	0	0	초기 장비	—
슈가 레인	100000	50000	제1장 상점	—
스톤 리크	5000	2500	제1장 상점	—
프리티 핑크	100000	50000	제1장 상점	—
슈가 스타일	2500000	1250000	드랍: 카피리에이스(제2장)(사)	—
스톤 리크 스타일	2500000	1250000	드랍: 카피리에이스(제2장)(사)	—
프리티 스타일	2500000	1250000	드랍: 카피리에이스(제2장)(사)	—
카시스 · 레이율	0	0	콜로세움: 용감한 정의	VIT + 15, MEN + 15
라스테이션 제1고교	0	0	숨겨진: 피에스 디멘션	LUK + 30
쿨 걸	1000	500	숨겨진: 그라피스 고개 · 정상	VIT + 30

●블랑

아이템	구입	매각	입수 방법	상승 능력치
단풍의 무녀	0	0	초기 장비	—
여름밤의 무녀	100000	50000	제4장 상점	—
벚꽃의 무녀	100000	50000	제4장 상점	—
하얀 눈의 무녀	5000	2500	제4장 상점	—
여름의 무녀	2500000	1250000	드랍: 화이트 하트(제3장)(사)	—
봄의 무녀	2500000	1250000	드랍: 화이트 하트(제3장)(사)	—
겨울의 무녀	2500000	1250000	드랍: 화이트 하트(제3장)(사)	—

●블랑

아이템	구입	매각	입수 방법	상승 능력치
주화의 수영복	0	0	콜로세움: 경찰 아저씨, 여기에요!	VIT + 15, MEN + 15
르위 학원 초등부	0	0	숨겨진: 루지이 고원	AGI + 15, TEC + 15

●벨

아이템	구입	매각	입수 방법	상승 능력치
윈드 드레스	0	0	초기 장비	—
프린세스 드레스	5000	2500	제5장 상점	—
엘리트 드레스	100000	50000	제5장 상점	—
블러드 드레스	100000	50000	제5장 상점	—
프린세스 스타일	2500000	1250000	드랍: 그린 하트(제4장)(사)	—
엘리트 스타일	2500000	1250000	드랍: 그린 하트(제4장)(사)	—
블러드 스타일	2500000	1250000	드랍: 그린 하트(제4장)(사)	—
글래머러스 리프	0	0	콜로세움: 폭악한 묘지기	VIT + 30
사립 린박스 고교	0	0	숨겨진: 네크토키 수림	VIT + 15, MEN + 15

●네프기어

아이템	구입	매각	입수 방법	상승 능력치
세일러 원피스	0	0	초기 장비	—
블랙 세일러	100000	50000	제5장 상점	—
로지 세일러	5000	2500	제5장 상점	—
그린 세일러	100000	50000	제5장 상점	—
클래시컬 메이드	250000	125000	숨겨진: 도시 중심부(사)	—
로열 나이트	250000	125000	숨겨진: 도시 중심부(사)	—
스트라이프 모니	250000	125000	숨겨진: 도시 중심부(사)	—
스마일 · 스파이럴	300000	150000	숨겨진: 언더 인버즈	AGI + 15, TEC + 15

●피셰

아이템	구입	매각	입수 방법	상승 능력치
벌씨	0	0	초기 장비	—
토끼씨	5000	2500	제9장 상점	—
푸루루토	100000	50000	제9장 상점	—
네푸튜느	100000	50000	제9장 상점	—
토끼씨의 옷	250000	125000	드랍: 옐로 하트(제8장)(사)	—
푸루루토의 옷	250000	125000	드랍: 옐로 하트(제8장)(사)	—
네푸튜느의 옷	250000	125000	드랍: 옐로 하트(제8장)(사)	—
피이 전용	10000	5000	보물상자: 변질 다차원 공간	MEN + 30

●유니

아이템	구입	매각	입수 방법	상승 능력치
미스틱 블랙	0	0	초기 장비	—
레이디언트 퍼플	100000	50000	제10장 상점	—
블로섬 화이트	5000	2500	제10장 상점	—
펄 그린	100000	50000	제10장 상점	—
블랙 하트 에이프런	250000	125000	숨겨진: 도시 중심부(사)	—

●유니

아이템	구입	매각	입수 방법	상승 능력치
토넬 아머	250000	125000	숨겨진: 도시 중심부(사)	—
슈거 프람	250000	125000	숨겨진: 도시 중심부(사)	—
쿨 걸	300000	150000	숨겨진: 언더 인버즈	MEN+30

●롬

아이템	구입	매각	입수 방법	상승 능력치
아이스 코트	0	0	초기 장비	—
바이올렛 코트	100000	50000	제10장 상점	—
블랙 코트	100000	50000	제10장 상점	—
라임 코트	5000	2500	제10장 상점	—
고딕 메이드	250000	125000	숨겨진: 도시 중심부(사)	—
서니 로브	250000	125000	숨겨진: 도시 중심부(사)	—
스위트 플라워	250000	125000	숨겨진: 도시 중심부(사)	—

●룸

아이템	구입	매각	입수 방법	상승 능력치
두근두근 아이돌	300000	150000	숨겨진: 언더 인버즈	INT+15,TEC+15

●람

아이템	구입	매각	입수 방법	상승 능력치
캔디 코트	0	0	초기 장비	—
바이올렛 코트	100000	50000	제10장 상점	—
블랙 코트	100000	50000	제10장 상점	—
라임 코트	5000	2500	제10장 상점	—
고딕 메이드	250000	125000	숨겨진: 도시 중심부(사)	—
문 로브	250000	125000	숨겨진: 도시 중심부(사)	—
비타민 플라워	250000	125000	숨겨진: 도시 중심부(사)	—
두근두근 아이돌	300000	150000	숨겨진: 언더 인버즈	VIT+15,AGI+15

+아이템 / 액세서리

●넵튠

아이템	구입	매각	입수 방법	상승 능력치
뇌파 컨트롤러	0	0	초기 장비	—
모노크롬 콘	1000	500	제1장 상점	—
버추얼 콘	1000	500	제1장 상점	—
비주얼 콘	1000	500	제1장 상점	—
래빗 리본	250000	125000	보물상자: 쿠자라트 공장 · 제2구획(사)	—
퍼플 리본	300000	150000	보물상자: 쿠자라트 공장 · 제2구획(사)	—
깃털 장식	150000	75000	보물상자: 제트 셋 산길 · 정상(사)	—
흰색 고양이 귀	150000	75000	보물상자: 풍래 동굴(사)	—
검은 고양이 귀	250000	125000	보물상자: 풍래 동굴(사)	—
토끼 귀	150000	75000	보물상자: 루드암즈 지하도 · 북문(사)	—
새싹 리본 HC	250000	125000	보물상자: 쿠자라트 공장 · 제2구획(사)	—
검은 고양이	300000	150000	보물상자: 풍래 동굴(사)	—
튤립	250000	125000	보물상자: 쿠자라트 공장 · 제2구획(사)	—
찰떡	250000	125000	보물상자: 제트 셋 산길 · 정상(사)	—
하이비스 콘	250000	125000	제1장 상점	—
아이스 클로버	250000	125000	보물상자: 제트 셋 산길 · 정상(사)	—
클로버 핀	250000	125000	보물상자: 제트 셋 산길 · 정상(사)	—
모노 클로버	250000	125000	보물상자: 제트 셋 산길 · 정상(사)	—
오렌지 클로버	250000	125000	보물상자: 제트 셋 산길 · 정상(사)	—
시뇽 캡	250000	125000	보물상자: 밴디 크래시(사)	—
블랙 시뇽	250000	125000	보물상자: 밴디 크래시(사)	—
그레이 시뇽	250000	125000	보물상자: 밴디 크래시(사)	—
오렌지 시뇽	250000	125000	보물상자: 밴디 크래시(사)	—
딸기 리본	10000	5000	제1장 상점	—
딸기 우유	10000	5000	보물상자: 쿠자라트 공장 · 제2구획(사)	—
무 리본	10000	5000	보물상자: 쿠자라트 공장 · 제2구획(사)	—
당근 리본	10000	5000	보물상자: 쿠자라트 공장 · 제2구획(사)	—
엘레강트 크라운	100000	50000	제1장 상점	—
룬 크라운	250000	125000	보물상자: 풍래 동굴 · 심부(사)	—
노블 크라운	250000	125000	보물상자: 풍래 동굴 · 심부(사)	—
로열 크라운	250000	125000	보물상자: 풍래 동굴 · 심부(사)	—
방울 리본	10000	5000	제1장 상점	—
스트라이프 리본	10000	5000	보물상자: 쿠자라트 공장 · 제2구획(사)	—
물방울 리본	10000	5000	보물상자: 쿠자라트 공장 · 제2구획(사)	—
선물용 리본	1000	500	제1장 상점	—
내 아내 리본	1000	500	보물상자: 쿠자라트 공장 · 제2구획(사)	—
일등상 리본	1000	500	보물상자: 쿠자라트 공장 · 제2구획(사)	—
꽃방울 리본	1000	500	보물상자: 쿠자라트 공장 · 제2구획(사)	—
주인공 리본	1000	500	보물상자: 쿠자라트 공장 · 제2구획(사)	—
슈팅 스타	100000	50000	제1장 상점	—
럭키 스타	100000	50000	보물상자: 제트 셋 산길 · 정상(사)	—
네온 스타	100000	50000	보물상자: 제트 셋 산길 · 정상(사)	—
스마일 스타	100000	50000	보물상자: 제트 셋 산길 · 정상(사)	—
원형 형광등	200000	100000	제1장 상점	—
블랙 라이트	200000	100000	보물상자: 루드암즈 지하도 · 남문(사)	—
할로겐 램프	200000	100000	보물상자: 루드암즈 지하도 · 남문(사)	—
음이온 발생장치	200000	100000	보물상자: 루드암즈 지하도 · 남문(사)	—
소악마 헤어밴드	200000	100000	제1장 상점	—
로즈 데빌	200000	100000	보물상자: 제트 셋 산길(사)	—
스위트 데빌	200000	100000	보물상자: 제트 셋 산길(사)	—
블루 데빌	200000	100000	보물상자: 제트 셋 산길(사)	—
해바라기 콘	10000	5000	콜로세움: 게임 지옥	화염+10
잇승	10000	5000	드랍: 피닉스	INT+10
봉봉	10000	5000	숨겨진: 렛츠고 아일랜드	STR+30
스마일 하트 핀	1000	500	숨겨진: 그라피스 고개	STR+30

●프루루트

아이템	구입	매각	입수 방법	상승 능력치
집에서 쓰는 리본	0	0	초기 장비	—
모노크롬 양	250000	125000	보물상자: 루드암즈 지하도 · 북문(사)	—
양	250000	125000	보물상자: 밴디 크래시(사)	—
폭신폭신 양	250000	125000	보물상자: 밴디 크래시(사)	—
검은 양	250000	125000	보물상자: 밴디 크래시(사)	—
파스텔 버튼	250000	125000	보물상자: 제트 셋 산길 · 정상(사)	—
모노크롬 버튼	250000	125000	보물상자: 제트 셋 산길 · 정상(사)	—
스노우 버튼	250000	125000	보물상자: 제트 셋 산길 · 정상(사)	—
오렌지 버튼	250000	125000	보물상자: 제트 셋 산길 · 정상(사)	—
딸기 리본	10000	5000	제1장 상점	—
딸기 우유	10000	5000	보물상자: 쿠자라트 공장 · 제2구획(사)	—
무 리본	10000	5000	보물상자: 쿠자라트 공장 · 제2구획(사)	—
당근 리본	10000	5000	보물상자: 쿠자라트 공장 · 제2구획(사)	—
엘레강트 크라운	100000	50000	제1장 상점	—
룬 크라운	250000	125000	보물상자: 풍래 동굴 · 심부(사)	—
노블 크라운	250000	125000	보물상자: 풍래 동굴 · 심부(사)	—
로열 크라운	250000	125000	보물상자: 풍래 동굴 · 심부(사)	—
방울 리본	10000	5000	제1장 상점	—
스트라이프 리본	10000	5000	보물상자: 쿠자라트 공장 · 제2구획(사)	—
물방울 리본	10000	5000	보물상자: 쿠자라트 공장 · 제2구획(사)	—
선물용 리본	1000	500	제1장 상점	—
내 아내 리본	1000	500	보물상자: 쿠자라트 공장 · 제2구획(사)	—
일등상 리본	1000	500	보물상자: 쿠자라트 공장 · 제2구획(사)	—
꽃방울 리본	1000	500	보물상자: 쿠자라트 공장 · 제2구획(사)	—
주인공 리본	1000	500	보물상자: 쿠자라트 공장 · 제2구획(사)	—
슈팅 스타	100000	50000	제1장 상점	—
럭키 스타	100000	50000	보물상자: 제트 셋 산길 · 정상(사)	—
네온 스타	100000	50000	보물상자: 제트 셋 산길 · 정상(사)	—
스마일 스타	100000	50000	보물상자: 제트 셋 산길 · 정상(사)	—
원형 형광등	200000	100000	제1장 상점	—
블랙 라이트	200000	100000	보물상자: 루드암즈 지하도 · 남문(사)	—
할로겐 램프	200000	100000	보물상자: 루드암즈 지하도 · 남문(사)	—
음이온 발생장치	200000	100000	보물상자: 루드암즈 지하도 · 남문(사)	—
소악마 헤어 밴드	200000	100000	제1장 상점	—
로즈 데빌	200000	100000	보물상자: 제트 셋 산길(사)	—
스위트 데빌	200000	100000	보물상자: 제트 셋 산길(사)	—
블루 데빌	200000	100000	보물상자: 제트 셋 산길(사)	—
흰색 고양이 귀	250000	125000	제1장 상점	—
검은 고양이 귀	250000	125000	보물상자: 풍래 동굴(사)	—
밀짚모~자	10000	5000	콜로세움: 지옥의 벗	화염+10
꾸벅꾸벅 모자	10000	5000	드랍: 펜릴	HP+500、VIT+10

●느와르

아이템	구입	매각	입수 방법	상승 능력치
사파이어 리본	0	0	초기 장비	—
슈가 리본	1000	500	제1장 상점	—
큐어 리본	1000	500	제1장 상점	—
디바 라인	1000	500	제1장 상점	—
뾰족한 리본	250000	125000	보물상자: 쿠자라트 공장 · 제2구획(사)	—
레인 드랍	250000	125000	보물상자: 쿠자라트 공장 · 제2구획(사)	—
히로인 리본	250000	125000	보물상자: 쿠자라트 공장 · 제2구획(사)	—
의자매 리본	250000	125000	보물상자: 쿠자라트 공장 · 제2구획(사)	—
파인 블루	250000	125000	보물상자: 쿠자라트 공장 · 제2구획(사)	—
파인 옐로	250000	125000	보물상자: 쿠자라트 공장 · 제2구획(사)	—
파인 블랙	250000	125000	보물상자: 쿠자라트 공장 · 제2구획(사)	—
파인 로즈	250000	125000	보물상자: 쿠자라트 공장 · 제2구획(사)	—
클리어 리본	250000	125000	보물상자: 쿠자라트 공장 · 제2구획(사)	—
화이트 리본	250000	125000	보물상자: 쿠자라트 공장 · 제2구획(사)	—
핑크 리본	250000	125000	보물상자: 쿠자라트 공장 · 제2구획(사)	—

●느와르

아이템	구입	매각	입수 방법	상승 능력치
디바 리본	300000	150000	보물상자: 쿠자라트 공장 · 제2구획(사)	—
메탈 아이패치	300000	150000	보물상자: 제트 셋 산길(사)	—
휘치 햇	150000	75000	보물상자: 밴디 크래시(사)	—
플래티넘 티아라	150000	75000	보물상자: 풍래 동굴 · 심부(사)	—
메이트 카츄샤	150000	75000	보물상자: 제트 셋 산길 · 정상(사)	—
검은 고양이 귀	300000	150000	보물상자: 풍래 동굴(사)	—
흰색 고양이 귀	300000	150000	보물상자: 풍래 동굴(사)	—
클래식 너스	250000	125000	보물상자: 밴디 크래시(사)	—
스토로베리 슈슈	250000	125000	보물상자: 제트 셋 산길 · 정상(사)	—
딸기 리본	10000	5000	제1장 상점	—
딸기 우유	10000	5000	보물상자: 쿠자라트 공장 · 제2구획(사)	—
무 리본	10000	5000	보물상자: 쿠자라트 공장 · 제2구획(사)	—
당근 리본	10000	5000	보물상자: 쿠자라트 공장 · 제2구획(사)	—
엘레강트 크라운	100000	50000	제1장 상점	—
룬 크라운	250000	125000	보물상자: 풍래 동굴 · 심부(사)	—
노블 크라운	250000	125000	보물상자: 풍래 동굴 · 심부(사)	—
로열 크라운	250000	125000	보물상자: 풍래 동굴 · 심부(사)	—
방울 리본	10000	5000	제1장 상점	—
스트라이프 리본	10000	5000	보물상자: 쿠자라트 공장 · 제2구획(사)	—
물방울 리본	10000	5000	보물상자: 쿠자라트 공장 · 제2구획(사)	—
선물용 리본	1000	500	제1장 상점	—
내 아내 리본	1000	500	보물상자: 쿠자라트 공장 · 제2구획(사)	—
일등상 리본	1000	500	보물상자: 쿠자라트 공장 · 제2구획(사)	—
꽃방울 리본	1000	500	보물상자: 쿠자라트 공장 · 제2구획(사)	—
주인공 리본	1000	500	보물상자: 쿠자라트 공장 · 제2구획(사)	—
슈팅 스타	100000	50000	제1장 상점	—
럭키 스타	100000	50000	보물상자: 제트 셋 산길 · 정상(사)	—
네온 스타	100000	50000	보물상자: 제트 셋 산길 · 정상(사)	—
스마일 스타	100000	50000	보물상자: 제트 셋 산길 · 정상(사)	—
원형 형광등	200000	100000	제1장 상점	—
블랙 라이트	200000	100000	보물상자: 루드암즈 지하도 · 남문(사)	—
할로겐 램프	200000	100000	보물상자: 루드암즈 지하도 · 남문(사)	—
음이온 발생장치	200000	100000	보물상자: 루드암즈 지하도 · 남문(사)	—
소악마 헤어밴드	200000	100000	제1장 상점	—
로즈 데빌	200000	100000	보물상자: 제트 셋 산길(사)	—
스위트 데빌	200000	100000	보물상자: 제트 셋 산길(사)	—
블루 데빌	200000	100000	보물상자: 제트 셋 산길(사)	—
카시스 리본	10000	5000	콜로세움: 게임 천국	바람 + 10
페이스 바이저	10000	5000	드랍: 헤비 탱크	STR + 20
학교 지정 블루 리본	10000	5000	숨겨진: 피에스 디멘션	INT + 30
쿨 레이디 리본	1000	500	숨겨진: 그라피스 고개 · 정상	VIT + 15, LUK + 15

●블랑

아이템	구입	매각	입수 방법	상승 능력치
단풍 모자	0	0	초기 장비	—
여름밤 모자	1000	500	제4장 상점	—
벚꽃 모자	1000	500	제4장 상점	—
하얀 눈 모자	1000	500	제4장 상점	—
빨간 동백꽃 머리 장식	250000	125000	보물상자: 제트 셋 산길 · 정상(사)	—
파란 꽃 머리 장식	250000	125000	보물상자: 제트 셋 산길 · 정상(사)	—
하얀 동백꽃 머리 장식	250000	125000	보물상자: 제트 셋 산길 · 정상(사)	—
복숭아꽃 머리 장식	250000	125000	보물상자: 제트 셋 산길 · 정상(사)	—
빨간 공주 리본	250000	125000	제4장 상점	—
벚꽃 공주 리본	250000	125000	보물상자: 쿠자라트 공장 · 제2구획(사)	—
쪽빛 공주 리본	250000	125000	보물상자: 쿠자라트 공장 · 제2구획(사)	—
뉴빛 공주 리본	250000	125000	보물상자: 쿠자라트 공장 · 제2구획(사)	—
빈티지 햇	250000	125000	보물상자: 밴디 크래시(사)	—
흑	250000	125000	보물상자: 밴디 크래시(사)	—
백	300000	150000	보물상자: 밴디 크래시(사)	—
프린세스 리본	250000	125000	보물상자: 밴디 크래시(사)	—
흰색 고양이 귀	300000	150000	제4장 상점	—
검은 고양이 귀	300000	150000	보물상자: 풍래 동굴(사)	—
초콜릿 리본	150000	75000	보물상자: 제트 셋 산길 · 정상(사)	—
안대 너스	150000	75000	제4장 상점	—
안대	250000	125000	보물상자: 제트 셋 산길(사)	—
페어리 너스	250000	125000	제4장 상점	—
학자 세트	300000	150000	보물상자: 밴디 크래시(사)	—
레드 글래스	150000	75000	제4장 상점	—
학자 모자	150000	75000	보물상자: 밴디 크래시(사)	—
미스틱 햇	250000	125000	제4장 상점	—
그린 도트	250000	125000	보물상자: 밴디 크래시(사)	—
하늘빛 그리드	250000	125000	제4장 상점	—
딸기 리본	10000	5000	제4장 상점	—
딸기 우유	10000	5000	보물상자: 쿠자라트 공장 · 제2구획(사)	—
무 리본	10000	5000	보물상자: 쿠자라트 공장 · 제2구획(사)	—
당근 리본	10000	5000	보물상자: 쿠자라트 공장 · 제2구획(사)	—
엘레강트 크라운	100000	50000	제4장 상점	—
룬 크라운	250000	125000	보물상자: 풍래 동굴 · 심부(사)	—
노블 크라운	250000	125000	보물상자: 풍래 동굴 · 심부(사)	—
로열 크라운	250000	125000	보물상자: 풍래 동굴 · 심부(사)	—

●블랑

아이템	구입	매각	입수 방법	상승 능력치
방울 리본	10000	5000	제4장 상점	—
스트라이프 리본	10000	5000	보물상자: 쿠자라트 공장 · 제2구획(사)	—
물방울 리본	10000	5000	보물상자: 쿠자라트 공장 · 제2구획(사)	—
일본 방울 리본	10000	5000	보물상자: 쿠자라트 공장 · 제2구획(사)	—
선물용 리본	1000	500	제4장 상점	—
내 아내 리본	1000	500	보물상자: 쿠자라트 공장 · 제2구획(사)	—
일등상 리본	1000	500	보물상자: 쿠자라트 공장 · 제2구획(사)	—
꽃방울 리본	1000	500	보물상자: 쿠자라트 공장 · 제2구획(사)	—
주인공 리본	1000	500	보물상자: 쿠자라트 공장 · 제2구획(사)	—
슈팅 스타	100000	50000	제4장 상점	—
럭키 스타	100000	50000	보물상자: 제트 셋 산길 · 정상(사)	—
네온 스타	100000	50000	보물상자: 제트 셋 산길 · 정상(사)	—
스마일 스타	100000	50000	보물상자: 제트 셋 산길 · 정상(사)	—
원형 형광등	200000	100000	제4장 상점	—
블랙 라이트	200000	100000	보물상자: 루드암즈 지하도 · 남문(사)	—
할로겐 램프	200000	100000	보물상자: 루드암즈 지하도 · 남문(사)	—
음이온 발생장치	200000	100000	보물상자: 루드암즈 지하도 · 남문(사)	—
소악마 헤어밴드	200000	100000	제4장 상점	—
로즈 데빌	200000	100000	보물상자: 제트 셋 산길(사)	—
스위트 데빌	200000	100000	보물상자: 제트 셋 산길(사)	—
블루 데빌	200000	100000	보물상자: 제트 셋 산길(사)	—
빨간 꽃의 빗	10000	5000	콜로세움: 나랑 계약해줘!	번개 + 10
테헷냄름 여우	10000	5000	드랍: 아이스 펜릴	AGI + 20
스쿨 모자	10000	5000	숨겨진: 루지이 고원	MEN + 30

●벨

아이템	구입	매각	입수 방법	상승 능력치
윈드 로즈	0	0	초기 장비	—
프린세스 로즈	1000	500	제5장 상점	—
엘리트 로즈	1000	500	제5장 상점	—
블러드 로즈	1000	500	제5장 상점	—
하트 바레트	150000	75000	보물상자: 제트 셋 산길 · 정상(사)	—
스피넬 바레트	150000	75000	보물상자: 제트 셋 산길 · 정상(사)	—
페리도트 바레트	150000	75000	보물상자: 제트 셋 산길 · 정상(사)	—
가넷 바레트	150000	75000	보물상자: 제트 셋 산길 · 정상(사)	—
모닝 베일	150000	75000	보물상자: 메로토이드 쉘터(사)	—
레이디 벨	150000	75000	보물상자: 메로토이드 쉘터(사)	—
셔틀즈 베일	150000	75000	보물상자: 메로토이드 쉘터(사)	—
블러드 베일	150000	75000	보물상자: 메로토이드 쉘터(사)	—
원아모	150000	75000	제5장 상점	—
에메랄드 리본	150000	75000	제5장 상점	—
실크 리본	150000	75000	보물상자: 쿠자라트 공장 · 제2구획(사)	—
엘리트 리본	250000	125000	보물상자: 쿠자라트 공장 · 제2구획(사)	—
와인레드	300000	150000	보물상자: 쿠자라트 공장 · 제2구획(사)	—
플래티넘 티아라	150000	75000	보물상자: 풍래 동굴 · 심부(사)	—
릴리 코사주	150000	75000	제5장 상점	—
토끼귀	150000	75000	보물상자: 루드암즈 지하도 · 북문(사)	—
흰색 고양이 귀	250000	125000	제5장 상점	—
검은 고양이 귀	250000	125000	보물상자: 풍래 동굴(사)	—
미스틱 햇	300000	150000	제5장 상점	—
클로버 너스	250000	125000	보물상자: 밴디 크래시(사)	—
머메이드 리본	250000	125000	보물상자: 쿠자라트 공장 · 제2구획(사)	—
딸기 리본	10000	5000	제5장 상점	—
딸기 우유	10000	5000	보물상자: 쿠자라트 공장 · 제2구획(사)	—
무 리본	10000	5000	보물상자: 쿠자라트 공장 · 제2구획(사)	—
당근 리본	10000	5000	보물상자: 쿠자라트 공장 · 제2구획(사)	—
엘레강트 크라운	100000	50000	제5장 상점	—
룬 크라운	250000	125000	보물상자: 풍래 동굴 · 심부(사)	—
노블 크라운	250000	125000	보물상자: 풍래 동굴 · 심부(사)	—
로열 크라운	250000	125000	보물상자: 풍래 동굴 · 심부(사)	—
방울 리본	10000	5000	제5장 상점	—
스트라이프 리본	10000	5000	보물상자: 쿠자라트 공장 · 제2구획(사)	—
물방울 리본	10000	5000	보물상자: 쿠자라트 공장 · 제2구획(사)	—
선물용 리본	1000	500	제5장 상점	—
내 아내 리본	1000	500	보물상자: 쿠자라트 공장 · 제2구획(사)	—
일등상 리본	1000	500	보물상자: 쿠자라트 공장 · 제2구획(사)	—
꽃방울 리본	1000	500	보물상자: 쿠자라트 공장 · 제2구획(사)	—
주인공 리본	1000	500	보물상자: 쿠자라트 공장 · 제2구획(사)	—
슈팅 스타	100000	50000	제5장 상점	—
럭키 스타	100000	50000	보물상자: 제트 셋 산길 · 정상(사)	—
네온 스타	100000	50000	보물상자: 제트 셋 산길 · 정상(사)	—
스마일 스타	100000	50000	보물상자: 제트 셋 산길 · 정상(사)	—
원형 형광등	200000	100000	제5장 상점	—
블랙 라이트	200000	100000	보물상자: 루드암즈 지하도 · 남문(사)	—
할로겐 램프	200000	100000	보물상자: 루드암즈 지하도 · 남문(사)	—
음이온 발생장치	200000	100000	보물상자: 루드암즈 지하도 · 남문(사)	—
소악마 헤어밴드	200000	100000	제5장 상점	—
로즈 데빌	200000	100000	보물상자: 제트 셋 산길(사)	—
스위트 데빌	200000	100000	보물상자: 제트 셋 산길(사)	—
블루 데빌	200000	100000	보물상자: 제트 셋 산길(사)	—

●벨

아이템	구입	매각	입수 방법	상승 능력치
나비의 머리 장식	250000	125000	제5장 상점	—
꿈을 보는 섬의 장식	250000	125000	보물상자: 제트 셋 산길(사)	—
호접의 머리 장식	250000	125000	보물상자: 제트 셋 산길(사)	—
홍접의 머리 장식	250000	125000	보물상자: 제트 셋 산길(사)	—
리조트 글래스	10000	5000	콜로세움: 튀겨서 먹고 싶다	번개+10
시스터	10000	5000	드랍: 플레임 펜릴	INT+20
학교 지정 레드 리본	10000	5000	숨겨진: 네크토키 수림	STR+15,INT+15

●네프기어

아이템	구입	매각	입수 방법	상승 능력치
뇌파 컨트롤러	0	0	초기 장비	—
모노크롬 콘	1000	500	제5장 상점	—
모모이로 콘	1000	500	제5장 상점	—
그린 컨트롤러	1000	500	제5장 상점	—
고양이 귀 모자	10000	5000	보물상자: 풍래 동굴(사)	—
블랙 캣	10000	5000	보물상자: 풍래 동굴(사)	—
핑크 캣	10000	5000	보물상자: 풍래 동굴(사)	—
그린 캣	10000	5000	보물상자: 풍래 동굴(사)	—
고양이 귀 모자와 안경	10000	5000	보물상자: 풍래 동굴(사)	—
블랙 캣과 안경	10000	5000	보물상자: 풍래 동굴(사)	—
핑크 캣과 안경	10000	5000	보물상자: 풍래 동굴(사)	—
그린 캣과 안경	10000	5000	보물상자: 풍래 동굴(사)	—
슬라이누 모자	10000	5000	보물상자: 밴디 크래시(사)	—
강철 슬라이누 모자	10000	5000	보물상자: 밴디 크래시(사)	—
복숭아 슬라이누 모자	10000	5000	보물상자: 밴디 크래시(사)	—
슬라이누 베스 모자	10000	5000	보물상자: 밴디 크래시(사)	—
퍼플 프레임	1000	500	보물상자: 채굴장(사)	—
블랙 프레임	1000	500	보물상자: 채굴장(사)	—
핑크 프레임	1000	500	보물상자: 채굴장(사)	—
레드 프레임	10000	5000	보물상자: 채굴장(사)	—
플라네 파이버	10000	5000	제5장 상점	—
에어로 파이버	10000	5000	보물상자: 제트 셋 산길 · 정상(사)	—
오로라 파이버	10000	5000	보물상자: 제트 셋 산길 · 정상(사)	—
호타루 파이버	10000	5000	보물상자: 제트 셋 산길 · 정상(사)	—
미니 크라운	200000	100000	제5장 상점	—
블랙 크라운	200000	100000	보물상자: 풍래 동굴 · 심부(사)	—
화이트 크라운	200000	100000	보물상자: 풍래 동굴 · 심부(사)	—
골드 크라운	200000	100000	보물상자: 풍래 동굴 · 심부(사)	—
드리 로즈	10000	5000	제5장 상점	—
크리슈 로즈	10000	5000	보물상자: 밴디 크래시(사)	—
팬시 로즈	10000	5000	보물상자: 밴디 크래시(사)	—
노블 로즈	10000	5000	보물상자: 밴디 크래시(사)	—
여우 귀	500000	250000	제5장 상점	—
검은 여우	500000	250000	보물상자: 루드암즈 지하도 · 북문(사)	—
하얀 여우	500000	250000	보물상자: 루드암즈 지하도 · 북문(사)	—
빨간 여우	500000	250000	보물상자: 루드암즈 지하도 · 북문(사)	—
왕오색 나비	30000	15000	제5장 상점	—
블루 모르포	30000	15000	보물상자: 제트 셋 산길 · 정상(사)	—
미젠타 빠삐용	30000	15000	보물상자: 제트 셋 산길 · 정상(사)	—
미도리 아게하	30000	15000	보물상자: 제트 셋 산길 · 정상(사)	—
베레모	10000	5000	제5장 상점	—
블랙 베레	10000	5000	보물상자: 밴디 크래시(사)	—
아쿠아 베레	10000	5000	보물상자: 밴디 크래시(사)	—
핑크 베레	10000	5000	보물상자: 밴디 크래시(사)	—
퍼플 헤드 드레스	50000	25000	제5장 상점	—
고딕 헤드 드레스	50000	25000	보물상자: 제트 셋 산길 · 정상(사)	—
핑크 스위트	50000	25000	보물상자: 제트 셋 산길 · 정상(사)	—
앨리스 헤드 드레스	50000	25000	보물상자: 제트 셋 산길 · 정상(사)	—
클래시컬 카츄사	50000	25000	제5장 상점	—
로열 기어	10000	5000	제5장 상점	—
히마와리 핀	10000	5000	제5장 상점	—
흰색 고양이 귀	500000	250000	제5장 상점	—
검은 고양이 귀	500000	250000	보물상자: 루드암즈 지하도 · 북문(사)	—
스마일 하트 핀	15000	7500	숨겨진: 언더 인버즈	MEN+15,TEC+15

●피셰

아이템	구입	매각	입수 방법	상승 능력치
폭탄 붕붕	0	0	초기 장비	—
블루 베리	1000	500	제9장 상점	—
소다 캔디	1000	500	제9장 상점	—
밀크 캔디	1000	500	제9장 상점	—
원아모	250000	125000	보물상자: 밴디 크래시(사)	—
섬머 햇	250000	125000	보물상자: 밴디 크래시(사)	—
팬시 햇	250000	125000	보물상자: 밴디 크래시(사)	—
핑크 햇	250000	125000	보물상자: 밴디 크래시(사)	—
큰 리본	250000	125000	보물상자: 쿠자라트 공장 · 제2구획(사)	—
요구르 리본	250000	125000	보물상자: 쿠자라트 공장 · 제2구획(사)	—
팬시 리본	250000	125000	보물상자: 쿠자라트 공장 · 제2구획(사)	—
핑크 리본	250000	125000	보물상자: 쿠자라트 공장 · 제2구획(사)	—
딸기 리본	10000	5000	제9장 상점	—

●피셰

아이템	구입	매각	입수 방법	상승 능력치
딸기 우유	10000	5000	보물상자: 쿠자라트 공장 · 제2구획(사)	—
무 리본	10000	5000	보물상자: 쿠자라트 공장 · 제2구획(사)	—
당근 리본	10000	5000	보물상자: 쿠자라트 공장 · 제2구획(사)	—
엘레강트 크라운	100000	50000	제9장 상점	—
룬 크라운	250000	125000	보물상자: 풍래 동굴 · 심부(사)	—
노블 크라운	250000	125000	보물상자: 풍래 동굴 · 심부(사)	—
로열 크라운	250000	125000	보물상자: 풍래 동굴 · 심부(사)	—
방울 리본	10000	5000	제9장 상점	—
스트라이프 리본	10000	5000	보물상자: 쿠자라트 공장 · 제2구획(사)	—
물방울 리본	10000	5000	보물상자: 쿠자라트 공장 · 제2구획(사)	—
선물용 리본	1000	500	제9장 상점	—
내 아내 리본	1000	500	보물상자: 쿠자라트 공장 · 제2구획(사)	—
일등상 리본	1000	500	보물상자: 쿠자라트 공장 · 제2구획(사)	—
꽃방울 리본	1000	500	보물상자: 쿠자라트 공장 · 제2구획(사)	—
주인공 리본	1000	500	보물상자: 쿠자라트 공장 · 제2구획(사)	—
슈팅 스타	100000	50000	제9장 상점	—
럭키 스타	100000	50000	보물상자: 제트 셋 산길 · 정상(사)	—
네온 스타	100000	50000	보물상자: 제트 셋 산길 · 정상(사)	—
스마일 스타	100000	50000	보물상자: 제트 셋 산길 · 정상(사)	—
원형 형광등	200000	100000	제9장 상점	—
블랙 라이트	200000	100000	보물상자: 루드암즈 지하도 · 남문(사)	—
할로겐 램프	200000	100000	보물상자: 루드암즈 지하도 · 남문(사)	—
음이온 발생장치	200000	100000	보물상자: 루드암즈 지하도 · 남문(사)	—
소악마 헤어밴드	200000	100000	제9장 상점	—
로즈 데빌	200000	100000	보물상자: 제트 셋 산길(사)	—
스위트 데빌	200000	100000	보물상자: 제트 셋 산길(사)	—
블루 데빌	200000	100000	보물상자: 제트 셋 산길(사)	—
흰색 고양이 귀	250000	125000	보물상자: 풍래 동굴(사)	—
검은 고양이 귀	250000	125000	보물상자: 풍래 동굴(사)	—
호랑이 귀	250000	125000	보물상자: 루드암즈 지하도 · 북문(사)	—
게씨 리본	0	0	드랍: 서벨러스	얼음+10
벌씨 모자	0	0	숨겨진: 변질 다차원 공간	STR+10,AGI+10

●유니

아이템	구입	매각	입수 방법	상승 능력치
블랙 서클	0	0	초기 장비	—
퍼플 서클	100000	50000	제10장 상점	—
화이트 서클	150000	75000	제10장 상점	—
그린 서클	250000	125000	제10장 상점	—
라스테 폴리스	250000	125000	보물상자: 밴디 크래시(사)	—
플라네 폴리스	250000	125000	보물상자: 밴디 크래시(사)	—
르위 폴리스	250000	125000	보물상자: 밴디 크래시(사)	—
린 폴리스	250000	125000	보물상자: 밴디 크래시(사)	—
하얀 고양이 리본	250000	125000	제10장 상점	—
검은 고양이 리본	250000	125000	보물상자: 쿠자라트 공장 · 제2구획(사)	—
하얀 고양이 핑크 리본	250000	125000	보물상자: 쿠자라트 공장 · 제2구획(사)	—
얼룩무늬 고양이 리본	250000	125000	보물상자: 쿠자라트 공장 · 제2구획(사)	—
레드 아이	1000	500	제10장 상점	—
카시스 아이	1000	500	보물상자: 채굴장(사)	—
스트로베리아이	1000	500	보물상자: 채굴장(사)	—
에메랄드 아이	10000	5000	보물상자: 채굴장(사)	—
애미시스트 리본	10000	5000	제10장 상점	—
제트 리본	10000	5000	보물상자: 제트 셋 산길 · 정상(사)	—
로즈 리본	10000	5000	보물상자: 제트 셋 산길 · 정상(사)	—
에메랄드 리본	10000	5000	보물상자: 제트 셋 산길 · 정상(사)	—
바이올렛 크로네	200000	100000	제10장 상점	—
슈발츠 크로네	200000	100000	보물상자: 풍래 동굴 · 심부(사)	—
바이스 크로네	200000	100000	보물상자: 풍래 동굴 · 심부(사)	—
그륜 크로네	200000	100000	보물상자: 풍래 동굴 · 심부(사)	—
게뮤트 로제	10000	5000	제10장 상점	—
토레네 로제	10000	5000	보물상자: 밴디 크래시(사)	—
하이룬 로제	10000	5000	보물상자: 밴디 크래시(사)	—
리베 로제	10000	5000	보물상자: 밴디 크래시(사)	—
폭스 이어	500000	250000	제10장 상점	—
블랙 폭스	500000	250000	보물상자: 루드암즈 지하도 · 북문(사)	—
화이트 폭스	500000	250000	보물상자: 루드암즈 지하도 · 북문(사)	—
옐로 폭스	500000	250000	보물상자: 루드암즈 지하도 · 북문(사)	—
바이올렛 아게하	30000	15000	제10장 상점	—
오오루리 아게하	30000	15000	보물상자: 제트 셋 산길 · 정상(사)	—
모모이로 아게하	30000	15000	보물상자: 제트 셋 산길 · 정상(사)	—
루리오비 아게하	30000	15000	보물상자: 제트 셋 산길 · 정상(사)	—
바이스 베레	10000	5000	제10장 상점	—
슈발츠 베레	10000	5000	보물상자: 밴디 크래시(사)	—
브라우 베레	10000	5000	보물상자: 밴디 크래시(사)	—
로제 베레	10000	5000	보물상자: 밴디 크래시(사)	—
쿨 스타일	50000	25000	제10장 상점	—
모노크롬 스타일	50000	25000	보물상자: 제트 셋 산길 · 정상(사)	—
큐트 스타일	50000	25000	보물상자: 제트 셋 산길 · 정상(사)	—
팬시 스타일	50000	25000	보물상자: 제트 셋 산길 · 정상(사)	—
블랙 카츄사	50000	25000	제10장 상점	—

● 유니

아이템	구입	매각	입수 방법	상승 능력치
토넬 베레	10000	5000	제10장 상점	—
스타 슈슈	10000	5000	제10장 상점	—
흰색 고양이 귀	500000	250000	제10장 상점	—
검은 고양이 귀	500000	250000	보물상자: 풍래 동굴(사)	—
리틀 걸 리본	20000	10000	숨겨진: 언더 인버즈	STR+15, INT+15

● 롬

아이템	구입	매각	입수 방법	상승 능력치
아이스 머핀	0	0	초기 장비	—
바이올렛 머핀	100000	50000	제10장 상점	—
블랙 머핀	150000	75000	제10장 상점	—
라임 머핀	250000	125000	제10장 상점	—
아이스 리본	250000	125000	보물상자: 쿠자라트 공장 · 제2구획(사)	—
바이올렛 리본	250000	125000	보물상자: 쿠자라트 공장 · 제2구획(사)	—
블랙 리본	250000	125000	보물상자: 쿠자라트 공장 · 제2구획(사)	—
라임 리본	250000	125000	보물상자: 쿠자라트 공장 · 제2구획(사)	—
눈 토끼	250000	125000	제10장 상점	—
제비꽃 토끼	250000	125000	보물상자: 밴디 크래시(사)	—
검은 토끼	250000	125000	보물상자: 밴디 크래시(사)	—
하얀 토끼	250000	125000	보물상자: 밴디 크래시(사)	—
아쿠아 글래스	1000	500	제10장 상점	—
블랙 글래스	1000	500	보물상자: 채굴장(사)	—
블루 글래스	1000	500	보물상자: 채굴장(사)	—
캐롯 글래스	10000	5000	보물상자: 채굴장(사)	—
사이버 리본	10000	5000	제10장 상점	—
버추얼 리본	10000	5000	보물상자: 제트 셋 산길 · 정상(사)	—
퓨처 리본	10000	5000	보물상자: 제트 셋 산길 · 정상(사)	—
테크노 리본	10000	5000	보물상자: 제트 셋 산길 · 정상(사)	—
프티 크라운	200000	100000	제10장 상점	—
미니 크라운	200000	100000	보물상자: 풍래 동굴 · 심부(사)	—
심플 크라운	200000	100000	보물상자: 풍래 동굴 · 심부(사)	—
고져스 크라운	200000	100000	보물상자: 풍래 동굴 · 심부(사)	—
스위츠 햇	10000	5000	제10장 상점	—
드레스 햇	10000	5000	보물상자: 밴디 크래시(사)	—
화이트 햇	10000	5000	보물상자: 밴디 크래시(사)	—
빈티지 햇	10000	5000	보물상자: 밴디 크래시(사)	—
여우의 귀	500000	250000	제10장 상점	—
검은 여우의 귀	500000	250000	보물상자: 루드암즈 지하도 · 북문(사)	—
하얀 여우의 귀	500000	250000	보물상자: 루드암즈 지하도 · 북문(사)	—
북방 여우의 귀	500000	250000	보물상자: 루드암즈 지하도 · 북문(사)	—
바이올렛 버터플라이	30000	15000	제10장 상점	—
아쿠아 버터플라이	30000	15000	보물상자: 제트 셋 산길 · 정상(사)	—
레드 버터플라이	30000	15000	보물상자: 제트 셋 산길 · 정상(사)	—
그린 버터플라이	30000	15000	보물상자: 제트 셋 산길 · 정상(사)	—
퓨어 베레	10000	5000	제10장 상점	—
그라파이트 베레	10000	5000	보물상자: 밴디 크래시(사)	—
타코이즈 베레	10000	5000	보물상자: 밴디 크래시(사)	—
캔디 베레	10000	5000	보물상자: 밴디 크래시(사)	—
로리타 헤드 드레스	50000	25000	제10장 상점	—
모노크롬 헤드 드레스	50000	25000	보물상자: 제트 셋 산길 · 정상(사)	—
핑크 헤드 드레스	50000	25000	보물상자: 제트 셋 산길 · 정상(사)	—
아쿠아 헤드 드레스	50000	25000	보물상자: 제트 셋 산길 · 정상(사)	—
고딕 카츄샤	50000	25000	제10장 상점	—
서니 햇	10000	5000	제10장 상점	—
스위트 스트로	10000	5000	제10장 상점	—
흰색 고양이 귀	500000	250000	제10장 상점	—

● 롬

아이템	구입	매각	입수 방법	상승 능력치
검은 고양이 귀	500000	250000	보물상자: 풍래 동굴(사)	—
두근거림 리본	20000	10000	숨겨진: 언더 인버즈 · 심부	AGI+15, TEC+15

● 람

아이템	구입	매각	입수 방법	상승 능력치
캔디 머핀	0	0	초기 장비	—
바이올렛 머핀	100000	50000	제10장 상점	—
블랙 머핀	150000	75000	제10장 상점	—
라임 머핀	250000	125000	제10장 상점	—
캔디 머핀	250000	125000	보물상자: 쿠자라트 공장 · 제2구획(사)	—
바이올렛 리본	250000	125000	보물상자: 쿠자라트 공장 · 제2구획(사)	—
블랙 리본	250000	125000	보물상자: 쿠자라트 공장 · 제2구획(사)	—
라임 리본	250000	125000	보물상자: 쿠자라트 공장 · 제2구획(사)	—
벚꽃 토끼	250000	125000	제10장 상점	—
붓꽃 토끼	250000	125000	보물상자: 밴디 크래시(사)	—
검은 토끼	250000	125000	보물상자: 밴디 크래시(사)	—
하얀 토끼	250000	125000	보물상자: 밴디 크래시(사)	—
핑크 글래스	1000	500	제10장 상점	—
블랙 글래스	1000	500	보물상자: 채굴장(사)	—
레드 글래스	1000	500	보물상자: 채굴장(사)	—
캐롯 글래스	10000	5000	보물상자: 채굴장(사)	—
클리어 퍼플 리본	10000	5000	제10장 상점	—
클리어 블루 리본	10000	5000	보물상자: 제트 셋 산길 · 정상(사)	—
클리어 핑크 리본	10000	5000	보물상자: 제트 셋 산길 · 정상(사)	—
클리어 라임 리본	10000	5000	보물상자: 제트 셋 산길 · 정상(사)	—
조금만 크라운	200000	100000	제10장 상점	—
약간만 크라운	200000	100000	보물상자: 풍래 동굴 · 심부(사)	—
미니멈 크라운	200000	100000	보물상자: 풍래 동굴 · 심부(사)	—
미니미니 크라운	200000	100000	보물상자: 풍래 동굴 · 심부(사)	—
퍼플 리본 햇	10000	5000	제10장 상점	—
블루 리본 햇	10000	5000	보물상자: 밴디 크래시(사)	—
아쿠아 리본 햇	10000	5000	보물상자: 밴디 크래시(사)	—
그린 리본 햇	10000	5000	보물상자: 밴디 크래시(사)	—
여우 카츄샤	500000	250000	제10장 상점	—
검은 여우 카츄샤	500000	250000	보물상자: 루드암즈 지하도 · 북문(사)	—
하얀 여우 카츄샤	500000	250000	보물상자: 루드암즈 지하도 · 북문(사)	—
북방 여우 카츄샤	500000	250000	보물상자: 루드암즈 지하도 · 북문(사)	—
퍼플 버터플라이	30000	15000	제10장 상점	—
블루 버터플라이	30000	15000	보물상자: 제트 셋 산길 · 정상(사)	—
핑크 버터플라이	30000	15000	보물상자: 제트 셋 산길 · 정상(사)	—
라임 버터플라이	30000	15000	보물상자: 제트 셋 산길 · 정상(사)	—
크리스탈 베레	10000	5000	제10장 상점	—
제트 블랙 베레	10000	5000	보물상자: 밴디 크래시(사)	—
아이스 블루 베레	10000	5000	보물상자: 밴디 크래시(사)	—
노얼 핑크 베레	10000	5000	보물상자: 밴디 크래시(사)	—
팬시 헤드 드레스	50000	25000	제10장 상점	—
심플 헤드 드레스	50000	25000	보물상자: 제트 셋 산길 · 정상(사)	—
메르헨 헤드 드레스	50000	25000	보물상자: 제트 셋 산길 · 정상(사)	—
스카이 헤드 드레스	50000	25000	보물상자: 제트 셋 산길 · 정상(사)	—
고딕 카츄샤	50000	25000	제10장 상점	—
문 햇	10000	5000	제10장 상점	—
비타민 스트로	10000	5000	제10장 상점	—
흰색 고양이 귀	500000	250000	제10장 상점	—
검은 고양이 귀	500000	250000	보물상자: 풍래 동굴(사)	—
두근거림 리본	20000	10000	숨겨진: 언더 인버즈 · 심부	VIT+15, LUK+15

+ 아이템 / 프로세서

● 넵튠

아이템	구입	매각	입수 방법	STR	VIT	INT	MEN	AGI	TEC	LUK	MOV	화염	얼음	바람	번개	참격	타격	관통	실탄	BM	대미지
〈BLANK〉C	1000	20	제2장 상점	0	0	0	0	0	0	0	0	0	0	0	0	0	0	0	0	0	0
〈BLANK〉H	1000	20	제2장 상점	0	0	0	0	0	0	0	0	0	0	0	0	0	0	0	0	0	0
〈BLANK〉S	1000	20	제2장 상점	0	0	0	0	0	0	0	0	0	0	0	0	0	0	0	0	0	0
〈BLANK〉W	1000	20	제2장 상점	0	0	0	0	0	0	0	0	0	0	0	0	0	0	0	0	0	0
〈BLANK〉B	1000	20	제2장 상점	0	0	0	0	0	0	0	0	0	0	0	0	0	0	0	0	0	0
〈BLANK〉L	1000	20	제2장 상점	0	0	0	0	0	0	0	0	0	0	0	0	0	0	0	0	0	0
로스트 퍼플 C	0	0	초기 장비	25	25	20	20	20	25	45	0	0	0	0	0	0	0	0	0	0	0
로스트 퍼플 H	0	0	초기 장비	0	0	25	0	0	25	0	0	0	0	0	0	0	0	0	0	0	0
로스트 퍼플 S	0	0	초기 장비	30	0	0	0	0	0	0	0	0	0	0	0	0	0	0	0	0	5
로스트 퍼플 W	0	0	초기 장비	0	30	0	0	0	0	0	0	0	0	0	0	0	0	0	0	0	5
로스트 퍼플 B	0	0	초기 장비	0	0	0	30	0	0	0	0	0	0	0	0	0	0	0	0	0	5
로스트 퍼플 L	0	0	초기 장비	0	0	0	0	30	0	0	0	0	0	0	0	0	0	0	0	0	5
바이올렛 C	0	0	제7장	35	45	35	45	35	45	40	0	0	0	0	0	5	0	0	0	5	10
바이올렛 H	0	0	제7장	−10	−10	45	0	0	45	0	0	0	0	0	0	0	5	0	0	0	0
바이올렛 S	0	0	제7장	50	0	0	0	−10	25	0	0	0	0	0	0	0	0	5	0	0	0
바이올렛 W	0	0	제7장	0	50	0	25	0	0	−10	0	0	0	0	0	0	0	0	5	0	5

●넵튠

아이템	구입	매각	입수 방법	STR	VIT	INT	MEN	AGI	TEC	LUK	MOV	화염	얼음	바람	번개	참격	타격	관통	실탄	BM	대미지
바이올렛 B	0	0	제7장	0	0	25	50	0	-10	0	0	0	0	0	0	0	0	0	0	5	0
바이올렛 L	0	0	제7장	25	0	-10	0	50	0	0	2	0	0	0	0	0	0	0	5	0	5
넵튠 C	0	0	제10장	40	40	40	40	40	40	50	0	0	0	0	0	5	5	0	0	0	5
넵튠 H	0	0	제10장	0	0	60	-15	-15	60	20	0	0	0	0	0	0	0	0	0	5	0
넵튠 S	0	0	제10장	85	35	-15	0	0	0	0	0	0	0	0	0	0	0	0	5	0	0
넵튠 W	0	0	제10장	-15	85	35	0	0	0	0	0	0	0	0	0	0	0	5	0	0	0
넵튠 B	0	0	제10장	35	0	0	85	0	-15	0	0	0	0	0	0	5	0	0	0	0	0
넵튠 L	0	0	제10장	0	0	0	0	85	35	-15	1	0	0	0	0	0	5	0	0	0	0
퍼플 H	1000000	100000	콜로세움: 가지가지 패닉(사)	-15	-15	100	0	0	100	0	0	0	0	0	0	0	0	0	0	0	0
퍼플 S	1000000	100000	콜로세움: 가지가지 패닉(사)	125	50	0	-15	-15	0	25	0	0	0	0	0	0	0	0	0	0	0
퍼플 W	1000000	100000	콜로세움: 가지가지 패닉(사)	0	125	0	-15	50	-15	25	0	0	0	0	0	0	0	0	0	0	0
퍼플 B	1000000	100000	콜로세움: 가지가지 패닉(사)	0	-15	0	125	-15	50	25	0	0	0	0	0	0	0	0	0	0	0
퍼플 L	1000000	100000	콜로세움: 가지가지 패닉(사)	50	0	-15	0	125	-15	25	0	0	0	0	0	0	0	0	0	0	0

●프루루트

아이템	구입	매각	입수 방법	STR	VIT	INT	MEN	AGI	TEC	LUK	MOV	화염	얼음	바람	번개	참격	타격	관통	실탄	BM	대미지
〈BLANK〉 C	1000	20	제2장 상점	0	0	0	0	0	0	0	0	0	0	0	0	0	0	0	0	0	0
〈BLANK〉 H	1000	20	제2장 상점	0	0	0	0	0	0	0	0	0	0	0	0	0	0	0	0	0	0
〈BLANK〉 S	1000	20	제2장 상점	0	0	0	0	0	0	0	0	0	0	0	0	0	0	0	0	0	0
〈BLANK〉 W	1000	20	제2장 상점	0	0	0	0	0	0	0	0	0	0	0	0	0	0	0	0	0	0
〈BLANK〉 B	1000	20	제2장 상점	0	0	0	0	0	0	0	0	0	0	0	0	0	0	0	0	0	0
〈BLANK〉 L	1000	20	제2장 상점	0	0	0	0	0	0	0	0	0	0	0	0	0	0	0	0	0	0
오메가 드라이브 C	0	0	초기 장비	20	20	35	25	20	35	50	0	0	0	0	0	0	0	0	0	0	5
오메가 드라이브 H	0	0	초기 장비	0	0	20	0	0	20	0	0	0	0	0	0	0	0	0	0	0	0
오메가 드라이브 S	0	0	초기 장비	25	0	0	0	0	0	0	0	0	0	0	0	0	0	0	0	0	5
오메가 드라이브 W	0	0	초기 장비	0	25	0	0	0	0	0	0	0	0	0	0	0	0	0	0	0	5
오메가 드라이브 B	0	0	초기 장비	0	0	0	30	0	0	0	0	0	0	0	0	0	0	0	0	0	0
오메가 드라이브 L	0	0	초기 장비	0	0	0	0	25	0	0	0	0	0	0	0	0	0	0	0	0	5
S3-2X C	0	0	제3장	35	35	50	50	40	35	40	0	0	0	0	0	0	0	0	0	0	10
S3-2X H	0	0	제3장	0	0	30	0	0	30	0	0	0	0	0	0	0	0	0	0	0	0
S3-2X S	0	0	제3장	45	0	0	0	-10	0	40	0	0	0	0	0	0	0	0	0	0	0
S3-2X W	0	0	제3장	-10	45	20	0	0	0	20	0	0	0	0	0	0	0	0	0	0	0
S3-2X B	0	0	제3장	0	-10	0	50	0	25	0	0	0	0	0	0	0	0	0	0	0	5
S3-2X L	0	0	제3장	0	0	0	0	60	0	-10	2	0	0	0	0	0	0	0	0	0	0
STV-00 C	0	0	제4장	35	35	50	50	40	40	60	0	0	0	0	0	0	0	0	0	0	5
STV-00 H	0	0	제4장	0	0	60	0	30	45	-15	0	0	0	0	0	0	0	0	0	0	0
STV-00 S	0	0	제4장	80	0	30	0	-15	0	0	0	0	0	0	0	0	0	0	0	0	0
STV-00 W	0	0	제4장	30	80	0	-15	0	0	0	0	0	0	0	0	0	0	0	0	0	0
STV-00 B	0	0	제4장	-15	30	0	85	0	0	0	0	0	0	0	0	0	0	0	0	0	0
STV-00 L	0	0	제4장	0	-15	0	0	85	30	0	1	0	0	0	0	0	0	0	0	0	0
화이트 캐스트 C	0	0	제5장	30	30	60	60	35	40	50	0	0	0	0	0	0	0	0	0	0	5
화이트 캐스트 H	0	0	제5장	0	-15	75	0	0	60	10	0	0	0	0	0	0	0	0	0	0	0
화이트 캐스트 S	0	0	제5장	90	0	0	30	30	0	-15	0	0	0	0	0	0	0	0	0	0	0
화이트 캐스트 W	0	0	제5장	0	90	30	-15	0	0	30	0	0	0	0	0	0	0	0	0	0	0
화이트 캐스트 B	0	0	제5장	30	30	-15	90	0	0	10	0	0	0	0	0	0	0	0	0	0	0
화이트 캐스트 L	0	0	제5장	-15	0	0	0	90	40	10	2	0	0	0	0	0	0	0	0	0	0
프루루트 C	1000000	100000	콜로세움: 가지가지 패닉(사)	50	50	50	50	50	50	50	0	0	0	0	0	0	0	5	5	0	0
프루루트 H	1000000	100000	콜로세움: 가지가지 패닉(사)	0	-15	100	0	-15	60	25	0	0	0	0	0	0	5	0	0	0	0
프루루트 S	1000000	100000	콜로세움: 가지가지 패닉(사)	25	0	0	0	50	100	-15	0	0	0	0	0	0	0	5	0	0	0
프루루트 W	1000000	100000	콜로세움: 가지가지 패닉(사)	-15	25	50	0	-15	0	100	0	0	0	0	0	0	0	0	0	5	0
프루루트 B	1000000	100000	콜로세움: 가지가지 패닉(사)	-15	25	0	125	0	0	-15	0	0	0	0	0	0	0	0	5	0	0
프루루트 L	1000000	100000	콜로세움: 가지가지 패닉(사)	25	0	-15	0	125	-15	0	0	0	0	0	0	5	0	0	0	0	0
메가폴리스 H	1000000	100000	콜로세움: 초S 푸루룽	40	40	40	40	0	0	0	0	0	0	0	0	0	0	0	0	5	10

●느와르

아이템	구입	매각	입수 방법	STR	VIT	INT	MEN	AGI	TEC	LUK	MOV	화염	얼음	바람	번개	참격	타격	관통	실탄	BM	대미지
〈BLANK〉 C	1000	20	제2장 상점	0	0	0	0	0	0	0	0	0	0	0	0	0	0	0	0	0	0
〈BLANK〉 H	1000	20	제2장 상점	0	0	0	0	0	0	0	0	0	0	0	0	0	0	0	0	0	0
〈BLANK〉 S	1000	20	제2장 상점	0	0	0	0	0	0	0	0	0	0	0	0	0	0	0	0	0	0
〈BLANK〉 W	1000	20	제2장 상점	0	0	0	0	0	0	0	0	0	0	0	0	0	0	0	0	0	0
〈BLANK〉 B	1000	20	제2장 상점	0	0	0	0	0	0	0	0	0	0	0	0	0	0	0	0	0	0
〈BLANK〉 L	1000	20	제2장 상점	0	0	0	0	0	0	0	0	0	0	0	0	0	0	0	0	0	0
스톤 그레이 C	0	0	초기 장비	35	35	25	25	40	45	25	0	0	0	0	0	0	0	5	5	10	10
스톤 그레이 H	0	0	초기 장비	0	0	0	0	0	0	20	0	0	0	0	0	10	0	0	0	0	0
스톤 그레이 S	0	0	초기 장비	0	25	0	0	0	0	0	0	0	0	0	0	0	0	0	10	0	5
스톤 그레이 W	0	0	초기 장비	25	0	0	0	0	0	0	0	0	0	0	0	0	0	10	0	0	5
스톤 그레이 B	0	0	초기 장비	0	0	0	0	0	25	0	0	0	0	0	0	0	10	0	0	0	0
스톤 그레이 L	0	0	초기 장비	0	0	0	0	25	0	0	0	0	0	0	0	0	0	0	0	10	0
나이트 블루 C	0	0	제5장	25	25	45	45	40	40	25	0	0	0	0	0	10	10	0	0	0	0
나이트 블루 H	0	0	제5장	0	0	50	0	-10	15	0	0	0	0	0	0	0	5	0	0	0	5
나이트 블루 S	0	0	제5장	40	0	0	0	0	-10	15	0	0	0	0	0	5	0	0	0	0	0
나이트 블루 W	0	0	제5장	0	40	0	0	0	15	-10	0	0	0	0	0	0	0	0	0	5	0
나이트 블루 B	0	0	제5장	0	-10	0	50	0	0	10	0	0	0	0	0	0	0	5	0	0	5
나이트 블루 L	0	0	제5장	-10	0	0	0	40	20	0	0	0	0	0	0	0	0	0	5	0	10
DX 실버 C	0	0	제6장	30	30	30	30	50	60	20	0	0	0	0	0	5	0	0	0	5	5
DX 실버 H	0	0	제6장	0	-10	0	25	0	0	50	0	0	0	0	0	0	0	5	0	0	0
DX 실버 S	0	0	제6장	35	20	-10	0	0	20	15	0	0	0	0	0	0	0	0	0	5	5
DX 실버 W	0	0	제6장	20	35	0	-10	20	0	15	0	0	0	0	0	0	0	0	5	0	5
DX 실버 B	0	0	제6장	0	0	25	0	50	0	-10	0	0	0	0	0	5	0	0	0	0	0
DX 실버 L	0	0	제6장	-10	0	0	0	20	60	0	2	0	0	0	0	0	5	0	0	0	5

●느와르

아이템	구입	매각	입수 방법	STR	VIT	INT	MEN	AGI	TEC	LUK	MOV	화염	얼음	바람	번개	참격	타격	관통	실탄	BM	대미지
피아노 블랙 S C	0	0	제7장	30	30	45	45	40	45	25	0	0	0	0	0	5	0	5	0	0	5
피아노 블랙 S H	0	0	제7장	-15	0	85	30	0	15	0	0	0	0	0	0	0	5	0	0	0	0
피아노 블랙 S S	0	0	제7장	0	-15	0	0	20	75	30	0	0	0	0	0	0	0	0	5	0	0
피아노 블랙 S W	0	0	제7장	30	75	0	0	20	0	-15	0	0	0	0	0	0	0	0	0	5	0
피아노 블랙 S B	0	0	제7장	0	0	30	85	-15	0	15	0	0	0	0	0	0	0	5	0	0	0
피아노 블랙 S L	0	0	제7장	75	20	0	0	30	-15	0	1	0	0	0	0	5	0	0	0	0	0
오비탈 S C	0	0	제10장	40	40	40	40	40	40	30	0	0	0	0	0	0	0	0	0	0	5
오비탈 S H	0	0	제10장	0	0	60	0	35	60	-15	0	0	0	0	0	0	0	0	0	0	0
오비탈 S S	0	0	제10장	90	0	-15	35	0	0	35	0	0	0	0	0	0	0	0	0	0	0
오비탈 S W	0	0	제10장	-15	90	0	0	0	40	25	0	0	0	0	0	0	0	0	0	0	0
오비탈 S B	0	0	제10장	0	-15	40	90	0	0	25	0	0	0	0	0	0	0	0	0	0	0
오비탈 S L	0	0	제10장	0	40	0	-15	90	0	30	2	0	0	0	0	0	0	0	0	0	0
블랙 H	1000000	100000	콜로세움: 용감한 정의(사)	-15	-15	110	40	0	40	0	0	0	0	0	0	0	0	0	0	0	0
블랙 S	1000000	100000	콜로세움: 용감한 정의(사)	110	-15	0	-15	0	40	40	0	0	0	0	0	0	0	0	0	0	0
블랙 W	1000000	100000	콜로세움: 용감한 정의(사)	-15	110	40	-15	0	0	30	0	0	0	0	0	0	0	0	0	0	0
블랙 B	1000000	100000	콜로세움: 용감한 정의(사)	0	0	-15	0	40	125	30	0	0	0	0	0	0	0	0	0	0	0
블랙 L	1000000	100000	콜로세움: 용감한 정의(사)	30	30	-15	70	100	0	-15	0	0	0	0	0	0	0	0	0	0	0

●블랑

아이템	구입	매각	입수 방법	STR	VIT	INT	MEN	AGI	TEC	LUK	MOV	화염	얼음	바람	번개	참격	타격	관통	실탄	BM	대미지
〈BLANK〉 C	1000	20	제4장 상점	0	0	0	0	0	0	0	0	0	0	0	0	0	0	0	0	0	0
〈BLANK〉 H	1000	20	제4장 상점	0	0	0	0	0	0	0	0	0	0	0	0	0	0	0	0	0	0
〈BLANK〉 S	1000	20	제4장 상점	0	0	0	0	0	0	0	0	0	0	0	0	0	0	0	0	0	0
〈BLANK〉 W	1000	20	제4장 상점	0	0	0	0	0	0	0	0	0	0	0	0	0	0	0	0	0	0
〈BLANK〉 B	1000	20	제4장 상점	0	0	0	0	0	0	0	0	0	0	0	0	0	0	0	0	0	0
〈BLANK〉 L	1000	20	제4장 상점	0	0	0	0	0	0	0	0	0	0	0	0	0	0	0	0	0	0
베이스 화이트 C	0	0	초기 장비	30	45	25	40	25	30	35	0	0	0	0	0	10	10	0	5	0	10
베이스 화이트 H	0	0	초기 장비	0	25	0	0	0	0	0	0	0	0	0	0	0	0	5	0	5	0
베이스 화이트 S	0	0	초기 장비	20	0	0	0	0	0	5	0	0	0	0	0	0	0	0	0	10	5
베이스 화이트 W	0	0	초기 장비	0	0	0	0	0	20	5	0	0	0	0	0	0	0	10	0	0	5
베이스 화이트 B	0	0	초기 장비	0	0	0	25	0	0	0	0	0	0	0	0	5	5	0	0	0	5
베이스 화이트 L	0	0	초기 장비	0	0	0	0	20	0	0	0	0	0	0	0	0	0	0	10	0	0
슈퍼 BW C	0	0	제4장	45	35	25	30	30	30	35	0	0	0	0	0	0	0	10	10	0	0
슈퍼 BW H	0	0	제4장	0	0	15	0	0	30	15	0	0	0	0	0	10	0	0	0	0	5
슈퍼 BW S	0	0	제4장	30	15	0	0	0	15	-10	0	0	0	0	0	0	0	0	0	10	0
슈퍼 BW W	0	0	제4장	15	0	30	0	-10	0	15	0	0	0	0	0	0	5	0	0	5	0
슈퍼 BW B	0	0	제4장	0	15	0	-10	30	0	15	0	0	0	0	0	5	0	0	5	0	0
슈퍼 BW L	0	0	제4장	15	30	-10	0	15	0	0	0	0	0	0	0	0	10	0	0	0	5
NTD-64 C	0	0	제4장	30	30	25	25	45	50	30	0	0	0	0	0	0	0	5	5	0	5
NTD-64 H	0	0	제4장	0	-10	0	0	20	50	15	0	0	0	0	0	0	5	0	0	0	0
NTD-64 S	0	0	제4장	25	25	0	15	0	20	-10	0	0	0	0	0	5	0	0	0	0	5
NTD-64 W	0	0	제4장	15	0	-10	50	20	0	0	0	0	0	0	0	0	0	0	5	0	0
NTD-64 B	0	0	제4장	0	15	50	-10	0	0	20	0	0	0	0	0	0	0	5	0	0	0
NTD-64 L	0	0	제4장	-10	0	15	0	50	20	0	3	0	0	0	0	0	0	0	0	5	5
G·큐브 C	0	0	제5장	30	50	25	50	25	30	35	0	0	0	0	0	0	0	0	0	10	5
G·큐브 H	0	0	제5장	0	-15	70	0	30	30	0	0	0	0	0	0	0	5	0	0	0	0
G·큐브 S	0	0	제5장	70	0	-15	30	0	0	30	0	0	0	0	0	5	0	0	0	0	0
G·큐브 W	0	0	제5장	-15	30	0	85	0	0	15	0	0	0	0	0	0	0	5	0	0	0
G·큐브 B	0	0	제5장	0	85	0	-15	15	0	30	0	0	0	0	0	0	0	0	0	5	0
G·큐브 L	0	0	제5장	30	0	30	0	0	70	-15	0	0	0	0	0	0	0	0	5	0	0
W11 C	0	0	제7장	40	40	40	40	40	40	25	0	0	0	0	0	0	0	0	0	0	5
W11 H	0	0	제7장	0	0	50	-15	90	0	30	0	0	0	0	0	0	0	0	0	0	0
W11 S	0	0	제7장	-15	90	0	35	0	30	0	0	0	0	0	0	0	0	0	0	0	0
W11 W	0	0	제7장	80	0	50	0	25	0	-15	0	0	0	0	0	0	0	0	0	0	0
W11 B	0	0	제7장	30	30	-15	0	0	90	0	0	0	0	0	0	0	0	0	0	0	0
W11 L	0	0	제7장	0	-15	0	90	0	35	35	2	0	0	0	0	0	0	0	0	0	0
화이트 H	1000000	100000	콜로세움: 경찰 아저씨, 여기예요!(사)	-15	0	75	0	50	75	-15	0	0	0	0	0	0	0	0	0	0	0
화이트 S	1000000	100000	콜로세움: 경찰 아저씨, 여기예요!(사)	110	60	-15	0	0	-15	30	0	0	0	0	0	0	0	0	0	0	0
화이트 W	1000000	100000	콜로세움: 경찰 아저씨, 여기예요!(사)	60	110	-15	0	-15	0	30	0	0	0	0	0	0	0	0	0	0	0
화이트 B	1000000	100000	콜로세움: 경찰 아저씨, 여기예요!(사)	0	0	60	110	-15	-15	30	0	0	0	0	0	0	0	0	0	0	0
화이트 L	1000000	100000	콜로세움: 경찰 아저씨, 여기예요!(사)	-15	0	30	0	110	60	-15	0	0	0	0	0	0	0	0	0	0	0

●벨

아이템	구입	매각	입수 방법	STR	VIT	INT	MEN	AGI	TEC	LUK	MOV	화염	얼음	바람	번개	참격	타격	관통	실탄	BM	대미지
〈BLANK〉 C	1000	20	제5장 상점	0	0	0	0	0	0	0	0	0	0	0	0	0	0	0	0	0	0
〈BLANK〉 H	1000	20	제5장 상점	0	0	0	0	0	0	0	0	0	0	0	0	0	0	0	0	0	0
〈BLANK〉 S	1000	20	제5장 상점	0	0	0	0	0	0	0	0	0	0	0	0	0	0	0	0	0	0
〈BLANK〉 W	1000	20	제5장 상점	0	0	0	0	0	0	0	0	0	0	0	0	0	0	0	0	0	0
〈BLANK〉 B	1000	20	제5장 상점	0	0	0	0	0	0	0	0	0	0	0	0	0	0	0	0	0	0
〈BLANK〉 L	1000	20	제5장 상점	0	0	0	0	0	0	0	0	0	0	0	0	0	0	0	0	0	0
빌드 엑스 C	0	0	초기 장비	30	30	35	35	30	30	35	0	0	0	0	0	5	5	5	5	5	0
빌드 엑스 H	0	0	초기 장비	0	0	25	0	0	0	0	0	0	0	0	0	5	0	0	0	5	0
빌드 엑스 S	0	0	초기 장비	25	0	0	0	0	0	0	0	0	0	0	0	5	5	0	0	0	5
빌드 엑스 W	0	0	초기 장비	0	0	0	25	0	0	0	0	0	0	0	0	0	5	5	0	0	5
빌드 엑스 B	0	0	초기 장비	0	0	0	0	0	25	0	0	0	0	0	0	0	0	0	5	5	5
빌드 엑스 L	0	0	초기 장비	0	0	0	0	25	0	0	0	0	0	0	0	0	0	5	5	0	5
라운드 엑스 C	0	0	제7장	30	25	30	30	45	45	25	0	0	0	0	0	5	0	5	0	0	5
라운드 엑스 H	0	0	제7장	30	0	0	0	0	50	-10	0	0	0	0	0	0	5	0	0	0	0
라운드 엑스 S	0	0	제7장	-10	0	30	0	50	0	10	0	0	0	0	0	0	0	5	0	0	5
라운드 엑스 W	0	0	제7장	0	-10	0	50	0	30	10	0	0	0	0	0	0	0	0	5	0	0

●벨

아이템	구입	매각	입수 방법	STR	VIT	INT	MEN	AGI	TEC	LUK	MOV	화염	얼음	바람	번개	참격	타격	관통	실탄	BM	대미지
라운드 엑스 B	0	0	제7장	0	0	50	-10	30	0	10	0	0	0	0	0	0	0	0	0	5	5
라운드 엑스 L	0	0	제7장	20	50	-10	0	0	0	10	2	0	0	0	0	5	0	0	0	0	0
라운드 넥스트 C	0	0	제8장	35	35	35	35	35	35	30	0	0	0	0	0	0	5	0	0	5	5
라운드 넥스트 H	0	0	제8장	-15	0	50	0	0	50	25	0	0	0	0	0	0	5	0	0	0	0
라운드 넥스트 S	0	0	제8장	35	70	0	-15	0	0	25	0	0	0	0	0	5	0	0	0	0	0
라운드 넥스트 W	0	0	제8장	0	0	35	70	0	-15	25	0	0	0	0	0	0	0	0	0	5	0
라운드 넥스트 B	0	0	제8장	70	0	0	30	35	0	-15	0	0	0	0	0	0	0	5	0	0	0
라운드 넥스트 L	0	0	제8장	0	-15	0	0	40	70	25	0	0	0	0	0	0	0	0	5	0	0
더블 라운드 C	0	0	제10장	35	40	35	40	45	45	40	0	0	0	0	0	0	0	0	0	0	10
더블 라운드 H	0	0	제10장	40	25	0	0	-15	90	0	0	0	0	0	0	0	0	0	0	0	0
더블 라운드 S	0	0	제10장	0	40	0	90	25	0	-15	0	0	0	0	0	0	0	0	0	0	0
더블 라운드 W	0	0	제10장	25	0	-15	0	40	0	90	0	0	0	0	0	0	0	0	0	0	0
더블 라운드 B	0	0	제10장	0	40	90	-15	0	25	0	0	0	0	0	0	0	0	0	0	0	0
더블 라운드 L	0	0	제10장	40	-15	0	0	90	0	25	1	0	0	0	0	0	0	0	0	0	0
그린 H	1000000	100000	콜로세움: 포악한 묘지기	-15	0	110	0	-15	60	10	0	0	0	0	0	0	0	0	0	0	0
그린 S	1000000	100000	콜로세움: 포악한 묘지기	60	-15	0	-15	0	100	20	0	0	0	0	0	0	0	0	0	0	0
그린 W	1000000	100000	콜로세움: 포악한 묘지기	0	60	-15	110	-15	0	10	0	0	0	0	0	0	0	0	0	0	0
그린 B	1000000	100000	콜로세움: 포악한 묘지기	-15	0	40	40	100	0	-15	0	0	0	0	0	0	0	0	0	0	0
그린 L	1000000	100000	콜로세움: 포악한 묘지기	90	90	-15	0	0	0	-15	0	0	0	0	0	0	0	0	0	0	0

●네프기어

아이템	구입	매각	입수 방법	STR	VIT	INT	MEN	AGI	TEC	LUK	MOV	화염	얼음	바람	번개	참격	타격	관통	실탄	BM	대미지
〈BLANK〉 C	1000	20	제5장 상점	0	0	0	0	0	0	0	0	0	0	0	0	0	0	0	0	0	0
〈BLANK〉 H	1000	20	제5장 상점	0	0	0	0	0	0	0	0	0	0	0	0	0	0	0	0	0	0
〈BLANK〉 S	1000	20	제5장 상점	0	0	0	0	0	0	0	0	0	0	0	0	0	0	0	0	0	0
〈BLANK〉 W	1000	20	제5장 상점	0	0	0	0	0	0	0	0	0	0	0	0	0	0	0	0	0	0
〈BLANK〉 B	1000	20	제5장 상점	0	0	0	0	0	0	0	0	0	0	0	0	0	0	0	0	0	0
〈BLANK〉 L	1000	20	제5장 상점	0	0	0	0	0	0	0	0	0	0	0	0	0	0	0	0	0	0
라일락 C	0	0	초기 장비	30	30	30	30	30	30	30	0	0	0	0	0	0	0	0	0	0	0
라일락 H	0	0	초기 장비	0	0	20	0	0	20	0	0	0	0	0	0	0	0	0	0	0	0
라일락 S	0	0	초기 장비	25	0	0	0	0	0	0	0	0	0	0	0	0	0	0	0	0	5
라일락 W	0	0	초기 장비	0	25	0	0	0	0	0	0	0	0	0	0	0	0	0	0	0	5
라일락 B	0	0	초기 장비	0	0	0	25	0	0	0	0	0	0	0	0	0	0	0	0	0	0
라일락 L	0	0	초기 장비	0	0	0	0	25	0	0	0	0	0	0	0	0	0	0	0	0	5
라일락 Mk2 C	0	0	초기 장비	30	35	30	35	35	40	40	0	0	0	0	0	0	0	0	0	0	5
라일락 Mk2 H	0	0	초기 장비	0	-15	30	0	35	70	0	0	0	0	0	0	0	0	0	0	0	0
라일락 Mk2 S	0	0	초기 장비	30	0	0	70	0	35	-15	0	0	0	0	0	0	0	0	0	0	0
라일락 Mk2 W	0	0	초기 장비	30	0	70	0	-15	0	35	0	0	0	0	0	0	0	0	0	0	0
라일락 Mk2 B	0	0	초기 장비	0	70	35	0	0	-15	30	0	0	0	0	0	0	0	0	0	0	0
라일락 Mk2 L	0	0	초기 장비	0	0	-15	35	70	0	30	2	0	0	0	0	0	0	0	0	0	0
라일락 Mk3 C	0	0	제10장	60	60	40	40	50	50	50	0	0	0	0	0	0	0	0	0	0	10
라일락 Mk3 H	0	0	제10장	0	-15	75	30	0	75	-15	0	0	0	0	0	0	0	0	0	0	0
라일락 Mk3 S	0	0	제10장	-15	100	30	0	50	-15	0	0	0	0	0	0	0	0	0	0	0	0
라일락 Mk3 W	0	0	제10장	100	0	-15	30	-15	0	50	0	0	0	0	0	0	0	0	0	0	0
라일락 Mk3 B	0	0	제10장	0	30	0	35	100	0	-15	0	0	0	0	0	0	0	0	0	0	0
라일락 Mk3 L	0	0	제10장	0	-15	0	30	-15	50	100	1	0	0	0	0	0	0	0	0	0	0

●피셰

아이템	구입	매각	입수 방법	STR	VIT	INT	MEN	AGI	TEC	LUK	MOV	화염	얼음	바람	번개	참격	타격	관통	실탄	BM	대미지
〈BLANK〉 C	1000	20	제9장 상점	0	0	0	0	0	0	0	0	0	0	0	0	0	0	0	0	0	0
〈BLANK〉 H	1000	20	제9장 상점	0	0	0	0	0	0	0	0	0	0	0	0	0	0	0	0	0	0
〈BLANK〉 S	1000	20	제9장 상점	0	0	0	0	0	0	0	0	0	0	0	0	0	0	0	0	0	0
〈BLANK〉 W	1000	20	제9장 상점	0	0	0	0	0	0	0	0	0	0	0	0	0	0	0	0	0	0
〈BLANK〉 B	1000	20	제9장 상점	0	0	0	0	0	0	0	0	0	0	0	0	0	0	0	0	0	0
〈BLANK〉 L	1000	20	제9장 상점	0	0	0	0	0	0	0	0	0	0	0	0	0	0	0	0	0	0
베이스 · 코어 C	0	0	초기 장비	40	25	20	25	35	35	30	0	0	0	0	0	0	0	0	0	0	10
베이스 · 코어 H	0	0	초기 장비	0	0	20	0	0	0	10	0	0	0	0	0	0	0	0	0	0	0
베이스 · 코어 S	0	0	초기 장비	20	0	0	10	0	0	0	0	0	0	0	0	0	0	0	0	0	0
베이스 · 코어 W	0	0	초기 장비	0	20	0	10	0	0	0	0	0	0	0	0	0	0	0	0	0	5
베이스 · 코어 B	0	0	초기 장비	0	0	0	0	0	20	0	0	0	0	0	0	0	0	0	0	0	5
베이스 · 코어 L	0	0	초기 장비	0	0	0	0	20	0	10	0	0	0	0	0	0	0	0	0	0	5
코어 · 터보 C	0	0	제9장	30	30	30	30	40	40	35	0	0	0	0	0	0	0	0	0	0	0
코어 · 터보 H	0	0	제9장	0	-10	0	50	10	25	0	0	0	0	0	0	0	0	0	0	0	5
코어 · 터보 S	0	0	제9장	-10	0	10	0	0	50	25	0	0	0	0	0	0	0	0	0	0	5
코어 · 터보 W	0	0	제9장	0	0	-10	0	35	0	50	0	0	0	0	0	0	0	0	0	0	0
코어 · 터보 B	0	0	제9장	50	0	25	-10	10	0	0	0	0	0	0	0	0	0	0	0	0	5
코어 · 터보 L	0	0	제9장	0	50	0	25	10	0	-10	2	0	0	0	0	0	0	0	0	0	5
코어 그래피 C	0	0	제9장	45	45	25	25	30	30	30	0	0	0	0	0	0	0	0	0	0	5
코어 그래피 H	0	0	제9장	0	0	70	30	-15	35	0	0	0	0	0	0	0	0	0	0	0	0
코어 그래피 S	0	0	제9장	0	70	0	35	30	0	-15	0	0	0	0	0	0	0	0	0	0	0
코어 그래피 W	0	0	제9장	0	0	-15	30	35	70	0	0	0	0	0	0	0	0	0	0	0	0
코어 그래피 B	0	0	제9장	70	0	30	-15	0	0	30	0	0	0	0	0	0	0	0	0	0	0
코어 그래피 L	0	0	제9장	30	30	0	0	0	-15	70	1	0	0	0	0	0	0	0	0	0	0
PCF-00X C	0	0	제10장	40	40	40	40	40	40	40	0	0	0	0	0	0	0	0	0	0	5
PCF-00X H	0	0	제10장	0	90	0	40	25	0	-15	0	0	0	0	0	0	0	0	0	0	0
PCF-00X S	0	0	제10장	0	0	-15	90	40	25	0	0	0	0	0	0	0	0	0	0	0	0
PCF-00X W	0	0	제10장	-15	25	40	0	0	90	0	0	0	0	0	0	0	0	0	0	0	0
PCF-00X B	0	0	제10장	40	0	90	-15	0	0	25	0	0	0	0	0	0	0	0	0	0	0
PCF-00X L	0	0	제10장	25	-15	0	0	40	0	90	1	0	0	0	0	0	0	0	0	0	0
PCF-XXX C	1000000	100000	콜로세움: 와레츄 건강해츄~☆(사)	50	50	35	35	50	50	30	0	0	0	0	0	0	0	0	0	0	0

● 피셰

아이템	구입	매각	입수 방법	STR	VIT	INT	MEN	AGI	TEC	LUK	MOV	화염	얼음	바람	번개	참격	타격	관통	실탄	BM	대미지
PCF-XXX H	1000000	100000	콜로세움: 와레츄 건강해츄~☆(사)	30	0	-15	50	-15	100	0	0	0	0	0	0	0	0	0	0	0	0
PCF-XXX S	1000000	100000	콜로세움: 와레츄 건강해츄~☆(사)	100	0	50	-15	30	0	-15	0	0	0	0	0	0	0	0	0	0	0
PCF-XXX W	1000000	100000	콜로세움: 와레츄 건강해츄~☆(사)	0	100	30	-15	0	-15	50	0	0	0	0	0	0	0	0	0	0	0
PCF-XXX B	1000000	100000	콜로세움: 와레츄 건강해츄~☆(사)	0	-15	-15	50	0	30	100	0	0	0	0	0	0	0	0	0	0	0
PCF-XXX L	1000000	100000	콜로세움: 와레츄 건강해츄~☆(사)	-15	30	50	0	100	0	-15	0	0	0	0	0	0	0	0	0	0	0

● 유니

아이템	구입	매각	입수 방법	STR	VIT	INT	MEN	AGI	TEC	LUK	MOV	화염	얼음	바람	번개	참격	타격	관통	실탄	BM	대미지
〈BLANK〉 C	1000	20	제10장 상점	0	0	0	0	0	0	0	0	0	0	0	0	0	0	0	0	0	0
〈BLANK〉 H	1000	20	제10장 상점	0	0	0	0	0	0	0	0	0	0	0	0	0	0	0	0	0	0
〈BLANK〉 S	1000	20	제10장 상점	0	0	0	0	0	0	0	0	0	0	0	0	0	0	0	0	0	0
〈BLANK〉 W	1000	20	제10장 상점	0	0	0	0	0	0	0	0	0	0	0	0	0	0	0	0	0	0
〈BLANK〉 B	1000	20	제10장 상점	0	0	0	0	0	0	0	0	0	0	0	0	0	0	0	0	0	0
〈BLANK〉 L	1000	20	제10장 상점	0	0	0	0	0	0	0	0	0	0	0	0	0	0	0	0	0	0
크레이들 C	0	0	초기 장비	35	30	35	30	40	40	30	0	0	0	0	0	0	0	0	0	0	0
크레이들 H	0	0	초기 장비	0	-15	0	25	60	0	50	0	0	0	0	0	0	0	0	0	0	0
크레이들 S	0	0	초기 장비	60	50	0	0	0	25	-15	0	0	0	0	0	0	0	0	0	0	5
크레이들 W	0	0	초기 장비	0	60	50	-15	0	0	25	0	0	0	0	0	0	0	0	0	0	5
크레이들 B	0	0	초기 장비	0	-15	50	60	0	25	0	0	0	0	0	0	0	0	0	0	0	0
크레이들 L	0	0	초기 장비	25	0	-15	0	60	50	0	2	0	0	0	0	0	0	0	0	0	5
제네레이션 C	500000	50000	제10장 상점	40	40	30	30	40	40	30	0	0	0	0	0	0	0	0	0	0	10
제네레이션 H	500000	50000	제10장 상점	0	-15	60	40	0	90	-15	0	0	0	0	0	0	0	0	0	0	5
제네레이션 S	500000	50000	제10장 상점	-15	90	0	60	0	-15	40	0	0	0	0	0	0	0	0	0	0	0
제네레이션 W	500000	50000	제10장 상점	90	0	-15	40	-15	60	0	0	0	0	0	0	0	0	0	0	0	0
제네레이션 B	500000	50000	제10장 상점	-15	-15	60	0	90	0	40	0	0	0	0	0	0	0	0	0	0	5
제네레이션 L	500000	50000	제10장 상점	40	60	0	-15	0	90	-15	1	0	0	0	0	0	0	0	0	0	5

● 롬

아이템	구입	매각	입수 방법	STR	VIT	INT	MEN	AGI	TEC	LUK	MOV	화염	얼음	바람	번개	참격	타격	관통	실탄	BM	대미지
〈BLANK〉 C	1000	20	제10장 상점	0	0	0	0	0	0	0	0	0	0	0	0	0	0	0	0	0	0
〈BLANK〉 H	1000	20	제10장 상점	0	0	0	0	0	0	0	0	0	0	0	0	0	0	0	0	0	0
〈BLANK〉 S	1000	20	제10장 상점	0	0	0	0	0	0	0	0	0	0	0	0	0	0	0	0	0	0
〈BLANK〉 W	1000	20	제10장 상점	0	0	0	0	0	0	0	0	0	0	0	0	0	0	0	0	0	0
〈BLANK〉 B	1000	20	제10장 상점	0	0	0	0	0	0	0	0	0	0	0	0	0	0	0	0	0	0
〈BLANK〉 L	1000	20	제10장 상점	0	0	0	0	0	0	0	0	0	0	0	0	0	0	0	0	0	0
디에·스라이트 C	0	0	초기 장비	25	25	30	30	40	40	40	0	0	0	0	0	0	0	0	0	0	10
디에·스라이트 H	0	0	초기 장비	-15	0	60	30	0	50	0	0	0	0	0	0	0	0	0	0	0	5
디에·스라이트 S	0	0	초기 장비	0	0	50	0	30	60	-15	0	0	0	0	0	0	0	0	0	0	0
디에·스라이트 W	0	0	초기 장비	0	-15	0	50	60	0	25	0	0	0	0	0	0	0	0	0	0	0
디에·스라이트 B	0	0	초기 장비	60	0	-15	50	0	0	25	0	0	0	0	0	0	0	0	0	0	5
디에·스라이트 L	0	0	초기 장비	0	60	0	-15	50	0	25	2	0	0	0	0	0	0	0	0	0	5
디에·실 C	500000	50000	제10장 상점	30	30	55	55	30	40	30	0	0	0	0	0	0	0	0	0	0	0
디에·실 H	500000	50000	제10장 상점	30	-15	0	60	30	90	-15	0	0	0	0	0	0	0	0	0	0	0
디에·실 S	500000	50000	제10장 상점	90	30	60	0	-15	-15	0	0	0	0	0	0	0	0	0	0	0	5
디에·실 W	500000	50000	제10장 상점	0	90	-15	-15	0	60	30	0	0	0	0	0	0	0	0	0	0	5
디에·실 B	500000	50000	제10장 상점	-15	0	90	0	60	-15	30	0	0	0	0	0	0	0	0	0	0	0
디에·실 L	500000	50000	제10장 상점	0	-15	30	90	60	0	-15	1	0	0	0	0	0	0	0	0	0	5

● 람

아이템	구입	매각	입수 방법	STR	VIT	INT	MEN	AGI	TEC	LUK	MOV	화염	얼음	바람	번개	참격	타격	관통	실탄	BM	대미지
〈BLANK〉 C	1000	20	제10장 상점	0	0	0	0	0	0	0	0	0	0	0	0	0	0	0	0	0	0
〈BLANK〉 H	1000	20	제10장 상점	0	0	0	0	0	0	0	0	0	0	0	0	0	0	0	0	0	0
〈BLANK〉 S	1000	20	제10장 상점	0	0	0	0	0	0	0	0	0	0	0	0	0	0	0	0	0	0
〈BLANK〉 W	1000	20	제10장 상점	0	0	0	0	0	0	0	0	0	0	0	0	0	0	0	0	0	0
〈BLANK〉 B	1000	20	제10장 상점	0	0	0	0	0	0	0	0	0	0	0	0	0	0	0	0	0	0
〈BLANK〉 L	1000	20	제10장 상점	0	0	0	0	0	0	0	0	0	0	0	0	0	0	0	0	0	0
디에·스라이트 C	0	0	초기 장비	25	25	30	30	40	40	40	0	0	0	0	0	0	0	0	0	0	10
디에·스라이트 H	0	0	초기 장비	-15	0	60	30	0	50	0	0	0	0	0	0	0	0	0	0	0	5
디에·스라이트 S	0	0	초기 장비	0	0	50	0	30	60	-15	0	0	0	0	0	0	0	0	0	0	0
디에·스라이트 W	0	0	초기 장비	0	-15	0	50	60	0	25	0	0	0	0	0	0	0	0	0	0	0
디에·스라이트 B	0	0	초기 장비	60	0	-15	50	0	0	25	0	0	0	0	0	0	0	0	0	0	5
디에·스라이트 L	0	0	초기 장비	0	60	0	-15	50	0	25	2	0	0	0	0	0	0	0	0	0	5
디에·실 C	500000	50000	제10장 상점	30	30	55	55	30	40	30	0	0	0	0	0	0	0	0	0	0	0
디에·실 H	500000	50000	제10장 상점	30	-15	0	60	30	90	-15	0	0	0	0	0	0	0	0	0	0	0
디에·실 S	500000	50000	제10장 상점	90	30	60	0	-15	-15	0	0	0	0	0	0	0	0	0	0	0	5
디에·실 W	500000	50000	제10장 상점	0	90	-15	-15	0	60	30	0	0	0	0	0	0	0	0	0	0	5
디에·실 B	500000	50000	제10장 상점	-15	0	90	0	60	-15	30	0	0	0	0	0	0	0	0	0	0	0
디에·실 L	500000	50000	제10장 상점	0	-15	30	90	60	0	-15	1	0	0	0	0	0	0	0	0	0	5

● 네프기어, 유니, 롬, 람

아이템	구입	매각	입수 방법	STR	VIT	INT	MEN	AGI	TEC	LUK	MOV	화염	얼음	바람	번개	참격	타격	관통	실탄	BM	대미지
져지 H	100000	10000	지켜봐줘: 아주 큰 슬라이누	45	0	35	0	0	10	0	0	0	0	0	0	0	0	0	0	0	0
져지 S	100000	10000	지켜봐줘: 절대신의 부하	105	0	0	0	0	-15	0	0	0	0	0	0	0	0	0	0	0	0
져지 W	100000	10000	지켜봐줘: 초차원 슬라이누	70	30	0	0	0	-30	0	0	0	0	0	0	0	0	0	0	0	0
져지 B	100000	10000	지켜봐줘: 가지 팔라딘	60	0	0	35	0	-30	0	0	0	0	0	0	0	0	0	0	0	0
져지 L	100000	10000	지켜봐줘: 팔만 재해의 신	80	0	0	0	35	-25	0	0	0	0	0	0	0	0	0	0	0	0
브레이브 H	100000	10000	지켜봐줘: 아주 큰 슬라이누	0	20	35	0	0	35	0	0	0	0	0	0	0	0	0	0	0	0
브레이브 S	100000	10000	지켜봐줘: 절대신의 부하	45	30	0	0	0	0	0	0	0	0	0	0	0	0	0	0	0	0
브레이브 W	100000	10000	지켜봐줘: 초차원 슬라이누	0	45	0	0	0	0	30	0	0	0	0	0	0	0	0	0	0	0
브레이브 B	100000	10000	지켜봐줘: 가지 팔라딘	0	30	0	20	0	0	0	0	0	0	0	0	0	0	0	0	0	0

●네프기어, 유니, 롬, 람

아이템	구입	매각	입수 방법	STR	VIT	INT	MEN	AGI	TEC	LUK	MOV	화염	얼음	바람	번개	참격	타격	관통	실탄	BM	대미지
브레이브 L	100000	10000	지켜봐줘: 팔만 재해의 신	0	40	0	0	25	0	0	2	0	0	0	0	0	0	0	0	0	0
트릭 H	100000	10000	지켜봐줘: 오염에 침식된 자	0	-15	95	0	-15	55	0	0	0	0	0	0	0	0	0	0	0	0
트릭 S	100000	10000	지켜봐줘: 팔억 재해의 신	50	-10	60	0	-10	0	0	0	0	0	0	0	0	0	0	0	0	0
트릭 W	100000	10000	지켜봐줘: 메가 터틀	0	15	50	0	-15	0	40	0	0	0	0	0	0	0	0	0	0	0
트릭 B	100000	10000	지켜봐줘: 혹시 넵튠?	-20	45	65	-20	0	0	0	0	0	0	0	0	0	0	0	0	0	0
트릭 L	100000	10000	지켜봐줘: 네프기어?	0	-10	70	0	20	0	0	0	0	0	0	0	0	0	0	0	0	0
매직 H	100000	10000	지켜봐줘: 오염에 침식된 자	0	0	40	10	0	45	10	0	0	0	0	0	0	0	0	0	0	0
매직 S	100000	10000	지켜봐줘: 팔억 재해의 신	35	0	0	25	0	0	30	0	0	0	0	0	0	0	0	0	0	0
매직 W	100000	10000	지켜봐줘: 메가 터틀	0	20	0	10	0	0	60	0	0	0	0	0	0	0	0	0	0	0
매직 B	100000	10000	지켜봐줘: 혹시 넵튠?	0	0	0	25	0	0	10	0	0	0	0	0	0	0	0	0	0	0
매직 L	100000	10000	지켜봐줘: 네프기어?	0	0	0	35	20	0	35	2	0	0	0	0	0	0	0	0	0	0
컴파일하트 H	5000000	50000	지켜봐줘: 느와르?	0	0	175	0	0	0	0	0	0	0	0	0	0	0	0	0	0	0
컴파일하트 S	5000000	50000	지켜봐줘: 유니?	0	75	50	0	0	50	0	0	0	0	0	0	0	0	0	0	0	0
컴파일하트 W	5000000	50000	지켜봐줘: 블랑?	0	0	125	50	0	50	0	0	0	0	0	0	0	0	0	0	0	0
컴파일하트 B	5000000	50000	지켜봐줘: 롬?	0	25	100	0	25	0	50	0	0	0	0	0	0	0	0	0	0	0
컴파일하트 L	5000000	50000	지켜봐줘: 벨?	0	0	75	25	75	25	0	0	0	0	0	0	0	0	0	0	0	0
델피너스 H	10000000	100000	지켜봐줘: 느와르?	0	0	150	150	0	65	65	0	0	0	0	0	0	0	0	0	0	0
델피너스 S	10000000	100000	지켜봐줘: 유니?	175	125	0	0	0	65	65	0	0	0	0	0	0	0	0	0	0	0
델피너스 W	10000000	100000	지켜봐줘: 블랑?	125	175	0	0	0	0	75	0	0	0	0	0	0	0	0	0	0	0
델피너스 B	10000000	100000	지켜봐줘: 롬?	0	0	150	0	65	75	65	0	0	0	0	0	0	0	0	0	0	0
델피너스 L	10000000	100000	지켜봐줘: 벨?	150	0	0	150	75	0	0	0	0	0	0	0	0	0	0	0	0	0

●넵튠, 느와르, 블랑, 벨

아이템	구입	매각	입수 방법	STR	VIT	INT	MEN	AGI	TEC	LUK	MOV	화염	얼음	바람	번개	참격	타격	관통	실탄	BM	대미지
무예 H	35000	3500	지켜봐줘: 강철 슬라이누	25	-15	25	0	0	35	0	0	0	0	0	0	0	0	0	0	0	0
무예 S	35000	3500	지켜봐줘: 부메랑	60	-15	0	0	0	0	0	0	0	0	0	0	0	0	0	0	0	0
무예 W	35000	3500	지켜봐줘: WD 헤드	55	-15	0	25	0	0	0	0	0	0	0	0	0	0	0	0	0	0
무예 B	35000	3500	지켜봐줘: 갈그이유	35	-15	0	10	0	0	25	0	0	0	0	0	0	0	0	0	0	0
무예 L	35000	3500	지켜봐줘: 플레이스 베르그	15	-15	0	0	25	10	0	1	0	0	0	0	0	0	0	0	0	0
스톤 H	35000	3500	지켜봐줘: 강철 슬라이누	-15	30	25	35	0	0	0	0	0	0	0	20	0	0	0	0	0	0
스톤 S	35000	3500	지켜봐줘: 부메랑	-15	60	0	0	0	25	0	0	0	0	0	20	0	0	0	0	0	0
스톤 W	35000	3500	지켜봐줘: WD 헤드	-15	65	0	0	0	0	0	0	0	0	0	20	0	0	0	0	0	0
스톤 B	35000	3500	지켜봐줘: 갈그이유	-15	20	0	0	-25	0	25	0	0	0	0	20	0	0	0	0	0	0
스톤 L	35000	3500	지켜봐줘: 플레이스 베르그	-15	40	0	0	-30	0	0	0	0	0	0	20	0	0	0	0	0	0
골판지 H	1000	100	지켜봐줘: 봉인된 재해	0	0	25	-15	0	0	0	0	-20	0	0	0	0	0	0	0	0	0
골판지 S	1000	100	지켜봐줘: 봉인된 재해	0	15	10	-15	0	25	0	0	-20	0	0	0	0	0	0	0	0	0
골판지 W	1000	100	지켜봐줘: 규격 외 슬라이누	0	0	25	-15	0	25	0	0	-20	0	0	0	0	0	0	0	0	0
골판지 B	1000	100	지켜봐줘: 규격 외 슬라이누	0	0	20	-15	20	0	35	0	-20	0	0	0	0	0	0	0	0	0
골판지 L	1000	100	지켜봐줘: 메타보 슬라이누	0	0	10	-15	35	20	0	0	-20	0	0	0	0	0	0	0	0	0
엔젤 H	100000	10000	지켜봐줘: 제4에리어 돌파	30	-15	0	60	30	90	-15	0	-7	7	7	-7	0	0	0	0	0	0
엔젤 S	100000	10000	지켜봐줘: 제6에리어 돌파	90	30	60	0	-15	-15	0	0	-7	7	7	-7	0	0	0	0	0	5
엔젤 W	100000	10000	지켜봐줘: 제9에리어 돌파	0	90	-15	-15	0	60	30	0	-7	7	7	-7	0	0	0	0	0	5
엔젤 B	100000	10000	지켜봐줘: 제11에리어 돌파	-15	0	90	0	60	-15	30	0	-7	7	7	-7	0	0	0	0	0	0
엔젤 L	100000	10000	지켜봐줘: 제13에리어 돌파	0	-15	30	90	60	0	-15	1	-7	7	7	-7	0	0	0	0	0	5
데빌 H	100000	10000	지켜봐줘: 제5에리어 돌파	-15	90	30	60	0	-15	30	0	7	-7	-7	7	0	0	0	0	0	0
데빌 S	100000	10000	지켜봐줘: 제7에리어 돌파	0	-15	-15	0	60	30	90	0	7	-7	-7	7	0	0	0	0	0	5
데빌 W	100000	10000	지켜봐줘: 제10에리어 돌파	30	60	0	-15	-15	90	0	0	7	-7	-7	7	0	0	0	0	0	5
데빌 B	100000	10000	지켜봐줘: 제12에리어 돌파	30	-15	60	0	90	0	-15	0	7	-7	-7	7	0	0	0	0	0	0
데빌 L	100000	10000	지켜봐줘: 제15에리어 돌파	-15	0	60	90	30	-15	0	1	7	-7	-7	7	0	0	0	0	0	5

●전원 장비 가능 ※엔딩 후 상점에서 구입 가능

아이템	구입	매각	STR	VIT	INT	MEN	AGI	TEC	LUK	MOV	화염	얼음	바람	번개	참격	타격	관통	실탄	BM	대미지	추가효과
스펙트럴 H	500000	50000	50	-25	50	0	0	75	0	0	5	0	0	0	5	0	0	0	0	0	대미지를 받을 때 SP+1
스펙트럴 S	500000	50000	175	-25	0	0	0	0	0	0	5	0	0	0	0	5	0	0	0	0	대미지를 받을 때 SP+1
스펙트럴 W	500000	50000	125	-25	0	50	0	0	0	0	5	0	0	0	0	0	5	0	0	0	대미지를 받을 때 SP+1
스펙트럴 B	500000	50000	100	-25	0	25	0	0	50	0	5	0	0	0	0	0	0	0	5	0	대미지를 받을 때 SP+1
스펙트럴 L	500000	50000	75	-25	0	0	50	25	0	1	5	0	0	0	0	0	0	5	0	0	대미지를 받을 때 SP+1
세기말 H	500000	50000	-25	50	50	75	0	0	0	0	0	0	0	5	0	0	0	0	10	0	경감: 대 마제 3%,대 물리 5%
세기말 S	500000	50000	-25	125	0	0	0	50	0	0	0	0	0	5	10	0	0	0	0	0	경감: 대 마제 3%,대 물리 5%
세기말 W	500000	50000	-25	175	0	0	0	0	0	0	0	0	0	5	0	0	10	0	0	0	경감: 대 마제 3%,대 물리 5%
세기말 B	500000	50000	-25	75	0	0	50	0	50	0	0	0	0	5	0	10	0	0	0	0	경감: 대 마제 3%,대 물리 5%
세기말 L	500000	50000	-25	100	0	0	75	0	0	0	0	0	0	5	0	0	0	10	0	0	경감: 대 마제 3%,대 물리 5%
스위트 H	500000	50000	0	0	175	-25	0	0	0	0	0	0	5	0	0	0	5	0	0	0	대미지를 받을 때 SP+1
스위트 S	500000	50000	0	75	50	-25	0	50	0	0	0	0	5	0	0	5	0	0	0	0	대미지를 받을 때 SP+1
스위트 W	500000	50000	0	0	125	-25	0	50	0	0	0	0	5	0	0	0	0	0	5	0	대미지를 받을 때 SP+1
스위트 B	500000	50000	0	0	100	-25	25	0	50	0	0	0	5	0	5	0	0	0	0	0	대미지를 받을 때 SP+1
스위트 L	500000	50000	0	0	75	-25	75	25	0	0	0	0	5	0	0	0	0	5	0	0	대미지를 받을 때 SP+1
스윔 H	500000	50000	0	0	-25	175	0	0	0	0	0	5	0	0	0	0	10	0	0	0	경감: 대 마제 3%,대 마법 5%
스윔 S	500000	50000	0	50	-25	50	0	75	0	0	0	5	0	0	0	10	0	0	0	0	경감: 대 마제 3%,대 마법 5%
스윔 W	500000	50000	50	0	-25	75	0	0	50	0	0	5	0	0	0	0	0	0	10	0	경감: 대 마제 3%,대 마법 5%
스윔 B	500000	50000	0	0	-25	125	50	0	0	0	0	5	0	0	0	0	0	10	0	0	경감: 대 마제 3%,대 마법 5%
스윔 L	500000	50000	0	0	-25	100	50	25	0	1	0	5	0	0	10	0	0	0	0	0	경감: 대 마제 3%,대 마법 5%
신체검사 H	500000	50000	0	0	50	50	0	25	25	0	0	0	0	0	0	5	0	0	5	0	경감: 대 마제 5%,대 마법 5%
신체검사 S	500000	50000	75	25	0	0	0	25	25	0	5	0	0	0	5	0	0	0	0	0	경감: 대 마제 5%,대 물리 5%
신체검사 W	500000	50000	25	75	0	0	0	0	50	0	0	5	0	0	0	0	5	0	0	0	경감: 대 마제 5%,대 물리 5%
신체검사 B	500000	50000	0	0	50	0	25	50	25	0	0	0	5	0	0	0	0	0	0	0	경감: 대 마제 5%,대 물리 5%,대 마법 5%
신체검사 L	500000	50000	50	0	0	50	50	0	0	0	0	0	0	5	0	0	0	5	0	0	경감: 대 마제 5%,대 물리 5%

+ 아이템 / 소재

아이템	매각	주요 입수 방법
빨간색 색소	50	상점 등
파란색 색소	50	상점 등
오렌지색 색소	50	상점 등
흰색 색소	50	상점 등
검은색 색소	50	상점 등
핑크색 색소	50	상점 등
보라색 색소	50	상점 등
녹색 색소	50	상점 등
물색 색소	50	상점 등
노란색 색소	50	상점 등
금방망이	100000	숨겨진: 스마폰 산길 등
허브	10	채집: 버추얼 포레스트 보호 지구 등
치유초	25	채집: 오오토리이 대삼림 등
아월초	50	채집: 제트 셋 산길 등
리프레쉬 허브	75	채집: 루드암즈 지하도 · 남문 등
세계수의 잎	100	채집: 지하 동굴 등
철광석	50	채집: 쿠자라트 공장 · 제1구획 등
동광석	75	채집: 루드암즈 지하도 · 남문 등
은광석	250	채집: 메로토이드 쉘터 등
금광석	200	채집: 아노네데스의 연구소 등
오리하르콘	1000	채집: 그라피스 고개 등
홍련석	250	채집: 채굴장 등
마염석	525	채집: 지하 용암동
절영석	250	채집: 채굴장
마빙석	450	채집: 오오토리이 동굴
질풍석	1	채집: 코바츠바 유적 등
마풍석	350	채집: 메로토이드 쉘터 등
지각석	250	채집: 채굴장 등
마각석	450	채집: 오오토리이 동굴
데이터 크리스탈	50	채집: 밴디 크래시 등
파일 크리스탈	250	채집: 국영 공장 등
엘데 크리스탈	450	채집: 아리오 고원 등
MODEL4 기판	50	채집: 쿠자라트 공장 · 제1구획 등
MAONI 기판	250	채집: 국영 공장 등
LING 기판	450	채집: 아노네데스의 연구소 등
슬라이누 젤리	1	드랍: 슬라이누 등
고급 젤리	3	드랍: 규격 외 슬라이누 등
고급 슬라이누 젤리	153	드랍: 아주 큰 슬라이누 등
대빵살 슬라이누 젤리	300	드랍: 메타보 슬라이누 등
메탈 젤리	235	드랍: 강철 슬라이누 등
외도 젤리	96	드랍: 외도 슬라이누 등
오렌지 젤리	118	드랍: 슬라이누 베스 등
마비 젤리	120	드랍: 마비 슬라이누 등
최고급 젤리	2937	드랍: 초대형 슬라이누 등
마도 젤리	162	드랍: 매직 슬라이누 등
젤라틴 촉수	9	드랍: 힐 슬라이누 등
빨간 젤라틴 촉수	16	드랍: 힐링 슬라이누 등
검은 젤라틴 촉수	106	드랍: 하이힐 슬라이누 등
도트 안테나	4	드랍: 사슴베이더 등
둥근 안테나	11	드랍: 둥근 베이더 등
셀 안테나	27	드랍: 셀 베이더 등
훌륭한 안테나	44	드랍: 바알 베이더 등
골판지	7	드랍: 카부리 개구리 등
철모	3	드랍: 오우치 개구리 등
퍼플 블록	8	드랍: 테리트스 등
옐로우 블록	97	드랍: 테스트리 등
그린 블록	116	드랍: 테리스트 등
파이프 조각	21	드랍: 도칸 등
노란 파이프 조각	189	드랍: 도간 등
빨간 파이프 조각	208	드랍: 도곤 등
파란 파이프 조각	235	드랍: 돗칸 등
얼룩 무늬의 조각	309	드랍: 얼룩 도칸 등
무척 단단한 파이프 조각	551	드랍: 돗곤 등
너덜 천	4	드랍: 고스트 보이 등
빙결 천	9	드랍: 아이스 보이 등
보이지 않는 천	31	드랍: 인비지블 보이 등
맹독 천	60	드랍: 베놈 보이 등
잃어버린 성해포	72	드랍: 로스트 보이 등
작열 천	93	드랍: 플레임 보이 등
수용성 천	138	드랍: 시 보이 등
불타는 천	234	드랍: 블레이즈 보이 등
죽음의 천	377	드랍: 데스 보이 등
블루 리본	4	드랍: 고스트 걸 등
핑크 리본	10	드랍: 아이스 걸 등
인비지블 리본	35	드랍: 인비지블 걸 등
베놈 리본	66	드랍: 베놈 걸 등

아이템	매각	주요 입수 방법
로스트 리본	80	드랍: 로스트 걸 등
블랙 리본	102	드랍: 플레임 걸 등
불타는 리본	259	드랍: 블레이즈 걸 등
노란 리본	417	드랍: 데스 걸 등
툴립의 수술	155	드랍: 카스트랩 등
노란 꽃잎	2	드랍: 툴립 등
요화의 꽃잎	13	드랍: 숲의 정령 등
붉은 꽃잎	34	드랍: 아펠돈 등
파란 꽃잎	48	채집: 루드암즈 지하도 · 남문 등
무지개빛 꽃잎	118	드랍: 아이 마블 등
독한 꽃잎	362	드랍: 라플레시아 등
불타는 꽃잎	540	드랍: 플레임 플라워 등
오렌지 꽃잎	375	드랍: 오렌지 플라워 등
해바라기 씨앗	6	드랍: 해바라깅 등
빨간 씨앗	54	드랍: 물랑 루즈
파란 씨앗	121	드랍: 블루 선
버섯의 포자	5	드랍: 버섯 등
마탕고의 포자	14	드랍: 마탕고 등
큰무 잎	30	드랍: 다이콘다 등
당근 잎	110	드랍: 닌진다 등
새의 동관	4	드랍: 목젖새 등
새의 은관	92	드랍: 목젖새 왕자 등
새의 왕관	140	드랍: 목젖새 킹 등
두근두근	29	드랍: 두근두근 시스터 등
「※」의 면죄부	382	드랍: 테라 핸섬 등
소형 회로	3	드랍: 비트 등
파워 스톤	11	드랍: 파르셀
매직 스톤	236	드랍: R4i-SDHC 등
말새의 날개	88	드랍: 말새 등
말새의 대퇴골	233	드랍: 말새크스 등
날카로운 이빨	208	드랍: 들개 등
큰 이빨	6871	드랍: 서벨러스 등
늑대의 털	58	드랍: 차일드 울프 등
하이에나의 모피	74	드랍: 하이에나 등
늑대의 모피	110	드랍: 울프 등
고급 늑대의 모피	713	드랍: 잿빛 늑대 등
불법 조악 회로	7	드랍: M-3 등
불법 회로	11	드랍: 비트 커스텀 등
불법 고급 회로	22	드랍: 하이 비트 등
불법 초고급 회로	69	드랍: 하이 비트 커스텀 등
불법 초고급 개조 회로	181	드랍: DSTT 등
불법 차세대 회로	119	드랍: 버그 등
불법 메모리	35	드랍: R-4 등
불법 ROM	118	드랍: SDHC 등
불법 RAM	134	드랍: EDGE 등
불법 SSD	418	드랍: 폭주 M-3 등
불법 마더 보드	432	드랍: 자율형 방어 병기 등
거미줄	11	드랍: 스파이더 등
맹독 거미줄	52	드랍: 타란튤라 등
점착성이 강한 거미줄	114	드랍: 메가 스파이더 등
무척 튼튼한 거미줄	100	드랍: 블랙 스파이더 등
좋은 냄새의 거미줄	122	드랍: 무당거미 등
마비 거미줄	139	드랍: 패럴라이즈 스파이더 등
고양이다람쥐의 손톱	2	드랍: 고양이다람쥐 등
아에루의 손톱	13	드랍: 아에루 등
냐아의 손톱	31	드랍: 냐아 등
양아치의 마스크	7	드랍: 양아치 캣 등
건달 마스크	73	드랍: 건달 캣 등
번장 마스크	99	드랍: 번장 캣 등
마랑의 이빨	466	드랍: 펜릴 등
빙랑의 손톱	1411	드랍: 아이스 펜릴 등
마랑의 손톱	1595	드랍: 펜릴 울프 등
염랑의 손톱	1635	드랍: 엘로 하트 등
괴랑의 손톱	3945	드랍: 바날가드 등
돌고래의 꼬리	157	드랍: 돌핀 등
꿈 돌고래의 꼬리	1891	드랍: 드림 돌핀
전자 돌고래의 꼬리	2193	드랍: 사이버 돌핀 등
체크무늬 꼬리	2193	드랍: 드리코린콥스 등
최고급 돌고래 지느러미	3256	드랍: 천년 돌고래 등
드래곤의 손톱	330	드랍: 엘레멘트 드래곤 등
마술식 광제 동력로	432	드랍: 킬러 머신
신식 마광 동력로	1128	드랍: 킬러 머신 MK-2
2쌍식 마광 동력로	1552	드랍: 안타레스
6장식 마광 동력로	2249	드랍: 데우스 · 엑스 · 마키나
중합금 플레이트	1130	드랍: 라이벌기
레어 플레이트	1844	드랍: 후계기

아이템	매각	주요 입수 방법
그 날의 추억	3156	콜로세움: 팔십 재해의 신 습격
사귀안	2360	드랍: 팔억 재해의 신
드래곤 소울	1714	드랍: 봉인된 재해
갓 소울	2037	드랍: 팔만 재해의 신
댄싱 컨트롤러	746	드랍: 알카이드
기타 건트롤러	1269	드랍: 심판의 사도
비주얼 메모리 8X	437	드랍: 갤럭 라이저
비주얼 메모리 16X	1323	드랍: 제루가리온
파워드 리플레이	947	드랍: 레플리컨트
아마 액션 리플레이	1828	드랍: 그래프 초코로
철 장비의 조각	14	드랍: 공작병 등
마 장비의 조각	39	드랍: 중용기병 등
은 장비의 조각	181	드랍: 르위 마도 병사 등
상자새의 날개	62	드랍: 상자새 등
상자새의 고귀한 날개	177	드랍: 상자새 왕자 등
상자새의 화려한 날개	168	드랍: 상자새 킹 등
커다란 부리	16	드랍: 큰부리새 등
굵은 부리	166	채집: 헤이로우 숲
매우 커다란 부리	170	드랍: 루흐 등
마력을 가진 부리	459	드랍: 누에 등
봉황의 날개	186	드랍: 피닉스 등
무지개색 날개	105	드랍: 극락조 등
괴조의 날개	1111	드랍: 피닉스 등
불타는 날개	4722	드랍: 주작 등
미끈거리는 날개	146	드랍: 펭귄 등
큰 나비의 날개	42	드랍: 호랑나비 등
요괴 나비의 날개	60	드랍: 페어리 버터플라이 등
전자 나비의 날개	161	드랍: 사이버 버터플라이 등
나무 껍질	1584	드랍: 숲 거북 등
거북 껍질	363	드랍: 터틀 등
고대로부터의 껍질	1836	드랍: 천년 거북 등
강철의 껍질	2727	드랍: 메가 터틀 등
용암의 껍질	5112	드랍: 화산 거북이 등
성스러운 고래 구슬	3162	드랍: 차일드 웨일 등
고래 구슬	249	드랍: 웨일 등
작은 고래 구슬	486	드랍: 세인트 웨일 등
도마뱀의 비늘	4	드랍: 리저드맨 등
얼어붙은 비늘	178	드랍: 콜드 리저드 등
용전사의 비늘	198	드랍: 드래고 나이트 등
칠흑의 비늘	229	드랍: 데스 스토커 등
대지의 비늘	235	드랍: 어스 리저드 등
검게 빛나는 비늘	333	드랍: 하이 리저드 등
초 딱딱한 비늘	519	드랍: 디노사우로이드 등
냄새나는 진흙	15	채집: 회귀의 초원
금니	527	드랍: 해골 등
마석	40	드랍: 매직 스톤 등
용암석	206	드랍: 마그마 스톤 등
작열 광석	211	드랍: 화산 소라게 등
미스릴 광석	312	드랍: 미스릴 골렘 등
얼음의 결정석	56	드랍: 아이스 골렘 등
대지의 결정석	72	드랍: 어스 골렘 등
물의 결정석	452	드랍: 시 골렘 등
불꽃의 결정석	727	드랍: 블레이즈 골렘 등
고양이 수염	84	드랍: 붉은 살 등
고양이 강모	116	드랍: 타마 등
고양이용 글러브	172	드랍: 복서 캣 등
커다란 가위	418	드랍: 빅 크랩 등
게 껍질	1890	드랍: 숲 게 등
지옥의 갈기	2370	드랍: 켈베로스 등
엄청 딱딱한 나무조각	275	드랍: 우드 스켈레톤 등
네거티브한 수액	3	드랍: 힛키 등
네거티브한 뿌리	146	드랍: 인면수 등

아이템	매각	주요 입수 방법
네거티브한 나무 껍질	165	드랍: 신식수 등
얼음 뼈	19	드랍: 아이스 스켈레톤 등
크리스탈 스컬	21	드랍: 크리스탈 골렘 등
뼈조각	52	드랍: 스켈레톤 등
얼음의 해골	195	드랍: 스컬 프로즌 등
불타는 뼈	327	드랍: 플레임 스켈레톤 등
용암의 뼈	521	드랍: 스켈레톤 블레이즈 등
불발탄	558	드랍: 자동 방위 시스템 등
대구경 불발탄	1926	드랍: 팬처 등
메가톤 불발탄	2234	드랍: 시작형 광역 제압 병기 등
마법의 불발탄	8377	드랍: 에어리어 도미넌스 머신 등
소년의 마음	7	드랍: 오토코디우스 등
사악한 마음	60	드랍: 수상한 사람 등
아저씨의 애수	192	드랍: 오야지디우스 등
하비 혼	306	드랍: 부웅콰쾅 아저씨 등
중년의 로망	382	드랍: 오지디우스 등
고룡의… 어떤 진주	87	드랍: 에인션트 드래곤 등
고룡의… 뿔 같은 것	300	드랍: 니드호그 등
고룡의… 어떤 보옥	1545	드랍: 유적에 사는 용 등
고룡의 초승달 모양의…무엇?	2661	드랍: 크레센트 드래곤 등
고룡의… 아무튼 머리	2617	드랍: 숲의 주인 등
수수께끼의 원	4	드랍: 계약천사 등
수수께끼의 적주	17	드랍: 전구 천사 등
혼의 계약서	89	드랍: 큐베리엘 등
마법의 계약서	108	드랍: 하치베에 등
해약 불가능한 계약서	142	드랍: 프로미스 링 등
고대의… 어떤 진주	3723	드랍: 로스트 드래곤 등
계약의 보주	228	드랍: 약속을 관리하는 자 등
코인의 파편	2	드랍: 코인맨 등
AG요 시스템	414	드랍: 주인공기 등
매지컬 코어	221	드랍: 유적을 지키는 자 등
피투성이 부메랑	13	드랍: 부메랑 등
WD의 조각	15	드랍: WD 헤드 등
풋내가 나는 너스 캡	490	드랍: 가지 빈더 등
검은 모금함	180	드랍: 스네그아라벼덤 등
국제 구조대 배지	1929	드랍: 선더 버드 등
녹을 듯한 닭고기	2130	드랍: 빈쵸 등
걸치고 있던 작은 옷	135	드랍: 마다라쵸 등
기묘한 탄력이 있는 덩어리	122	드랍: 테트스리 등
UFO의 컨트롤러	2771	드랍: 침략자 등
에너지 백	2929	드랍: 백식형 장갑 전투 차량 등
짝퉁 회로	3439	드랍: 킬러 모신 등
꿈틀대는 잎사귀	202	드랍: 이나무슨나무 등
작업복의 단추	629	드랍: 줄무늬 오빠 등
하드 커버	16	채집: 풍래 동굴 등
샹푸르의 귀	12	드랍: 노멀 샹푸르 등
남자다운 철	10000	지켜봐줘: 제17에리어 이후 습득
늠름한 곰	10000	지켜봐줘: 제17에리어 이후 습득
전설의 성유물	10000	지켜봐줘: 제17에리어 이후 습득
썩은 돼지고기 된장국	10000	지켜봐줘: 제17에리어 이후 습득
고대 룬 문자 대사전	10000	지켜봐줘: 제17에리어 이후 습득
오버 스펙 메모리	10000	지켜봐줘: 제17에리어 이후 습득
초고급 실크	10000	지켜봐줘: 제17에리어 이후 습득
일렉 스위치	10000	지켜봐줘: 제17에리어 이후 습득
파란 작업복 G	10000	지켜봐줘: 제17에리어 이후 습득
레어 메탈	10000	지켜봐줘: 제17에리어 이후 습득
호탕함의 소양	10000	지켜봐줘: 제17에리어 이후 습득
패권의 힘	10000	드랍: 리그
염랑의 문장	10000	드랍: 울프 블레이즈
은하의 재	10000	드랍: 초은하 슬라이누
오톤	10000	드랍: VIRUS
거시기한 설계도	10000	드랍: NP-02v

+아이템 / 키 아이템

아이템	입수 방법
네푸의 푸딩	제5장
컴파의 주사기	제5장
아이에프의 수첩	제5장
인형	제6장
피세의 그림	제6장
커다란 메달 A	드랍: 주인공기, 초 위험한 샹푸르
커다란 메달 B	드랍: 아킬레스, 갤럭 라이저
커다란 메달 C	드랍: 알카이드, 팔백 재해의 신
커다란 메달 D	드랍: 폴룩스, 레플리컨트
커다란 메달 E	드랍: 알나이르, 라이벌기
커다란 메달 F	드랍: 심판의 사도, 피콕
커다란 메달 G	드랍: 제루가리온, 메네시스

아이템	입수 방법
커다란 메달 H	드랍: 그래프 초코로, 팔조 재해의 신
커다란 메달 I	드랍: 엡실론, 후계기
커다란 메달 J	드랍: 절대신의 부하, 빅 와레츄
커다란 메달 K	드랍: 알데바란, 델피너스
커다란 메달 L	드랍: 트릭 크라운
커다란 메달 M	드랍: 차세대기
커다란 메달 N	드랍: 포멀 하우트
커다란 메달 O	드랍: 팔천 재해의 신
커다란 메달 P	드랍: 도금 드라이거
커다란 메달 Q	드랍: 와일드 와레츄
커다란 메달 R	드랍: 주인공기 개
커다란 메달 S	드랍: 아크룩스

아이템	입수 방법
커다란 메달 T	드랍: 게하츄
커다란 메달 U	드랍: 레굴루스
커다란 메달 V	드랍: 오염에 침식된 자
커다란 메달 W	드랍: 멸망한 신의 잔해
커다란 메달 X	드랍: 팔경 재해의 신
커다란 메달 Y	드랍: 레거시
커다란 메달 Z	드랍: 아이리스 하트?
용량 업 64MB	서장 초차원 트위톡: 카케루 / 드랍: 마제콘느(제1장)
용량 업 128MB	보물상자: 코바츠바 유적 / 지켜봐줘: 제8장에리어 돌파
용량 업 256MB	드랍: 퍼플 시스터, 와레츄
용량 업 512MB	보물상자: ZECA 2호 유적 / 지켜봐줘: 제14에리어 돌파
용량 업 1024MB	제6장 플라네 트위톡: 카제시마 / 드랍: 아쿠다이진(제3장)
콘 프레이크	콜로세움: 나랑 계약해줘!
여신 소시지	콜로세움: 우리들의 적
여신 스티커 초코렛	콜로세움: 우리들의 적
7현인 스티커 초코렛	콜로세움: 범죄 조직의 여신
캐릭터 카드	콜로세움: 초차원을 멸망시키는 자
네푸인형	제2장
프루인형	제2장
느와인형	제2장
블랑인형	제4장
베르인형	제5장
기어인형	제5장
피이인형	제9장
넵튠 스트랩	콜로세움: 결국 북극 초 모험
느와르 스트랩	콜로세움: 연옥
프루루트 스트랩	콜로세움: 범죄 조직의 여신
블랑 스트랩	콜로세움: 바람… 어디선가 불어오고 있어
벨 스트랩	콜로세움: 게임 천국
피셰 스트랩	콜로세움: 뇌전
퍼플 H의 피규어	콜로세움: 우리들의 시체를 넘어서 가라
아이리스 H의 피규어	콜로세움: 사회인의 적
블랙 H의 피규어	콜로세움: 아가씨의 마음
화이트 H의 피규어	콜로세움: 더 뜨거워지라고!!!
그린 H의 피규어	콜로세움: 아버지 분투기
옐로 H의 피규어	콜로세움: 올해도 0개…
사신 피규어	콜로세움: 범죄신, 다시
초합금 아노네데스	콜로세움: 느와르짱을 괴롭히고 싶대
초합금 카피리에이스	콜로세움: 불법 카피, 절대 반대!
카피리에이스의 전단지	콜로세움: 딸에게 멋있는 모습을 보여주고 싶다
키세이죠레이의 전단지	콜로세움: 타리의 여신
7현인 포스터	콜로세움: 원조 진 마제콘느
여신 포스터	콜로세움: 에덴의 여신
여신 메모리	제1장
사양서 : 힐 포트	보물상자: 풍래 동굴
사양서 : 힐 드링크	보물상자: 기고 거리 · 입구
사양서 : 힐 보틀	보물상자: 네크토키 수림
사양서 : 네프비탄	보물상자: ZECA 1호 유적
사양서 : 네프비탄 C	보물상자: 국영 공장
사양서 : 네프비탄 SP	보물상자: 아노네데스의 연구소 · 심부
사양서 : 네프비탄 EX	보물상자: 에므에스 용암동
사양서 : 네프비탄 EX 2	보물상자: 가짜 플라네튠
사양서 : 힐 서클	보물상자: ZECA 2호 유적
사양서 : 힐 레인	보물상자: 헤이로우 숲
사양서 : 힐 필드	보물상자: 케라가 차원
사양서 : 힐 라이트	보물상자: 듀오알 유적
사양서 : P · SP 차지	보물상자: 회귀의 초원
사양서 : P · SP 차지 2	보물상자: 피에스 디멘션
사양서 : 히어로 드링크	보물상자: ZECA 2호 유적
사양서 : 히어로 드링크 C	보물상자: 채굴장
사양서 : 패럴락신	보물상자: 제트 셋 산길
사양서 : 리플렉스	보물상자: 루드암즈 지하도
사양서 : 타후밀	보물상자: 쿠자라트 공장 · 제2구획
사양서 : 안티 베놈	보물상자: 하네다 산길
사양서 : 안티 패럴라이즈	보물상자: 루지이 고원
사양서 : 안티 실	보물상자: 하네다 산길
사양서 : 안티 바이러스	보물상자: 루지이 고원
사양서 : 만능약	보물상자: 헤이로우 숲
사양서 : 초만능약	보물상자: 르위 성 북쪽 방
사양서 : 인텔리 부스터	보물상자: 소니이 습지
사양서 : 인텔리 부스터 Z	보물상자: 하네다 산길 · 정상
사양서 : 퀵 부스터	보물상자: 소니이 습지
사양서 : 퀵 부스터 Z	보물상자: 하네다 산길 · 정상
사양서 : 머슬 부스터	보물상자: 소니이 습지
사양서 : 머슬 부스터 Z	보물상자: 루지이 고원
사양서 : 생명의 조각	퀘스트: 【입문】슬라이누 퇴치!
사양서 : 건강의 조각	보물상자: 지하 동굴
사양서 : 건강의 덩어리	보물상자: 아노네데스의 연구소
사양서 : 천사의 날개	보물상자: 제가 숲
사양서 : 진짜 천사의 날개	보물상자: 피시 게임 공장터
사양서 : 이젝트 버튼	보물상자: 지하 동굴

아이템	입수 방법
사양서 : 태도	보물상자: ZECA 1호 유적
사양서 : 클레이모어	보물상자: 밴디 크래시
사양서 : 빔 카타나	보물상자: 르위 성 외곽 / 숨겨진: 밴디 크래시
사양서 : 차세대형 빔 카타나	퀘스트: 독의 위치
사양서 : 무명도	보물상자: 제가 숲
사양서 : 에스페란자	퀘스트: 슈퍼 해피!
사양서 : 요도 · 무라사메	보물상자: 네크토키 수림
사양서 : 요도 · 무라마사	퀘스트: 거시기를 연상하게 된다…!
사양서 : 엑스칼리버	보물상자: 변질 다차원 공간
사양서 : 레바테인	퀘스트: 고양이 복서
사양서 : 용도 · 키류	드랍: 혹시 넵튠?
사양서 : 슬라이누맨	보물상자: 풍래 동굴
사양서 : 쥐씨	보물상자: 루드암즈 지하도 · 심부
사양서 : 토끼씨	보물상자: 기고 거리 · 입구
사양서 : 어잇!! 인형	보물상자: 코바츠바 유적
사양서 : 팬더씨	보물상자: 하네다 산길
사양서 : 불행한 토끼	퀘스트: 사람간의 인연이 무한의 힘이 된다
사양서 : 강철 슬라이누맨	보물상자: 오오토리이 동굴
사양서 : 네프인형	보물상자: 지하 용암동
사양서 : 머슬 슬라이누	보물상자: 도시 중심부
사양서 : 엣헴한 인형	드랍: 델피너스
사양서 : 브론즈 소드	보물상자: 쿠자라트 공장 · 제1구획
사양서 : 메카니컬 소드	보물상자: 르위 성 외곽
사양서 : 메탈 브링거	퀘스트: 강한 게
사양서 : 메일 브레이커	보물상자: 국영 공장
사양서 : 블랙 크로우	퀘스트: 즐거운 계약
사양서 : 어드밴스드 블레이드	보물상자: 오오토리이 동굴
사양서 : A-MN 느와르	보물상자: 아노네데스의 연구소 · 심부
사양서 : 느와르 스트라이커	보물상자: 변질 다차원 공간
사양서 : 팬텀 블레이드	보물상자: 도시 중심부
사양서 : 듀란달	드랍: 블랙 하트?
사양서 : 블레이드 해머	보물상자: 지하 동굴
사양서 : 베이직 해머	보물상자: 기고 거리 · 입구
사양서 : 아톰 브레이커	보물상자: 채굴장
사양서 : 터보 해머	퀘스트: 복수
사양서 : 파워 해머	퀘스트: 공식이 되고 싶어!
사양서 : 큐브 해머	보물상자: 아노네데스의 연구소 · 심부
사양서 : 맥시멈 해머	퀘스트: 순종적인 부하가 필요해
사양서 : 골디언 해머	보물상자: 변질 다차원 공간
사양서 : 서드 크러셔	퀘스트: 천재로부터 온 의뢰
사양서 : 하드 크러셔	드랍: 화이트 하트?
사양서 : 엑스트 랜스	보물상자: 헤이로우 숲
사양서 : 할버드	퀘스트: 골렘 제작
사양서 : 스페리올 스피어	보물상자: 메로토이드 쉘터, 지하 용암동
사양서 : 로드 랜스	퀘스트: 진귀한 피리 장인 2
사양서 : 기계창 드레드노트	보물상자: 렛츠고 아일랜드
사양서 : 궁그닐	드랍: 그린 하트?
사양서 : 빔 세이버	보물상자: 헤이로우 숲
사양서 : 빔 버스터	퀘스트: 당근 필요 없다니까!
사양서 : 빔 버스터 개	보물상자: 메로토이드 쉘터
사양서 : 라브스 카토르	퀘스트: 용서할 수 없는 로봇
사양서 : 블랙 커버	보물상자: 아노네데스의 연구소
사양서 : 슈베르트 게벨	보물상자: 그라피스 고개
사양서 : 하이퍼 빔 소드	드랍: 퍼플 시스터?
사양서 : 고양이 퍼펫	보물상자: 그라피스 고개
사양서 : 입혼 글러브	보물상자: 렛츠고 아일랜드
사양서 : 튜빔 투의 글러브	드랍: 옐로 하트?
사양서 : 리니어 레일건	드랍: 블랙 시스터?
사양서 : 대전 연필 G	드랍: 화이트 시스터 · 롬?
사양서 : 강철 슬라이누 연필	드랍: 화이트 시스터 · 람?
사양서 : 사춘기의 붕대	보물상자: 제트 셋 산길
사양서 : 스터드 브레슬릿	보물상자: 루드암즈 지하도 · 심부
사양서 : 스터드 암릿	보물상자: 루드암즈 지하도 · 심부
사양서 : 시공의 팔찌	보물상자: 스마폰 산길
사양서 : 복잡한 사연의 팔찌	퀘스트: 모두와 친구가 되는 남자다
사양서 : 실버 브레슬릿	보물상자: 국영 공장
사양서 : 실버 암릿	보물상자: 채굴장
사양서 : 대마왕의 팔찌	퀘스트: 모두 날려주겠어!
사양서 : 로열 브레슬릿	보물상자: 오오토리이 동굴
사양서 : 로열 암릿	보물상자: 오오토리이 동굴
사양서 : 여신의 팔찌	퀘스트: 이어지는 꿈
사양서 : 표고버섯 브레슬릿	보물상자: 에므에스 용암동 / 콜로세움: 아버지 분투기
사양서 : 하얀 고양이 스트랩	보물상자: 비타르 디멘션 / 콜로세움: 아가씨의 마음
사양서 : 눈차크 스트랩	보물상자: 르위 성 북쪽 방 / 콜로세움: 더 뜨거워지라고!!!
사양서 : 몽키 브레슬릿	보물상자: 언더 인버즈 / 콜로세움: 우리들의 시체를 넘어서 가라
사양서 : 명왕 시로의 가호	보물상자: 버추얼 포레스트 / 콜로세움: 사회인의 적
사양서 : 벌써 스트랩	보물상자: 듀오알 유적 / 콜로세움: 올해도 0개…
사양서 : V 크리스탈	콜로세움: 결국 북극 초 모험
사양서 : 사냥의 부적	보물상자: 비타르 디멘션 / 콜로세움: 연옥
사양서 : 화염의 문장	보물상자: 르위 성 북쪽 방 / 콜로세움: 바람… 어디선가 불어오고 있어
사양서 : 트라이앵글 포스	보물상자: 르위 성 북쪽 방 / 콜로세움: 뇌전

●아이템 / 키 아이템

아이템	입수 방법
사양서 : 트라페드 헤조론	보물상자: 버추얼 포레스트
사양서 : 신계의 팔찌	드랍: 퍼플 하트?
사양서 : SP 부스터 2	보물상자: 피에스 디멘션
사양서 : 실버 앵클릿	보물상자: 기고 거리 · 입구
사양서 : 히팅 배지	보물상자: 기고 거리 · 입구
사양서 : 성취의 미상가	보물상자: 기고 거리 · 심부
사양서 : 액션 메모리	보물상자: 헤이로우 숲
사양서 : 프림 로즈	보물상자: 제가 숲
사양서 : 극염의 반지	보물상자: 어덜틱 숲
사양서 : 절영의 반지	보물상자: 어덜틱 숲
사양서 : 질풍의 반지	보물상자: 어덜틱 숲
사양서 : 진뇌의 반지	보물상자: 어덜틱 숲
사양서 : 로스트 게임 링	보물상자: 코바츠바 유적
사양서 : 아크 앵클릿	보물상자: 루지이 고원
사양서 : 프로미넌스 배지	보물상자: 루지이 고원
사양서 : 축복의 미상가	보물상자: 루지이 고원
사양서 : 밀레니엄 메모리	보물상자: 루지이 고원
사양서 : 엔게이지 링	보물상자: 오오토리이 동굴
사양서 : 유미니테스의 부적	보물상자: 네크토키 수림
사양서 : 유니미테스의 부적	보물상자: 지하 용암동
사양서 : 신비의 반지	보물상자: 피시 게임 공장터
사양서 : SP 부스터 3	보물상자: 그라피스 고개
사양서 : 명계의 반지	보물상자: 그라피스 고개
사양서 : 후보생의 가호	보물상자: 비타르 디멘션
사양서 : 여신의 가호	보물상자: 소우 · 설 숲
사양서 : C 캐주얼	드랍: 마제콘느(제1장)
사양서 : 폭신폭신 스타일	드랍: 아쿠다이진(제5장)
사양서 : 코스프레 대전집	드랍: 카피리에이스(제2장)
사양서 : 전통 장식	드랍: 화이트 하트(제3장)
사양서 : S 코디네이트	드랍: 그린 하트(제4장)
사양서 : 어린이 옷 C	드랍: 옐로 하트(제8장)
사양서 : 메이드 도감	숨겨진: 도시 중심부
사양서 : 4여신 온라인 설정집	숨겨진: 도시 중심부
사양서 : 올해의 수영복!	숨겨진: 도시 중심부
사양서 : 악마의 혼	보물상자: 제트 셋 산길
사양서 : 머리와 멋	보물상자: 제트 셋 산길 · 정상
사양서 : 고양이가 좋아	보물상자: 풍래 동굴
사양서 : 더 · 세레브	보물상자: 풍래 동굴 · 심부
사양서 : 세계의 모자 대전	보물상자: 밴디 크래시
사양서 : 멋진 베일	보물상자: 메로토이드 쉘터
사양서 : 귀여운 리본	보물상자: 쿠자라트 공장 · 제2구획
사양서 : NMT! NMT!	보물상자: 루드암즈 지하도
사양서 : 귀여운 동물	보물상자: 루드암즈 지하도 · 심부
사양서 : 안경 모에!	보물상자: 채굴장
사양서 : 할 수 있다! 도장술!	보물상자: 제트 셋 산길
사양서 : 자의 서	콜로세움: 가지가지 패닉
사양서 : 흑의 서	콜로세움: 용감한 정의
사양서 : 백의 서	콜로세움: 경찰 아저씨, 여기에요!
사양서 : 녹의 서	콜로세움: 포악한 묘지기
사양서 : 금의 서	콜로세움: 와레츄 건강해츄~☆
던전 추가 : 렛츠고 아일랜드	제9장 플라네 트위톡: 베테랑 크리에이터
던전 추가 : 피에스 디멘션	보물상자: 어덜틱 숲
던전 추가 : 비타르 디멘션	제9장 라스테 트위톡: 루시엘씨
던전 추가 : 회귀의 초원	보물상자: 소니이 습지
던전 추가 : 루지이 고원	제5장 르위 트위톡: 키노코
던전 추가 : 르위 성 북쪽 방	엔딩 후 르위 트위톡: 지미
던전 추가 : 코바츠바 유적	보물상자: 스마폰 산길
던전 추가 : 네크토키 수림	보물상자: 루이지 고원
던전 추가 : 에므에스 용암 동굴	엔딩 후 플라네 트위톡: 실황씨
던전 추가 : 그라피스 고개	제8장 에딘 트위톡: 선더 대령
던전 추가 : 듀오알 유적	제8장 에딘 트위톡: 건방진 용사
던전 추가 : 코어그라 고원	보물상자: 언더 인버즈 · 심부
던전 추가 : 버추얼 포레스트	제10장 플라네 트위톡: 신인 헌터짱
던전 추가 : 언더 인버즈	엔딩 후 초차원 트위톡: 키미즈 나나
던전 추가 : 가짜 플라네튠	엔딩 후 초차원 트위톡: 타카나시 명인
던전 추가 : 케라가 차원	보물상자: 네크토키 수림
던전 추가 : 소우 · 설 숲	제9장 여보세요 트위톡: 모바일러
던전 추가 : 피시 게임 공장터	보물상자: 케라가 차원
던전 추가 : 도우 사원	엔딩 후 피시 트위톡: 모노 판다
던전 변화 : 버추얼 포레스트 보호 지구	제10장 초차원 트위톡: 신인 헌터짱
던전 변화 : 플라네튠 역 앞 광장	제10장 초차원 트위톡: 신인 헌터짱
던전 변화 : ZECA 1호 유적	제1장 플라네 트위톡: 몬스터 할아버지
던전 변화 : 제트 셋 산길	지켜봐줘: 제1에리어 발견
던전 변화 : 풍래 동굴	지켜봐줘: 제1에리어 발견
던전 초변화 : 풍래 동굴	지켜봐줘: 제1에리어 발견
던전 변화 : 밴디 크래시	지켜봐줘: 제1에리어 발견
던전 초변화 : 밴디 크래시	지켜봐줘: 제1에리어 발견
던전 변화 : 쿠자라트 공장	지켜봐줘: 제1에리어 발견
던전 초변화 : 쿠자라트 공장	지켜봐줘: 제1에리어 발견
던전 변화 : 루드암즈 지하도	지켜봐줘: 제2에리어 발견
던전 초변화 : 루드암즈 지하도	지켜봐줘: 제3에리어 발견
던전 변화 : 르위 성	지켜봐줘: 제2에리어
던전 초변화 : 르위 성	지켜봐줘: 제3에리어
던전 변화 : 지하 동굴	지켜봐줘: 제2에리어
던전 초변화 : 지하 동굴	지켜봐줘: 제3에리어
던전 변화 : 기고 거리	지켜봐줘: 제4에리어
던전 초변화 : 기고 거리	지켜봐줘: 제5에리어
던전 변화 : 헤이로우 숲	지켜봐줘: 제4에리어
던전 초변화 : 헤이로우 숲	지켜봐줘: 제5에리어
던전 변화 : 국영 공장	지켜봐줘: 제6에리어
던전 초변화 : 국영 공장	지켜봐줘: 제7에리어
던전 변화 : 채굴장	지켜봐줘: 제6에리어
던전 초변화 : 채굴장	지켜봐줘: 제7에리어
던전 변화 : 제가 숲	지켜봐줘: 제6에리어
던전 초변화 : 제가 숲	지켜봐줘: 제7에리어
던전 변화 : 하네다 산길	지켜봐줘: 제6에리어
던전 초변화 : 하네다 산길	지켜봐줘: 제7에리어
던전 변화 : 메로토이드 쉘터	지켜봐줘: 제8에리어
던전 초변화 : 메로토이드 쉘터	지켜봐줘: 제9에리어
던전 변화 : 아리오 고원	지켜봐줘: 제10에리어
던전 초변화 : 아리오 고원	지켜봐줘: 제11에리어
던전 변화 : 오오토리이 동굴	지켜봐줘: 제10에리어
던전 초변화 : 오오토리이 동굴	지켜봐줘: 제11에리어
던전 변화 : 아노네데스의 연구소	지켜봐줘: 제10에리어
던전 초변화 : 아노네데스의 연구소	지켜봐줘: 제11에리어
던전 변화 : 지하 용암 동굴	지켜봐줘: 제12에리어
던전 초변화 : 지하 용암 동굴	지켜봐줘: 제13에리어
던전 변화 : 변질 다차원 공간	지켜봐줘: 제14에리어
던전 초변화 : 변질 다차원 공간	지켜봐줘: 제15에리어
던전 변화 : 도시 중심부	지켜봐줘: 제16에리어
던전 초변화 : 도시 중심부	지켜봐줘: 제16에리어
던전 변화 : 오오토리이 대삼림	지켜봐줘: 제1에리어
던전 변화 : ZECA 2호 유적	지켜봐줘: 제1에리어
던전 초변화 : ZECA 2호 유적	지켜봐줘: 제1에리어
던전 변화 : 렛츠고 아일랜드	렛츠고 아일랜드 추가 후 플라네 트위톡: 치바씨
던전 초변화 : 렛츠고 아일랜드	숨겨진: 렛츠고 아일랜드 · 심부
던전 변화 : 소니이 습지	지켜봐줘: 제1에리어 발견
던전 초변화 : 소니이 습지	지켜봐줘: 제1에리어 돌파
던전 변화 : 피에스 디멘션	피에스 디멘션 추가 후 트위톡: 베테랑 헌터씨
던전 초변화 : 피에스 디멘션	숨겨진: 피에스 디멘션
던전 변화 : 비타르 디멘션	비타르 디멘션 추가 후 라스테 트위톡: 베테랑 헌터씨
던전 초변화 : 비타르 디멘션	숨겨진: 비타르 디멘션
던전 변화 : 회귀의 초원	회귀의 초원 추가 후 플라네 트위톡: 동굴 탐험가
던전 초변화 : 회귀의 초원	숨겨진: 회귀의 초원
던전 변화 : 루지이 고원	루지이 고원 추가 후 르위 트위톡: 키노코
던전 초변화 : 루지이 고원	숨겨진: 루지이 고원
던전 변화 : 르위 성 북쪽 방	르위 성 북쪽 방 추가 후 르위 트위톡 : 동굴 탐험가
던전 초변화 : 르위 성 북쪽 방	숨겨진: 르위 성 북쪽 방
던전 변화 : 코바츠바 유적	코바츠바 유적 추가 후 린 트위톡: 빌리 씨
던전 초변화 : 코바츠바 유적	숨겨진: 코바츠바 유적
던전 변화 : 네크토키 수림	네크토키 수림 추가 후 린 트위톡: 빌리씨
던전 초변화 : 네크토키 수림	숨겨진: 네크토키 수림
던전 변화 : 에므에스 용암 동굴	에므에스 용암동 추가 후 린 트위톡: 빌리씨
던전 초변화 : 에므에스 용암 동굴	숨겨진: 에므에스 용암동
던전 변화 : 그라피스 고개	그라피스 고개 추가 후 에딘 트위톡: 은행원
던전 초변화 : 그라피스 고개	숨겨진: 그라피스 고개 · 정상
던전 변화 : 듀오알 유적	듀오알 유적 추가 후 에딘 트위톡: 건방진 용사
던전 초변화 : 듀오알 유적	숨겨진: 듀오알 유적
던전 변화 : 코어그라 고원	코어그라 고원 추가 후 에딘 트위톡: 은행원
던전 초변화 : 코어그라 고원	숨겨진: 코어그라 고원
던전 변화 : 버추얼 포레스트	버추얼 포레스트 추가 후 초차원 트위톡: 토이치씨
던전 초변화 : 버추얼 포레스트	숨겨진: 버추얼 포레스트 · 심부
던전 변화 : 언더 인버즈	언더 인버즈 추가 후 초차원 트위톡: 토이치씨
던전 초변화 : 언더 인버즈	숨겨진: 언더 인버즈
던전 변화 : 가짜 플라네튠	가짜 플라네튠 추가 후 초차원 트위톡 : 토이치씨
던전 초변화 : 가짜 플라네튠	숨겨진: 가짜 플라네튠
던전 변화 : 스마폰 산길	지켜봐줘: 제4에리어 발견
던전 초변화 : 스마폰 산길	지켜봐줘: 제5에리어 발견
던전 변화 : 케라가 차원	케라가 차원 추가 후 여보세요 트위톡: 라면 라이터
던전 초변화 : 케라가 차원	숨겨진: 케라가 차원
던전 변화 : 소우 · 설 숲	소우 · 설 숲 추가 후 여보세요 트위톡: 라면 라이터
던전 초변화 : 소우 · 설 숲	숨겨진: 소우 · 설 숲
던전 변화 : 어덜틱 숲	지켜봐줘: 제6에리어 발견
던전 초변화 : 어덜틱 숲	지켜봐줘: 제7에리어 발견
던전 변화 : 피시 게임 공장터	피시 게임 공장터 추가 후 피시 트위톡: 실황씨
던전 초변화 : 피시 게임 공장터	숨겨진: 피시 게임 공장터
던전 변화 : 도우 사원	도우 사원 추가 후 피시 트위톡: 실황씨
던전 초변화 : 도우 사원	숨겨진: 도우 사원
던전 변화 : 미래를 결정하는 전자의 땅	보물상자: 미래를 결정하는 전자의 땅
던전 초변화 : 미래를 결정하는 전자의 땅	숨겨진: 미래를 결정하는 전자의 땅
적을 강하게 한다	제2장 플라네 트위톡: 캥거루
적을 약하게 한다	제2장 라스테 트위톡: 몬스터 할아버지

아이템	입수 방법
습득 경험치 업	숨겨진: 기고 거리 · 입구
습득 크레디트 업	숨겨진: 르위 성 외곽
언제 어디서나 이스케이프	보물상자: 회귀의 초원
무조건 도주한다	지켜봐줘: 제6에리어 발견
상태 이상에 강하게	숨겨진: 스마폰 산길 · 정상
노린 타겟은 놓치지 않는다	지켜봐줘: 제4에리어 발견
한계 돌파	지켜봐줘: 제7에리어 발견
심볼 격파	제3장 르위 트위톡: 카제시마
심볼 격파로도 입수	지켜봐줘: 제17에리어 발견
백어택 삭제	보물상자: 피에스 디멘션
항상 심볼 어택	드랍: 마제콘느(제5장) / 지켜봐줘: 제8에리어 발견
점핑 스타	숨겨진: 헤이로우 숲
트레져 헌터	보물상자: 루드암즈 지하도 · 남문
숨겨진 보물 상자 횟수 업	지켜봐줘: 제5에리어 발견
라플라스 · 아이	제5장 린 트위톡: P2
스니킹 · 스코프	제5장 피시 트위톡: 이노군
원화틱한 눈썹	제2장 라스테 트위톡: 슬레이어
콜로세움 해방	제5장 플라네 트위톡: 프루루트
지켜봐줘☆던전 개방	제2장 플라네 트위톡: 스텔라
제2에리어의 열쇠	지켜봐줘: 제1에리어 돌파
제3에리어의 열쇠	지켜봐줘: 제2에리어 돌파
제4에리어의 열쇠	지켜봐줘: 제3에리어 돌파
제5에리어의 열쇠	지켜봐줘: 제4에리어 돌파
제6에리어의 열쇠	지켜봐줘: 제5에리어 돌파
제7에리어의 열쇠	지켜봐줘: 제6에리어 돌파
제8에리어의 열쇠	지켜봐줘: 제7에리어 돌파
제9에리어의 열쇠	지켜봐줘: 제8에리어 돌파
제10에리어의 열쇠	지켜봐줘: 제9에리어 돌파
제11에리어의 열쇠	지켜봐줘: 제10에리어 돌파
제12에리어의 열쇠	지켜봐줘: 제11에리어 돌파
제13에리어의 열쇠	지켜봐줘: 제12에리어 돌파
제14에리어의 열쇠	지켜봐줘: 제13에리어 돌파
제15에리어의 열쇠	지켜봐줘: 제14에리어 돌파
제16에리어의 열쇠	지켜봐줘: 제15에리어 돌파
제17에리어의 열쇠	지켜봐줘: 제16에리어 돌파
제18에리어의 열쇠	지켜봐줘: 제17에리어 돌파
제19에리어의 열쇠	지켜봐줘: 제18에리어 돌파
최종 에리어의 열쇠	지켜봐줘: 제19에리어 돌파
전투 BGM 전환	지켜봐줘: 제1에리어 돌파
월드 BGM 전환	보물상자: ZECA 1호 유적
HP 업 1 〈넵튠〉	캐릭터 챌린지: 참견쟁이 Lv3
HP 업 2 〈넵튠〉	캐릭터 챌린지: 모두의 방패 Lv4
HP 업 3 〈넵튠〉	캐릭터 챌린지: 참견쟁이 Lv7
모든 능력치 업 1 〈넵튠〉	캐릭터 챌린지: 바톤 터치 Lv1
모든 능력치 업 2 〈넵튠〉	캐릭터 챌린지: 혼자서도 할 수 있어! Lv4
모든 능력치 업 3 〈넵튠〉	캐릭터 챌린지: 네가 울 때까지… Lv6
스킬 습득 〈넵튠〉	캐릭터 챌린지: 내 비장의 기술 Lv2
러쉬 콤보 칸 추가 〈넵튠〉	캐릭터 챌린지: 승리의 포즈! Lv5
파워 콤보 칸 추가 〈넵튠〉	제4장 플라네 트위톡: 하얀 어둠의 잔재
브레이크 콤보 칸 추가 〈넵튠〉	지켜봐줘: 제4에리어 발견
리더 스킬 습득 〈넵튠〉	캐릭터 챌린지: 마라톤 런너 Lv3
메뉴에서 말하기 〈넵튠〉	캐릭터 챌린지: 뚝심 Lv1
엿보기는 적당히 〈넵튠〉	캐릭터 챌린지: 판치라 Lv2
HP 업 1 〈프루루트〉	캐릭터 챌린지: 참견쟁이 Lv3
HP 업 2 〈프루루트〉	캐릭터 챌린지: 모두의 방패 Lv4
HP 업 3 〈프루루트〉	캐릭터 챌린지: 참견쟁이 Lv7
모든 능력치 업 1 〈프루루트〉	캐릭터 챌린지: 바톤 터치 Lv1
보는 능력치 업 2 〈프루루트〉	캐릭터 챌린지: 혼자서도 할 수 있어! Lv4
모든 능력치 업 3 〈프루루트〉	캐릭터 챌린지: 네가 울 때까지… Lv6
스킬 습득 〈프루루트〉	캐릭터 챌린지: 내 비장의 기술 Lv2
러쉬 콤보 칸 추가 〈프루루트〉	캐릭터 챌린지: 승리의 포즈! Lv5
파워 콤보 칸 추가 〈프루루트〉	지켜봐줘: 제5에리어 발견
브레이크 콤보 칸 추가 〈프루루트〉	제5장 플라네 트위톡: 영적 게진
리더 스킬 습득 〈프루루트〉	캐릭터 챌린지: 마라톤 런너 Lv3
메뉴에서 말하기 〈프루루트〉	캐릭터 챌린지: 뚝심 Lv1
엿보기는 적당히 〈프루루트〉	캐릭터 챌린지: 판치라 Lv2
HP 업 1 〈느와르〉	캐릭터 챌린지: 참견쟁이 Lv3
HP 업 2 〈느와르〉	캐릭터 챌린지: 모두의 방패 Lv4
HP 업 3 〈느와르〉	캐릭터 챌린지: 참견쟁이 Lv7
모든 능력치 업 1 〈느와르〉	캐릭터 챌린지: 바톤 터치 Lv1
모든 능력치 업 2 〈느와르〉	캐릭터 챌린지: 혼자서도 할 수 있어! Lv4
모든 능력치 업 3 〈느와르〉	캐릭터 챌린지: 네가 울 때까지… Lv6
스킬 습득 〈느와르〉	캐릭터 챌린지: 내 비장의 기술 Lv2
파워 콤보 칸 추가 〈느와르〉	캐릭터 챌린지: 승리의 포즈! Lv5
리더 스킬 습득 〈느와르〉	캐릭터 챌린지: 마라톤 런너 Lv3
메뉴에서 말하기 〈느와르〉	캐릭터 챌린지: 뚝심 Lv1
엿보기는 적당히 〈느와르〉	캐릭터 챌린지: 판치라 Lv2
HP 업 1 〈블랑〉	캐릭터 챌린지: 참견쟁이 Lv3

아이템	입수 방법
HP 업 2 〈블랑〉	캐릭터 챌린지: 모두의 방패 Lv4
HP 업 3 〈블랑〉	캐릭터 챌린지: 참견쟁이 Lv7
모든 능력치 업 1 〈블랑〉	캐릭터 챌린지: 바톤 터치 Lv1
모든 능력치 업 2 〈블랑〉	캐릭터 챌린지: 혼자서도 할 수 있어! Lv4
모든 능력치 업 3 〈블랑〉	캐릭터 챌린지: 네가 울 때까지… Lv6
스킬 습득 〈블랑〉	캐릭터 챌린지: 내 비장의 기술 Lv2
브레이크 콤보 칸 추가 〈블랑〉	캐릭터 챌린지: 승리의 포즈! Lv5
리더 스킬 습득 〈블랑〉	캐릭터 챌린지: 마라톤 런너 Lv3
메뉴에서 말하기 〈블랑〉	캐릭터 챌린지: 뚝심 Lv1
엿보기는 적당히 〈블랑〉	캐릭터 챌린지: 판치라 Lv2
HP 업 1 〈벨〉	캐릭터 챌린지: 참견쟁이 Lv3
HP 업 2 〈벨〉	캐릭터 챌린지: 모두의 방패 Lv4
HP 업 3 〈벨〉	캐릭터 챌린지: 참견쟁이 Lv7
모든 능력치 업 1 〈벨〉	캐릭터 챌린지: 바톤 터치 Lv1
모든 능력치 업 2 〈벨〉	캐릭터 챌린지: 혼자서도 할 수 있어! Lv4
모든 능력치 업 3 〈벨〉	캐릭터 챌린지: 네가 울 때까지… Lv6
스킬 습득 〈벨〉	캐릭터 챌린지: 내 비장의 기술 Lv2
러쉬 콤보 칸 추가 〈벨〉	캐릭터 챌린지: 승리의 포즈! Lv5
리더 스킬 습득 〈벨〉	캐릭터 챌린지: 마라톤 런너 Lv3
메뉴에서 말하기 〈벨〉	캐릭터 챌린지: 뚝심 Lv1
엿보기는 적당히 〈벨〉	캐릭터 챌린지: 판치라 Lv2
HP 업 1 〈네프기어〉	캐릭터 챌린지: 참견쟁이 Lv3
HP 업 2 〈네프기어〉	캐릭터 챌린지: 모두의 방패 Lv4
HP 업 3 〈네프기어〉	캐릭터 챌린지: 참견쟁이 Lv7
모든 능력치 업 1 〈네프기어〉	캐릭터 챌린지: 바톤 터치 Lv1
모든 능력치 업 2 〈네프기어〉	캐릭터 챌린지: 혼자서도 할 수 있어! Lv4
모든 능력치 업 3 〈네프기어〉	캐릭터 챌린지: 네가 울 때까지… Lv6
스킬 습득 〈네프기어〉	캐릭터 챌린지: 내 비장의 기술 Lv2
러쉬 콤보 칸 추가 〈네프기어〉	캐릭터 챌린지: 승리의 포즈! Lv5
파워 콤보 칸 추가 〈네프기어〉	지켜봐줘: 제5에리어 발견
리더 스킬 습득 〈네프기어〉	캐릭터 챌린지: 마라톤 런너 Lv3
메뉴에서 말하기 〈네프기어〉	캐릭터 챌린지: 뚝심 Lv1
엿보기는 적당히 〈네프기어〉	캐릭터 챌린지: 판치라 Lv2
HP 업 1 〈피셰〉	캐릭터 챌린지: 참견쟁이 Lv3
HP 업 2 〈피셰〉	캐릭터 챌린지: 모두의 방패 Lv4
HP 업 3 〈피셰〉	캐릭터 챌린지: 참견쟁이 Lv7
모든 능력치 업 1 〈피셰〉	캐릭터 챌린지: 바톤 터치 Lv1
모든 능력치 업 2 〈피셰〉	캐릭터 챌린지: 혼자서도 할 수 있어! Lv4
모든 능력치 업 3 〈피셰〉	캐릭터 챌린지: 네가 울 때까지… Lv6
스킬 습득 〈피셰〉	캐릭터 챌린지: 내 비장의 기술 Lv2
파워 콤보 칸 추가 〈피셰〉	캐릭터 챌린지: 승리의 포즈! Lv5
리더 스킬 습득 〈피셰〉	캐릭터 챌린지: 마라톤 런너 Lv3
메뉴에서 말하기 〈피셰〉	캐릭터 챌린지: 뚝심 Lv1
엿보기는 적당히 〈피셰〉	캐릭터 챌린지: 판치라 Lv2
HP 업 1 〈유니〉	캐릭터 챌린지: 참견쟁이 Lv3
HP 업 2 〈유니〉	캐릭터 챌린지: 모두의 방패 Lv4
HP 업 3 〈유니〉	캐릭터 챌린지: 참견쟁이 Lv7
모든 능력치 업 1 〈유니〉	캐릭터 챌린지: 바톤 터치 Lv1
모든 능력치 업 2 〈유니〉	캐릭터 챌린지: 혼자서도 할 수 있어! Lv4
모든 능력치 업 3 〈유니〉	캐릭터 챌린지: 네가 울 때까지… Lv6
스킬 습득 〈유니〉	캐릭터 챌린지: 내 비장의 기술 Lv2
러쉬 콤보 칸 추가 〈유니〉	캐릭터 챌린지: 승리의 포즈! Lv5
리더 스킬 습득 〈유니〉	캐릭터 챌린지: 마라톤 런너 Lv3
메뉴에서 말하기 〈유니〉	캐릭터 챌린지: 뚝심 Lv1
엿보기는 적당히 〈유니〉	캐릭터 챌린지: 판치라 Lv2
HP 업 1 〈롬〉	캐릭터 챌린지: 참견쟁이 Lv3
HP 업 2 〈롬〉	캐릭터 챌린지: 모두의 방패 Lv4
HP 업 3 〈롬〉	캐릭터 챌린지: 참견쟁이 Lv7
모든 능력치 업 1 〈롬〉	캐릭터 챌린지: 바톤 터치 Lv1
모든 능력치 업 2 〈롬〉	캐릭터 챌린지: 혼자서도 할 수 있어! Lv4
모든 능력치 업 3 〈롬〉	캐릭터 챌린지: 네가 울 때까지… Lv6
스킬 습득 〈롬〉	캐릭터 챌린지: 내 비장의 기술 Lv2
파워 콤보 칸 추가 〈롬〉	캐릭터 챌린지: 승리의 포즈! Lv5
리더 스킬 습득 〈롬〉	캐릭터 챌린지: 마라톤 런너 Lv3
메뉴에서 말하기 〈롬〉	캐릭터 챌린지: 뚝심 Lv1
엿보기는 적당히 〈롬〉	캐릭터 챌린지: 판치라 Lv2
HP 업 1 〈람〉	캐릭터 챌린지: 참견쟁이 Lv3
HP 업 2 〈람〉	캐릭터 챌린지: 모두의 방패 Lv4
HP 업 3 〈람〉	캐릭터 챌린지: 참견쟁이 Lv7
모든 능력치 업 1 〈람〉	캐릭터 챌린지: 바톤 터치 Lv1
모든 능력치 업 2 〈람〉	캐릭터 챌린지: 혼자서도 할 수 있어! Lv4
모든 능력치 업 3 〈람〉	캐릭터 챌린지: 네가 울 때까지… Lv6
스킬 습득 〈람〉	캐릭터 챌린지: 내 비장의 기술 Lv2
러쉬 콤보 칸 추가 〈람〉	캐릭터 챌린지: 승리의 포즈! Lv5
리더 스킬 습득 〈람〉	캐릭터 챌린지: 마라톤 런너 Lv3
메뉴에서 말하기 〈람〉	캐릭터 챌린지: 뚝심 Lv1
엿보기는 적당히 〈람〉	캐릭터 챌린지: 판치라 Lv2

+몬스터

몬스터	종족	분류	출현 장소	드랍 아이템	EXP	Credit
A2-i	머신	보통	피시 게임 공장터	불법 회로	6699	2079
DSTT	머신	보통	국영 공장	불법 초고급 개조 회로	1514	996
DSTT 개	머신	보통	듀오알 유적	불법 마더 보드	25692	3798
EDGE	머신	보통	아노네데스의 연구소, 케라가 차원	불법 RAM	4548	1791
EDGE	머신	보통	케라가 차원	불법 RAM	4548	1791
M-3	머신	보통	역 앞 광장	불법 조악 회로	14	21
M-3D	머신	보통	도우 사원	불법 조악 회로	32791	4194
NP-02v	머신	보통	미래를 결정하는 전자의 땅, 미래를 결정하는 전자의 땅·심부	거시기한 설계도	6699	2079
R-4	머신	보통	쿠자라트 공장·제1구획, 쿠자라트 공장·제2구획	불법 메모리	227	141
R4i-SDHC	머신	위험종	쿠자라트 공장·제1구획, 쿠자라트 공장·제2구획	매직 스톤	1926	1182
R-4 커스텀	머신	보통	도시 중심부	불법 SSD	8965	2552
SDHC	머신	보통	기고 거리·심부	불법 ROM	836	534
VIRUS	마제콘느	접촉 금지종	미래를 결정하는 전자의 땅, 미래를 결정하는 전자의 땅·심부	오톤	89640	17025
WD 헤드	폭탄	보통	회귀의 초원	WD의 조각	111	97
WD 헤드	폭탄	콜로세움	게임 천국	-	750	503
어스 골렘	무기질	보통	지하 동굴	대지의 결정석	450	363
어스 리저드	드래곤	보통	오오토리이 동굴	대지의 비늘	3881	1412
아이스 걸	고스트	보통	풍래 동굴·심부	핑크 리본	53	30
아이스 가루다	조류	콜로세움	결국 북극 초 모험	-	3478	1923
아이스 골렘	무기질	보통	루드암즈 지하도·남문, 루드암즈 지하도·북문	얼음의 결정석	305	224
아이스 스켈레톤	고스트	보통	풍래 동굴, 풍래 동굴·심부	얼음 뼈	117	58
아이스 펜릴	동물	위험종	채굴장	빙랑의 손톱, 테헷낼름 여우	13260	7056
아이스 웨일	수생	상위 위험종	지하 동굴, 성·심부	몬스터	6693	4740
아이스 보이	고스트	보통	풍래 동굴·심부	빙결 천	58	27
아이템 재머 비트	머신	스토리	제5장	불법 ROM	1190	870
아이템 재머 비트 리페어	머신	스토리	클리어 후 서브 이벤트	-	36755	20000
아이템 재머 비트 개	머신	콜로세움	느와르짱을 괴롭히고 싶대	-	13146	1817
아이 마블	식물	보통	오오토리이 동굴, 네크토키 수림	무지개빛 꽃잎	1516	653
아이 마블	식물	보통	네크토키 수림	무지개빛 꽃잎	1516	653
아이리스 하트	여신	콜로세움	초S 푸루루룽	-	172541	20719
아이리스 하트?	여신	접촉 금지종	기짜 플라네튠	커다란 메달 Z	43655	11250
아에루	동물	보통	기고 거리·입구, 기고 거리·심부	아에루의 손톱	300	127
붉은 살	동물	보통	소니이 습지	고양이 수염	127	53
아킬레스	머신	접촉 금지종	소니이 습지	커다란 메달 B	5697	4032
아쿠다이진	머신	스토리	제3장	불발탄, 용량 업 1024MB	6080	5292
아쿠다이진	머신	스토리	제5장	[사]사양서 : 푹신푹신 스타일	20077	15411
아쿠다이진	머신	스토리	제6장	아저씨의 애수	29972	19476
아쿠다이진	머신	스토리	제8장	-	51490	23724
아쿠다이진	머신	콜로세움	아버지 분투기	-	14905	6425
아쿠다이진	머신	콜로세움	딸에게 멋있는 모습을 보여주고 싶다	-	70812	12840
아크룩스	동물	접촉 금지종	케라가 차원	커다란 메달 S	56175	14998
아게하	곤충	보통	기고 거리·입구, 기고 거리·심부	큰 나비의 날개	339	170
아노네데스	머신	스토리	제5장	불법 초고급 개조 회로	17370	14400
아노네데스	머신	스토리	제7장	대구경 불발탄	47320	23512
아노네데스	머신	콜로세움	아가씨의 마음	-	16260	5931
아노네데스	머신	콜로세움	느와르짱을 괴롭히고 싶대	-	98595	13086
아펠돈	식물	보통	성·심부, 회귀의 초원	붉은 꽃잎	234	139
아펠돈	식물	보통	회귀의 초원	붉은 꽃잎	234	139
알카이드	머신	접촉 금지종	쿠자라트 공장·제1구획, 쿠자라트 공장·제2구획	댄싱 컨트롤러, 커다란 메달 C	5171	3732
알데바란	머신	접촉 금지종	피에스 디멘션	커다란 메달 K	31972	10914
알나이르	머신	접촉 금지종	스마폰 산길, 스마폰 산길·정상	커다란 메달 E	11481	7008
알프레드	식물	보통	비타르 디멘션	붉은 꽃잎	4075	970
아르라우네	식물	보통	제트 셋 산길, 제트 셋 산길·정상	요화의 꽃잎	59	52
아루루나	식물	보통	지하 동굴, 성·심부	요화의 꽃잎	486	399
아르룬	식물	보통	제가 숲	요화의 꽃잎	1822	1395
안타레스	머신	상위 위험종	국영 공장	2쌍식 마광 동력로	15619	7761
옐로 하트	여신	스토리	제6장	염랑의 손톱	40500	1246
옐로 하트	여신	스토리	제7장	아가씨 게임	56784	1410
옐로 하트	여신	스토리	제8장 굿 / 트루 루트	[사]사양서 : 어린이 옷 C	65040	1482
옐로 하트	여신	스토리	제8장 노멀 루트	-	68940	1521
옐로 하트	여신	콜로세움	에딘의 여신	-	219708	21249
옐로 하트?	여신	접촉 금지종	코어그라 고원	[사]사양서 : 표범 무늬 글러브	43567	11250
유적에 사는 용	드래곤	위험종	르위 성 남쪽 방	고룡의… 어떤 보옥	15152	7725
유적을 지키는 자	무기질	보통	르위 성 남쪽 방	매지컬 코어	1875	1329
엡실론	머신	접촉 금지종	코바즈바 유적	커다란 메달 I	28726	10181
인비지블 걸	고스트	보통	스마폰 산길, 스마폰 산길·정상	인비지블 리본	267	140
인비지블 보이	고스트	보통	스마폰 산길, 스마폰 산길·정상	보이지 않는 천	295	127
바날간드	동물	위험종	듀오알 유적	괴랑의 손톱	147628	19728
베놈 걸	고스트	보통	국영 공장	베놈 리본	580	331
베놈 보이	고스트	보통	국영 공장	맹독 천	642	300
우드 스켈레톤	고스트	보통	루지이 고원	엄청 딱딱한 나무조각	3628	1379
말새	조류	보통	기고 거리·입구	말새의 날개	640	441
말새크스	조류	보통	하네다 산길	말새의 대퇴골	2362	1401
말새 라이더	슬라이누	상위 위험종	피에스 디멘션	죽어서 배워라	23010	8812
울프	동물	보통	헤이로우 숲	늑대의 모피	1040	550
울프 블레이즈	동물	위험종	미래를 결정하는 전자의 땅, 미래를 결정하는 전자의 땅·심부	염랑의 문장	52988	12456

몬스터	종족	분류	출현 장소	드랍 아이템	EXP	Credit
에어리어 도미넌스 머신	머신	위험종	가짜 플라네튠	마법의 불발탄	224744	41889
엘레멘트 드래곤	드래곤	위험종	루드암즈 지하도·남문, 루드암즈 지하도·북문	드래곤의 손톱	2695	1650
에인션트 드래곤	드래곤	보통	제트 셋 산길, 제트 셋 산길·정상	고룡의… 어떤 진주	726	435
오우치 개구리	수생	보통	오오토리이 대삼림	철모	8	7
큰 육지 거북	수생	위험종	메로토이드 쉘터	근미래	25325	9645
오지디우스	데이터	보통	그라피스 고개, 그라피스 고개·정상	중년의 로망	7687	2295
방해 슬라이누	슬라이누	콜로세움	게임 천국	-	750	403
오염 어스 골렘	무기질	보통	지하 동굴	대지의 결정석	735	528
오염 어스 리저드	드래곤	보통	오오토리이 동굴	대지의 비늘	5568	2243
오염 아이스 골렘	무기질	보통	루드암즈 지하도·남문, 루드암즈 지하도·북문	얼음의 결정석	457	326
오염 아게하	곤충	보통	기고 거리·입구, 기고 거리·심부	큰 나비의 날개	418	243
오염 아르라우네	식물	보통	제트 셋 산길, 제트 셋 산길·정상	요화의 꽃잎	92	76
오염 아루루나	식물	보통	지하 동굴, 성·심부	요화의 꽃잎	756	580
오염 아르룬	식물	보통	제가 숲	요화의 꽃잎	2835	2030
오염 유적을 지키는 자	무기질	보통	르위 성 남쪽 방	매지컬 코어	2812	1934
오염 울프	동물	보통	헤이로우 숲	늑대의 모피	1493	874
오염 괴조	조류	보통	코어그라 고원	괴조의 날개	68123	9076
오염 화산 소라게	무기질	보통	메로토이드 쉘터·심부	작열 광석	5009	2059
오염 크리스탈 골렘	무기질	보통	풍래 동굴, 풍래 동굴·심부	크리스탈 스컬	175	124
오염 골드 리저드	드래곤	보통	채굴장	얼어붙은 비늘	2866	1555
오염 극락조	조류	보통	스마폰 산길, 스마폰 산길·정상	무지개색 날개	1024	617
오염 이나무손나무	식물	보통	듀오알 유적	꿈틀대는 잎사귀	12711	1825
오염 코요테	동물	보통	루지이 고원	날카로운 이빨	4862	2138
오염 사이버 버터플라이	곤충	보통	비타르 디멘션	전자 나비의 날개	5823	1266
오염 시 골렘	무기질	보통	렛츠고 아일랜드, 렛츠고 아이랜드·심부	물의 결정석	13732	3950
오염 중용기병	드래곤	보통	소니이 습지	마 장비의 조각	457	251
오염 신식수	식물	보통	소우·설 숲	네거티브한 나무 껍질	8089	1363
오염 인면수	식물	보통	버추얼 포레스트, 버추얼 포레스트·심부	네거티브한 뿌리	5182	1204
오염 차일드 울프	동물	보통	르위 성 외곽, 르위 성 내부	늑대의 털	668	368
오염 디노사우로이드	드래곤	보통	도우 사원	초 딱딱한 비늘	51645	5775
오염 데스 스토커	드래곤	보통	루지이 고원	칠흑의 비늘	5205	2191
오염 드래고 나이트	드래곤	보통	버추얼 포레스트 보호 지구	용전사의 비늘	12683	3098
오염 드래고니아	드래곤	보통	가짜 플라네튠	용전사의 비늘	70958	10671
오염 드래곤 워리어	드래곤	보통	하네다 산길·정상	용전사의 비늘	3897	1891
오염에 침식된 자	마제콘느	접촉 금지종	변질 다차원 공간	커다란 메달 V	81297	16284
오염 누에	조류	보통	그라피스 고개, 그라피스 고개·정상	마력을 가진 부리	12299	3213
오염 잿빛 늑대	동물	보통	코어그라 고원	고급 늑대의 모피	70252	8752
오염 하이에나	동물	보통	스마폰 산길, 스마폰 산길·정상	하이에나의 모피	1056	595
오염 하이 리저드	드래곤	보통	도시 중심부	검게 빛나는 비늘	13447	3375
오염 큰부리새	조류	보통	제트 셋 산길·정상	커다란 부리	128	75
오염 힛키	식물	보통	오오토리이 대삼림	네거티브한 수액	14	13
오염 페어리 버터플라이	곤충	보통	어덜틱 숲	요괴 나비의 날개	3873	1065
오염 플라워 페어리	식물	보통	코어그라 고원	요화의 꽃잎	59607	10372
오염 블레이즈 골렘	무기질	보통	언더 인버즈, 언더 인버즈·심부	불꽃의 결정석	57067	7406
오염 플레임 플라워	식물	보통	에므에스 용암동, 에므에스 용암동·심부	불타는 꽃잎	25620	5505
오염 마다라쵸	곤충	보통	변질 다차원 공간	걸치고 있던 작은 옷	4337	430
오염 미스릴 골렘	무기질	보통	오오토리이 동굴, 코바츠바 유적, 네크토키 수림	미스릴 광석	5418	2726
오염 숲의 성령	식물	보통	버추얼 포레스트 보호 지구	요화의 꽃잎	10761	3672
오염 숲의 수호자	무기질	보통	버추얼 포레스트, 버추얼 포레스트·심부	대지의 결정석	13732	3950
오염 들개	동물	보통	하네다 산길, 하네다 산길·정상	날카로운 이빨	4207	1984
오염 산 게	무기질	보통	에므에스 용암동, 에므에스 용암동·심부	마석	31110	4473
오염 용암 게	무기질	보통	지하 용암동, 지하 용암동·심부	용암석	9214	2570
오염 라플레시아	식물	보통	지하 용암동·심부	독한 꽃잎	7588	3163
오염 리저드 나이트	드래곤	보통	소우·설 숲	마 장비의 조각	19465	3774
용암 루호	조류	보통	헤이로우 숲, 어덜틱 숲	매우 커다란 부리	1720	1096
오토코디우스	데이터	보통	역 앞 광장	소년의 마음	16	21
왕거미	곤충	보통	피시 게임 공장터	부적 튼튼한 거미줄	2757	676
오야지디우스	데이터	보통	채굴장	아저씨의 애수	1737	1152
오르토로스	동물	위험종	그라피스 고개, 그라피스 고개·정상	지옥의 갈기	52988	12456
오렌지 플라워	식물	보통	코어그라 고원	오렌지 꽃잎	17792	2251
괴조	조류	보통	코어그라 고원	괴조의 날개	34061	7779
풍견 게	수생	콜로세움	바람… 어디선가 불어오고 있어	-	4831	1311
화산 거북이	수생	위험종	언더 인버즈, 언더 인버즈·심부	용암의 껍질	210350	25560
화산 소라게	무기질	보통	메로토이드 쉘터·심부	작열 광석	3536	1267
카스트랩	식물	보통	그라피스 고개, 그라피스 고개·정상	튤립의 수술	3045	857
바람 고래	수생	콜로세움	바람… 어디선가 불어오고 있어	-	3478	1923
카노푸스	머신	상위 위험종	ZECA 1호 유적, 오오토리이 대삼림	DL 전용 판매	795	485
카부리 개구리	수생	보통	풍래 동굴	골판지	44	22
카라쿠테레	식물	보통	코바츠바 유적, 네크토키 수림	노란 꽃잎	1516	653
갈그이유	드래곤	상위 위험종	스마폰 산길, 스마폰 산길·정상	연애	87150	16530
가루다	조류	위험종	어덜틱 숲	괴조의 날개	9562	6045
규격 외 슬라이누	슬라이누	상위 위험종	채굴장	고급 젤리	18060	8520
위험한 샹푸르	동물	위험종	ZECA 2호 유적	랜덤 인카운터	555	310
키세이죠 레이	여신	스토리	제9장	탄막 슈팅	95007	28908
키세이죠 레이	여신	스토리	제10장 트루 루트	-	106755	30384
키세이죠 레이	여신	스토리	제10장 트루 루트	-	173910	38880
키세이죠 레이	여신	스토리	제10장 굿 루트	-	106755	30384
키세이죠 레이	여신	콜로세움	타리의 여신	-	180757	23991
버섯	식물	보통	제트 셋 산길·정상	버섯의 포자	28	16
버섯군	식물	콜로세움	게임 천국	-	825	443
캣 나이트	동물	상위 위험종	에므에스 용암동, 에므에스 용암동·심부	MO	144789	20550

몬스터	종족	분류	출현 장소	드랍 아이템	EXP	Credit
갤럭 라이저	머신	접촉 금지종	밴디 크래시	비주얼 메모리 8X, 커다란 메달 B	3833	2187
99식 전차	머신	위험종	피시 게임 공장터	메가톤 불발탄	42787	11172
큐베리엘	고스트	보통	피에스 디멘션	혼의 계약서	1050	445
킬러 머신	머신	상위 위험종	쿠자라트 공장·제1구획, 쿠자라트 공장·제2구획	마술식 광제 동력로	3392	2160
킬러 머신 MK-2	머신	상위 위험종	기고 거리·입구, 기고 거리·심부	신식 마광 동력로	9206	5644
킬러 모신	머신	보통	소우·설 숲	짝퉁 회로	101839	17199
반짝 체리	식물	콜로세움	게임 지옥	-	881	721
늘어진 젤리	슬라이누	보통	오오토리이 대삼림	고급 젤리	7	7
해파리 슬라이누	슬라이누	보통	버추얼 포레스트, 버추얼 포레스트·심부	젤라틴 촉수	3316	963
해파리 같은 것	슬라이누	스토리	클리어 후 서브 이벤트	-	56755	30000
그래프 초코로	동물	접촉 금지종	헤이로우 숲	아마 액션 리플레이, 커다란 메달 H	16875	9141
크리쳐	곤충	스토리	제5장	파일 크리스탈	4500	1057
크리쳐	곤충	스토리	제5장	파일 크리스탈	4860	1057
크리쳐	곤충	스토리	제6장	파일 크리스탈	7074	1320
관통	여신	스토리	서장	-	0	0
관통	여신	스토리	제4장	[사]사양서 : S 코디네이트	8925	7584
관통?	여신	접촉 금지종	에므에스 용암동, 에므에스 용암동·심부	[사]사양서 : 궁그닐	36232	4539
크리스탈 골렘	무기질	보통	풍래 동굴, 풍래 동굴·심부	크리스탈 스컬	117	85
크리스마스	데이터	콜로세움	우리들의 적	-	3092	2098
크리스마스	데이터	콜로세움	우리들의 시체를 넘어서 가라	-	4336	2372
크레센트 드래곤	드래곤	위험종	도시 중심부	고룡의 초승달 모양의…무엇?	58850	13305
계약천사	고스트	보통	ZECA 1호 유적, 오오토리이 대삼림	수수께끼의 원	12	9
월요일	데이터	콜로세움	사회인의 적	-	3865	1749
월요일	데이터	콜로세움	우리들의 시체를 넘어서 가라	-	5420	1977
외도 슬라이누	슬라이누	보통	제가 숲	외도 젤리	720	483
게하츄	마제콘느	접촉 금지종	아노네데스의 연구소·심부	커다란 메달 T	54489	14453
게하츄	마제콘느	접촉 금지종	지하 용암동, 지하 용암동·심부	커다란 메달 T	54489	14453
켈베로스	동물	위험종	변질 다차원 공간	지옥의 갈기	47606	11851
혹시 넵튠?	고스트	접촉 금지종	렛츠고 아일랜드, 렛츠고 아일랜드·심부	[사]사양서 : 용도·키류	18300	3441
코인맨	무기질	보통	버추얼 포레스트 보호 지구	코인의 파편	4	5
코인맨	무기질	콜로세움	게임 천국	-	525	604
후계기	머신	접촉 금지종	국영 공장	레어 플레이트, 커다란 메달 I	21915	9223
공작병	메이커	보통	쿠자라트 공장·제2구획	철 장비의 조각	100	56
고스트 걸	고스트	보통	ZECA 1호 유적	블루 리본	9	8
고스트 보이	고스트	보통	ZECA 1호 유적	너덜 천	9	8
콜드 걸	고스트	보통	루드암즈 지하도·남문, 루드암즈 지하도·북문	핑크 리본	107	58
콜드 보이	고스트	보통	루드암즈 지하도·남문, 루드암즈 지하도·북문	빙결 천	108	53
콜드 리저드	드래곤	보통	채굴장	얼어붙은 비늘	1997	979
호·카피리에이스	머신	콜로세움	더 뜨거워지라고!!!	-	16260	5931
극락조	조류	보통	스마폰 산길, 스마폰 산길·정상	무지개색 날개	512	529
이나무슨나무	식물	보통	듀오알 유적	꿈틀대는 잎사귀	10168	1217
카피리에이스	머신	스토리	제2장	[사]사양서 : 코스프레 대전집	2354	1581
카피리에이스	머신	스토리	제4장	커다란 가위	14126	12528
카피리에이스	머신	스토리	제5장	금광석	19237	15228
코요테	동물	보통	루지이 고원	날카로운 이빨	3389	1346
데굴데굴 볼	무기질	콜로세움	게임 천국	-	750	403
서벨러스	동물	위험종	코어그라 고원	큰 이빨, 게씨 리본	222508	34358
사이버 돌핀	수생	위험종	케라가 차원	전자 돌고래의 꼬리	32275	10969
사이버 버터플라이	곤충	보통	비타르 디멘션	전자 나비의 날개	4658	886
사이버 웨일	수생	상위 위험종	변질 다차원 공간	한 번 죽으면 끝	61934	13980
선더 골렘	무기질	콜로세움	뇌전	-	3865	1749
선더 버드	조류	위험종	오오토리이 동굴	국제 구조대 배지	25831	9645
시 걸	고스트	보통	렛츠고 아일랜드, 렛츠고 아일랜드·심부	핑크 리본	3938	843
시 골렘	무기질	보통	렛츠고 아일랜드, 렛츠고 아일랜드·심부	물의 결정석	9155	2715
시 보이	고스트	보통	렛츠고 아일랜드, 렛츠고 아일랜드·심부	수용성 천	4352	762
지원형 비트	머신	보통	르위 성 북쪽 방	불법 SSD	4622	975
사슴베이더	베이더	보통	ZECA 1호 유적	도트 안테나	8	8
지옥의 벗	곤충	콜로세움	지옥의 벗	-	750	403
프로토타입 킬러 머신	머신	상위 위험종	가짜 플라네튠	월드 와이드	230216	55125
시작형 광역 제압 병기	머신	위험종	비타르 디멘션	메가톤 불발탄	68276	13950
차세대형 비트	머신	보통	아노네데스의 연구소·심부, 케라가 차원	불법 차세대 회로	1785	656
차세대기	머신	접촉 금지종	메로토이드 쉘터, 메로토이드 쉘터·심부	커다란 메달 M	36262	11247
자동 감시 시스템	머신	보통	르위 성 남쪽 방	불법 ROM	750	422
자동 방어 시스템	머신	위험종	지하 동굴, 성·심부	불발탄	4357	2793
마비 슬라이누	슬라이누	보통	오오토리이 동굴	마비 젤리	1296	664
줄무늬 오빠	데이터	보통	도우 사원	작업복의 단추	28319	4403
자이언트 슬라이누	슬라이누	위험종	피에스 디멘션	슬라이누 젤리	15775	8115
작열 소라게	무기질	콜로세움	연옥	-	4638	1399
져지·더·하트	마제콘느	콜로세움	포악한 묘지기	-	60531	10737
해골	고스트	보통	듀오알 유적	금니	25581	3164
중용기병	드래곤	보통	소니이 습지	마 장비의 조각	318	158
주인공기	머신	접촉 금지종	풍래 동굴, 풍래 동굴·심부	AG요 시스템, 커다란 메달 A	3111	2070
주인공기 개	머신	보통	아노네데스의 연구소	커다란 메달 R	54007	13364
무당거미	곤충	보통	피시 게임 공장터	좋은 냄새의 거미줄	2757	676
시리우스	머신	상위 위험종	렛츠고 아일랜드, 렛츠고 아일랜드·심부	헌팅	76002	15111
자율형 방어 병기	머신	보통	비타르 디멘션	불법 마더 보드	11209	2595
대왕고래	수생	상위 위험종	르위 성 북쪽 방, 르위 성 남쪽 방	야구	96075	17205
진·카피리에이스	머신	콜로세움	불법 카피, 절대 반대!	-	125835	14454
신차원 슬라이누	슬라이누	상위 위험종	도우 사원	백합백합	210560	26070
신식수	식물	보통	소우·설 숲	네거티브한 나무 껍질	5392	909
진·범죄신 마제콘느	마제콘느	콜로세움	초차원을 멸망시키는 자	-	252930	31914

몬스터	종족	분류	출현 장소	드랍 아이템	EXP	Credit
심판의 사도	머신	접촉 금지종	지하 동굴, 성·심부	기타 컨트롤러, 커다란 메달 F	9843	6347
진 마제콘느	마제콘느	콜로세움	원조 진 마제콘느	-	179761	21249
인면수	식물	보통	버추얼 포레스트, 버추얼 포레스트·심부	네거티브한 뿌리	4146	803
침략자	베이더	보통	렛츠고 아일랜드, 렛츠고 아일랜드·심부	UFO의 컨트롤러	3730	883
스컬 프로즌	고스트	보통	채굴장	얼음의 해골	1997	979
스킬 재머 비트	머신	스토리	제5장	불법 ROM	1487	522
스킬 재머 비트 리페어	머신	스토리	클리어 후 서브 이벤트	-	36755	20000
스킬 재머 비트 개	머신	콜로세움	느와르짱을 괴롭히고 싶대	-	16432	1454
스켈레톤	고스트	보통	르위 성 외곽, 르위 성 내부	뼈조각	422	211
스켈레톤 블레이즈	고스트	보통	에므에스 용암동, 에므에스 용암동·심부	용암의 뼈	20044	2866
스네그아라벼덤	데이터	보통	어덜틱 숲	검은 모금함	1211	995
주작	조류	위험종	도우 사원	불타는 날개	203729	23610
스파이더	곤충	보통	밴디 크래시	거미줄	67	33
슬라이누	슬라이누	보통	버추얼 포레스트 보호 지구, 역 앞 광장	슬라이누 젤리	2	1
슬라이누	슬라이누	콜로세움	슬라이누가 가득	-	510	316
슬라이누 베스	슬라이누	보통	아리오 고원	오렌지 젤리	1210	649
세인트 웨일	수생	상위 위험종	버추얼 포레스트 보호 지구	작은 고래 구슬	79038	15810
절대신의 부하	동물	접촉 금지종	오오토리이 동굴	TPS, 커다란 메달 J	18310	4115
제루가리온	머신	접촉 금지종	기고 거리·입구, 기고 거리·심부	비주얼 메모리 16X, 커다란 메달 G	14025	6615
셀 베이더	베이더	보통	지하 동굴	셀 안테나	199	110
천년 돌고래	수생	보통	소우·설 숲	최고급 돌고래 지느러미	75275	16284
천년 거북	수생	위험종	루지이 고원	고대로부터의 껍질	22125	9180
터틀	수생	위험종	제가 숲	거북 껍질	2700	1815
다이콘다	식물	보통	기고 거리·입구	큰무 잎	314	120
타마	동물	보통	피시 게임 공장터	고양이 강모	2894	642
안돼안돼 베이더	베이더	스토리	제6장 서브 이벤트	UFO의 컨트롤러	5730	3883
안돼안돼게	무기질	스토리	제6장 서브 이벤트	파란 파이프 조각	5881	3412
안돼안돼토리스	무기질	스토리	제6장 서브 이벤트	옐로우 블록	4665	3486
타란튤라	곤충	보통	헤이로우 숲	맹독 거미줄	516	261
차일드 울프	동물	보통	르위 성 외곽, 르위 성 내부	늑대의 털	465	232
차일드 웨일	수생	상위 위험종	소니이 습지	성스러운 고래 구슬	3659	2430
튤립	식물	보통	버추얼 포레스트 보호 지구	노란 꽃잎	3	4
초 위험한 샹푸르	동물	접촉 금지종	ZECA 2호 유적	커다란 메달 A	1395	810
초은하 슬라이누	슬라이누	상위 위험종	미래를 결정하는 전자의 땅, 미래를 결정하는 전자의 땅·심부	은하의 재	65025	14685
초차원 슬라이누	슬라이누	상위 위험종	케라가 차원	런칭	43185	12045
초대형 슬라이누	슬라이누	상위 위험종	그라피스 고개, 그라피스 고개·정상	최고급 젤리	65025	14685
양아치 캣	동물	보통	채굴장	양아치의 마스크	820	295
디노사우로이드	드래곤	보통	도우 사원	초 딱딱한 비늘	35995	3636
데우스·엑스·마키나	머신	보통	아노네데스의 연구소	6장식 마광 동력로	40741	11245
데스 걸	고스트	보통	가짜 플라네튠	노란색 리본	19512	2505
데스 스토커	드래곤	보통	루지이 고원	칠흑의 비늘	3628	1379
테스트리	무기질	보통	아리오 고원	옐로우 블록	1665	486
데스 보이	고스트	보통	가짜 플라네튠	죽음의 천	21565	2266
테트스리	무기질	보통	그라피스 고개, 그라피스 고개·정상	기묘한 탄력이 있는 덩어리	3829	671
데네브	머신	상위 위험종	루지이 고원	싱글 온라인	32277	10187
테라 핸섬	데이터	보통	변질 다차원 공간	「※」의 면죄부	6499	2293
테리스트	무기질	보통	변질 다차원 공간	그린 블록	3408	639
테리트스	무기질	보통	밴디 크래시	퍼플 블록	64	26
델피너스	마제콘느	접촉 금지종	도시 중심부	[사]사양서 : 엣헴한 인형, 커다란 메달 K	94122	17365
델피가지	식물	콜로세움	가지가지 패닉	-	24213	3579
전구천사	고스트	보통	루드암즈 지하도·북문	수수께끼의 적주	153	68
도칸	무기질	보통	밴디 크래시	파이프 조각	172	84
도칸	무기질	보통	피에스 디멘션	노란 파이프 조각	2515	1134
두근두근 시스터	데이터	보통	미래를 결정하는 전자의 땅, 미래를 결정하는 전자의 땅·심부	두근두근	161	116
두근두근 시스터	데이터	보통	밴디 크래시	두근두근	161	116
대형 슬라이누	슬라이누	상위 위험종	네크토키 수림	초미려한 3D CG	34210	10920
곱빼기 슬라이누	슬라이누	보통	르위 성 외곽, 르위 성 내부	폴리곤	5375	3915
도곤	무기질	보통	메로토이드 쉘터	빨간 파이프 조각	2932	1249
앙큼앙큼 터틀	수생	콜로세움	게임 지옥	-	1102	515
돗칸	무기질	보통	아리오 고원	파란 파이프 조각	3881	1412
돗곤	무기질	보통	언더 인버즈, 언더 인버즈·심부	무척 단단한 파이프 조각	41666	3858
아주 큰 슬라이누	슬라이누	보통	제트 셋 산길, 제트 셋 산길·정상	고급 슬라이누 젤리	1150	765
아주 위험한 샹푸르	동물	상위 위험종	ZECA 2호 유적	슬롯	890	500
매우 강해보이는 샹푸르	동물	보통	ZECA 2호 유적	샹푸르의 귀	91	41
드래고 나이트	드래곤	보통	버추얼 포레스트 보호 지구	용전사의 비늘	8840	1950
드래고니아	드래곤	보통	가짜 플라네튠	용전사의 비늘	49455	6719
드래곤 워리어	드래곤	보통	하네다 산길·정상, 피에스 디멘션	용전사의 비늘	2716	1190
드림 돌핀	수생	위험종	아리오 고원	꿈 돌고래의 꼬리	22125	9455
드리코린콥스	수생	위험종	지하 용암동·심부	체크무늬 꼬리	32275	10969
트릭·더·하트	마제콘느	콜로세움	경찰 아저씨, 여기에요!	-	50442	12526
트릭 크라운	동물	접촉 금지동	하네다 산길, 하네다 산길·정상	커다란 메달 L	32275	11715
돌핀	수생	위험종	풍래 동굴, 풍래 동굴·심부	돌고래의 꼬리	1150	787
너스 빈더	식물	상위 위험종	헤이로우 숲	풋내가 나는 너스 캡	4488	2451
너스 빈더	식물	스토리	제9장 서브 이벤트	힐 드링크	5164	1065
너스 빈더	식물	콜로세움	가지가지 패닉	-	20177	3579
가지콘느	식물	스토리	제9장 서브 이벤트	무한의 가호	15374	4590
가지 나이트	식물	스토리	제9장 서브 이벤트	패럴락신	5474	1456
가지 기사	식물	콜로세움	가지가지 패닉	-	26230	2684
가지 팔라딘	식물	상위 위험종	피시 게임 공장터	본체 동봉 한정판	55105	13704
가지 빈더	식물	스토리	제9장 서브 이벤트	타후밀	3873	1420
가지 빈더	식물	콜로세움	가지가지 패닉	-	22195	3280

●몬스터

몬스터	종족	분류	출현 장소	드랍 아이템	EXP	Credit
가지 라이더	식물	상위 위험종	어덜틱 숲	미디어 믹스 전개	14050	7570
니드호그	드래곤	위험종	소니이 습지	고룡의… 뿔같은 것	2447	1500
가짜 아이리스 하트	여신	스토리	제10장 트루 루트	기묘한 탄력이 있는 덩어리	97050	12660
가짜 옐로 하트	여신	스토리	제9장	기묘한 탄력이 있는 덩어리	46122	6885
가짜 관통	여신	스토리	제9장	기묘한 탄력이 있는 덩어리	46122	6885
가짜 퍼플 하트	여신	스토리	제9장	기묘한 탄력이 있는 덩어리	76870	11475
가짜 블랙 하트	여신	스토리	제9장	기묘한 탄력이 있는 덩어리	20375	2940
가짜 화이트 하트	여신	스토리	제9장	기묘한 탄력이 있는 덩어리	46122	6885
냐아	동물	보통	하네다 산길·정상	냐아의 손톱	1101	422
닌진다	식물	보통	하네다 산길	당근 잎	1947	550
누에	조류	보통	그라피스 고개, 그라피스 고개·정상	마력을 가진 부리	6149	2754
고양이다람쥐	동물	보통	ZECA 1호 유적	고양이다람쥐의 손톱	9	8
고양이다람쥐 나이트	동물	상위 위험종	메로토이드 쉘터·심부	메타 픽션	25325	9645
네프기어?	고스트	보통	소우·설 숲	-	6131	968
넵튠?	고스트	접촉 금지종	언더 인버즈, 언더 인버즈·심부	-	10623	1557
넵튠?	고스트	접촉 금지종	언더 인버즈·심부	-	10623	1557
노멀 샹푸르	동물	보통	ZECA 2호 유적	샹푸르의 귀	81	37
느와르?	고스트	접촉 금지종	비타르 디멘션	-	5296	912
퍼플 시스터	여신	스토리	제4장	사신 피규어, 용량 업 256MB	10200	6636
퍼플 시스터?	여신	보통	소우·설 숲	[사]사양서 : 하이퍼 빔 소드	24525	3873
퍼플 하트?	여신	접촉 금지종	언더 인버즈, 언더 인버즈·심부	[사]사양서 : 신계의 팔찌	42492	6231
퍼플 하트?	여신	접촉 금지종	언더 인버즈·심부	[사]사양서 : 신계의 팔찌	42492	6231
잿빛 늑대	동물	보통	코어그라 고원	고급 늑대의 모피	48719	4992
하이에나	동물	보통	스마폰 산길, 스마폰 산길·정상	하이에나의 모피	736	374
하이힐 슬라이누	슬라이누	보통	하네다 산길, 하네다 산길·정상, 피에스 디멘션	검은 젤라틴 촉수	840	534
하이힐 슬라이누	슬라이누	보통	피에스 디멘션	검은 젤라틴 촉수	840	534
하이 비트	머신	보통	르위 성 외곽	불법 고급 회로	177	91
하이 비트 커스텀	머신	보통	국영 공장	불법 초고급 회로	550	347
하이 리저드	드래곤	보통	도시 중심부	검게 빛나는 비늘	9372	2199
강철 슬라이누	슬라이누	보통	ZECA 2호 유적	메탈 젤리	1035	1410
버그	머신	보통	역 앞 광장	불법 차세대 회로	3295	905
버그 걸	고스트	보통	게임 디멘션	-	0	0
버그 스파이더	곤충	보통	게임 디멘션	-	0	0
버그 버터플라이	곤충	보통	미래를 결정하는 전자의 땅, 미래를 결정하는 전자의 땅·심부	전자 나비의 날개	4658	886
버그 보이	고스트	보통	게임 디멘션	-	0	0
버그 멧	수생	보통	게임 디멘션	-	0	0
떨어진 샹푸르	동물	보통	미래를 결정하는 전자의 땅, 미래를 결정하는 전자의 땅·심부	샹푸르의 귀	81	37
떨어진 슬라이누	슬라이누	스토리	제7장	슬라이누 젤리	6750	2770
떨어진 병아리 벌레	곤충	스토리	제7장	녹을 듯한 닭고기	8100	2216
떨어진 말새	동물	스토리	제7장	말새의 날개	16875	8310
상자새	조류	보통	어덜틱 숲	상자새의 날개	412	313
상자새 킹	조류	보통	비타르 디멘션	상자새의 화려한 날개	3726	1012
상자새 왕자	조류	보통	소우·설 숲	상자새의 고귀한 날개	4108	1064
큰부리새	조류	보통	제트 셋 산길·정상	커다란 부리	65	64
팔십 재해의 신	드래곤	콜로세움	팔십 재해의 신 습격	-	80708	14316
팔백 재해의 신	드래곤	상위 위험종	루드암즈 지하도·남문, 루드암즈 지하도·북문	커다란 메달 C	4028	2616
팔천 재해의 신	드래곤	상위 위험종	하네다 산길, 하네다 산길·정상	커다란 메달 O	25079	9216
팔만 재해의 신	드래곤	상위 위험종	아리오 고원	갓 소울	32277	10187
팔억 재해의 신	드래곤	상위 위험종	아노네데스의 연구소·심부, 지하 용암동, 지하 용암동·심부	사귀안	45776	11804
팔조 재해의 신	드래곤	상위 위험종	역 앞 광장	커다란 메달 H	101839	17199
팔경 재해의 신	드래곤	상위 위험종	도시 중심부	커다란 메달 X	72382	14744
하치베에	고스트	보통	아리오 고원, 루지이 고원	마법의 계약서	1514	541
하치베에	고스트	보통	루지이 고원	마법의 계약서	1514	541
바하무트	드래곤	스토리	서장	-	0	0
바모	마제콘느	스토리	클리어 후 서브 이벤트	[사]사양서 : S 블레이드	206755	60000
패럴라이즈 스파이더	곤충	보통	도시 중심지	마비 거미줄	3690	1965
패럴라이즈 슬라이누	슬라이누	보통	소우·설 숲	마비 젤리	4108	1064
파르셀	무기질	보통	제트 셋 산길, 제트 셋 산길·정상	파워 스톤	63	33
발렌타인	데이터	콜로세움	올해도 0개…	-	4638	1399
발렌타인	데이터	콜로세움	우리들의 시체를 넘어서 가라	-	6504	1581
범죄신 마제콘느	마제콘느	콜로세움	범죄신, 다시	-	63240	12960
범죄조직의 잔당	메이커	보통	가짜 플라네튠	철 장비의 조각	21565	2624
번장 캣	동물	보통	아노네데스의 연구소	번장 마스크	2132	495
팬처	머신	보통	아노네데스의 연구소, 아노네데스의 연구소·심부	대구경 불발탄	30161	9633
피콕	머신	접촉 금지종	어덜틱 숲	커다란 메달 F	20484	9007
피셰?	고스트	접촉 금지종	코어그라 고원	-	10891	2812
힐링 슬라이누	슬라이누	보통	쿠자라트 공장·제1구획, 쿠자라트 공장·제2구획, 소니이 습지	붉은 젤라틴 촉수	89	67
힐 슬라이누	슬라이누	보통	풍래 동굴	젤라틴 촉수	44	27
수염 서퍼	동물	콜로세움	게임 지옥	-	991	669
목젖새	조류	보통	제트 셋 산길	새의 동관	14	12
목젖새 킹	조류	보통	지하 용암동, 지하 용암동·심부	새의 왕관	1944	771
목젖새 왕자	조류	보통	제가 숲	새의 은관	667	460
힛키	식물	보통	오오토리이 대삼림	네거티브한 수액	8	7
빅 크랩	수생	위험종	기고 거리·입구, 기고 거리·심부	커다란 가위	5967	4218
빅 와레츄	마제콘느	접촉 금지종	제가 숲	커다란 메달 J	27863	10748
비트	머신	보통	역 앞 광장	소형 회로	6	6
비트 커스텀	머신	보통	쿠자라트 공장·제1구획	불법 회로	76	45
불새	조류	콜로세움	연옥	-	3478	1923
해바라깅	식물	보통	제트 셋 산길	해바라기 씨앗	21	13
백식형 장갑 전투 차량	머신	위험종	르위 성 북쪽 방	에너지 백	75285	14649
빙결 지옥의 마왕	고스트	콜로세움	결국 북극 초 모험	-	4444	1486

몬스터	종족	분류	출현 장소	드랍 아이템	EXP	Credit
빙결 소라게	무기질	콜로세움	결국 북극 초 모험	-	4638	1399
병아리 벌레	곤충	콜로세움	튀겨서 먹고 싶다	-	595	348
빈쵸	조류	위험종	지하 용암동	녹을 듯한 닭고기	32920	10650
부메랑	동물	보통	회귀의 초원	피투성이 부메랑	208	52
부메랑	동물	콜로세움	게임 지옥	-	1432	257
봉인된 재해	드래곤	상위 위험종	코바츠바 유적	드래곤 소울	20484	8570
풍신의 사신	조류	콜로세움	바람… 어디선가 불어오고 있어	-	3478	1923
페어리 버터플라이	곤충	보통	어덜틱 숲	요괴 나비의 날개	561	301
피닉스	조류	위험종	밴디 크래시, 헤이로우 숲	봉황의 날개, 잇승	1412	930
펜릴	동물	보통	르위 성 외곽, 르위 성 내부	마랑의 이빨, 꾸벅꾸벅 모자	3624	2332
펜릴 볼프	동물	위험종	하네다 산길, 하네다 산길·정상	마랑의 손톱	17550	7977
포멀 하우트	머신	접촉 금지종	루지이 고원	커다란 메달 N	43195	12112
수상한 사람	데이터	보통	르위 성 내부, 지하 동굴, 코바츠바 유적	사악한 마음	445	300
푸치 슬라이누	슬라이누	스토리	제2장 서브 이벤트	슬라이누 젤리	200	100
얼룩 도칸	무기질	보통	변질 다차원 공간	얼룩 무늬의 조각	7868	1856
북 오브 엔젤	고스트	스토리	제4장 서브 이벤트	혼의 계약서	2100	1445
블랙 시스터?	여신	접촉 금지종	도우 사원	[사]사양서 : 리니어 레일건	42322	5757
블랙 스파이더	곤충	보통	역 앞 광장	무척 튼튼한 거미줄	3662	823
블랙 하트	여신	스토리	서장	-	0	0
블랙 하트?	여신	접촉 금지종	비타르 디멘션	[사]사양서 : 듀런달	21185	3651
플라워 페어리	식물	보통	코어그라 고원	요화의 꽃잎	38319	7131
블랑?	고스트	접촉 금지종	르위 성 북쪽 방, 르위 성 남쪽 방	-	5839	949
블루 선	식물	보통	아노네데스의 연구소	파란 씨앗	1622	670
프루루트?	고스트	접촉 금지종	가짜 플라네튠	-	10913	2812
블레이즈 걸	고스트	보통	언더 인버즈, 언더 인버즈·심부	불타는 리본	15734	1557
블레이즈 크랩	수생	콜로세움	연옥	-	4831	1311
블레이즈 골렘	무기질	보통	언더 인버즈, 언더 인버즈·심부	불꽃의 결정석	38045	5091
블레이즈 웨일	수생	상위 위험종	언더 인버즈, 언더 인버즈·심부	인기 일러스트레이터	221980	28215
블레이즈 보이	고스트	보통	언더 인버즈, 언더 인버즈·심부	불타는 천	17391	1408
브레이브·더·하트	마제콘느	콜로세움	용감한 정의	-	80708	7158
플레임 걸	고스트	보통	메로토이드 쉘터, 메로토이드 쉘터·심부	블랙 리본	1162	514
플레임 스켈레톤	고스트	보통	지하 용암동·심부	불타는 뼈	5824	1639
플레임 펜릴	동물	위험종	메로토이드 쉘터, 메로토이드 쉘터·심부	염랑의 손톱, 시스터	18782	8179
플레임 플라워	식물	보통	에므에스 용암동, 에므에스 용암동·심부	불타는 꽃잎	16470	3785
플레임 플라워	식물	보통	에므에스 용암동·심부	불타는 꽃잎	16470	3785
플레임 보이	고스트	보통	메로토이드 쉘터, 메로토이드 쉘터·심부	작열 천	1285	465
프로즌 플라워	식물	콜로세움	결국 북극 초 모험	-	1623	553
프로키온	머신	상위 위험종	코어그라 고원	리셋 필수	227926	38734
프로미스 링	고스트	보통	도시 중심부	해약 불가능한 계약서	3912	1984
부웅과광 아저씨	데이터	보통	아노네데스의 연구소·심부, 케라가 차원	하비 혼	4425	1836
벨?	고스트	접촉 금지종	에므에스 용암동, 에므에스 용암동·심부	-	9058	1134
헤비 탱크	머신	위험종	국영 공장	불발탄, 페이스 바이저	10631	6027
펭귄	수생	보통	렛츠고 아일랜드, 렛츠고 아일랜드·심부	미끈거리는 날개	4146	803
펭펭귄	수생	콜로세움	결국 북극 초 모험	-	1700	524
폭주 M-3	머신	보통	역 앞 광장	불법 SSD	10675	2532
웨일	수생	상위 위험종	풍래 동굴, 풍래 동굴·심부	고래 구슬	1926	1245
복서 캣	동물	보통	듀오알 유적	고양이용 글러브	11694	1034
보스 리저드	드래곤	상위 위험종	회귀의 초원	남성 대상	4357	2940
폴룩스	동물	접촉 금지종	회귀의 초원	커다란 메달 D	6375	5214
멸망한 신의 잔해	마제콘느	접촉 금지종	그라피스 고개, 그라피스 고개·정상	커다란 메달 W	89640	17025
취한 걸	고스트	스토리	제2장 서브 이벤트	핑크 리본	507	258
취한 스톤	무기질	스토리	제2장 서브 이벤트	마석	666	363
취한 보이	고스트	스토리	제2장 서브 이벤트	빙결 천	508	253
화이트 시스터·람?	여신	접촉 금지종	듀오알 유적	[사]사양서 : 강철 슬라이누 연필	42027	5013
화이트 시스터·롬?	여신	접촉 금지종	듀오알 유적	[사]사양서 : 대전 연필 G	42027	5013
화이트 하트	여신	스토리	서장	-	0	0
화이트 하트	여신	스토리	제3장	[사]사양서 : 전통 장식	5400	3630
화이트 하트?	여신	접촉 금지종	르위 성 북쪽 방, 르위 성 남쪽 방	[사]사양서 : 하드 크러셔	23357	3798
책의 요정?	데이터	스토리	제4장 서브 이벤트	검은 모금함	2211	1995
마알 베이더	베이더	보통	기고 거리·심부	훌륭한 안테나	306	178
맥시멈 슬라이누	슬라이누	상위 위험종	오오토리이 동굴	쥬브나일	34210	10920
마그마 걸	고스트	보통	지하 용암동	블랙 리본	2308	675
마그마 골렘	무기질	콜로세움	연옥	-	3865	1749
마그마 스톤	무기질	보통	메로토이드 쉘터, 메로토이드 쉘터·심부	용암석	3306	1236
마그마 보이	고스트	보통	지하 용암동	작열 천	2552	610
마제콘느	마제콘느	스토리	제1장	-	220	270
마제콘느	마제콘느	스토리	제1장	[사]사양서 : C 캐주얼, 용량 업 64MB	330	300
마제콘느	마제콘느	스토리	제4장	봉황의 날개	16357	10440
마제콘느	마제콘느	스토리	제5장	절대 심볼 어택	30305	15450
매지컬 걸	데이터	스토리	제4장 서브 이벤트	두근두근	2161	1116
매지컬 플라워	식물	스토리	제4장 서브 이벤트	치유초	2881	1721
매직·더·하트	마제콘느	콜로세움	범죄 조직의 여신	-	90125	13828
매직 스톤	무기질	보통	루드암즈 지하도·남문	마석	366	163
매직 슬라이누	슬라이누	보통	버추얼 포레스트 보호 지구	마도 젤리	2320	895
매직 걸	무기질	스토리	제4장 서브 이벤트	치유초	2750	1403
얼룩 늑대	동물	스토리	클리어 후 서브 이벤트	-	56755	30000
마다라쵸	곤충	보통	변질 다차원 공간	걸치고 있던 작은 옷	3098	745
마탕고	식물	보통	쿠자라트·제2구획, 소니이 습지	마탕고의 포자	104	56
마도 슬라이누	슬라이누	보통	르위 성 북쪽 방	마도 젤리	4108	1064
마법이 특기인 샹푸르	동물	보통	ZECA 2호 유적	샹푸르의 귀	81	37
둥근 베이더	베이더	보통	쿠자라트 공장·제1구획	둥근 안테나	76	45

몬스터	종족	분류	출현 장소	드랍 아이템	EXP	Credit
미스릴 골렘	무기질	보통	오오토리이 동굴, 코바츠바 유적, 네크토키 수림	미스릴 광석	3612	1874
물랑 루즈	식물	보통	헤이로우 숲	빨간 씨앗	412	272
메가 스파이더	곤충	보통	케라가 차원	점착성이 강한 거미줄	2271	627
메가 터틀	수생	위험종	렛츠고 아일랜드	강철의 껍질	56175	13635
메가 터틀	수생	위험종	렛츠고 아일랜드·심부	강철의 껍질	56175	13635
메타보 슬라이누	슬라이누	상위 위험종	밴디 크레시	대뱃살 슬라이누 젤리	2225	1500
도금 드라이거	머신	접촉 금지종	아리오 고원	커다란 메달 P	44825	10584
메네시스	머신	접촉 금지종	채굴장	커다란 메달 G	26591	10127
모자이크 플라워	식물	스토리	클리어 후 서브 이벤트	-	56755	30000
숲 게	수생	위험종	코바츠바 유적, 네크토키 수림	게 껍질	25831	9452
숲 거북	수생	위험종	회귀의 초원	나무 껍질	14735	7920
숲 고래	수생	상위 위험종	제가 숲	모험	21708	8955
숲의 신	드래곤	상위 위험종	버추얼 포레스트, 버추얼 포레스트·심부	시뮬레이션 RPG	76002	15111
숲의 성령	식물	보통	버추얼 포레스트 보호 지구	요화의 꽃잎	6918	2524
숲의 주인	동물	위험종	버추얼 포레스트, 버추얼 포레스트·심부	고룡의… 아무튼 머리	58422	13089
숲의 수호자	무기질	보통	버추얼 포레스트, 버추얼 포레스트·심부	대지의 결정석	9155	2715
약속을 관리하는 자	고스트	보통	도우 사원	계약의 보주	13627	1370
들개	동물	보통	하네다 산길, 하네다 산길·정상	날카로운 이빨	2932	1249
산 게	무기질	보통	에므에스 용암동, 에므에스 용암동·심부	마석	21960	2752
양아치 캣	동물	보통	풍래 동굴·심부	양아치의 마스크	57	22
유니?	고스트	접촉 금지종	도우 사원	-	10580	1439
울먹 병아리 벌레	곤충	스토리	제3장 서브 이벤트	치유초	2860	857
용암 게	무기질	보통	지하 용암동, 지하 용암동·심부	용암석	6504	1581
뇌신의 사신	조류	콜로세움	뇌전	-	3478	1923
뇌신병	드래곤	콜로세움	뇌전	-	4638	1574
라이벌기	머신	보통	르위 성 외곽, 르위 성 내부	중합금 플레이트, 커다란 메달 E	8517	5654
라플레시아	식물	보통	지하 용암동·심부	독한 꽃잎	4878	2174
람?	고스트	접촉 금지종	듀오알 유적	-	10506	1253
린박스 근위 병사	메이커	보통	에므에스 용암동, 에므에스 용암동·심부	철 장비의 조각	8366	1212
린박스 병사	메이커	보통	코바츠바 유적, 네크토키 수림	철 장비의 조각	1820	624
리그	마제콘느	스토리	클리어 후 서브 이벤트	패권의 힘	206755	60000
리저드 가드	드래곤	스토리	제2장	용전사의 비늘	500	300
리저드 킹	드래곤	상위 위험종	비타르 디멘션	미소녀 게임	190218	22695
리저드 나이트	드래곤	보통	소우·설 숲	마 장비의 조각	13566	2376
리저드맨	드래곤	보통	버추얼 포레스트 보호 지구	도마뱀의 비늘	9	12
리저드 맨 같은 것	드래곤	스토리	클리어 후 서브 이벤트	-	56755	30000
이성을 잃은 용인병	드래곤	상위 위험종	듀오알 유적	MMO	7806	5220
리버스 핸드	무기질	보통	게임 디멘션	-	0	0
리버스 핸드	무기질	콜로세움	게임 지옥	-	1322	360
르위 보초 병사	메이커	보통	르위 성 외곽, 르위 성 내부	철 장비의 조각	223	100
르위 근위 병사	메이커	보통	성·심부	철 장비의 조각	279	133
르위 친위대	메이커	보통	르위 성 북쪽 방	철 장비의 조각	5661	999
르위 병사	메이커	보통	성·심부	철 장비의 조각	230	110
르위 마도 병사	메이커	보통	르위 성 북쪽 방	철 장비의 조각	5661	999
루흐	조류	보통	헤이로우 숲, 어덜틱 숲	매우 커다란 부리	860	939
레거시	마제콘느	접촉 금지종	버추얼 포레스트, 버추얼 포레스트·심부	커다란 메달 Y	98820	17721
레굴루스	머신	접촉 금지종	피시 게임 공장터	커다란 메달 U	75113	13540
레드 아이	고스트	콜로세움	나랑 계약해줘!	-	937	322
레플리컨트	동물	접촉 금지종	루드암즈 지하도·남문, 루드암즈 지하도·북문	파워드 리플레이, 커다란 메달 D	5850	4735
로라시아	수생	스토리	클리어 후 서브 이벤트	-	106755	30000
로스트 걸	고스트	보통	르위 성 남쪽 방	로스트 리본	792	403
로스트 드래곤	드래곤	위험종	에므에스 용암동, 에므에스 용암동·심부	고대의… 어떤 진주	122347	18615
로스트 보이	고스트	보통	르위 성 남쪽 방	잃어버린 성해포	874	364
로크 새	조류	위험종	스마폰 산길, 스마폰 산길·정상	괴조의 날개	5023	3555
로크 새	조류	보통	스마폰 산길·정상	괴조의 날개	5023	3555
롬?	고스트	접촉 금지종	듀오알 유적	-	10506	1253
와일드 와레츄	마제콘느	접촉 금지종	네크토키 수림	커다란 메달 Q	44401	13085
와레츄	마제콘느	스토리	제7장	국제 구조대 배지, 용량 업 256MB	11578	2985
와레츄	마제콘느	콜로세움	와레츄 건강해츄~☆	-	14865	1910

+스킬

●넵튠

스킬	분류	계통	타입	습득	대상	속성	특수 속성	범위	CP	SP	EX	HIT	위력	가드	Wait	효과
어택	물리	무기	파워	—	적	무	참격	1×1	0	0	0	1	30	100	20	—
슬래시	물리	무기	파워	—	적	무	참격	3×1	0	0	0	1	13	50	35	—
L 슬래시	물리	무기	파워	—	적	무	참격	L2×1	0	0	0	1	20	75	30	—
러쉬	물리	콤보 스킬	러쉬	1	적	무	참격	무기	25	0	0	2	20	50	24	—
래피드 러쉬	물리	콤보 스킬	러쉬	7	적	무	참격	무기	37	0	0	3	23	50	28	—
하이 러쉬	물리	콤보 스킬	러쉬	22	적	무	참격	무기	50	0	0	5	31	40	32	—
네푸 슬래시	물리	콤보 스킬	러쉬	43	적	무	—	무기	62	0	0	7	37	35	36	—
파워 엣지	물리	콤보 스킬	파워	1	적	무	참격	무기	20	0	0	1	30	140	36	—
파워 슬래시	물리	콤보 스킬	파워	1	적	무	참격	무기	30	0	0	1	36	200	42	—
메가·드·다이브	물리	콤보 스킬	파워	15	적	무	참격	무기	40	0	0	1	56	280	48	—
테라·드·라이브	물리	콤보 스킬	파워	32	적	무	참격	무기	50	0	0	5	48	70	64	—
브레이크 히트	물리	콤보 스킬	브레이크	1	적	무	참격	무기	16	0	0	1	21	230	30	—
브레이크 러쉬	물리	콤보 스킬	브레이크	1	적	무	참격	무기	24	0	0	3	23	120	40	—
하이 브레이크	물리	콤보 스킬	브레이크	19	적	무	참격	무기	32	0	0	3	32	146	45	—

●넵튠

스킬	분류	계통	타입	습득	대상	속성	특수 속성	범위	CP	SP	EX	HIT	위력	가드	Wait	효과
네푸 브레이크	물리	콤보 스킬	브레이크	41	적	무	참격	무기	40	0	0	5	38	110	55	—
플레임 엣지	마법	콤보 스킬	파워	10	적	화염	—	무기	30	0	0	1	38	200	42	—
아이스 엣지	마법	콤보 스킬	파워	17	적	얼음	—	무기	30	0	0	1	38	200	42	—
블러스트 엣지	마법	콤보 스킬	파워	14	적	바람	—	무기	30	0	0	1	38	200	42	—
선더 엣지	마법	콤보 스킬	파워	12	적	번개	—	무기	30	0	0	1	38	200	42	—
브레이크 엣지	마법	콤보 스킬	파워	24	적	무	—	무기	40	0	0	1	48	220	48	—
점핑 아츠	물리	EX 피니쉬	브레이크	1	적	무	—	무기	0	0	1	3	32	146	12	—
블레이즈 브레이크	마법	EX 피니쉬	파워	9	적	화염	—	무기	0	0	1	1	43	384	12	넉백1m
듀얼 아츠	물리	EX 피니쉬	러쉬	18	적	무	—	무기	0	0	1	5	29	45	10	—
듀얼 엣지	물리	EX 피니쉬	파워	29	적	무	참격	무기	0	0	2	1	60	400	18	—
배리어블 엣지	물리	EX 피니쉬	파워	35	적	무	참격	무기	0	0	2	2	59	200	19	—
선더 브레이크	마법	EX 피니쉬	브레이크	45	적	번개	—	무기	0	0	2	1	35	550	15	마비12%
배리어블 아츠	물리	EX 피니쉬	러쉬	57	적	무	—	무기	0	0	3	5	31	72	14	넉백1m
선더 크래시	마법	EX 피니쉬	브레이크	49	적	번개	—	무기	0	0	3	3	37	220	20	마비12%
서드 샷	마법	EX 피니쉬	어시스트 어택	37	적	무	—	무기	0	0	1	3	42	230	10	—
버티컬 샷	마법	EX 피니쉬	어시스트 어택	60	적	무	—	무기	0	0	3	7	36	117	20	—
크로스 콤비네이션	물리	SP스킬	SP어택	1	적	무	—	4m (단체)	0	80	0	7	202	72	85	—
크리티컬 엣지	물리	SP스킬	SP어택	15	적	무	—	4m (단체)	0	100	0	3	284	256	100	—
32식 엑스 블레이드	물리	SP스킬	SP어택	53	적	무	—	5m (3m)	0	180	0	1	360	1200	125	넉백3m
빅토리 슬래시	물리	SP스킬	SP어택	63	적	무	—	6m (3m)	0	250	0	2	492	617	150	—
힘내라 파이팅! 파이팅!	보조	SP스킬	서포트	8	아군	무	—	5m (단체)	0	40	0	1	0	0	75	STR25%UP↑
주인공 보정	보조	SP스킬	서포트	50	아군	무	—	4m (단체)	0	100	0	1	0	0	150	VIT·MEN·AGI·TEC 25%↑
넵튠 브레이크	물리	이그제 드라이브	이그제 드라이브	0	적	무	참격	5m (단체)	0	0	3	12 (3)	843 (210)	208	250	Wait 대미지 150
하드:넵튠	물리	이그제 드라이브	이그제 드라이브	65	적	무	—	8m (단체)	0	0	4	12	1800	291	250	—
콤보 링크	물리	EX 피니쉬	러쉬	70	적	무	—	무기	0	0	3	5	10	10	75	—

●퍼플 하트 (넵튠 여신화)

스킬	분류	계통	타입	습득	대상	속성	특수 속성	범위	CP	SP	EX	HIT	위력	가드	Wait	효과
어택	물리	무기	파워	—	적	무	참격	1×1	0	0	0	1	30	100	20	—
슬래시	물리	무기	파워	—	적	무	참격	3×1	0	0	0	1	13	50	35	—
L 슬래시	물리	무기	파워	—	적	무	참격	L2×1	0	0	0	1	20	75	30	—
러쉬	물리	콤보 스킬	러쉬	—	적	무	참격	무기	0	0	0	2	24	50	24	—
래피드 러쉬	물리	콤보 스킬	러쉬	—	적	무	참격	무기	0	0	0	3	27	50	28	—
하이 러쉬	물리	콤보 스킬	러쉬	—	적	무	참격	무기	0	0	0	5	37	40	32	—
네푸 슬래시	물리	콤보 스킬	러쉬	—	적	무	—	무기	0	0	0	7	46	35	36	—
파워 엣지	물리	콤보 스킬	파워	—	적	무	참격	무기	0	0	0	1	36	140	36	—
파워 슬래시	물리	콤보 스킬	파워	—	적	무	참격	무기	0	0	0	1	43	200	42	—
메가·드·다이브	물리	콤보 스킬	파워	—	적	무	참격	무기	0	0	0	1	68	280	48	—
테라·드·라이브	물리	콤보 스킬	파워	—	적	무	참격	무기	0	0	0	5	57	70	64	—
브레이크 히트	물리	콤보 스킬	브레이크	—	적	무	참격	무기	0	0	0	1	25	230	30	—
브레이크 러쉬	물리	콤보 스킬	브레이크	—	적	무	참격	무기	0	0	0	3	28	120	40	—
하이 브레이크	물리	콤보 스킬	브레이크	—	적	무	참격	무기	0	0	0	3	38	146	45	—
네푸 브레이크	물리	콤보 스킬	브레이크	—	적	무	참격	무기	0	0	0	5	47	110	55	—
플레임 엣지	마법	콤보 스킬	파워	—	적	화염	—	무기	0	0	0	1	45	200	42	—
아이스 엣지	마법	콤보 스킬	파워	—	적	얼음	—	무기	0	0	0	1	45	200	42	—
블러스트 엣지	마법	콤보 스킬	파워	—	적	바람	—	무기	0	0	0	1	45	200	42	—
선더 엣지	마법	콤보 스킬	파워	—	적	번개	—	무기	0	0	0	1	45	200	42	—
브레이크 엣지	마법	콤보 스킬	파워	—	적	무	—	무기	0	0	0	1	57	220	48	—
점핑 아츠	물리	EX 피니쉬	브레이크	—	적	무	—	무기	0	0	1	3	38	146	12	—
블레이즈 브레이크	마법	EX 피니쉬	파워	—	적	화염	—	무기	0	0	1	1	51	384	12	넉백1m
듀얼 아츠	물리	EX 피니쉬	러쉬	—	적	무	—	무기	0	0	1	5	35	45	10	—
듀얼 엣지	물리	EX 피니쉬	파워	—	적	무	참격	무기	0	0	2	1	72	400	18	—
배리어블 엣지	물리	EX 피니쉬	파워	—	적	무	참격	무기	0	0	2	2	71	200	19	—
선더 브레이크	마법	EX 피니쉬	브레이크	—	적	번개	—	무기	0	0	2	1	43	550	15	마비12%
배리어블 아츠	물리	EX 피니쉬	러쉬	—	적	무	—	무기	0	0	3	5	37	72	14	넉백1m
선더 크래시	마법	EX 피니쉬	브레이크	—	적	번개	—	무기	0	0	3	3	45	220	20	마비12%
서드 샷	마법	EX 피니쉬	어시스트 어택	—	적	무	—	무기	0	0	1	3	52	230	10	—
버티컬 샷	마법	EX 피니쉬	어시스트 어택	—	적	무	—	무기	0	0	3	7	48	117	20	—
크로스 콤비네이션	물리	SP스킬	SP어택	—	적	무	—	4m (단체)	0	80	0	7	214	72	85	—
크리티컬 엣지	물리	SP스킬	SP어택	—	적	무	—	4m (단체)	0	100	0	3	299	256	100	—
32식 엑스 블레이드	물리	SP스킬	SP어택	—	적	무	—	5m (3m)	0	180	0	1	378	1200	125	넉백3m
빅토리 슬래시	물리	SP스킬	SP어택	—	적	무	—	6m (3m)	0	250	0	2	517	617	150	—
힘내라 파이팅! 파이팅!	보조	SP스킬	서포트	—	아군	무	—	5m (단체)	0	40	0	1	0	0	75	STR25%UP↑
주인공 보정	보조	SP스킬	서포트	—	아군	무	—	4m (단체)	0	100	0	1	0	0	150	VIT·MEN·AGI·TEC 25%↑
넵튠 브레이크	물리	이그제 드라이브	이그제 드라이브	—	적	무	참격	5m (단체)	0	0	3	12 (3)	936 (234)	208	250	Wait 대미지 150
하드:넵튠	물리	이그제 드라이브	이그제 드라이브	—	적	무	—	8m (단체)	0	0	4	12	1850	291	250	—
콤보 링크	물리	EX 피니쉬	러쉬	—	적	무	—	무기	0	0	3	5	10	10	75	—

●프루루트

스킬	분류	계통	타입	습득	대상	속성	특수 속성	범위	CP	SP	EX	HIT	위력	가드	Wait	효과
어택	마법	무기	파워	—	적	무	타격	1×1	0	0	0	1	30	100	20	—
에~잇	마법	무기	파워	—	적	무	타격	3×1	0	0	0	1	13	50	35	—
있는 힘입껏~	마법	무기	파워	—	적	무	타격	F2×1×1	0	0	0	1	20	75	20	—
에이에~잇	마법	콤보 스킬	러쉬	1	적	무	타격	무기	25	0	0	2	20	50	24	—
에이에이에~잇	물리	콤보 스킬	러쉬	1	적	무	타격	무기	37	0	0	3	22	50	28	—
많이 때릴게에~	물리	콤보 스킬	러쉬	28	적	무	타격	무기	50	0	0	5	28	40	32	—
푸루룽 히트	마법	콤보 스킬	러쉬	47	적	무	—	무기	62	0	0	8	34	31	36	—
파워~ 히트	물리	콤보 스킬	파워	1	적	무	타격	무기	20	0	0	1	30	140	36	—
파워~ 어택	물리	콤보 스킬	파워	1	적	무	타격	무기	30	0	0	1	36	200	42	—
슈~퍼~ 어택	물리	콤보 스킬	파워	23	적	무	타격	무기	40	0	0	1	48	280	48	—

●스킬

●프루루트

스킬	분류	계통	타입	습득	대상	속성	특수 속성	범위	CP	SP	EX	HIT	위력	가드	Wait	효과
쓰러져줘~	마법	콤보 스킬	파워	38	적	무	—	무기	50	0	0	1	60	350	54	—
브레이크 히트~	물리	콤보 스킬	브레이크	1	적	무	타격	무기	16	0	0	1	21	230	30	—
브레이크 러쉬~	물리	콤보 스킬	브레이크	1	적	무	타격	무기	24	0	0	3	23	120	40	—
벌을 줄거야아~	마법	콤보 스킬	브레이크	15	적	무	—	무기	32	0	0	3	32	146	45	—
브~레이크~	마법	콤보 스킬	브레이크	41	적	무	—	무기	40	0	0	3	40	183	50	—
푸루룽 브레이크	마법	콤보 스킬	파워	19	적	무	—	무기	40	0	0	5	44	44	58	—
파~이어~	마법	콤보 스킬	파워	9	적	화염	—	무기	30	0	0	1	38	200	42	—
프리~즈	마법	콤보 스킬	파워	11	적	얼음	—	무기	30	0	0	1	38	200	42	—
선~더~	마법	콤보 스킬	파워	1	적	번개	—	무기	30	0	0	1	38	200	42	—
윈~드~	마법	콤보 스킬	파워	13	적	바람	—	무기	30	0	0	1	38	200	42	—
찌릿찌릿~	마법	EX 피니쉬	파워	1	적	번개	—	무기	0	0	1	1	40	320	12	마비12%
푸루룽 어택	물리	EX 피니쉬	러쉬	1	적	무	타격	무기	0	0	1	5	26	40	8	—
스파~크	마법	EX 피니쉬	브레이크	1	적	번개	—	무기	0	0	1	3	30	165	15	마비12%
찌릿찌릿 어택	물리	EX 피니쉬	파워	29	적	무	타격	무기	0	0	2	5	56	80	23	—
푸루룽 스파~크	마법	EX 피니쉬	러쉬	34	적	번개	—	무기	0	0	2	5	32	50	12	마비12%
콰~앙	마법	EX 피니쉬	러쉬	39	적	무	—	무기	0	0	2	5	28	60	12	넉백1m
슈~퍼~ 선~더~ 어택	마법	EX 피니쉬	파워	54	적	번개	타격	무기	0	0	3	3	54	160	23	마비12%
투닥~투닥~	마법	EX 피니쉬	러쉬	62	적	무	—	무기	0	0	3	8	35	37	14	—
팬시~ 스타~	마법	EX 피니쉬	어시스트 어택	32	적	무	—	무기	0	0	1	3	42	230	10	—
서포~트 선~더~	마법	EX 피니쉬	어시스트 어택	59	적	번개	—	무기	0	0	3	7	36	117	20	—
팬시~ 레인~	마법	SP스킬	SP어택	10	적	무	—	5m (4m)	0	100	0	1	300	800	100	—
부메랑	마법	SP스킬	SP어택	60	적	무	—	6m (단체)	0	120	0	2	333	492	125	스킬 봉인 20%
스트레스 해소~	마법	SP스킬	SP어택	0	적	무	—	7m (4m)	0	250	0	10	385	136	150	넉백3m
팬시~ 레인?	물리	SP스킬	SP어택	26	적	무	—	5m (4m)	0	100	0	2	248	392	100	MEN20%↓
힐	회복	SP스킬	힐 스킬	1	아군	무	—	6m (단체)	0	30	0	1	30	0	75	회복30%
하이 힐	회복	SP스킬	힐 스킬	24	아군	무	—	6m (단체)	0	75	0	1	75	0	125	회복75%
메가댑터	보조	SP스킬	서포트	13	아군	무	—	6m (단체)	0	40	0	1	0	0	75	INT25%↑ 단체
메가모델타	보조	SP스킬	서포트	42	아군	무	—	6m (단체)	0	80	0	1	0	0	125	INT·MEN25↑ 단체
인형씨와 함께	마법	이그제 드라이브	이그제 드라이브	0	적	무	—	8m (단체)	0	0	3	9 (5)	836 (209)	277	250	MEN·AGI·TEC25%↓
콤보 링크	마법	EX 피니쉬	러쉬	70	적	무	—	무기	0	0	3	5	10	10	75	—

●아이리스 하트 (프루루트 여신화)

스킬	분류	계통	타입	습득	대상	속성	특수 속성	범위	CP	SP	EX	HIT	위력	가드	Wait	효과
어택	마법	무기	파워	—	적	무	타격	1×1	0	0	0	1	30	100	20	—
슬래시	마법	무기	파워	—	적	무	타격	3×1	0	0	0	1	13	50	35	—
펜서	마법	무기	파워	—	적	무	타격	F2×1×1	0	0	0	1	20	75	20	—
러쉬	마법	콤보 스킬	러쉬	—	적	무	타격	무기	0	0	0	2	23	50	24	—
래피드 러쉬	물리	콤보 스킬	러쉬	—	적	무	타격	무기	0	0	0	3	26	50	28	—
하이 러쉬	물리	콤보 스킬	러쉬	—	적	무	타격	무기	0	0	0	5	33	40	32	—
풀 슬래시	마법	콤보 스킬	러쉬	—	적	무	—	무기	0	0	0	8	41	31	36	—
파워 엣지	물리	콤보 스킬	파워	—	적	무	타격	무기	0	0	0	1	36	140	36	—
파워 슬래시	물리	콤보 스킬	파워	—	적	무	타격	무기	0	0	0	1	43	200	42	—
슬래시 엣지	물리	콤보 스킬	파워	—	적	무	타격	무기	0	0	0	1	57	280	48	—
엎드리세요	마법	콤보 스킬	파워	—	적	무	—	무기	0	0	0	1	72	350	54	—
브레이크 히트	물리	콤보 스킬	브레이크	—	적	무	타격	무기	0	0	0	1	25	230	30	—
브레이크 러쉬	물리	콤보 스킬	브레이크	—	적	무	타격	무기	0	0	0	3	28	120	35	—
체벌	마법	콤보 스킬	브레이크	—	적	무	—	무기	0	0	0	3	38	146	45	—
아이리스 브레이크	마법	콤보 스킬	브레이크	—	적	무	—	무기	0	0	0	3	49	183	50	—
브레이크 엣지	마법	콤보 스킬	파워	—	적	무	—	무기	0	0	0	5	53	44	58	—
블레이즈 엣지	마법	콤보 스킬	파워	—	적	화염	—	무기	0	0	0	1	45	200	42	—
아이스 엣지	마법	콤보 스킬	파워	—	적	얼음	—	무기	0	0	0	1	45	200	42	—
선더 엣지	마법	콤보 스킬	파워	—	적	번개	—	무기	0	0	0	1	45	200	42	—
윈드 엣지	마법	콤보 스킬	파워	—	적	바람	—	무기	0	0	0	1	45	200	42	—
선더 블레이드	마법	EX 피니쉬	파워	—	적	번개	—	무기	0	0	1	1	48	320	12	마비12%
드라이브 팡	물리	EX 피니쉬	러쉬	—	적	무	타격	무기	0	0	1	5	31	40	8	—
버스트 스파크	마법	EX 피니쉬	브레이크	—	적	번개	—	무기	0	0	1	3	36	165	15	마비12%
플라즈마 팡	물리	EX 피니쉬	파워	—	적	무	타격	무기	0	0	2	5	68	80	23	—
쇼크 웨이브	마법	EX 피니쉬	러쉬	—	적	번개	—	무기	0	0	2	5	39	50	12	마비12%
하푼 스피어	마법	EX 피니쉬	러쉬	—	적	무	—	무기	0	0	2	5	35	60	12	넉백1m
슈퍼 선더 블레이드	마법	EX 피니쉬	파워	—	적	번개	타격	무기	0	0	3	3	65	160	23	마비12%
드라이 블레이드	마법	EX 피니쉬	러쉬	—	적	무	—	무기	0	0	3	8	42	37	14	—
어시스트 스타	마법	EX 피니쉬	어시스트 어택	—	적	무	—	무기	0	0	1	3	52	230	10	—
서포트 선더	마법	EX 피니쉬	어시스트 어택	—	적	번개	—	무기	0	0	3	7	48	117	20	스킬 봉인 16%
파이팅 바이퍼	마법	SP스킬	SP어택	—	적	무	—	5m (4m)	0	100	0	3	299	256	100	—
드라이브 스탭	마법	SP스킬	SP어택	—	적	무	—	6m (단체)	0	120	0	6	323	154	125	스킬 봉인 20%
파이팅 바이퍼2	마법	SP스킬	SP어택	—	적	무	—	7m (4m)	0	250	0	3	458	490	150	넉백3m
언어 공격	물리	SP스킬	SP어택	—	적	무	—	5m (4m)	0	100	0	6	233	133	100	MEN20%↓
힐	회복	SP스킬	힐 스킬	—	아군	무	—	6m (단체)	0	30	0	1	30	0	75	회복30%
하이 힐	회복	SP스킬	힐 스킬	—	아군	무	—	6m (단체)	0	75	0	1	75	0	125	회복75%
메가댑터	보조	SP스킬	서포트	—	아군	무	—	6m (단체)	0	40	0	1	0	0	75	INT25%↑ 단체
메가모델타	보조	SP스킬	서포트	—	아군	무	—	6m (단체)	0	80	0	1	0	0	125	INT·MEN25↑ 단체
선더 블레이드 킥	마법	이그제 드라이브	이그제 드라이브	—	적	무	—	8m (단체)	0	0	3	13 (1)	928 (232)	192	250	MEN·AGI·TEC25%↓
콤보 링크	마법	EX 피니쉬	러쉬	—	적	무	—	무기	0	0	3	5	10	10	75	—

●느와르

스킬	분류	계통	타입	습득	대상	속성	특수 속성	범위	CP	SP	EX	HIT	위력	가드	Wait	효과
어택	물리	무기	파워	—	적	무	참격	1×1	0	0	0	1	30	100	20	—
슬래시	물리	무기	파워	—	적	무	참격	3×1	0	0	0	1	13	50	35	—
펜서	물리	무기	파워	—	적	무	참격	R2×1	0	0	0	1	20	75	30	—
러쉬	물리	콤보 스킬	러쉬	1	적	무	참격	무기	25	0	0	2	20	50	24	—

●느와르

스킬	분류	계통	타입	습득	대상	속성	특수 속성	범위	CP	SP	EX	HIT	위력	가드	Wait	효과
래피드 히트	물리	콤보 스킬	러쉬	1	적	무	참격	무기	37	0	0	3	22	50	28	—
래피드 러쉬	물리	콤보 스킬	러쉬	23	적	무	참격	무기	50	0	0	5	26	40	28	—
크레센트 킥	물리	콤보 스킬	러쉬	46	적	무	—	무기	62	0	0	3	36	83	36	—
파워 엣지	물리	콤보 스킬	파워	1	적	무	참격	무기	20	0	0	1	30	140	36	—
파워 슬래시	물리	콤보 스킬	파워	15	적	무	참격	무기	30	0	0	1	36	200	42	—
슬래시 엣지	물리	콤보 스킬	파워	22	적	무	참격	무기	40	0	0	1	48	280	48	—
니어 카노프스	물리	콤보 스킬	파워	33	적	무	—	무기	50	0	0	1	60	350	54	—
브레이크 엣지	물리	콤보 스킬	브레이크	1	적	무	참격	무기	16	0	0	1	21	230	30	—
브레이크 러쉬	물리	콤보 스킬	브레이크	1	적	무	참격	무기	24	0	0	3	23	120	35	—
크래시 엣지	물리	콤보 스킬	브레이크	35	적	무	—	무기	32	0	0	3	32	146	45	—
체인 무브	물리	콤보 스킬	브레이크	42	적	무	참격	무기	40	0	0	4	39	137	52	—
플레임 엣지	마법	콤보 스킬	파워	1	적	화염	—	무기	30	0	0	1	38	200	42	—
선더 엣지	마법	콤보 스킬	파워	19	적	번개	—	무기	30	0	0	1	38	200	42	—
플레임 펜서	물리	콤보 스킬	브레이크	25	적	화염	—	무기	32	0	0	1	34	440	40	—
선더 펜서	물리	콤보 스킬	브레이크	28	적	번개	—	무기	32	0	0	1	34	440	40	—
스트라이크 히트	물리	콤보 스킬	파워	1	적	무	—	무기	30	0	0	3	34	80	47	—
베놈 펜서	물리	EX 피니쉬	파워	1	적	무	참격	무기	0	0	1	3	43	106	11	독 12%
패럴라이즈 펜서	물리	EX 피니쉬	파워	1	적	무	—	무기	0	0	1	3	43	106	11	마비12%
트리코롤 오더	물리	EX 피니쉬	파워	1	적	무	—	무기	0	0	2	3	46	106	14	—
임펄스 엣지	물리	EX 피니쉬	러쉬	21	적	무	참격	무기	0	0	2	5	26	40	8	—
임팩트 로우	물리	EX 피니쉬	브레이크	35	적	무	참격	무기	0	0	2	1	41	594	12	넉백1m
임펄스 블레이드	물리	EX 피니쉬	러쉬	44	적	무	—	무기	0	0	3	5	32	50	12	—
건 블레이즈	물리	EX 피니쉬	파워	48	적	화염	—	무기	0	0	3	3	58	133	20	—
배니싱 버스터	마법	EX 피니쉬	브레이크	53	적	화염	—	무기	0	0	3	3	40	183	17	—
데스페라도	마법	EX 피니쉬	어시스트 어택	33	적	화염	—	무기	0	0	1	3	35	230	10	스킬 봉인 16%
스케이터 오리온	물리	EX 피니쉬	어시스트 어택	57	적	무	—	무기	0	0	3	8	32	101	20	—
토네이도 소드	물리	SP스킬	SP어택	50	적	무	—	5m (3m)	0	180	0	1	400	1000	125	—
레이시즈 댄스	물리	SP스킬	SP어택	1	적	무	—	4m (단체)	0	85	0	5	268	148	100	—
드랍 크래시	물리	SP스킬	SP어택	23	적	무	—	4m (단체)	0	105	0	2	307	532	110	넉백3m
볼케이노 다이브	물리	SP스킬	SP어택	55	적	화염	—	5m (단체)	0	120	0	5	368	188	125	—
토네이도 체인	물리	SP스킬	SP어택	61	적	무	—	5m (단체)	0	180	0	3	484	406	150	—
메디 스테이션 S	보조	SP스킬	서포트	1	아군	무	—	5m (단체)	0	40	0	1	0	0	75	STR25%↑
메디 스테이션 T	보조	SP스킬	서포트	38	아군	무	—	5m (4m)	0	100	0	1	0	0	125	TEC25%↑ 범위
인피니트 슬래시	물리	이그제 드라이브	이그제 드라이브	0	적	무	—	6m (6m)	0	0	3	12 (8)	843 (210)	208	250	VIT·MEN·AGI25%↓
콤보 링크	물리	EX 피니쉬	러쉬	70	적	무	—	무기	0	0	3	5	10	10	75	—

●블랙 하트 (느와르 여신화)

스킬	분류	계통	타입	습득	대상	속성	특수 속성	범위	CP	SP	EX	HIT	위력	가드	Wait	효과
어택	물리	무기	파워	—	적	무	참격	1×1	0	0	0	1	30	100	20	—
슬래시	물리	무기	파워	—	적	무	참격	3×1	0	0	0	1	13	50	35	—
펜서	물리	무기	파워	—	적	무	참격	R2×1	0	0	0	1	20	75	30	—
러쉬	물리	콤보 스킬	러쉬	—	적	무	참격	무기	0	0	0	2	23	50	24	—
래피드 히트	물리	콤보 스킬	러쉬	—	적	무	참격	무기	0	0	0	3	26	50	28	—
래피드 러쉬	물리	콤보 스킬	러쉬	—	적	무	참격	무기	0	0	0	5	31	40	28	—
크레센트 킥	물리	콤보 스킬	러쉬	—	적	무	—	무기	0	0	0	3	43	83	36	—
파워 엣지	물리	콤보 스킬	파워	—	적	무	참격	무기	0	0	0	1	36	140	36	—
파워 슬래시	물리	콤보 스킬	파워	—	적	무	참격	무기	0	0	0	1	43	200	42	—
슬래시 엣지	물리	콤보 스킬	파워	—	적	무	참격	무기	0	0	0	1	57	280	48	—
니어 카노프스	물리	콤보 스킬	파워	—	적	무	—	무기	0	0	0	1	72	350	54	—
브레이크 엣지	물리	콤보 스킬	브레이크	—	적	무	참격	무기	0	0	0	1	25	230	30	—
브레이크 러쉬	물리	콤보 스킬	브레이크	—	적	무	참격	무기	0	0	0	3	28	120	35	—
크래시 엣지	물리	콤보 스킬	브레이크	—	적	무	—	무기	0	0	0	3	38	146	45	—
체인 무브	물리	콤보 스킬	브레이크	—	적	무	—	무기	0	0	0	4	48	137	52	—
플레임 엣지	마법	콤보 스킬	파워	—	적	화염	—	무기	0	0	0	1	45	200	42	—
선더 엣지	마법	콤보 스킬	파워	—	적	번개	—	무기	0	0	0	1	45	200	42	—
플레임 펜서	물리	콤보 스킬	브레이크	—	적	화염	—	무기	0	0	0	1	40	440	40	—
선더 펜서	물리	콤보 스킬	브레이크	—	적	번개	—	무기	0	0	0	1	40	440	40	—
스트라이크 히트	물리	콤보 스킬	파워	—	적	무	—	무기	0	0	0	3	41	80	47	—
베놈 펜서	물리	EX 피니쉬	파워	—	적	무	—	무기	0	0	1	3	52	106	11	독 12%
패럴라이즈 펜서	물리	EX 피니쉬	파워	—	적	무	—	무기	0	0	1	3	52	106	11	마비12%
트리코롤 오더	물리	EX 피니쉬	파워	—	적	무	—	무기	0	0	2	3	55	106	14	—
임펄스 엣지	물리	EX 피니쉬	러쉬	—	적	무	참격	무기	0	0	2	5	31	40	8	—
임팩트 로우	물리	EX 피니쉬	브레이크	—	적	무	—	무기	0	0	2	1	50	594	12	넉백1m
임펄스 블레이드	물리	EX 피니쉬	러쉬	—	적	무	—	무기	0	0	3	5	39	50	12	—
건 블레이즈	물리	EX 피니쉬	파워	—	적	화염	—	무기	0	0	3	3	70	133	20	—
배니싱 버스터	마법	EX 피니쉬	브레이크	—	적	화염	—	무기	0	0	3	3	49	183	17	—
데스페라도	마법	EX 피니쉬	어시스트 어택	—	적	화염	—	무기	0	0	1	3	44	230	10	스킬 봉인 16%
스케이터 오리온	물리	EX 피니쉬	어시스트 어택	—	적	무	—	무기	0	0	3	8	44	101	20	—
토네이도 소드	물리	SP스킬	SP어택	—	적	무	—	5m (3m)	0	180	0	1	420	1000	125	—
레이시즈 댄스	물리	SP스킬	SP어택	—	적	무	—	4m (단체)	0	85	0	5	283	152	100	—
드랍 크래시	물리	SP스킬	SP어택	—	적	무	—	4m (단체)	0	105	0	2	323	535	110	넉백3m
볼케이노 다이브	물리	SP스킬	SP어택	—	적	화염	—	5m (단체)	0	120	0	5	388	192	125	—
토네이도 체인	물리	SP스킬	SP어택	—	적	무	—	5m (단체)	0	180	0	3	509	410	150	—
메디 스테이션 S	보조	SP스킬	서포트	—	아군	무	—	5m (단체)	0	40	0	1	0	0	75	STR25%↑
메디 스테이션 T	보조	SP스킬	서포트	—	아군	무	—	4m (4m)	0	100	0	1	0	0	125	TEC25%↑ 범위
인피니트 슬래시	물리	이그제 드라이브	이그제 드라이브	—	적	무	—	6m (6m)	0	0	3	12 (8)	936 (234)	208	250	VIT·MEN·AGI25%↓
콤보 링크	물리	EX 피니쉬	러쉬	—	적	무	—	무기	0	0	3	5	10	10	75	—

●블랑

스킬	분류	계통	타입	습득	대상	속성	특수 속성	범위	CP	SP	EX	HIT	위력	가드	Wait	효과
어택	물리	무기	파워	—	적	무	타격	1×1	0	0	0	1	30	100	20	—
L 어택	물리	무기	파워	—	적	무	타격	L2×1	0	0	0	1	13	50	35	—
R 어택	물리	무기	파워	—	적	무	타격	R2×1	0	0	0	1	20	75	30	—
러쉬	물리	콤보 스킬	러쉬	1	적	무	타격	무기	25	0	0	2	20	50	24	—
래피드 히트	물리	콤보 스킬	러쉬	1	적	무	타격	무기	37	0	0	3	22	50	28	—
래피드 어택	물리	콤보 스킬	러쉬	1	적	무	타격	무기	50	0	0	5	28	40	32	—
콘게라토	물리	콤보 스킬	러쉬	35	적	얼음	—	무기	62	0	0	3	36	83	36	—
파워 히트	물리	콤보 스킬	파워	1	적	무	타격	무기	20	0	0	1	30	140	36	—
파워 어택	물리	콤보 스킬	파워	1	적	무	타격	무기	30	0	0	1	36	200	42	—
파워 스트라이크	물리	콤보 스킬	파워	1	적	무	타격	무기	40	0	0	1	48	280	48	—
스트라이크 히트	물리	콤보 스킬	파워	30	적	무	타격	무기	50	0	0	1	60	350	54	—
브레이크 히트	물리	콤보 스킬	브레이크	1	적	무	타격	무기	16	0	0	1	21	230	30	—
브레이크 러쉬	물리	콤보 스킬	브레이크	1	적	무	타격	무기	24	0	0	3	23	120	35	—
크래시 히트	물리	콤보 스킬	브레이크	1	적	무	타격	무기	32	0	0	3	32	146	45	—
브레이크 스트라이크	물리	콤보 스킬	브레이크	33	적	무	타격	무기	40	0	0	3	40	183	50	—
헤일 스톰	마법	콤보 스킬	러쉬	1	적	얼음	—	무기	37	0	0	5	21	30	28	—
사테라 뷰트	물리	콤보 스킬	러쉬	1	적	무	—	무기	37	0	0	8	21	18	28	—
아이시클 히트	물리	콤보 스킬	브레이크	1	적	얼음	—	무기	32	0	0	1	34	440	40	—
선더 히트	물리	콤보 스킬	브레이크	1	적	번개	—	무기	32	0	0	1	34	440	40	—
블래스트 히트	물리	콤보 스킬	브레이크	29	적	바람	—	무기	32	0	0	1	34	440	40	—
프라이쉬히 포어스트	물리	EX 피니쉬	파워	1	적	무	타격	무기	0	0	1	3	52	106	11	—
아인 슈라크	물리	EX 피니쉬	파워	1	적	무	타격	무기	0	0	2	1	43	384	12	넉백1m
폴 슈라크	물리	EX 피니쉬	러쉬	39	적	무	타격	무기	0	0	2	5	35	45	10	—
테이토라 슈라크	물리	EX 피니쉬	브레이크	42	적	무	타격	무기	0	0	3	2	41	275	16	—
실트 브레이크	물리	EX 피니쉬	브레이크	46	적	무	—	무기	0	0	3	1	35	550	15	독 12%
슈네 슈트롬	마법	EX 피니쉬	러쉬	1	적	얼음	—	무기	0	0	2	4	25	60	8	넉백1m
슈베아 슈라크	물리	EX 피니쉬	파워	30	적	얼음	—	무기	0	0	2	1	48	320	12	—
슈트롬 빈트	마법	EX 피니쉬	러쉬	51	적	얼음	—	무기	0	0	3	5	32	50	12	—
이에가 쿠겔	마법	EX 피니쉬	어시스트 어택	31	적	무	—	무기	0	0	1	1	50	700	10	—
아이스 니들	마법	EX 피니쉬	어시스트 어택	54	적	얼음	—	무기	0	0	3	3	44	280	20	독 16%
텐체린 트론베	물리	SP스킬	SP어택	1	적	무	—	4m (단체)	0	80	0	7	252	105	100	—
체아 슈테른	물리	SP스킬	SP어택	1	적	무	—	4m (단체)	0	100	0	1	315	1080	110	넉백3m
게페아 리히슈테른	마법	SP스킬	SP어택	57	적	무	—	6m (단체)	0	160	0	7	402	148	135	—
겟타 라비네	물리	SP스킬	SP어택	61	적	얼음	—	6m (단체)	0	180	0	1	500	1250	150	—
디펜스 서포트	보조	SP스킬	서포트	1	아군	무	—	4m (4m)	0	100	0	1	0	0	125	VIT25%↑ 범위
멘탈 서포트	보조	SP스킬	서포트	37	아군	무	—	4m (4m)	0	100	0	1	0	0	150	MEN 업 25%↑ 범위
언디스 서포트	보조	SP스킬	서포트	48	아군	무	—	5m (단체)	0	80	0	1	0	0	125	STR·VIT25%↑
하드 브레이크	물리	이그제 드라이브	이그제 드라이브	0	적	무	—	6m (6m)	0	0	3	3 (9)	910 (227)	833	250	Wait 대미지 150
콤보 링크	물리	EX 피니쉬	러쉬	70	적	무	—	무기	0	0	3	5	10	10	75	—

●화이트 하트 (블랑 여신화)

스킬	분류	계통	타입	습득	대상	속성	특수 속성	범위	CP	SP	EX	HIT	위력	가드	Wait	효과
어택	물리	무기	파워	—	적	무	타격	1×1	0	0	0	1	30	100	20	—
L 어택	물리	무기	파워	—	적	무	타격	L2×1	0	0	0	1	13	50	35	—
R 어택	물리	무기	파워	—	적	무	타격	R2×1	0	0	0	1	20	75	30	—
러쉬	물리	콤보 스킬	러쉬	—	적	무	타격	무기	0	0	0	2	23	50	24	—
래피드 히트	물리	콤보 스킬	러쉬	—	적	무	타격	무기	0	0	0	3	26	50	28	—
래피드 어택	물리	콤보 스킬	러쉬	—	적	무	타격	무기	0	0	0	5	33	40	32	—
콘게라토	물리	콤보 스킬	러쉬	—	적	얼음	—	무기	0	0	0	3	43	83	36	—
파워 히트	물리	콤보 스킬	파워	—	적	무	타격	무기	0	0	0	1	36	140	36	—
파워 어택	물리	콤보 스킬	파워	—	적	무	타격	무기	0	0	0	1	43	200	42	—
파워 스트라이크	물리	콤보 스킬	파워	—	적	무	타격	무기	0	0	0	1	57	280	48	—
스트라이크 히트	물리	콤보 스킬	파워	—	적	무	타격	무기	0	0	0	1	72	350	54	—
브레이크 히트	물리	콤보 스킬	브레이크	—	적	무	타격	무기	0	0	0	1	25	230	30	—
브레이크 러쉬	물리	콤보 스킬	브레이크	—	적	무	타격	무기	0	0	0	3	28	120	35	—
크래시 히트	물리	콤보 스킬	브레이크	—	적	무	타격	무기	0	0	0	3	38	146	45	—
브레이크 스트라이크	물리	콤보 스킬	브레이크	—	적	무	타격	무기	0	0	0	3	49	183	50	—
헤일 스톰	마법	콤보 스킬	러쉬	—	적	얼음	—	무기	0	0	0	5	25	30	28	—
사테라 뷰트	물리	콤보 스킬	러쉬	—	적	무	—	무기	0	0	0	8	25	18	28	—
아이시클 히트	물리	콤보 스킬	브레이크	—	적	얼음	—	무기	0	0	0	1	40	440	40	—
선더 히트	물리	콤보 스킬	브레이크	—	적	번개	—	무기	0	0	0	1	40	440	40	—
블래스트 히트	물리	콤보 스킬	브레이크	—	적	바람	—	무기	0	0	0	1	40	440	40	—
프라이쉬히 포어스트	물리	EX 피니쉬	파워	—	적	무	타격	무기	0	0	1	3	62	106	11	—
아인 슈라크	물리	EX 피니쉬	파워	—	적	무	타격	무기	0	0	2	1	51	384	12	넉백1m
폴 슈라크	물리	EX 피니쉬	러쉬	—	적	무	타격	무기	0	0	2	5	42	45	10	—
테이토라 슈라크	물리	EX 피니쉬	브레이크	—	적	무	타격	무기	0	0	3	2	50	275	16	—
실트 브레이크	물리	EX 피니쉬	브레이크	—	적	무	—	무기	0	0	3	1	43	550	15	독 12%
슈네 슈트롬	마법	EX 피니쉬	러쉬	—	적	얼음	—	무기	0	0	2	4	29	60	8	넉백1m
슈베아 슈라크	물리	EX 피니쉬	파워	—	적	얼음	—	무기	0	0	2	1	57	320	12	—
슈트롬 빈트	마법	EX 피니쉬	러쉬	—	적	얼음	—	무기	0	0	3	5	39	50	12	—
이에가 쿠겔	마법	EX 피니쉬	어시스트 어택	—	적	무	—	무기	0	0	1	1	60	700	10	—
아이스 니들	마법	EX 피니쉬	어시스트 어택	—	적	얼음	—	무기	0	0	3	3	54	280	20	독 16%
텐체린 트론베	물리	SP스킬	SP어택	—	적	무	—	4m (단체)	0	80	0	7	267	105	100	—
체아 슈테른	물리	SP스킬	SP어택	—	적	무	—	4m (단체)	0	100	0	1	330	1080	110	넉백3m
게페아 리히슈테른	마법	SP스킬	SP어택	—	적	무	—	6m (단체)	0	160	0	7	424	148	135	—
겟타 라비네	물리	SP스킬	SP어택	—	적	얼음	—	6m (단체)	0	180	0	1	525	1250	150	—
디펜스 서포트	보조	SP스킬	서포트	—	아군	무	—	4m (4m)	0	100	0	1	0	0	125	VIT25%↑ 범위
멘탈 서포트	보조	SP스킬	서포트	—	아군	무	—	4m (4m)	0	100	0	1	0	0	150	MEN 업 25%↑ 범위
언디스 서포트	보조	SP스킬	서포트	—	아군	무	—	5m (단체)	0	80	0	1	0	0	125	STR·VIT25%↑
하드 브레이크	물리	이그제 드라이브	이그제 드라이브	—	적	무	—	6m (6m)	0	0	3	3 (9)	1002 (250)	833	250	Wait 대미지 150

●화이트 하트 (블랑 여신화)

스킬	분류	계통	타입	습득	대상	속성	특수 속성	범위	CP	SP	EX	HIT	위력	가드	Wait	효과
콤보 링크	물리	EX 피니쉬	러쉬	—	적	무	—	무기	0	0	3	5	10	10	75	—

●벨

스킬	분류	계통	타입	습득	대상	속성	특수 속성	범위	CP	SP	EX	HIT	위력	가드	Wait	효과
어택	물리	무기	파워	—	적	무	참격	1×1	0	0	0	1	30	100	20	—
펜서	물리	무기	파워	—	적	무	관통	1×2	0	0	0	1	20	75	30	—
스트라이크	물리	무기	파워	—	적	무	관통	1×3	0	0	0	1	13	50	35	—
러쉬	물리	콤보 스킬	러쉬	1	적	무	관통	무기	25	0	0	2	20	50	24	—
래피드 히트	물리	콤보 스킬	러쉬	1	적	무	관통	무기	37	0	0	3	22	50	28	—
래피드 러쉬	물리	콤보 스킬	러쉬	26	적	무	관통	무기	50	0	0	5	28	40	32	—
6단 찌르기	물리	콤보 스킬	러쉬	36	적	무	관통	무기	62	0	0	6	34	41	36	—
에어 슬라이서	마법	콤보 스킬	러쉬	42	적	바람	—	무기	62	0	0	8	34	31	36	—
파워 엣지	물리	콤보 스킬	파워	1	적	무	관통	무기	20	0	0	1	30	140	36	—
파워 슬래시	물리	콤보 스킬	파워	1	적	무	참격	무기	30	0	0	1	36	200	42	—
슬래시 엣지	물리	콤보 스킬	파워	32	적	무	참격	무기	40	0	0	1	48	280	48	—
에어 랜서	마법	콤보 스킬	파워	44	적	바람	—	무기	50	0	0	1	60	350	54	—
브레이크 엣지	물리	콤보 스킬	브레이크	1	적	무	—	무기	16	0	0	1	21	230	30	—
브레이크 러쉬	물리	콤보 스킬	브레이크	1	적	무	참격	무기	24	0	0	3	23	120	40	—
크래시 엣지	물리	콤보 스킬	브레이크	27	적	무	참격	무기	32	0	0	3	32	146	45	—
브레이크 스트라이크	물리	콤보 스킬	브레이크	39	적	무	관통	무기	40	0	0	1	42	550	45	—
아이스 랜서	마법	콤보 스킬	브레이크	30	적	얼음	—	무기	24	0	0	1	25	330	35	—
어썸 보밍	물리	콤보 스킬	러쉬	37	적	무	—	무기	37	0	0	4	21	37	28	—
쥬렛 스톰	마법	콤보 스킬	러쉬	1	적	바람	—	무기	37	0	0	3	22	50	28	—
스트라이크 히트	물리	콤보 스킬	파워	41	적	무	—	무기	30	0	0	3	34	66	47	—
다즐링 로테	물리	EX 피니쉬	파워	1	적	무	—	무기	0	0	1	3	46	106	14	—
베놈 스톰	마법	EX 피니쉬	파워	1	적	무	—	무기	0	0	1	3	46	106	14	독 12%
만델링 슬랩	물리	EX 피니쉬	러쉬	28	적	무	참격	무기	0	0	1	5	24	45	10	마비12%
티코 포톤	마법	EX 피니쉬	브레이크	34	적	무	—	무기	0	0	1	1	34	594	12	넉백1m
니르기리 버스트	물리	EX 피니쉬	브레이크	46	적	무	참격	무기	0	0	2	3	35	220	17	넉백1m
도어즈 스트라이크	마법	EX 피니쉬	러쉬	49	적	무	—	무기	0	0	2	8	32	31	12	—
루프나 슬라이서	마법	EX 피니쉬	러쉬	52	적	바람	—	무기	0	0	2	5	32	50	12	—
더스트 스트라이크	물리	EX 피니쉬	러쉬	56	적	바람	—	무기	0	0	3	7	39	42	14	—
딘블러 스톰	마법	EX 피니쉬	어시스트 어택	1	적	바람	—	무기	0	0	1	5	34	136	10	—
누와라에리야 스콜	마법	EX 피니쉬	어시스트 어택	58	적	무	—	무기	0	0	3	8	32	101	20	—
쥬렛 스피어	마법	SP스킬	SP어택	1	적	무	—	6m (1×5)	0	100	0	1	255	800	100	스킬 봉인 20%
레이니라트나뷰라	물리	SP스킬	SP어택	55	적	무	—	5m (단체)	0	120	0	7	352	134	125	—
푸프르아센스 버스트	물리	SP스킬	SP어택	60	적	무	—	5m (단체)	0	180	0	3	435	493	150	넉백3m
키네스트라 댄스	마법	SP스킬	SP어택	64	적	바람	—	7m (4m)	0	250	0	8	377	147	150	TEC·AGI15% ↓
도어즈 이펙트	보조	SP스킬	서포트	1	아군	무	—	6m (4m)	0	100	0	1	0	0	125	INT25% ↑
어썸 링크	보조	SP스킬	서포트	40	아군	무	—	6m (4m)	0	120	0	1	0	0	150	AGI·TEC·MOV25% ↑
테라이 디바이드	보조	SP스킬	서포트	1	적	무	—	6m (4m)	0	120	0	1	0	0	150	적AGI·TEC·MOV25% ↓
스파이럴 브레이크	마법	이그제 드라이브	이그제 드라이브	0	적	무	—	– (1×7)	0	0	3	11 (1)	851 (212)	227	250	AGI·TEC·LUK25% ↓·MOV30% ↓
콤보 링크	마법	EX 피니쉬	러쉬	70	적	무	—	무기	0	0	3	5	10	10	75	—

●그린 하트 (벨 여신화)

스킬	분류	계통	타입	습득	대상	속성	특수 속성	범위	CP	SP	EX	HIT	위력	가드	Wait	효과
어택	물리	무기	파워	—	적	무	참격	1×1	0	0	0	1	30	100	20	—
펜서	물리	무기	파워	—	적	무	관통	1×2	0	0	0	1	20	75	30	—
스트라이크	물리	무기	파워	—	적	무	관통	1×3	0	0	0	1	13	50	35	—
러쉬	물리	콤보 스킬	러쉬	—	적	무	관통	무기	0	0	0	2	23	50	24	—
래피드 히트	물리	콤보 스킬	러쉬	—	적	무	관통	무기	0	0	0	3	26	50	28	—
래피드 러쉬	물리	콤보 스킬	러쉬	—	적	무	관통	무기	0	0	0	5	33	40	32	—
6단 찌르기	물리	콤보 스킬	러쉬	—	적	무	관통	무기	0	0	0	6	41	41	36	—
에어 슬라이서	마법	콤보 스킬	러쉬	—	적	바람	—	무기	0	0	0	8	41	31	36	—
파워 엣지	물리	콤보 스킬	파워	—	적	무	관통	무기	0	0	0	1	36	140	36	—
파워 슬래시	물리	콤보 스킬	파워	—	적	무	참격	무기	0	0	0	1	43	200	42	—
슬래시 엣지	물리	콤보 스킬	파워	—	적	무	참격	무기	0	0	0	1	57	280	48	—
에어 랜서	마법	콤보 스킬	파워	—	적	바람	—	무기	0	0	0	1	72	350	54	—
브레이크 엣지	물리	콤보 스킬	브레이크	—	적	무	—	무기	0	0	0	1	25	230	30	—
브레이크 러쉬	물리	콤보 스킬	브레이크	—	적	무	참격	무기	0	0	0	3	28	120	40	—
크래시 엣지	물리	콤보 스킬	브레이크	—	적	무	참격	무기	0	0	0	3	38	146	45	—
브레이크 스트라이크	물리	콤보 스킬	브레이크	—	적	무	관통	무기	0	0	0	1	51	550	45	—
아이스 랜서	마법	콤보 스킬	브레이크	—	적	얼음	—	무기	0	0	0	1	30	330	35	—
어썸 보밍	물리	콤보 스킬	러쉬	—	적	무	—	무기	0	0	0	4	25	37	28	—
쥬렛 스톰	마법	콤보 스킬	러쉬	—	적	바람	—	무기	0	0	0	3	26	50	28	—
스트라이크 히트	물리	콤보 스킬	파워	—	적	무	—	무기	0	0	0	3	41	66	47	—
다즐링 로테	물리	EX 피니쉬	파워	—	적	무	—	무기	0	0	1	3	55	106	14	—
베놈 스톰	마법	EX 피니쉬	파워	—	적	무	—	무기	0	0	1	3	55	106	14	독 12%
만델링 슬랩	물리	EX 피니쉬	러쉬	—	적	무	참격	무기	0	0	1	5	29	45	10	마비12%
티코 포톤	마법	EX 피니쉬	브레이크	—	적	무	—	무기	0	0	1	1	40	594	12	넉백1m
니르기리 버스트	물리	EX 피니쉬	브레이크	—	적	무	참격	무기	0	0	2	3	43	220	17	넉백1m
도어즈 스트라이크	마법	EX 피니쉬	러쉬	—	적	무	—	무기	0	0	2	8	39	31	12	—
루프나 슬라이서	마법	EX 피니쉬	러쉬	—	적	바람	—	무기	0	0	2	5	39	50	12	—
더스트 스트라이크	물리	EX 피니쉬	러쉬	—	적	바람	—	무기	0	0	3	7	46	42	14	—
딘블러 스톰	마법	EX 피니쉬	어시스트 어택	—	적	바람	—	무기	0	0	1	5	44	136	10	—
누와라에리야 스콜	마법	EX 피니쉬	어시스트 어택	—	적	무	—	무기	0	0	3	8	44	101	20	—
쥬렛 스피어	마법	SP스킬	SP어택	—	적	무	—	6m (1×5)	0	100	0	1	267	800	100	스킬 봉인 20%
레이니라트나뷰라	물리	SP스킬	SP어택	—	적	무	—	5m (단체)	0	120	0	7	372	134	125	—
푸프르아센스 버스트	물리	SP스킬	SP어택	—	적	무	—	5m (단체)	0	180	0	3	458	493	150	넉백3m
키네스트라 댄스	마법	SP스킬	SP어택	—	적	바람	—	7m (4m)	0	250	0	8	398	147	150	TEC·AGI15% ↓

●스킬

●그린 하트 (벨 여신화)

스킬	분류	계통	타입	습득	대상	속성	특수 속성	범위	CP	SP	EX	HIT	위력	가드	Wait	효과
도어즈 이펙트	보조	SP스킬	서포트	—	아군	무	—	6m (4m)	0	100	0	1	0	0	125	INT25%↑
어섬 링크	보조	SP스킬	서포트	—	아군	무	—	6m (4m)	0	120	0	1	0	0	150	AGI·TEC·MOV25%↑
테라이 디바이드	보조	SP스킬	서포트	—	적	무	—	6m (4m)	0	120	0	1	0	0	150	적AGI·TEC·MOV25%↓
스파이럴 브레이크	마법	이그제 드라이브	이그제 드라이브	—	적	무	—	-(1×7)	0	0	3	11 (1)	943 (235)	227	250	AGI·TEC·LUK25%↓·MOV30%↓
콤보 링크	마법	EX 피니쉬	러쉬	—	적	무	—	무기	0	0	3	5	10	10	75	—

●네프기어

스킬	분류	계통	타입	습득	대상	속성	특수 속성	범위	CP	SP	EX	HIT	위력	가드	Wait	효과
어택	물리	무기	파워	—	적	무	참격	1×1	0	0	0	1	30	100	20	—
L 슬래시	물리	무기	파워	—	적	무	참격	L2×1	0	0	0	1	20	75	30	—
R 슬래시	물리	무기	파워	—	적	무	참격	R2×1	0	0	0	1	20	75	30	—
러쉬	물리	콤보 스킬	러쉬	1	적	무	참격	무기	25	0	0	2	20	50	24	—
래피드 히트	물리	콤보 스킬	러쉬	1	적	무	참격	무기	37	0	0	3	22	50	28	—
래피드 러쉬	물리	콤보 스킬	러쉬	24	적	무	참격	무기	50	0	0	5	28	40	32	—
블루 소닉	물리	콤보 스킬	러쉬	44	적	무	참격	무기	56	0	0	8	31	28	34	—
실바 테일	물리	콤보 스킬	러쉬	46	적	무	참격	무기	62	0	0	8	34	31	36	—
파워 엣지	물리	콤보 스킬	파워	1	적	무	참격	무기	20	0	0	1	30	140	36	—
파워 슬래시	물리	콤보 스킬	파워	1	적	무	참격	무기	30	0	0	1	36	200	42	—
슬래시 엣지	물리	콤보 스킬	파워	18	적	무	참격	무기	40	0	0	1	48	280	48	—
블리츠 세이버	물리	콤보 스킬	파워	39	적	무	—	무기	50	0	0	1	60	350	54	—
브레이크 엣지	물리	콤보 스킬	브레이크	1	적	무	—	무기	16	0	0	1	21	230	30	—
브레이크 러쉬	물리	콤보 스킬	브레이크	21	적	무	—	무기	24	0	0	3	23	120	40	—
크래시 엣지	물리	콤보 스킬	브레이크	33	적	무	참격	무기	32	0	0	3	32	146	45	—
브레이크 재퍼	물리	콤보 스킬	브레이크	42	적	무	참격	무기	40	0	0	5	38	110	55	—
플레임 엣지	마법	콤보 스킬	파워	24	적	화염	—	무기	30	0	0	1	38	200	42	—
아이스 엣지	마법	콤보 스킬	파워	24	적	얼음	—	무기	30	0	0	1	38	200	42	—
블래스트 엣지	마법	콤보 스킬	파워	24	적	바람	—	무기	30	0	0	1	38	200	42	—
선더 엣지	마법	콤보 스킬	파워	24	적	번개	—	무기	30	0	0	1	38	200	42	—
포뮬러 엣지	물리	EX 피니쉬	러쉬	1	적	무	—	무기	0	0	1	5	26	40	8	—
래디컬 세이버	물리	EX 피니쉬	파워	11	적	무	참격	무기	0	0	1	1	48	320	12	—
린드버그	물리	EX 피니쉬	러쉬	48	적	무	참격	무기	0	0	2	8	32	28	12	—
트윙클 스타	물리	EX 피니쉬	파워	51	적	무	관통	무기	0	0	2	3	58	133	20	—
판타직 스타	물리	EX 피니쉬	러쉬	54	적	무	—	무기	0	0	3	8	34	31	12	—
기어·너클	물리	EX 피니쉬	브레이크	21	적	화염	—	무기	0	0	2	1	30	528	10	넉백1m
기어·너클2	물리	EX 피니쉬	브레이크	58	적	무	타격	무기	0	0	3	3	35	220	17	넉백2m
에이리얼 어설트	마법	EX 피니쉬	러쉬	30	적	바람	—	무기	0	0	2	3	31	66	8	—
봄	물리	EX 피니쉬	어시스트 어택	1	적	무	—	무기	0	0	1	3	42	230	10	—
파워·봄	물리	EX 피니쉬	어시스트 어택	60	적	무	—	무기	0	0	3	8	32	101	20	—
미라쥬 댄스	물리	SP스킬	SP어택	1	적	무	참격	4m (단체)	0	75	0	5	218	112	85	—
슬래시 웨이브	물리	SP스킬	SP어택	30	적	무	관통	5m (1×5)	0	100	0	1	300	800	100	—
팬처 블레이드	물리	SP스킬	SP어택	56	적	무	—	5m (단체)	0	120	0	5	331	232	125	넉백3m
성원을 그대에게	보조	SP스킬	서포트	1	아군	무	—	5m (단체)	0	40	0	1	0	0	75	VIT25%↑
라이징 포스	보조	SP스킬	서포트	50	아군	무	—	5m (4m)	0	100	0	1	0	0	125	STR25%↑ 범위
힐	회복	SP스킬	힐 스킬	1	아군	무	—	5m (단체)	0	30	0	1	30	0	75	회복30%
하이 힐	회복	SP스킬	힐 스킬	40	아군	무	—	5m (단체)	0	50	0	1	50	0	100	회복50%
플라네틱 디바	물리	이그제 드라이브	이그제 드라이브	0	적	무	참격	6m (단체)	0	0	3	8 (1)	873 (218)	312	250	넉백5m·MOV30%↓

●퍼플 시스터 (네프기어 여신화)

스킬	분류	계통	타입	습득	대상	속성	특수 속성	범위	CP	SP	EX	HIT	위력	가드	Wait	효과
어택	물리	무기	파워	—	적	무	참격	1×1	0	0	0	1	30	100	20	—
L 슬래시	물리	무기	파워	—	적	무	참격	L2×1	0	0	0	1	20	75	30	—
R 슬래시	물리	무기	파워	—	적	무	참격	R2×1	0	0	0	1	20	75	30	—
러쉬	물리	콤보 스킬	러쉬	—	적	무	참격	무기	0	0	0	2	23	50	24	—
래피드 히트	물리	콤보 스킬	러쉬	—	적	무	참격	무기	0	0	0	3	26	50	28	—
래피드 러쉬	물리	콤보 스킬	러쉬	—	적	무	참격	무기	0	0	0	5	33	40	32	—
블루 소닉	물리	콤보 스킬	러쉬	—	적	무	참격	무기	0	0	0	8	37	28	34	—
실바 테일	물리	콤보 스킬	러쉬	—	적	무	참격	무기	0	0	0	8	41	31	36	—
파워 엣지	물리	콤보 스킬	파워	—	적	무	참격	무기	0	0	0	1	36	140	36	—
파워 슬래시	물리	콤보 스킬	파워	—	적	무	참격	무기	0	0	0	1	43	200	42	—
슬래시 엣지	물리	콤보 스킬	파워	—	적	무	참격	무기	0	0	0	1	57	280	48	—
블리츠 세이버	물리	콤보 스킬	파워	—	적	무	—	무기	0	0	0	1	72	350	54	—
브레이크 엣지	물리	콤보 스킬	브레이크	—	적	무	—	무기	0	0	0	1	25	230	30	—
브레이크 러쉬	물리	콤보 스킬	브레이크	—	적	무	—	무기	0	0	0	3	28	120	40	—
크래시 엣지	물리	콤보 스킬	브레이크	—	적	무	참격	무기	0	0	0	3	38	146	45	—
브레이크 재퍼	물리	콤보 스킬	브레이크	—	적	무	참격	무기	0	0	0	5	47	110	55	—
플레임 엣지	마법	콤보 스킬	파워	—	적	화염	—	무기	0	0	0	1	45	200	42	—
아이스 엣지	마법	콤보 스킬	파워	—	적	얼음	—	무기	0	0	0	1	45	200	42	—
블래스트 엣지	마법	콤보 스킬	파워	—	적	바람	—	무기	0	0	0	1	45	200	42	—
선더 엣지	마법	콤보 스킬	파워	—	적	번개	—	무기	0	0	0	1	45	200	42	—
포뮬러 엣지	물리	EX 피니쉬	러쉬	—	적	무	—	무기	0	0	1	5	31	40	8	—
래디컬 세이버	물리	EX 피니쉬	파워	—	적	무	참격	무기	0	0	1	1	57	320	12	—
린드버그	물리	EX 피니쉬	러쉬	—	적	무	참격	무기	0	0	2	8	39	28	12	—
트윙클 스타	물리	EX 피니쉬	파워	—	적	무	관통	무기	0	0	2	3	70	133	20	—
판타직 스타	물리	EX 피니쉬	러쉬	—	적	무	—	무기	0	0	3	8	42	31	12	—
기어·너클	물리	EX 피니쉬	브레이크	—	적	화염	—	무기	0	0	2	1	36	528	10	넉백1m
기어·너클2	물리	EX 피니쉬	브레이크	—	적	무	타격	무기	0	0	3	3	43	220	17	넉백2m
에이리얼 어설트	마법	EX 피니쉬	러쉬	—	적	바람	—	무기	0	0	2	3	36	66	8	—
뉴트럴 런처	물리	EX 피니쉬	어시스트 어택	—	적	무	—	무기	0	0	1	3	52	230	10	—
빔 스플릿	물리	EX 피니쉬	어시스트 어택	—	적	무	—	무기	0	0	3	8	44	101	20	—
미라쥬 댄스	물리	SP스킬	SP어택	—	적	무	참격	4m (단체)	0	75	0	5	230	112	85	—

●퍼플 시스터 (네프기어 여신화)

스킬	분류	계통	타입	습득	대상	속성	특수 속성	범위	CP	SP	EX	HIT	위력	가드	Wait	효과
M.P.B.L	물리	SP스킬	SP어택	—	적	무	관통	5m (1×5)	0	100	0	1	315	800	100	—
팬처 블레이드	물리	SP스킬	SP어택	—	적	무	—	5m (단체)	0	120	0	5	349	232	125	넉백3m
성원을 그대에게	보조	SP스킬	서포트	—	아군	무	—	5m (단체)	0	40	0	1	0	0	75	VIT25%↑
라이징 포스	보조	SP스킬	서포트	—	아군	무	—	5m (4m)	0	100	0	1	0	0	100	STR25%↑ 범위
힐	회복	SP스킬	힐 스킬	—	아군	무	—	5m (단체)	0	30	0	1	30	0	75	회복30%
하이 힐	회복	SP스킬	힐 스킬	—	아군	무	—	5m (단체)	0	50	0	1	50	0	125	회복50%
플라네틱 디바	물리	이그제 드라이브	이그제 드라이브	—	적	무	참격	6m (단체)	0	0	3	8 (1)	965 (241)	312	250	넉백5m·MOV30%↓

●피셰

스킬	분류	계통	타입	습득	대상	속성	특수 속성	범위	CP	SP	EX	HIT	위력	가드	Wait	효과
어택	물리	무기	파워	—	적	무	타격	1×1	0	0	0	1	30	100	20	—
오른 펀치	물리	무기	파워	—	적	무	타격	R2×1	0	0	0	1	20	75	30	—
왼 펀치	물리	무기	파워	—	적	무	타격	L2×1	0	0	0	1	20	75	30	—
러쉬	물리	콤보 스킬	러쉬	1	적	무	타격	무기	25	0	0	2	20	50	24	—
래피드 히트	물리	콤보 스킬	러쉬	1	적	무	타격	무기	37	0	0	3	22	50	28	—
래피드 러쉬	물리	콤보 스킬	러쉬	15	적	무	타격	무기	50	0	0	5	28	40	32	—
더블 펀치	물리	콤보 스킬	러쉬	28	적	무	타격	무기	68	0	0	2	35	100	36	—
펀치 러쉬	물리	콤보 스킬	러쉬	41	적	무	타격	무기	62	0	0	6	34	41	36	—
파워 어택	물리	콤보 스킬	파워	1	적	무	타격	무기	20	0	0	1	30	140	36	—
파워 히트	물리	콤보 스킬	파워	1	적	무	타격	무기	30	0	0	1	36	200	42	—
슈퍼 어택	물리	콤보 스킬	파워	11	적	무	타격	무기	40	0	0	1	48	280	48	—
펀치펀치	물리	콤보 스킬	파워	63	적	무	타격	무기	50	0	0	1	60	350	54	—
브레이크 킥	물리	콤보 스킬	브레이크	1	적	무	타격	무기	16	0	0	1	21	230	30	—
브레이크 어택	물리	콤보 스킬	브레이크	10	적	무	타격	무기	24	0	0	3	23	120	40	—
크래시 펀치	물리	콤보 스킬	브레이크	25	적	무	타격	무기	32	0	0	3	32	146	45	—
브레이크 펀치	물리	콤보 스킬	브레이크	65	적	화염	—	무기	40	0	0	1	42	550	45	—
플레임 펀치	마법	콤보 스킬	파워	30	적	화염	—	무기	30	0	0	1	38	200	42	—
아이스 펀치	마법	콤보 스킬	파워	35	적	얼음	—	무기	30	0	0	1	38	200	42	—
블래스트 펀치	마법	콤보 스킬	파워	25	적	바람	—	무기	30	0	0	1	38	200	42	—
선더 펀치	마법	콤보 스킬	파워	20	적	번개	—	무기	30	0	0	1	38	200	42	—
박치기	물리	EX 피니쉬	파워	1	적	무	타격	무기	0	0	1	1	40	320	12	마비12%
야옹이 펀치 C	물리	EX 피니쉬	러쉬	13	적	무	—	무기	0	0	1	3	31	66	8	—
슈퍼 야옹이 펀치	물리	EX 피니쉬	브레이크	21	적	무	—	무기	0	0	1	1	30	528	10	넉백1m
파이어 야옹이 펀치	마법	EX 피니쉬	파워	35	적	화염	—	무기	0	0	2	2	53	180	1	—
슈퍼 박치기	물리	EX 피니쉬	파워	44	적	무	타격	무기	0	0	3	1	51	400	18	마비12%
야옹야옹 콤보	물리	EX 피니쉬	러쉬	52	적	무	—	무기	0	0	3	5	32	50	12	—
아이스 야옹이 P	마법	EX 피니쉬	브레이크	68	적	얼음	—	무기	0	0	3	1	42	550	15	—
뭔가 굉장한 펀치	물리	EX 피니쉬	브레이크	64	적	무	—	무기	0	0	3	1	37	660	15	넉백2m
야옹이 선더	물리	EX 피니쉬	어시스트 어택	1	적	번개	—	무기	0	0	1	5	34	136	10	—
슈퍼 야옹이 선더	물리	EX 피니쉬	어시스트 어택	67	적	번개	—	무기	0	0	3	5	44	166	20	—
전력 펀치	물리	SP스킬	SP어택	1	적	무	—	3m (단체)	0	75	0	1	270	960	100	넉백3m
드랍 킥	물리	SP스킬	SP어택	66	적	무	타격	3m (단체)	0	120	0	1	400	1000	125	—
막무가내 빙글빙글 펀치	물리	SP스킬	SP어택	70	적	무	—	3m (단체)	0	180	0	10	428	116	150	—
빙글빙글 펀치	물리	SP스킬	SP어택	0	적	무	—	4m (단체)	0	250	0	1	600	1500	175	—
파워 업	보조	SP스킬	서포트	1	아군	무	—	5m (단체)	0	40	0	1	0	0	75	STR25%↑
가드 업	보조	SP스킬	서포트	65	아군	무	—	5m (단체)	0	80	0	1	0	0	125	VIT·MEN25%↑
피이의 필살기!	물리	이그제 드라이브	이그제 드라이브	0	적	무	—	8m (단체)	0	0	3	9 (9)	873 (218)	277	250	—

●옐로 하트 (피셰 여신화)

스킬	분류	계통	타입	습득	대상	속성	특수 속성	범위	CP	SP	EX	HIT	위력	가드	Wait	효과
어택	물리	무기	파워	—	적	무	타격	1×1	0	0	0	1	30	100	20	—
L 슬래시	물리	무기	파워	—	적	무	타격	R2×1	0	0	0	1	20	75	30	—
R 슬래시	물리	무기	파워	—	적	무	타격	L2×1	0	0	0	1	20	75	30	—
러쉬	물리	콤보 스킬	러쉬	—	적	무	타격	무기	0	0	0	2	23	50	24	—
래피드 히트	물리	콤보 스킬	러쉬	—	적	무	타격	무기	0	0	0	3	26	50	28	—
래피드 러쉬	물리	콤보 스킬	러쉬	—	적	무	타격	무기	0	0	0	5	33	40	32	—
더블 팡	물리	콤보 스킬	러쉬	—	적	무	타격	무기	0	0	0	2	41	100	36	—
팡 러쉬	물리	콤보 스킬	러쉬	—	적	무	타격	무기	0	0	0	6	41	41	36	—
파워 엣지	물리	콤보 스킬	파워	—	적	무	타격	무기	0	0	0	1	36	140	36	—
파워 슬래시	물리	콤보 스킬	파워	—	적	무	타격	무기	0	0	0	1	43	200	42	—
슬래시 엣지	물리	콤보 스킬	파워	—	적	무	타격	무기	0	0	0	1	57	280	48	—
팡 슬래시	물리	콤보 스킬	파워	—	적	무	타격	무기	0	0	0	1	72	350	54	—
브레이크 엣지	물리	콤보 스킬	브레이크	—	적	무	타격	무기	0	0	0	1	25	230	30	—
브레이크 러쉬	물리	콤보 스킬	브레이크	—	적	무	타격	무기	0	0	0	3	28	120	40	—
크래시 엣지	물리	콤보 스킬	브레이크	—	적	무	타격	무기	0	0	0	3	38	146	45	—
브레이크 팡	물리	콤보 스킬	브레이크	—	적	화염	—	무기	0	0	0	1	51	550	45	—
플레임 엣지	마법	콤보 스킬	파워	—	적	화염	—	무기	0	0	0	1	45	200	42	—
아이스 엣지	마법	콤보 스킬	파워	—	적	얼음	—	무기	0	0	0	1	45	200	42	—
블래스트 엣지	마법	콤보 스킬	파워	—	적	바람	—	무기	0	0	0	1	45	200	42	—
선더 엣지	마법	콤보 스킬	파워	—	적	번개	—	무기	0	0	0	1	45	200	42	—
발키리 팡	물리	EX 피니쉬	파워	—	적	무	타격	무기	0	0	1	1	48	320	12	마비12%
그래피스 콤보	물리	EX 피니쉬	러쉬	—	적	무	—	무기	0	0	1	3	36	66	8	—
스트라이크 팡	물리	EX 피니쉬	브레이크	—	적	무	—	무기	0	0	1	1	36	528	10	넉백1m
블레이즈 팡	마법	EX 피니쉬	파워	—	적	화염	—	무기	0	0	2	2	63	180	1	—
플라잉 팡	물리	EX 피니쉬	파워	—	적	무	타격	무기	0	0	3	1	61	400	18	마비12%
스트라이크 팡 FX	물리	EX 피니쉬	러쉬	—	적	무	—	무기	0	0	3	5	39	50	12	—
콜드 팡	마법	EX 피니쉬	브레이크	—	적	얼음	—	무기	0	0	3	1	51	550	15	—
버서커 팡	물리	EX 피니쉬	브레이크	—	적	무	—	무기	0	0	3	1	45	660	15	넉백2m
터보 그래피스	물리	EX 피니쉬	어시스트 어택	—	적	무	—	무기	0	0	1	5	44	136	10	—
액티브 레이저	물리	EX 피니쉬	어시스트 어택	—	적	무	—	무기	0	0	3	5	56	166	20	—

●옐로 하트 (피셰 여신화)

스킬	분류	계통	타입	습득	대상	속성	특수 속성	범위	CP	SP	EX	HIT	위력	가드	Wait	효과
가드 스트라이크	물리	SP스킬	SP어택	—	적	무	—	3m (단체)	0	75	0	1	283	960	100	넉백3m
하드 브레이크 킥	물리	SP스킬	SP어택	—	적	무	타격	3m (단체)	0	120	0	1	420	1000	125	—
발키리 크로	물리	SP스킬	SP어택	—	적	무	—	3m (단체)	0	180	0	12	437	95	150	—
발키리 스트라이크	물리	SP스킬	SP어택	—	적	무	—	4m (단체)	0	250	0	2	622	745	175	—
파워 컨트롤	보조	SP스킬	서포트	—	아군	무	—	5m (단체)	0	40	0	1	0	0	75	STR25%↑
버추얼 쿠션	보조	SP스킬	서포트	—	아군	무	—	5m (단체)	0	80	0	1	0	0	125	VIT·MEN25%↑
카네지 팡	물리	이그제 드라이브	이그제 드라이브	—	적	무	—	8m (단체)	0	0	3	11 (1)	913 (228)	227	250	—

●유니

스킬	분류	계통	타입	습득	대상	속성	특수 속성	범위	CP	SP	EX	HIT	위력	가드	Wait	효과
샷	물리	무기	파워	—	적	무	실탄	F6×1×1	0	0	0	1	30	100	25	—
스나이프 샷	물리	무기	파워	—	적	무	실탄	F7×1×1	0	0	0	1	20	75	35	—
산탄	물리	무기	파워	—	적	무	실탄	F5×1×2	0	0	0	3	11	16	55	—
래피드 샷	물리	콤보 스킬	러쉬	1	적	무	실탄	무기	25	0	0	3	19	33	24	—
데스페라도	물리	콤보 스킬	러쉬	1	적	무	실탄	무기	37	0	0	5	21	30	28	—
난사	물리	콤보 스킬	러쉬	22	적	무	실탄	무기	50	0	0	6	28	33	32	—
풀 플랫	물리	콤보 스킬	러쉬	40	적	무	관통	무기	62	0	0	8	34	31	36	—
유탄	물리	콤보 스킬	파워	1	적	화염	—	무기	20	0	0	1	30	140	36	—
철갑 유탄	물리	콤보 스킬	파워	18	적	화염	—	무기	30	0	0	2	35	100	44	—
유탄포	물리	콤보 스킬	파워	38	적	화염	—	무기	40	0	0	3	46	93	53	—
하이 그레네이드	물리	콤보 스킬	파워	55	적	화염	—	무기	50	0	0	4	57	87	61	—
빔 건	물리	콤보 스킬	브레이크	1	적	무	빔	무기	16	0	0	1	21	230	30	—
빔 런처	물리	콤보 스킬	브레이크	1	적	무	빔	무기	24	0	0	2	24	180	37	—
빔 버스터	물리	콤보 스킬	브레이크	29	적	무	빔	무기	32	0	0	3	32	146	45	—
풀 버스터	물리	콤보 스킬	브레이크	46	적	무	빔	무기	40	0	0	4	39	137	52	—
플레임 불릿	마법	콤보 스킬	파워	29	적	화염	—	무기	30	0	0	1	38	200	48	—
아이스 불릿	마법	콤보 스킬	파워	29	적	얼음	—	무기	30	0	0	1	38	200	48	—
블래스트 불릿	마법	콤보 스킬	파워	29	적	바람	—	무기	30	0	0	1	38	200	42	—
선더 불릿	마법	콤보 스킬	파워	29	적	번개	—	무기	30	0	0	1	38	200	42	—
브레이크 불릿	마법	콤보 스킬	브레이크	34	적	무	—	무기	32	0	0	1	21	400	45	—
트리코롤 오더	물리	EX 피니쉬	파워	1	적	무	—	무기	0	0	1	4	45	80	15	—
레디언트 불릿	물리	EX 피니쉬	브레이크	15	적	무	—	무기	0	0	1	3	26	146	12	마비12%
블래스트 스트라이크	물리	EX 피니쉬	파워	24	적	무	실탄	무기	0	0	2	3	52	160	20	넉백1m
실링 불릿	물리	EX 피니쉬	브레이크	46	적	무	—	무기	0	0	2	5	38	110	20	—
난사하겠어!	물리	EX 피니쉬	러쉬	70	적	무	—	무기	0	0	3	10	30	30	14	—
볼케이노 불릿	마법	EX 피니쉬	러쉬	30	적	화염	—	무기	0	0	1	8	22	25	8	—
아이시클 불릿	마법	EX 피니쉬	러쉬	32	적	얼음	—	무기	0	0	1	8	22	25	8	—
관통탄	물리	EX 피니쉬	브레이크	50	적	무	관통	무기	0	0	2	1	42	550	15	—
스턴 그레네이드	물리	EX 피니쉬	어시스트 어택	1	적	무	—	무기	0	0	1	3	37	253	10	넉백3m
스나이핑 샷	물리	EX 피니쉬	어시스트 어택	69	적	무	실탄	무기	0	0	3	1	60	850	20	—
베놈 샷	물리	SP스킬	SP어택	1	적	무	—	10m (단체)	0	80	0	1	212	600	85	독 20%
패럴라이즈 샷	물리	SP스킬	SP어택	1	적	무	—	10m (단체)	0	80	0	1	212	600	85	마비20%
엑스 멀티 블래스터	물리	SP스킬	SP어택	20	적	무	실탄	–(1×6)	0	110	0	3	255	313	100	넉백3m
X.M.B : 엠프레스	물리	SP스킬	SP어택	71	적	무	빔	–(1×7)	0	180	0	5	368	192	125	—
브레이브 캐논	물리	SP스킬	SP어택	75	적	무	—	6m (4m)	0	250	0	5	468	242	150	—
테크니컬 서포트	보조	SP스킬	서포트	1	아군	무	—	6m (단체)	0	40	0	1	0	0	75	TEC25%↑
어보이드 서포트	보조	SP스킬	서포트	19	아군	무	—	6m (단체)	0	40	0	1	0	0	75	AGI25%↑
어딜 보는 거야!?	보조	SP스킬	서포트	35	적	무	—	5m (단체)	0	50	0	1	0	0	75	적AGI25%↓
N. G. P	물리	이그제 드라이브	이그제 드라이브	0	적	무	—	12m (단체)	0	0	3	7 (5)	880 (220)	357	250	Wait 대미지 150

●블랙 시스터 (유니 여신화)

스킬	분류	계통	타입	습득	대상	속성	특수 속성	범위	CP	SP	EX	HIT	위력	가드	Wait	효과
샷	물리	무기	파워	—	적	무	실탄	F6×1×1	0	0	0	1	30	100	25	—
스나이프 샷	물리	무기	파워	—	적	무	실탄	F7×1×1	0	0	0	1	20	75	35	—
산탄	물리	무기	파워	—	적	무	실탄	F5×1×2	0	0	0	3	11	16	55	—
래피드 샷	물리	콤보 스킬	러쉬	—	적	무	실탄	무기	0	0	0	3	22	33	24	—
데스페라도	물리	콤보 스킬	러쉬	—	적	무	실탄	무기	0	0	0	5	25	30	28	—
난사	물리	콤보 스킬	러쉬	—	적	무	실탄	무기	0	0	0	6	33	33	32	—
풀 플랫	물리	콤보 스킬	러쉬	—	적	무	관통	무기	0	0	0	8	41	31	36	—
유탄	물리	콤보 스킬	파워	—	적	화염	—	무기	0	0	0	1	36	140	36	—
철갑 유탄	물리	콤보 스킬	파워	—	적	화염	—	무기	0	0	0	2	42	100	44	—
유탄포	물리	콤보 스킬	파워	—	적	화염	—	무기	0	0	0	3	55	93	53	—
하이 그레네이드	물리	콤보 스킬	파워	—	적	화염	—	무기	0	0	0	4	69	87	61	—
빔 건	물리	콤보 스킬	브레이크	—	적	무	빔	무기	0	0	0	1	25	230	30	—
빔 런처	물리	콤보 스킬	브레이크	—	적	무	빔	무기	0	0	0	2	29	180	37	—
빔 버스터	물리	콤보 스킬	브레이크	—	적	무	빔	무기	0	0	0	3	38	146	45	—
풀 버스터	물리	콤보 스킬	브레이크	—	적	무	빔	무기	0	0	0	4	48	137	52	—
플레임 불릿	마법	콤보 스킬	파워	—	적	화염	—	무기	0	0	0	1	45	200	48	—
아이스 불릿	마법	콤보 스킬	파워	—	적	얼음	—	무기	0	0	0	1	45	200	48	—
블래스트 불릿	마법	콤보 스킬	파워	—	적	바람	—	무기	0	0	0	1	45	200	42	—
선더 불릿	마법	콤보 스킬	파워	—	적	번개	—	무기	0	0	0	1	45	200	42	—
브레이크 불릿	마법	콤보 스킬	브레이크	—	적	무	—	무기	0	0	0	1	25	400	45	—
트리코롤 오더	물리	EX 피니쉬	파워	—	적	무	—	무기	0	0	1	4	54	80	15	—
레디언트 불릿	물리	EX 피니쉬	브레이크	—	적	무	—	무기	0	0	1	3	32	146	12	마비12%
블래스트 스트라이크	물리	EX 피니쉬	파워	—	적	무	실탄	무기	0	0	2	3	62	160	20	넉백1m
실링 불릿	물리	EX 피니쉬	브레이크	—	적	무	—	무기	0	0	2	5	47	110	20	—
난사하겠어!	물리	EX 피니쉬	러쉬	—	적	무	—	무기	0	0	3	10	37	30	14	—
볼케이노 불릿	마법	EX 피니쉬	러쉬	—	적	화염	—	무기	0	0	1	8	27	25	8	—
아이시클 불릿	마법	EX 피니쉬	러쉬	—	적	얼음	—	무기	0	0	1	8	27	25	8	—
관통탄	물리	EX 피니쉬	브레이크	—	적	무	관통	무기	0	0	2	1	51	550	15	—

●블랙 시스터 (유니 여신화)

스킬	분류	계통	타입	습득	대상	속성	특수 속성	범위	CP	SP	EX	HIT	위력	가드	Wait	효과
스턴 그레네이드	물리	EX 피니쉬	어시스트 어택	—	적	무	—	무기	0	0	1	3	46	253	10	넉백3m
스나이핑 샷	물리	EX 피니쉬	어시스트 어택	—	적	무	실탄	무기	0	0	3	1	72	850	20	—
베놈 샷	물리	SP스킬	SP어택	—	적	무	—	10m (단체)	0	80	0	1	223	600	85	독 20%
패럴라이즈 샷	물리	SP스킬	SP어택	—	적	무	—	10m (단체)	0	80	0	1	223	600	85	마비20%
엑스 멀티 블래스터	물리	SP스킬	SP어택	—	적	무	실탄	– (1×6)	0	110	0	3	269	313	100	넉백3m
X.M.B : 엠프레스	물리	SP스킬	SP어택	—	적	무	빔	– (1×7)	0	180	0	5	388	192	125	—
브레이브 캐논	물리	SP스킬	SP어택	—	적	무	—	6m (4m)	0	250	0	5	493	242	150	—
테크니컬 서포트	보조	SP스킬	서포트	—	아군	무	—	6m (단체)	0	40	0	1	0	0	75	TEC25%↑
어보이드 서포트	보조	SP스킬	서포트	—	아군	무	—	6m (단체)	0	40	0	1	0	0	75	AGI25%↑
어딜 보는 거야!?	보조	SP스킬	서포트	—	적	무	—	5m (단체)	0	50	0	1	0	0	75	적AGI25%↓
N. G. P	물리	이그제 드라이브	이그제 드라이브	—	적	무	—	12m (단체)	0	0	3	7 (5)	973 (243)	357	250	Wait 대미지 150

●롬

스킬	분류	계통	타입	습득	대상	속성	특수 속성	범위	CP	SP	EX	HIT	위력	가드	Wait	효과
샤인	마법	무기	파워	—	적	무	—	F5×1×1	0	0	0	1	30	100	25	—
임펄스	마법	무기	파워	—	적	무	—	F4×1×2	0	0	0	1	20	75	45	—
브레이크	마법	무기	파워	—	적	무	—	F4×3×1	0	0	0	1	13	50	50	—
블래스트	마법	콤보 스킬	러쉬	1	적	바람	—	무기	25	0	0	3	19	33	24	—
플레임	마법	콤보 스킬	파워	1	적	화염	—	무기	20	0	0	1	30	140	41	—
아이스	마법	콤보 스킬	브레이크	1	적	얼음	—	무기	16	0	0	1	21	230	35	—
선더	마법	콤보 스킬	브레이크	1	적	번개	—	무기	16	0	0	1	21	230	35	—
블래스트 러쉬	마법	콤보 스킬	러쉬	20	적	바람	—	무기	37	0	0	5	21	30	28	—
플레임 러쉬	마법	콤보 스킬	파워	20	적	화염	—	무기	30	0	0	3	34	66	52	—
아이스 러쉬	마법	콤보 스킬	브레이크	20	적	얼음	—	무기	24	0	0	3	23	120	45	—
선더 러쉬	마법	콤보 스킬	브레이크	20	적	번개	—	무기	24	0	0	3	23	120	45	—
윈드 스톰	마법	콤보 스킬	러쉬	43	적	바람	—	무기	50	0	0	4	28	50	32	—
선더 스톰	마법	콤보 스킬	브레이크	43	적	번개	—	무기	32	0	0	1	34	440	40	—
플레임 스톰	마법	콤보 스킬	파워	43	적	화염	—	무기	40	0	0	1	48	280	48	—
아이스 스톰	마법	콤보 스킬	브레이크	43	적	얼음	—	무기	32	0	0	1	34	440	45	—
익스텐션	마법	콤보 스킬	파워	13	적	무	—	무기	40	0	0	3	46	93	53	—
브레이크 매직	마법	콤보 스킬	브레이크	16	적	무	—	무기	24	0	0	1	25	400	35	—
레인	마법	콤보 스킬	러쉬	1	적	무	—	무기	25	0	0	1	22	100	24	—
선더 볼트	마법	콤보 스킬	파워	35	적	번개	—	무기	30	0	0	1	36	200	42	—
샤이닝 레인	마법	콤보 스킬	파워	46	적	무	—	무기	40	0	0	1	48	280	48	—
디토네이션	마법	EX 피니쉬	러쉬	1	적	무	—	무기	0	0	1	3	32	66	12	—
아이시클 토네이도	마법	EX 피니쉬	파워	18	적	얼음	—	무기	0	0	2	5	32	80	12	—
에어로 토네이도	마법	EX 피니쉬	파워	33	적	바람	—	무기	0	0	1	5	22	64	8	독 12%
롬짱식 섬멸 마법	마법	EX 피니쉬	파워	69	적	무	—	무기	0	0	2	1	54	480	18	넉백2m
아이스 홀드	마법	EX 피니쉬	브레이크	24	적	얼음	—	무기	0	0	2	1	35	550	15	마비12%
아이스 생츄어리	마법	EX 피니쉬	파워	41	적	얼음	—	무기	0	0	1	5	26	64	8	—
에어 블래스트	마법	EX 피니쉬	러쉬	29	적	바람	—	무기	0	0	3	5	32	50	12	—
익스플로전	마법	EX 피니쉬	파워	50	적	화염	—	무기	0	0	3	5	32	80	12	—
돕기	마법	EX 피니쉬	어시스트 어택	1	적	번개	—	무기	0	0	1	1	51	850	10	마비16%
응원할게	마법	EX 피니쉬	어시스트 어택	69	적	얼음	—	무기	0	0	3	1	60	850	20	—
아이스 코핀	마법	SP스킬	SP어택	1	적	얼음	—	7m (5m)	0	108	0	2	248	395	100	마비20%
E 포스 블리자드	마법	SP스킬	SP어택	69	적	얼음	—	8m (6m)	0	180	0	2	333	495	125	마비25%
튀어나와	보조	SP스킬	서포트	15	아군	무	—	6m (단체)	0	80	0	1	0	0	125	STR·INT25%↑
힘내	보조	SP스킬	서포트	22	아군	무	—	6m (단체)	0	80	0	1	0	0	125	AGI·TEC25%↑
고쳐줄게	회복	SP스킬	힐 스킬	50	아군	무	—	7m (5m)	0	200	0	1	75	0	200	회복75%
치료야	회복	SP스킬	힐 스킬	1	아군	무	—	7m (단체)	0	100	0	1	0	0	75	상태 이상 회복
부활이야	부활	SP스킬	힐 스킬	26	아군	무	—	7m (단체)	0	100	0	1	30	0	100	부활50%
회복이야	회복	SP스킬	힐 스킬	65	아군	무	—	7m (5m)	0	500	0	1	200	0	150	SP회복200회복
지켜줄게	보조	SP스킬	서포트	17	아군	무	—	7m (단체)	0	80	0	1	0	0	125	VIT·MEN25%↑
모두 건강해	부활	SP스킬	힐 스킬	66	아군	무	—	7m (5m)	0	200	0	1	75	0	150	부활75%
노던 크로스	마법	이그제 드라이브	이그제 드라이브	0	적	무	—	8m (6m)	0	0	3	3 (4)	910 (227)	833	250	INT·MEN25%↓

●화이트 시스터 (롬 여신화)

스킬	분류	계통	타입	습득	대상	속성	특수 속성	범위	CP	SP	EX	HIT	위력	가드	Wait	효과
샤인	마법	무기	파워	—	적	무	—	F5×1×1	0	0	0	1	30	100	25	—
임펄스	마법	무기	파워	—	적	무	—	F4×1×2	0	0	0	1	20	75	45	—
브레이크	마법	무기	파워	—	적	무	—	F4×3×1	0	0	0	1	13	50	50	—
블래스트	마법	콤보 스킬	러쉬	—	적	바람	—	무기	0	0	0	3	22	33	24	—
플레임	마법	콤보 스킬	파워	—	적	화염	—	무기	0	0	0	1	36	140	41	—
아이스	마법	콤보 스킬	브레이크	—	적	얼음	—	무기	0	0	0	1	25	230	35	—
선더	마법	콤보 스킬	브레이크	—	적	번개	—	무기	0	0	0	1	25	230	35	—
블래스트 러쉬	마법	콤보 스킬	러쉬	—	적	바람	—	무기	0	0	0	5	25	30	28	—
플레임 러쉬	마법	콤보 스킬	파워	—	적	화염	—	무기	0	0	0	3	41	66	52	—
아이스 러쉬	마법	콤보 스킬	브레이크	—	적	얼음	—	무기	0	0	0	3	28	120	45	—
선더 러쉬	마법	콤보 스킬	브레이크	—	적	번개	—	무기	0	0	0	3	28	120	45	—
윈드 스톰	마법	콤보 스킬	러쉬	—	적	바람	—	무기	0	0	0	4	33	50	32	—
선더 스톰	마법	콤보 스킬	브레이크	—	적	번개	—	무기	0	0	0	1	40	440	40	—
플레임 스톰	마법	콤보 스킬	파워	—	적	화염	—	무기	0	0	0	1	57	280	48	—
아이스 스톰	마법	콤보 스킬	브레이크	—	적	얼음	—	무기	0	0	0	1	40	440	45	—
익스텐션	마법	콤보 스킬	파워	—	적	무	—	무기	0	0	0	3	55	93	53	—
브레이크 매직	마법	콤보 스킬	브레이크	—	적	무	—	무기	0	0	0	1	30	400	35	—
레인	마법	콤보 스킬	러쉬	—	적	무	—	무기	0	0	0	1	26	100	24	—
선더 볼트	마법	콤보 스킬	파워	—	적	번개	—	무기	0	0	0	1	43	200	42	—
샤이닝 레인	마법	콤보 스킬	파워	—	적	무	—	무기	0	0	0	1	57	280	48	—
디토네이션	마법	EX 피니쉬	브레이크	—	적	무	—	무기	0	0	1	3	38	146	12	—
아이시클 토네이도	마법	EX 피니쉬	러쉬	—	적	얼음	—	무기	0	0	2	5	39	50	12	—

●화이트 시스터 (롬 여신화)

스킬	분류	계통	타입	습득	대상	속성	특수 속성	범위	CP	SP	EX	HIT	위력	가드	Wait	효과
에어로 토네이도	마법	EX 피니쉬	러쉬	—	적	바람	—	무기	0	0	1	5	26	40	8	독 12%
롬짱식 섬멸 마법	마법	EX 피니쉬	파워	—	적	무	—	무기	0	0	2	1	64	480	18	넉백2m
아이스 홀드	마법	EX 피니쉬	브레이크	—	적	얼음	—	무기	0	0	2	1	43	550	15	마비12%
아이스 생츄어리	마법	EX 피니쉬	러쉬	—	적	얼음	—	무기	0	0	1	5	31	40	8	—
에어 블래스트	마법	EX 피니쉬	러쉬	—	적	바람	—	무기	0	0	3	5	39	50	12	—
익스플로전	마법	EX 피니쉬	러쉬	—	적	화염	—	무기	0	0	3	5	39	50	12	—
돕기	마법	EX 피니쉬	어시스트 어택	—	적	번개	—	무기	0	0	1	1	61	850	10	마비16%
응원할게	마법	EX 피니쉬	어시스트 어택	—	적	얼음	—	무기	0	0	3	1	72	850	20	—
아이스 코핀	마법	SP스킬	SP어택	—	적	얼음	—	7m (5m)	0	108	0	2	260	395	100	마비20%
E 포스 블리자드	마법	SP스킬	SP어택	—	적	얼음	—	8m (6m)	0	180	0	2	350	495	125	마비25%
튀어나와	보조	SP스킬	서포트	—	아군	무	—	6m (단체)	0	80	0	1	0	0	125	STR·INT25%↑
힘내	보조	SP스킬	서포트	—	아군	무	—	6m (단체)	0	80	0	1	0	0	125	AGI·TEC25%↑
고쳐줄게	회복	SP스킬	힐 스킬	—	아군	무	—	7m (5m)	0	200	0	1	75	0	200	회복75%
치료야	회복	SP스킬	힐 스킬	—	아군	무	—	7m (단체)	0	100	0	1	0	0	75	상태 이상 회복
부활이야	부활	SP스킬	힐 스킬	—	아군	무	—	7m (단체)	0	100	0	1	30	0	100	부활50%
회복이야	회복	SP스킬	힐 스킬	—	아군	무	—	7m (5m)	0	500	0	1	200	0	150	SP회복200회복
지켜줄게	보조	SP스킬	서포트	—	아군	무	—	7m (단체)	0	80	0	1	0	0	125	VIT·MEN25%↑
모두 건강해	부활	SP스킬	힐 스킬	—	아군	무	—	7m (5m)	0	200	0	1	75	0	150	부활75%
노던 크로스	마법	이그제 드라이브	이그제 드라이브	—	적	무	—	8m (6m)	0	0	3	3 (4)	1002 (250)	833	250	INT·MEN25%↓

●람

스킬	분류	계통	타입	습득	대상	속성	특수 속성	범위	CP	SP	EX	HIT	위력	가드	Wait	효과
샤인	마법	무기	파워	—	적	무	—	F5×1×1	0	0	0	1	30	100	25	—
임펄스	마법	무기	파워	—	적	무	—	F4×1×2	0	0	0	1	20	75	45	—
브레이크	마법	무기	파워	—	적	무	—	F4×3×1	0	0	0	1	13	50	50	—
블래스트	마법	콤보 스킬	러쉬	1	적	바람	—	무기	25	0	0	3	19	33	24	—
플레임	마법	콤보 스킬	파워	1	적	화염	—	무기	20	0	0	1	30	140	41	—
아이스	마법	콤보 스킬	브레이크	1	적	얼음	—	무기	16	0	0	1	21	230	35	—
선더	마법	콤보 스킬	브레이크	1	적	번개	—	무기	16	0	0	1	21	230	35	—
블래스트 러쉬	마법	콤보 스킬	러쉬	20	적	바람	—	무기	37	0	0	5	21	30	28	—
플레임 러쉬	마법	콤보 스킬	파워	20	적	화염	—	무기	30	0	0	3	34	66	52	—
아이스 러쉬	마법	콤보 스킬	브레이크	20	적	얼음	—	무기	24	0	0	3	23	120	45	—
선더 러쉬	마법	콤보 스킬	브레이크	20	적	번개	—	무기	24	0	0	3	23	120	45	—
윈드 스톰	마법	콤보 스킬	러쉬	43	적	바람	—	무기	50	0	0	4	28	50	32	—
선더 스톰	마법	콤보 스킬	브레이크	43	적	번개	—	무기	32	0	0	1	34	440	40	—
플레임 스톰	마법	콤보 스킬	파워	43	적	화염	—	무기	40	0	0	1	48	280	48	—
아이스 스톰	마법	콤보 스킬	브레이크	43	적	얼음	—	무기	32	0	0	1	34	440	3	—
익스텐션	마법	콤보 스킬	파워	13	적	무	—	무기	40	0	0	3	46	93	3	—
브레이크 매직	마법	콤보 스킬	브레이크	16	적	무	—	무기	24	0	0	1	25	400	1	—
레인	마법	콤보 스킬	러쉬	1	적	무	—	무기	25	0	0	1	22	100	24	—
선더 볼트	마법	콤보 스킬	파워	35	적	번개	—	무기	30	0	0	1	36	200	42	—
샤이닝 레인	마법	콤보 스킬	파워	46	적	무	—	무기	40	0	0	1	48	280	48	—
익스플로전	마법	EX 피니쉬	러쉬	1	적	화염	—	무기	0	0	1	5	26	40	8	—
에어 블래스트	마법	EX 피니쉬	러쉬	18	적	바람	—	무기	0	0	2	5	32	50	12	마비12%
아이스 생츄어리	마법	EX 피니쉬	러쉬	33	적	얼음	—	무기	0	0	1	5	22	40	8	독 12%
람짱식 포격 마법	마법	EX 피니쉬	파워	69	적	무	—	무기	0	0	2	3	52	160	20	넉백2m
아이스 홀드	마법	EX 피니쉬	브레이크	24	적	얼음	—	무기	0	0	2	1	35	550	15	—
아이시클 토네이도	마법	EX 피니쉬	러쉬	41	적	얼음	—	무기	0	0	1	5	26	40	8	스킬 봉인 12%
에어로 토네이도	마법	EX 피니쉬	러쉬	29	적	바람	—	무기	0	0	3	5	32	50	12	—
베놈 매직	마법	EX 피니쉬	파워	50	적	무	—	무기	0	0	3	1	60	400	18	독 12%
아이스 니들	마법	EX 피니쉬	어시스트 어택	1	적	얼음	—	무기	0	0	1	3	44	280	10	—
아이스 스테츄	마법	EX 피니쉬	어시스트 어택	69	적	얼음	—	무기	0	0	3	2	56	422	20	스킬 봉인 16%
아이스 코핀	마법	SP스킬	SP어택	1	적	얼음	—	7m (5m)	0	108	0	2	242	295	85	AGI15%↓·MOV20%↓
E 포스 블리자드	마법	SP스킬	SP어택	69	적	얼음	—	8m (6m)	0	180	0	2	333	495	125	MEN·TEC15%↓
터치할게	회복	SP스킬	힐 스킬	60	아군	무	—	5m (단체)	0	80	0	1	20	0	125	리제네 20%
힘내자	회복	SP스킬	힐 스킬	13	아군	무	—	6m (단체)	0	90	0	1	25	0	125	회복25% INT·MEN25%↑
앱솔루트 제로	마법	이그제 드라이브	이그제 드라이브	0	적	무	—	8m (6m)	0	0	3	3 (3)	910 (227)	833	250	STR·VIT25%↓

●화이트 시스터 (람 여신화)

스킬	분류	계통	타입	습득	대상	속성	특수 속성	범위	CP	SP	EX	HIT	위력	가드	Wait	효과
샤인	마법	무기	파워	—	적	무	—	F5×1×1	0	0	0	1	30	100	25	—
임펄스	마법	무기	파워	—	적	무	—	F4×1×2	0	0	0	1	20	75	45	—
브레이크	마법	무기	파워	—	적	무	—	F4×3×1	0	0	0	1	13	50	50	—
블래스트	마법	콤보 스킬	러쉬	—	적	바람	—	무기	0	0	0	3	22	33	24	—
플레임	마법	콤보 스킬	파워	—	적	화염	—	무기	0	0	0	1	36	140	41	—
아이스	마법	콤보 스킬	브레이크	—	적	얼음	—	무기	0	0	0	1	25	230	35	—
선더	마법	콤보 스킬	브레이크	—	적	번개	—	무기	0	0	0	1	25	230	35	—
블래스트 러쉬	마법	콤보 스킬	러쉬	—	적	바람	—	무기	0	0	0	5	25	30	28	—
플레임 러쉬	마법	콤보 스킬	파워	—	적	화염	—	무기	0	0	0	3	41	66	52	—
아이스 러쉬	마법	콤보 스킬	브레이크	—	적	얼음	—	무기	0	0	0	3	28	120	45	—
선더 러쉬	마법	콤보 스킬	브레이크	—	적	번개	—	무기	0	0	0	3	28	120	45	—
윈드 스톰	마법	콤보 스킬	러쉬	—	적	바람	—	무기	0	0	0	4	33	50	32	—
선더 스톰	마법	콤보 스킬	브레이크	—	적	번개	—	무기	0	0	0	1	40	440	40	—
플레임 스톰	마법	콤보 스킬	파워	—	적	화염	—	무기	0	0	0	1	57	280	48	—
아이스 스톰	마법	콤보 스킬	브레이크	—	적	얼음	—	무기	0	0	0	1	40	440	3	—
익스텐션	마법	콤보 스킬	파워	—	적	무	—	무기	0	0	0	3	55	93	3	—
브레이크 매직	마법	콤보 스킬	브레이크	—	적	무	—	무기	0	0	0	1	30	400	1	—
레인	마법	콤보 스킬	러쉬	—	적	무	—	무기	0	0	0	1	26	100	24	—
선더 볼트	마법	콤보 스킬	파워	—	적	번개	—	무기	0	0	0	1	43	200	42	—
샤이닝 레인	마법	콤보 스킬	파워	—	적	무	—	무기	0	0	0	1	57	280	48	—

●화이트 시스터 (람 여신화)

스킬	분류	계통	타입	습득	대상	속성	특수 속성	범위	CP	SP	EX	HIT	위력	가드	Wait	효과
익스플로전	마법	EX 피니쉬	러쉬	—	적	화염	—	무기	0	0	1	5	31	40	8	—
에어 블래스트	마법	EX 피니쉬	러쉬	—	적	바람	—	무기	0	0	2	5	39	50	12	마비12%
아이스 생츄어리	마법	EX 피니쉬	러쉬	—	적	얼음	—	무기	0	0	1	5	26	40	8	독 12%
람짱식 포격 마법	마법	EX 피니쉬	파워	—	적	무	—	무기	0	0	2	3	62	160	20	넉백2m
아이스 홀드	마법	EX 피니쉬	브레이크	—	적	얼음	—	무기	0	0	2	1	43	550	15	—
아이시클 토네이도	마법	EX 피니쉬	러쉬	—	적	얼음	—	무기	0	0	1	5	31	40	8	스킬 봉인 12%
에어로 토네이도	마법	EX 피니쉬	러쉬	—	적	바람	—	무기	0	0	3	5	39	50	12	—
베놈 매직	마법	EX 피니쉬	파워	—	적	무	—	무기	0	0	3	1	72	400	18	독 12%
아이스 니들	마법	EX 피니쉬	어시스트 어택	—	적	얼음	—	무기	0	0	1	3	54	280	10	—
아이스 스테츄	마법	EX 피니쉬	어시스트 어택	—	적	얼음	—	무기	0	0	3	2	68	422	20	스킬 봉인 16%
아이스 코핀	마법	SP스킬	SP어택	—	적	얼음	—	7m (5m)	0	108	0	2	254	295	85	AGI15%↓·MOV20%↓
E 포스 블리자드	마법	SP스킬	SP어택	—	적	얼음	—	8m (6m)	0	180	0	2	350	495	125	MEN·TEC15%↓
터치할게	회복	SP스킬	힐 스킬	—	아군	무	—	5m (단체)	0	80	0	1	20	0	125	리제네 20%
힘내자	회복	SP스킬	힐 스킬	—	아군	무	—	6m (단체)	0	90	0	1	25	0	125	회복25% INT·MEN25%↑
앱솔루트 제로	마법	이그제 드라이브	이그제 드라이브	—	적	무	—	8m (6m)	0	0	3	3 (3)	1002 (250)	833	250	STR·VIT25%↓

+스킬 / 커플링 스킬

●커플링 스킬

스킬	조합	상태	분류	습득	대상	속성	범위	EX	릴리	HIT	위력	가드	Wait	효과
바이올렛 슈버스터	넵튠 / 네프기어	보통	물리	제4장	적	무	6m (단체)	2	3	5	718	1600	200	—
바이올렛 슈버스터	넵튠 / 네프기어	여신	물리	제4장	적	무	6m (단체)	2	3	5	868	1680	200	—
슈타르크 비타	네프기어 / 유니	보통	물리	제10장	적	무	6m (단체)	2	3	3	529	2533	200	독·스킬 봉인 40%
슈타르크 비타	네프기어 / 유니	여신	물리	제10장	적	무	6m (단체)	2	3	3	638	2660	200	독·스킬 봉인 50%
M·P·B·L 최대 출력	네프기어 / 롬	보통	물리	제10장	적	무	6m (단체)	2	3	8	561	1100	200	넉백6m
M·P·B·L 최대 출력	네프기어 / 롬	여신	물리	제10장	적	무	6m (단체)	2	3	8	683	1260	200	넉백7m
코큐토스	네프기어 / 람	보통	마법	제10장	적	무	4m (3m)	2	3	5	518	1520	200	Wait 대미지 200
트윈 버스터 캐논	네프기어 / 람	여신	마법	제10장	적	무	4m (3m)	2	3	5	626	1596	200	Wait 대미지 250
리히트슈발츠	유니 / 느와르	보통	물리	제10장	적	무	6m (단체)	2	3	3	529	2533	200	TEC·AGI·LUK25%↓
리히트슈발츠	유니 / 느와르	여신	물리	제10장	적	무	6m (단체)	2	3	3	638	2660	200	STR·INT·TEC·AGI·LUK25%↓
서드 브레이크	롬 / 블랑	보통	물리	제10장	적	얼음	6m (단체)	2	3	8	561	1200	200	—
서드 브레이크	롬 / 블랑	여신	물리	제10장	적	얼음	6m (단체)	2	3	8	683	1260	200	—
헥세라비네	람 / 블랑	보통	물리	제10장	적	얼음	6m (단체)	2	3	8	561	1100	200	넉백6m
헥세라비네	람 / 블랑	여신	물리	제10장	적	얼음	6m (단체)	2	3	8	683	1260	200	넉백7m
롬짱 람짱	롬 / 람	보통	마법	제10장	적	무	6m (단체)	2	3	10	489	760	200	마비·스킬 봉인 40%
롬짱 람짱	롬 / 람	여신	마법	제10장	적	무	6m (단체)	2	3	10	597	798	200	마비·스킬 봉인 50%
브로큰 퍼닝스	네프기어 / 벨	보통	물리	제6장	적	무	6m (단체)	2	3	15	516	586	200	넉백6m
브로큰 퍼닝스	네프기어 / 벨	여신	물리	제6장	적	무	6m (단체)	2	3	15	638	672	200	넉백7m
네푸코도 뒤로 물러선다	넵튠 / 프루루트	보통	물리	제5장	적	무	6m (단체)	2	3	12	477	633	200	INT·MEN·TEC·MOV25%↓
넵튠의 여신	넵튠 / 프루루트	여신	물리	제5장	적	무	6m (단체)	2	3	3	638	2660	200	INT·MEN·TEC·LUK·MOV25%↓
어설트 콤비네이션	넵튠 / 느와르	보통	물리	제4장	적	무	6m (단체)	2	3	8	694	1000	200	—
어설트 콤비네이션	넵튠 / 느와르	여신	물리	제4장	적	무	6m (단체)	2	3	8	844	1050	200	—
친구 콤비	프루루트 / 느와르	보통	물리	제4장	적	무	6m (단체)	2	3	6	512	1266	200	STR·VIT·LUK·MOV25%↓
여신님의 체벌	프루루트 / 느와르	여신	물리	제4장	적	무	6m (단체)	2	3	3	638	2660	200	STR·VIT·AGI·LUK·MOV25%↓
블레이드 & 스피어	넵튠 / 벨	보통	물리	제4장	적	무	– (1×5)	2	3	11	483	690	200	Wait 대미지 200
블레이드 & 스피어	넵튠 / 벨	여신	물리	제4장	적	무	– (1×5)	2	3	11	592	725	200	Wait 대미지 250
체어슈리겐	넵튠 / 블랑	보통	물리	제4장	적	무	4m (3m)	2	3	8	694	1000	200	—
체어슈리겐	넵튠 / 블랑	여신	물리	제4장	적	무	4m (3m)	2	3	8	844	1050	200	—
들쭉날쭉 콤비	넵튠 / 피셰	보통	물리	제9장	적	무	6m (단체)	2	3	2	742	4000	200	—
들쭉날쭉 콤비	넵튠 / 피셰	여신	물리	제9장	적	무	6m (단체)	2	3	4	876	2100	200	—
위험한 장·난	프루루트 / 피셰	보통	물리	제9장	적	무	6m (단체)	2	3	4	524	1900	200	독·마비40%
위험한 장·난	프루루트 / 피셰	여신	물리	제9장	적	무	6m (단체)	2	3	4	632	1995	200	독·마비50%

●포메이션스킬

스킬	조합	상태	분류	습득	대상	속성	범위	EX	릴리	HIT	위력	가드	Wait	효과
느와르 : 하드폼	넵튠 / 느와르	보통	물리	제5장	적	화염	6m (단체)	3	—	13	904	769	150	—
느와르 : 하드폼	넵튠 / 느와르	여신	물리	제5장	적	화염	6m (단체)	3	—	13	1104	807	150	—
벨 : 하드폼	넵튠 / 벨	보통	마법	제5장	적	바람	6m (단체)	3	—	20	848	500	150	—
벨 : 하드폼	넵튠 / 벨	여신	마법	제5장	적	바람	6m (단체)	3	—	20	1048	525	150	—
블랑 : 하드폼	넵튠 / 블랑	보통	물리	제5장	적	얼음	4m (3m)	3	—	5	968	2000	150	—
블랑 : 하드폼	넵튠 / 블랑	여신	물리	제5장	적	얼음	4m (3m)	3	—	5	1168	2100	150	—
네프기어 : 하드폼	넵튠 / 네프기어	보통	물리	제6장	적	무	– (1×5)	3	—	15	888	666	150	—
네프기어 : 하드폼	넵튠 / 네프기어	여신	물리	제6장	적	무	– (1×5)	3	—	15	1088	700	150	—
프루루트 : 하드폼	넵튠 / 프루루트	보통	물리	제5장	적	번개	4m (3m)	3	—	6	960	1666	150	—
프루루트 : 하드폼	넵튠 / 프루루트	여신	물리	제5장	적	번개	4m (3m)	3	—	6	1160	1750	150	—
피셰 : 하드폼	넵튠 / 피셰	보통	물리	제9장	적	무	6m (단체)	3	—	18	864	555	150	—
피셰 : 하드폼	넵튠 / 피셰	여신	물리	제9장	적	무	6m (단체)	3	—	18	1064	583	150	—
드라이·라비네	롬 / 람 / 블랑	보통	물리	제10장	적	얼음	6m (단체)	3	—	6	1054	2741	125	INT·MEN·AGI·TEC·LUK25%↓
드라이·라비네	롬 / 람 / 블랑	여신	물리	제10장	적	얼음	6m (단체)	3	—	6	1271	3015	125	INT·MEN·AGI·TEC·LUK30%↓
가디언 포스	넵튠 / 느와르 / 블랑 / 벨	보통	물리	제8장	적	무	6m (단체)	3	—	15	2283	1666	100	—
가디언 포스	넵튠 / 느와르 / 블랑 / 벨	여신	물리	제8장	적	무	6m (단체)	3	—	15	2767	1833	100	—
슈페리얼 엔젤러스	네프기어 / 유니 / 롬 / 람	보통	물리	제10장	적	무	4m (3m)	3	—	15	1363	1583	100	Wait 대미지 300
슈페리얼 엔젤러스	네프기어 / 유니 / 롬 / 람	여신	물리	제10장	적	무	4m (3m)	3	—	15	1652	1741	100	Wait 대미지 350
쉐어링 포스	프루루트 / 느와르 / 블랑 / 벨	보통	물리	제9장	적	무	4m (3m)	3	—	9	1398	2638	100	STR·VIT·INT·MEN·AGI·TEC25%↓
쉐어링 포스	프루루트 / 느와르 / 블랑 / 벨	여신	물리	제9장	적	무	4m (3m)	3	—	9	1687	2902	100	STR·VIT·INT·MEN·AGI·TEC30%↓

+어빌리티 / 종족 어빌리티

종족	효과
여신	물리 대미지 15% 경감
메이커	마법 대미지 15% 경감
마제콘느	독, 마비, 스킬 봉인, 바이러스 무효
슬라이누	—
베이더	—
수생	독 무효
폭탄	스테이터스 다운 무효
무기질	독, 마비 무효
고스트	마법 대미지 15% 경감
식물	독, 마비 무효
조류	—
데이터	마법 대미지 50% 경감
머신	물리 대미지 50% 경감
드래곤	물리 대미지 50% 경감
동물	—
곤충	독, 마비 무효

+어빌리티 / 캐릭터 어빌리티

캐릭터	어빌리티	효과
넵튠	변신 후 소비 SP 감소	여신 상태에서 소비 SP -20%
넵튠	대미지 한계 돌파	1Hit 대미지 상한이 9999 이상이 됨
프루루트	바이러스 무효	바이러스 무효
프루루트	변신 후 소비 SP 감소	여신 상태에서 소비 SP -20%
느와르	마비 무효	마비 무효
느와르	카테고리 특성 무효	적 종족 어빌리티를 무시하고 대미지를 줄 수 있음
블랑	물리 대미지 내성 상승	물리 대미지 25% 경감
블랑	마법 대미지 내성 상승	마법 대미지 25% 경감
벨	대기 시간 감소	행동 후에 가산되는 대기 시간 -25%
벨	스테이터스 다운 무효	스테이터스 다운 무효
네프기어	변신 후 소비 SP 감소	여신 상태에서 소비 SP -20%
네프기어	카테고리 특성 무효	적 종족 어빌리티를 무시하고 대미지를 줄 수 있음
피셰	획득 EXP 업	획득 경험치 +25%
피셰	스테이터스 다운 무효	스테이터스 다운 무효
유니	바이러스 무효	바이러스 무효
유니	변신 후 소비 SP 감소	여신 상태에서 소비 SP -20%
롬	대기 시간 감소	행동 후에 가산되는 대기 시간 -25%
롬	소비 SP 감소	소비 SP -20%
람	변신 후 소비 SP 감소	여신 상태에서 소비 SP -20%
람	소비 SP 감소	소비 SP -20%

+어빌리티 / 커플링 어빌리티

캐릭터	어빌리티	효과
넵튠	물리 대미지 내성 상승	물리 대미지 25% 경감
넵튠	카테고리 특성 무효	적 종족 어빌리티를 무시하고 대미지를 줄 수 있음
프루루트	마비 무효	마비 무효
프루루트	획득 EXP 업	획득 경험치 +25%
느와르	독 무효	독 무효
느와르	소비 SP 감소	소비 SP -20%
블랑	획득 EXP 업	획득 경험치 +25%
블랑	소비 SP 감소	소비 SP -20%
벨	대기 시간 감소	행동 후 가산되는 대기 시간 -25%
벨	변신 후 소비 SP 감소	여신 상태에서의 소비 SP -20%
네프기어	스테이터스 다운 무효	스테이터스를 다운시키는 효과 무효
네프기어	대미지 한계 돌파	1Hit 대미지 상한이 9999이상이 됨
피셰	대기 시간 감소	행동 후 가산되는 대기 시간 -25%
피셰	물리 대미지 내성 상승	물리 대미지를 25% 경감
유니	소비 SP 감소	소비 SP -20%
유니	변신 후 소비 SP 감소	여신 상태에서의 소비 SP -20%
롬	마법 대미지 내성 상승	마법 대미지를 25% 경감
롬	대기 시간 감소	행동 후 가산되는 대기 시간 -25%
람	스테이터스 다운 무효	스테이터스를 다운시키는 효과 무효
람	변신 후 소비 SP 감소	여신 상태에서의 소비 SP -20%

+어빌리티 / 리더 스킬

캐릭터	리더 스킬	효과
넵튠	여신화 소비 SP 감소	여신화할 때 소비하는 SP -50%
프루루트	번개 속성 대미지 내성 상승	번개 속성 대미지를 -20% 경감
느와르	화염 속성 대미지 내성 상승	화염 속성 대미지를 -20% 경감
블랑	얼음 속성 대미지 내성 상승	얼음 속성 대미지를 -20% 경감
벨	바람 속성 대미지 내성 상승	바람 속성 대미지를 -20% 경감
네프기어	여신화 시 쉐어 보정치 상승	여신화 시에 영향을 주는 쉐어 보정치 +20%
피셰	크리티컬 대미지 상승	크리티컬 대미지 +50%
유니	브레이크 공격 GP 대미지 상승	브레이크 공격의 GP 대미지 +10%
롬	HP MAX 상태에서 INT 상승	HP가 최대치일 때 INT +10%
람	HP MAX 상태에서 MEN 상승	HP가 최대치일 때 MEN +10%

+캐릭터 챌린지

챌린지	내용	Lv	횟수	보수	Lv	횟수	보수	Lv	횟수	보수	Lv	횟수	보수
마라톤 런너	리더 시에 던전 안을 이동	1	1500	AGI+2	2	5000	AGI+4	3	10000	[사] 리더 스킬 습득	4	21000	AGI+5
		5	48195	AGI+5	6	100000	AGI+8	7	300000	AGI+8	8	5000000	MOV+1
판치라	리더 시에 던전 안에서 점프	1	10	TEC+2	2	100	[사]엿보기는 적당히	3	350	TEC+5	4	700	TEC+5
		5	1400	TEC+5	6	2800	TEC+8	7	5000	TEC+8	8	10000	TEC+100
선수필승	리더 시에 던전 안에서 심볼 어택을 성공	1	10	STR+2	2	100	STR+4	3	250	STR+5	4	500	STR+5
		5	1000	STR+5	6	2000	STR+8	7	3000	STR+8	8	6000	STR+100
떨어진 물건은 다 내꺼	리더 시에 던전 안에서 아이템을 주움	1	10	LUK+2	2	50	LUK+4	3	100	LUK+5	4	150	LUK+5
		5	200	LUK+5	6	250	LUK+8	7	300	LUK+8	8	350	LUK+100
혼자서도 할 수 있어!	혼자서 전투	1	5	INT+2	2	20	INT+4	3	40	INT+5	4	60	[사]모든 능력치 업 2
		5	80	INT+5	6	100	INT+8	7	120	INT+8	8	140	INT+100
참견쟁이	전위로 전투에 참가	1	100	HP+20	2	300	[사] HP 업 1	3	800	HP+35	4	2000	HP+35
		5	5000	HP+35	6	9000	HP+40	7	15000	[사] HP 업 3	8	30000	HP+300
부끄럼쟁이	커플링 후위로 전투에 참가	1	100	LUK+2	2	300	LUK+4	3	800	LUK+5	4	2000	LUK+5
		5	5000	LUK+5	6	9000	LUK+8	7	15000	LUK+8	8	30000	LUK+100
경험치 도둑	대기 상태로 전투에 참가지 않음	1	10	AGI+2	2	30	AGI+4	3	80	AGI+5	4	200	AGI+5
		5	500	AGI+5	6	900	AGI+8	7	1500	AGI+8	8	3000	AGI+100

챌린지	내용	Lv	횟수	보수	Lv	횟수	보수	Lv	횟수	보수	Lv	횟수	보수
지지 않는 게 이기는 것!	전투에서 도망침	1	10	INT+2	2	30	INT+4	3	80	INT+5	4	200	INT+5
		5	500	INT+5	6	900	INT+8	7	1500	INT+8	8	3000	INT+100
약 먹을 시간이에요	전투에서 아이템 사용	1	50	MEN+2	2	100	MEN+4	3	200	MEN+5	4	500	MEN+5
		5	1000	MEN+5	6	2000	MEN+8	7	5000	MEN+8	8	10000	MEN+100
내 비장의 기술	전투에서 스킬 사용	1	50	MEN+2	2	100	[사]스킬 습득	3	200	MEN+4	4	500	MEN+5
		5	1000	MEN+5	6	2000	MEN+8	7	5000	MEN+8	8	10000	MEN+100
바톤 터치	전투에서 교대함	1	50	[사] 모든 능력치 업 1	2	100	LUK+4	3	200	LUK+5	4	500	LUK+5
		5	1000	LUK+5	6	2000	LUK+8	7	5000	LUK+8	8	10000	LUK+100
킬 머신	전투에서 적을 쓰러뜨림	1	100	STR+2	2	500	STR+4	3	1000	STR+5	4	2500	STR+5
		5	6000	STR+5	6	10000	STR+8	7	20000	STR+8	8	50000	STR+100
모두의 방패	전투에서 HP 대미지 누계	1	10000	HP+20	2	20000	HP+30	3	50000	HP+35	4	100000	[사] HP 업 2
		5	150000	HP+35	6	300000	HP+40	7	600000	HP+50	8	1200000	HP+300
항상 신세지고 있습니다	전투에서 HP 회복 누계	1	3000	VIT+2	2	6000	VIT+4	3	12000	VIT+5	4	24000	VIT+5
		5	48000	VIT+5	6	96000	VIT+8	7	200000	VIT+8	8	500000	VIT+100
네가 울 때까지…	전투에서 공격이 명중	1	100	STR+2	2	500	STR+4	3	1000	STR+5	4	2500	STR+5
		5	6000	STR+5	6	10000	[사] 모든 능력치 업 3	7	20000	STR+8	8	50000	STR+100
승리의 포즈	전투에서 승리 포즈를 선보임	1	10	TEC+2	2	20	TEC+4	3	40	TEC+5	4	80	TEC+5
		5	100	[사]콤보 칸 추가 ※1	6	250	TEC+8	7	500	TEC+8	8	1000	TEC+100
하품이 다 나오네	상처 없이 승리	1	10	AGI+2	2	20	AGI+4	3	40	AGI+5	4	80	AGI+5
		5	100	AGI+5	6	250	AGI+8	7	500	AGI+8	8	1000	AGI+100
뚝심	많은 대미지를 받으며 승리함	1	10	[사]메뉴에서 말하기	2	20	VIT+4	3	40	VIT+5	4	80	VIT+5
		5	100	VIT+5	6	250	VIT+8	7	500	VIT+8	8	1000	VIT+100

※1: 넵튠, 프루루트, 벨, 네프기어, 유니, 람은 러쉬 콤보, 느와르, 피셰는 파워 콤보, 블랑은 브레이크

+트로피

트로피	랭크	습득 방법
신차원 게임 넵튠 Re:Birth3 마스터	플래티넘	다른 모든 트로피를 획득했다.
넵튠 기동	브론즈	NEW GAME을 선택해서 게임을 시작했다.
서장 클리어	브론즈	서장을 클리어했다.
제1장 클리어	브론즈	제1장을 클리어했다.
제2장 클리어	브론즈	제2장을 클리어했다.
제3장 클리어	브론즈	제3장을 클리어했다.
제4장 클리어	브론즈	제4장을 클리어했다.
제5장 클리어	브론즈	제5장을 클리어했다.
제6장 클리어	브론즈	제6장을 클리어했다.
제7장 클리어	브론즈	제7장을 클리어했다.
제8장 클리어	브론즈	제8장을 클리어했다.
제9장 클리어	브론즈	제9장을 클리어했다.
노멀 엔드	실버	노멀 엔드를 달성.
굿 엔드	실버	굿 엔드를 달성.
트루 엔드	골드	트루 엔드를 달성.
소설의 사자를 격파	실버	리그와 바오를 격파했다.
너무 오랜만의 전투	브론즈	처음으로 전투했다.
백전연마	브론즈	100번 전투했다.
배틀 마스터	브론즈	500번 전투했다.
콤보 마스터	브론즈	스킬 콤보 등으로 합계 100Hit 이상을 달성했다.
최대 화력	브론즈	최대 대미지로 10만을 달성했다.

트로피	랭크	습득 방법
벨 MAX	브론즈	누군가의 레벨을 99로 만들었다.
카운터 스톱	골드	모두의 레벨을 99로 만들었다.
콤보 메이크	브론즈	콤보 스킬을 변경했다.
게임 크리에이터의 꿈나무	브론즈	디스크 메이크를 해봤다.
천재 게임 크리에이터의 탄생?	브론즈	디스크 메이크로 「신의 게임」을 작성했다.
게임 리메이크	브론즈	사양서를 집어넣었다.
게임 플래너	실버	사양서를 200종류 집어넣었다.
처음 해본 지켜봐줘☆던전	브론즈	지켜봐줘☆던전을 플레이했다.
던전 마스터	실버	지켜봐줘☆던전의 모든 에리어를 돌파했다.
퀘스트 마스터	실버	퀘스트를 100종류 클리어했다.
총 획득 금액 1억	브론즈	누계로 1억 크레디트를 벌었다.
인기인 : 넵튠	실버	넵튠과 다른 모두와의 릴리 랭크를 최대로 만들었다.
인기인 : 프루루트	실버	프루루트와 다른 모두와의 릴리 랭크를 최대로 만들었다.
인기인 : 느와르	실버	느와르와 다른 모두와의 릴리 랭크를 최대로 만들었다.
인기인 : 브랑	실버	블랑과 다른 모두와의 릴리 랭크를 최대로 만들었다.
인기인 : 벨	실버	벨과 다른 모두와의 릴리 랭크를 최대로 만들었다.
인기인 : 네프기어	실버	네프기어와 다른 모두와의 릴리 랭크를 최대로 만들었다.
인기인 : 피셰	실버	피셰와 다른 모두와의 릴리 랭크를 최대로 만들었다.
인기인 : 유니	실버	유니와 다른 모두와의 릴리 랭크를 최대로 만들었다.
인기인 : 롬	실버	롬과 다른 모두와의 릴리 랭크를 최대로 만들었다.
인기인 : 람	실버	람과 다른 모두와의 릴리 랭크를 최대로 만들었다.

+DLC

● 무료 DLC

등록 콘텐츠	등록일	분류	등록 내용
잇승이 보내는 시험용 아이템 백	2014년 12월 18일	소비 아이템	아이템: 힐 글래스×5, 힐 포트×3, 힐 드링크×3, 힐 보틀×3, 네프비탄×3, 네프비탄 C×3, 힐 서클×3, 힐 레인×3, SP 차지×3
잇승이 보내는 초보자용 아이템 팩	2014년 12월 24일	소비 아이템	아이템: 데톡신×5, 패럴락신×5, 리플렉스×5, 타후밀×5, 안티 베놈×3, 안티 패럴라이즈×3, 안티 실×3, 안티 바이러스×3, 생명의 조각×3
캐릭터 추가 팩 1	2015년 1월 하순 예정	추가 캐릭터	추가 캐릭터: 브로콜리짱, 팔콤짱, 팔콤짱(소녀ver), 마벨러스 AQL짱, 사이버커넥트투짱, 철권짱, 케이브짱, 5pd.짱, MAGES.짱, RED짱
캐릭터 추가 팩 2	2015년 2월 예정	추가 캐릭터	추가 캐릭터: 아이에프짱, 아이에프짱(유아ver), 컴파짱, 컴파짱(유아ver), 진구지 케이, 니시자와 미나, 하코자키 치카, 이스투아르

● 프로덕트 코드

등록 콘텐츠	입수 방법	분류	등록 내용
프루루트 수영복 세트	이 책 한정	장비품	프루루트 전용 코스튬: 물방울 수영복 프루루트 전용 액세서리: 밀짚모자 블랙
예약 특전 「네푸니케이션」	예약 특전	추가 요소	특별 이벤트가 추가
아이돌칼리지 콜라보 코스튬 「아이칼리 원피스」	CD 특전	장비품	넵튠 전용 코스튬: 아이칼리 원피스
전격 PlayStation 제1탄 덴게키 콜라보레이션 프로세서 세트	전격 PlayStation	장비품	퍼플 하트 전용 프로세서: 덴게키 퍼플 아이리스 하트 전용 프로세서: 덴게키 드라이브

● 프로덕트 코드

등록 콘텐츠	입수 방법	분류	등록 내용
전격 PlayStation 제2탄	전격 PlayStation	장비품	넵튠 전용 코스튬: 비비드 라인 넵튠 전용 액세서리: 데지콘
전격 PlayStation 제3탄	전격 PlayStation	견문자	추가 견문자: 폴리탄
OP CD 특전(nao)	CD 특전	장비품	5pd.짱 무기: LB-NAO/PK

● 유료 컨텐츠

등록 콘텐츠	등록일	분류	등록 내용
신차차원 게임 넵튠 Re:Birth3 커스텀 테마	2014년12월18일	기타	PS Vita용 커스텀 테마
신차차원 게임 넵튠 Re:Birth3 수호 여신 커스텀 테마	2014년12월18일	기타	PS Vita용 커스텀 테마
신차차원 게임 넵튠 Re:Birth3 여신 후보생 커스텀 테마	2015년1월8일	기타	PS Vita용 커스텀 테마
콘텐츠 추가 팩 1	2015년2월예정	추가 요소	이벤트 추가 / 콜로세움 추가 / 레벨 상한 +300
콘텐츠 추가 팩 2	2015년2월예정	추가 요소	이벤트 추가 / 콜로세움 추가 / 레벨 상한 +300
콘텐츠 추가 팩 3	2015년2월예정	추가 요소	이벤트 추가 / 콜로세움 추가 / 레벨 상한 +300
잇승이 보내는 구제용 사양서 팩	2015년2월예정	사양서	사양서 : 경험치 초절 UP, 사양서 : 초속 탐색, 사양서: 스텔라 3대 보험

신차차원게임
넵튠 Re;Birth3 V CENTURY
더 컴플리트 가이드 + 비주얼 컬렉션

초판 1쇄 발행 2017년 1월 2일

일본판 편집_ 전격공략본편집부

발행인_ 신현호
편집부장_ 김은주
편집진행_ 최은진 · 김기준 · 김승신 · 원현선
편집디자인_ 양우연
국제업무_ 정아라
관리 · 영업_ 김민원 · 조인희

펴낸곳_ (주)디앤씨미디어
등록_ 2002년 4월 25일 제20-260호
주소_ 서울시 구로구 디지털로 26길 111 JnK디지털타워 503호
전화_ 02-333-2513(대표)
팩시밀리_ 02-333-2514
이메일_ lnovelpiya@naver.com
L노벨 공식 카페_ http://cafe.naver.com/lnovel11

ISBN 979-11-278-4002-0 07830

값 18,000원

신차차원게임 넵튠 Re;Birth3 V CENTURY 더 컴플리트 가이드 ⊕ 비주얼 컬렉션

「프루루트 수영복 세트」

프로모션 코드

해당 코드는 CYBERFRONT KOREA에서 정식 발매한 한글판 타이틀에서만 적용됩니다.

PS VITA

신차차원게임
넵튠 Re;Birth3 V CENTURY
더 컴플리트 가이드 ⊕ 비주얼 컬렉션
「프루루트 수영복 세트」

아래 코드 번호를 PlayStation®Store에 입력해주세요.
"프로모션 코드"를 사용하기 위해서는
PlayStation®Vita로 인터넷에 접속할 수 있는 환경과
Sony Entertainment Network의 계정 등록이 필요합니다.

▼프로모션 코드

다운로드 방법

1. PlayStation®Vita의 홈 화면에서 [PlayStation®Store] 아이콘을 선택합니다.
2. PlayStation®Store 메뉴 바에서 [코드 번호 입력]을 선택하고 프로모션 코드를 입력한 후 다운로드합니다.
3. 다운로드 후 게임을 시작하면 아이템을 입수할 수 있습니다.

※ 프로모션 코드는 한 번만 입력할 수 있습니다. 이미 사용하신 코드는 사용할 수 없으니 주의해 주시기 바랍니다.

◆ 이 "프로모션 코드"는 PlayStation™Network에서 제공되는 콘텐츠나 서비스에만 이용하실 수 있습니다.

◆ "프로모션 코드" 및 PlayStation™Network를 이용하시려면 PlayStation™Network의 이용약관에 동의하시고 약관을 준수하셔야만 합니다. 또한 추가적인 이용약관 및 연령 제한 등의 기타 조건이 존재하는 경우에는 그 이용약관 또는 조건을 준수하셔야 합니다.

◆ "프로모션 코드"를 이용하시려면 Sony Entertainment Network의 계정을 등록 하셔야 합니다.

◆ Sony Entertainment Network에 등록하시는 귀하의 개인 정보 및 취급에 대해서는 (주)소니컴퓨터엔터테인먼트코리아의 개인보호정책에 따릅니다.

◆ "프로모션 코드"에 관한 반품, 환불, 재발행, 분실, 도난, 파손 또는 카드 번호의 누출 등에 대해 (주)디앤씨미디어 및 (주)소니컴퓨터엔터테인먼트코리아에서는 대응, 지원 등 일체의 책임을 지지 않으므로 이 점 양해 바랍니다.

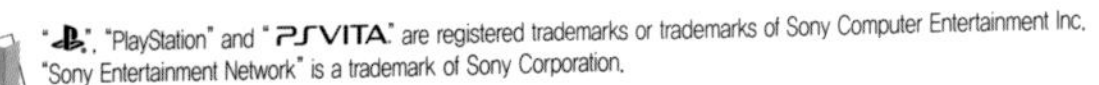

NOVEL [NOT FOR SALE]